沈寶環教授八十大壽，全家團聚爲他祝壽。

沈寶環教授與最鍾愛的孫女兒沈孝妍合影。

沈寶環教授全家福。

沈寶環教授夫婦與（由左至右）外甥女楊悅怡、孫女沈孝妍、孫兒沈孝然、沈孝庭及外甥楊悅浩合影於美國加州。

與孫子攝於加州寓所。

沈教授、沈師母與孫子合影於客廳。

攝於住處旁邊游泳池。

與鍾愛的孫子 Patrick 與 Christopher 合影於加州寓所。

沈寶環教授八秩榮慶祝壽論文集

賴鼎銘主編

臺灣學生書局印行

代　序

賴鼎銘

幫沈教授出八十大壽論文集，並非我的創意。我這個人一向粗線條，笑傲江湖慣了，很少會去注意這種大事。但有一天，臺灣分館林文睿館長向我提及沈教授八十大壽將近，是否應該幫他出個論文集？我才恍然大悟，這樣子的大事竟然差點忘掉了。

作爲一個晚輩，我很榮幸在沈教授退休之後，與他有近十年的交往。這些交往則與世新大學圖書資訊學系的創系有絕大的關係。

到世新之前，我與沈教授並非深交。民國六十九年之際，我從軍中退伍，藍乾章老師原來答應安排我去中山大學圖書館，在沈教授麾下做事。後來退伍時，已被盧孝齊學長捷足先登，我只好回輔大文學院圖書館工作，也因而失去與沈教授學習的機會。

再度與沈教授照面，是在留學歸國後，民八十二年三月廿七日中央研究院舉辦「美國圖書館之教育功能學術研討會」，沈教授發表「兩個杜威——從這個杜威聯想到那個杜威」，我則發表「美國公共圖書館的社會教育理想及其省思」。與沈教授能同臺演出，現在思之再三，深覺榮幸。

民國八十三年，在某一次研討會中，碰到沈教授，他提及正爲世新大學籌劃圖書資訊學系，但一直找不到恰當的系主任人選。我當時爲他推薦朱則剛教授，朱教授原本已應允，但後來因爲在師大升等爲研究員，不好意思驟然離開。正好當時我有意異動，而且對創立新的系有一番期待，到最後換我頂替朱則剛教授到世新任職創系的系主任。

其實世新圖資系之所以能夠成立，沈教授絕對是最大的貢獻者。但最令我佩服的卻是，他交給我的系，他不作任何插手，全部放任我去橫衝直撞，只有我需要幫忙時，他才會出面。有幾次他帶著我到教育部，到國科會去找他的老朋友，找他的學生，只爲了爭取一些資源。現在想起來，甚爲感念他爲世新所做的一切。也因爲透過他的不斷引介，我才能得到張鼎鍾委員、何光國教授、李志鍾教授等的幫忙。也因爲他的交往深闊，不只國內，更及於大陸及美國，這樣的人際關係，也對創辦「資訊傳播與圖書館學」發揮了很大的幫助。「資訊傳播與圖書館學」之所以能稿源遍及大陸及國內外，全靠沈教授發揮人際關係逐步建立的。

後來，沈教授雖然不聽我們的挽勸，執意出國。但每次回臺，他一定會到世新一趟，與我們碰面吃個飯。翠谷西餐廳的青椒牛肉炒飯是他的最愛，可惜最後這道飯沒有再提供，翠谷西餐廳又一度關閉，我們吃飯的地方乃擴及於木柵路的圓滿飯店。沈教授對吃的一向不馬虎，總能挑最好吃的菜讓我們嘗鮮。我印象最深刻的是，沈老師幾乎每次都會叫乾煸四季豆。在吃飯中，沈教授會講一些比較輕鬆的事，例如他跳舞及踢足球的往事，而也在翠谷西餐廳的一次聚餐中，他提及年輕時練鐵沙掌的往事，這恐怕是鮮爲人知的沈教授掌故了。他提及現在手會發顫，當與當年練鐵沙掌有所關聯。

創系維艱，我有時也會發信向他發牢騷。他總是鼓勵再三，有一次還寄了一份剪貼給我，特別強調「男人四十也是一朵花」的哲理，思之莞爾。

我本來也一直建議他讓我做一個口述歷史，因爲他的後面背負著中國圖書館事業的發展歷程。但他一意推辭，這大約就是他的爲人：不想搶鋒頭。

思之再三，甚多不是三言兩語即可述盡近年與沈教授交往的種種往事。也因爲感念他，才在匆促的時間內，爲他籌劃八十大壽論文集的大事。但也爲了不讓他知道這件大事，我們並沒有大張旗鼓。主要是連絡故舊門生，大陸方面則必須感謝程煥文教授，他一聽知此事，馬上慨然應允，並商請中山大學的譚祥金教授、黃俊貴教授及沈教授的妹妹幫忙。臺灣學生書局總經理鮑邦瑞先生欣然應允出版，在此致謝；世新大學圖書館組員水祥飛在此次論文稿的收集及校對上花了不少心力，一併致謝。

謹此爲此次有所貢獻的所有人致謝！

是爲序！

沈寶環教授八秩榮慶祝壽論文集

目　次

貳、論文

In Celebration of the 80th Birthday of Professor Harris Seng

Ching-chih Chen
Professor
Graduate School of Library and Information Science
Simmons College
U. S. A.

During my most recent trip to Taiwan I learned that a celebration event is being organized for Professor Seng. I was surprised to know that he is going to be 80 years old. He does not look at all of his age! His thinking is forever young! And his appearance is also forever young!

In joining my colleagues in Taiwan, I want to send in my personal congratulation for a remarkable elder who has contributed so very much to the development of library and information science education and services in Taiwan. Not long ago, I have made a "personal" tribute to this towering figure in our profession specifically on his remarkable "human" qualities despite of his many professional achievements. I shall not repeat that again since I would like to ask the organizer of this event to include that piece again in this memorable volume. Here instead, I would like to take this chance to travel back the past couple decades since we met, and thank him for the encouragement and genuine coaching. Professor Seng, "thank you for the memory!"

It is no secret to colleagues in Taiwan as well as to Professor Seng's many students that he has cared about me and has always made me feel "special." In the U.S., I have met so many of his students, and when I have mentioned my name, I was always received with a sense of surprise and joy, and then followed by various stories on how they have heard about me from Professor Seng in his classes, speeches, etc... and how they have been introduced to my publications... I often wonder why and why me? But, one thing is sure. This is one place that I know that everything said about me is "good" and more than complimentary, though greatly exaggerated and not deserved! Strangely it is precisely because of a few professional mentors like Professor Seng in my life, I don's dare to slow down, to be sloppy, and not to move forward. So, "thank you" again, Professor Seng, for your lasting friendship and forever firm encouragement. I am sure that feeling is NOT unique with me because he has cared for the young and the unestablished, and have pumped air to those feeling "down", and thus has lived a true teacher's life, which can serve as a model for many of us!

In looking back, while I still remember my first encounter with Professor Seng vividly when I was a board member of the American Society for Information Science, I look forward to many more years of networking with him as "friends." Professor Seng, I shall be back to celebrate your 90th Birthday!

In sending my best wishes, I would also like to send this message -- Professor Seng, enjoy your retirement and your 80th birthday! As you celebrate your life-long achievements, we thank you for being the sincere "you" and a wonderful teacher and cultivator! Take good care and God bless you!

寶書發秘惠人多，望隆環宇。

湘芷揚芬吟詠廣，澤應雲華。

張鼎鍾

寶環教授八秩雙壽誌慶
湘雲學姐

寶書發秘惠人多望隆環宇
湘芷揚芬吟詠廣澤映雲華

後學張鼎鍾敬賀

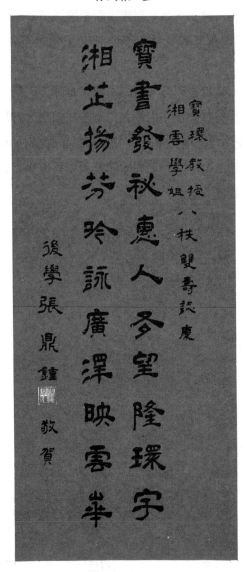

沈公寶環八秩上壽祝詞

王振鵠
師範大學社會教育學系教授

寶環先生服務圖書館累逾四十載，對圖書館學術風氣之開展及圖書館管理制度之建立有其卓越之貢獻。就學術風氣開展而言，先生主持東海大學期間，創辦《圖書館學報》，倡導圖書館學之研究，在臺灣可謂開風氣之先。而後在世新大學創編《資訊傳播與圖書館學》，廣納中外論著，更爲世新圖書資訊系奠定良好之研究基礎。另就圖書館管理制度之建立而言，先生曾主持東海及中山兩大學圖書館館務，殫思極慮，開創新制，素爲圖書館界稱道。此外，先生曾被選任中國圖書館學會會長，對於促進館際間之合作發展，與國際間之文化交流不遺餘力，有作有爲，對臺灣圖書館事業貢獻良多。茲逢先生八秩稱觴，謹祝上壽無疆，長世不老。

賀沈公寶環教授八秩華誕

黃世雄
淡江大學教育資料科學系教授

沈公寶環教授是我國近代圖書館學大師，自幼耳濡目染於家學，及長則克紹箕裘，更以之爲志業，終身致力圖書館學，獻締良多，成效彰著；古人云：「太上有立德，其次有立功，其次有立言，雖久不廢，此之謂不朽。」寶環教授誠當之無愧矣！

寶環教授於民國四十四年以教育學博士、圖書館學碩士之學成自美返國，禮聘於東海大學，自此身居黌宮講學，擘劃圖書館之業務，作育圖書館學之英才，學優仕嘉。近四十年間，著書立說無數，舉凡西文參考資料、圖書館學與圖書館事業等，論述精闢獨到，猶且力倡圖書學研究期刊，推動圖書館自動化，識見高超卓越，影響當世圖書館學發展甚爲深遠；而其待人也，率眞坦誠，襟懷恢弘，提攜後進，知能善任，摒除門戶之見，唯以長才是用，故眾人皆善與之。今雖遠居美國加州，猶心繫此間圖書學界，仍撰文不輟以享後學，其於立德立功立言者，斯亦足矣！

今欣聞寶環教授八秩嵩壽，望風懷想其高儀亮節，足爲世人表率；吾倖與之相交近卅載，時以德業惠我，獲益匪淺，誠乃良師益友也。夫人德者必壽，値此華誕，謹撰文祝嘏，聊表寸忱。

眞誠赤子情　拳拳事業心
——祝賀沈寶環教授八十華誕

譚祥金
中山大學信息管理系教授

1959年我考入武漢大學圖書館學系不久，就知道有位沈祖榮老先生是中國圖書館界鼎鼎有名的人物，是中國圖書館學教育的奠基人。以後又知道他有一個兒子叫沈寶環，在臺灣圖書館界也很有名。

第一次看到沈寶環教授的著作是在1980年，當時我已擔任北京圖書館副館長，由於工作的需要和澳中理事會的資助，政府派遣我到澳大利亞國家圖書館進行了爲期兩年的考察。由於眾所周知的原因，以前在國內很少看到臺灣圖書館學專業的著作，在澳洲看到了一些，引起了我極大的興趣。在當時任澳大利亞國家圖書館東方部主任王省吾先生的幫助下，從臺灣買了一批臺灣出版的圖書館專業書籍，其中有一本王正鵠教授主編的《圖書館學導論》，第一篇文章就是沈教授寫的〈圖書館的趨勢〉，給我留下了深刻的印象。

第一次見到沈寶環教授是1990年9月，那時我已調到中山大學任教，沈教授有一位妹妹在廣州工作，這也許是他與廣州聯繫更加密切的原因之一，我記得這次是和他的妹妹沈寶媛女士和妹夫林念祖先生一起來中大的，當時我的太太趙燕群任中大圖書館館長，陪同他們先參觀了中大圖書館，然後進行了非常愉快的交談，主要內容是如何加強兩岸圖書館的交流。

第二次見到沈寶環教授是1993年12月13日－15日在上海華東師範大學召開的「第一次海峽兩岸圖書資訊學學術研討會」上，這次會議不僅使我在學術上受益匪淺，更重要的是結識了不少臺灣圖書館界的朋友。

第三次見面是在1995年11月中旬，當12日－17日沈寶環教授應廣東省圖書館學會的邀請到廣州、深圳訪問，先後在廣東省中山圖書館、中山大學信息管理系和深圳南山圖書館作了學術報告，他以豐富的經驗和淵博的學識就如何搞好圖書館工作，提高服務質量等方面作了精彩的演講，使大家頗受教益。在我們系的演講，沈教授動之以情，曉之以理，使幾百名學生聽得如醉如痴，有的學生說很久沒有聽到這樣好的報告了。1996年11月我應臺灣大學圖書館學系陳雪華主任的邀請，到臺灣進行兩個多月的學術考察，以為能與沈教授在臺灣見面，但他到美國去了沒能見到，深感遺憾。

在與沈教授的接觸中，最令人感動的是他的眞誠赤子之心情，拳拳事業之心，促進海峽兩岸圖書館界交流與合作的勇氣與決心，多年以來，沈教授爲此事奔走呼號，盡心盡力，1993年上海會議後沈教授寫了一首詩，詩曰：

統一大計在心頭，
四方豪傑會神州，
好漢不走回頭路，
我們要做過河卒。

不久沈教授又在《圖書館論壇》1994年第一期上發表了題爲〈我們要做「過河的卒子」〉的文章，文中說：「近三年來，我們圖書館界爲了和平統一的偉大目的而積極進行海峽兩岸文化交流，這是一個值得興奮鼓舞的現象，同時具有影響深遠的意義。因爲我們以實際的動作顯示我們挺身而出做了過河的卒子。」下一步棋如何走？他提出了交流從單向到雙向，最後走向合流的思路，表達了兩岸圖書館工作者的心聲。

我們深感榮幸的是，1994年沈教授欣然接受廣東省圖書館學會聘爲名譽理事，爲此，彭斐章、閻立中、黃俊貴和我四人寫了一篇「感言」，發表在《圖書館論壇》1994年第5期上，文中說：「沈寶環先生作爲一個具有深厚學術造詣，又桃李滿天下的資深長輩，爲發展兩岸圖書館界交流可謂不辭勞苦，其功難沒。近來年，他與王振鵠、胡述兆等先生配合，積極推動各種交流活動，除不顧古稀高齡多次參加學術會議，親自主持會議或宣讀論文，還在兩岸各報刊上爲發展兩岸交流，促進祖國統一，撰寫多篇專文，又到處發表演講，有不吐不快，竭盡全力之感。其拳拳爲國，又循循善誘的表現，深得兩岸同仁的敬佩。」這段文字表達了我們對沈教授的敬佩之情。同時在文章中也表示了我們誠摯願望，文中說「大陸和臺灣圖書館同仁都在共同的文化基礎和時代背景下從事工作，彼此學術理論和業務實踐相通，在促進資源共享、光大中華文化、造福人類的目標是完全一致的。而在圖書館事業的發展和圖書館學、資訊科學理論的探索上各有所長，正需要加強交流與合作，互相促進，共竟祖國昌明。」

爲了回應，沈教授寫了一篇題爲〈我們要手牽手心連心，一步接一步向國家統一的目標邁進〉的文章，發表在《圖書館論壇》1995 年第 3 期，沈教授在文中深情地說：「和平統一是中華民族共同願望，而世紀之交，轉瞬即至，海峽兩岸圖書館員應該如何投入這項重大的神聖任務，是我們大陸和臺灣專業人士唯一的課題。……我覺得海峽兩岸圖書館界同道應該掌握一個基本原則，首先要記住：「我是中國人」。做到這一個條件以後：「我們才是圖書館專業人員」。

開展交流與合作，是兩岸圖書館工作者的共同願望，90 年代初期則開始正式的交流活動。其實，雙方溝通從 80 年代初期就開始了，1998 年 3 月在廣州中山大學召開的「第四次海峽兩岸圖書資訊學學術會議」期間，我和王振鵠教授回顧了 80 年代初期的情況，當時我到澳大利亞國家圖書館考察時，澳大利亞國立大學圖書館亞洲部主任陳炎生先生是一位推動兩岸交流的熱心人士，他與我商量說，考慮到大陸與臺灣目前不可能坐在一起開會，不如由澳大利亞圖立大學圖書館出面，舉行一次國際會議，邀請雙方來澳洲，可以進行一些交流。我很贊成這個想法，把這個信息通過駐澳使館報告了國內，陳先生與王振鵠館長聯繫也表示同意。經過緊張地籌備工作，1982 年 7 月在堪培拉開會，北京圖書館和臺灣方面各派了五人參加，也有澳、英等國的代表，但主要是爲了兩岸交流，這恐怕是兩岸隔絕後圖書館界人士首次面對面的交流。另外，當時都想得到對方的專業刊物，但沒有通郵，雙方都把刊物寄到澳大利亞國立大學圖書館，然後由他們轉寄給對方，可見雙方希望交流的心情是多麼的強烈。現在不同了，人員可以互訪，資料可以互寄，在這樣的條件下更應該加強交流與合作。

在「第四次海峽兩岸圖書資訊學學術研討會」的開幕式上，王振鵠教授說：這些年來海峽兩岸圖書館界開展了許多活動，我們的目的可以用 8 個字來概括，就是合作交流、共同發展。在閉幕式上，我說很同意王振鵠教授的意見，我把王教授講的 8 個字補充爲 16 個字，這就是：積極交流，加強合作，比翼齊飛，共同發展。首先是交流，只有交流才能進行溝通，相互了解，相互借鑒，交流是必須的、重要的，但僅僅交流是不夠的，還應該加強合作，合作是交流的深化和歸宿。我們可以在現有基礎上，就某些方面，某些項目進行合作。如果說 90 年代爲兩岸的交流打下了良好基礎的話，進入 21 世紀的主要任務就是加強合作，通過合作取得一些實實在在的成果。交流和合作的目的是爲了事業的發展，求得共求的進步。

沈教授認爲，對於發展兩岸圖書館界的交流與合作，不僅要有「只進不退」的「過河卒子精神」，還要有「無比耐心，無窮愛心，無限信心」。我想，有了這「三心」和「只進不退」的精神，美好而遠大的目標一定能實現。

祝願沈寶環教授為海峽兩岸的交流與合作做出更大的貢獻。

祝願沈寶環教授健康長壽。

恭賀沈寶環教授八秩嵩壽

莊芳榮
國家圖書館館長

猶記得十年前以「近四十年來臺灣地區叢書編刊情形之探討」一文為沈教授七秩榮慶祝壽，轉眼已過十個寒暑。如今沈教授即將歡度八秩壽誕，故舊門生再度以文為長者壽，別具意義。

十年來由教職轉行政界，由行政界轉文化界，如今又回到圖書館界。接任國家圖書館已年餘，無時不以發展我國圖書館事業為己任；尤以沈教授積極倡導館際合作與資源共享之理念，亦正是國家圖書館近年來所努力之目標。

「聽！仔細的聽！」是沈教授讀者服務的哲學，也是他期勉圖書館員與讀者溝通的方式。芳榮到國家圖書館服務後，就經常在探究讀者眞正的需求，例如如何讓讀者服務與技術服務二者相輔相成，同時不只服務到館的讀者，還要服務不克親自到館的讀者。尤其如何以更方便、更迅速、更有效的方式提供讀者所需的資訊，更是我們必須擔負的責任。

沈教授指出「圖書館學是不斷變動的科學」，並在民國六十年初即為文探討圖書館工作自動化問題。在此資訊時代，圖書館界的確應跟隨時代的腳步，科技的發展力求變化；但在變動之時，千萬不能忘本。圖書館學一詞現已漸為人所遺忘，各大學圖書館學系已更名為圖書資訊學系，高普考圖書館人員類科已改為圖書資訊管理類科，有的圖書館亦改名為圖書資訊中心；但是圖書館依然存在，圖書館學仍有必要繼續發揚光大。圖書館學是一門科學，是一門理論與實務相結合的科學，利用資訊科技達到蒐集、組織圖書資訊，提供讀者利用的目的。因此資訊科技只是方法而非目的，千萬不可捨本逐末。芳榮時時以此為念，不禁也要感慨圖書館學的基礎功夫似已漸為人所忽視。

早在民國五十九年，沈教授便獨力編製完成《中文圖書標題總目》。國家圖書館有感於建立中文圖書標題表之重要，亦以此為努力的方向；民國八十四年出版《中文圖書標題表》，並持續討論增訂相關標目，下年度將以專案方式委託學者專家主持標題表的更新，以期國內圖書館界在主題編目有較完備的標題表可資依據。沈教授的開山之功，我們一定要記著，而且要繼續發揚。

時值沈教授八秩華誕，回想一年來在圖書館界服務的心得，感佩之餘，謹以此短文恭祝沈教授福如東海，壽比南山！

兩代巨擘　世紀絕唱
——我所敬慕的沈寶環先生

程煥文
中山大學信息管理系教授

頃接世新大學圖書資訊學系教授兼圖書館館長賴鼎銘先生華翰，欣悉世新大學圖書資訊學系的同仁們正在籌備沈寶環先生八秩華誕慶典，興奮不已。作為內地的一位無名小卒，後學雖無緣追隨沈寶環先生左右，卻倍受沈寶環先生厚愛和獎掖，受益終生，感恩不盡。故欣然命筆，略記沈寶環先生在後學心中的印象，藉以慶賀沈寶環先生八秩華誕，恭祝沈寶環先生健康長壽。

一、珞珈之巔：在文華的氛圍中感知沈寶環先生

「『珞珈』，珠玉也。大凡言珞珈，必為武大；而稱武大，定是珞珈。然武大與珞珈何以珠聯璧合，未必人人盡知其奧。相傳：有仙人駕祥雲路過武漢，見一靈山猶如璧玉鑲嵌在東湖之濱，遂不禁按落雲頭，駐足而憩。於是人們乃稱此山為『落駕山』，因『落駕山』猶如璧玉，後人乃取其諧音而謂之『珞珈山』。傳說畢竟是傳說，今已無從考證，然武大英才輩出，人傑地靈，卻早已應驗了過去的美麗傳說」❶。

的確，在江城武漢，烘托著武漢大學的珞珈山原本不過是一座普通的小山丘，它既沒有「龜（山）蛇（山）鎖大江」的壯麗氣派，也沒有伯牙琴臺「高山流水」的高妙雅致，但是「山不在高，有仙則名，水不在深，有龍則靈」。近一個世紀以來，珞珈山由於一批又一批來自五湖四海的碩學鴻儒雲聚於此開壇設教而閃耀著四射的紫氣靈光；又

---

❶ 程煥文，《他鄉有「珞珈」——訪臺北武大校友會有感》，臺北武漢大學校友會編印，《珞珈》，1997年10月第133期，第103-105頁。

由於一代又一代的莘莘學子從此走向世界建功立業而散發著漫天的桃李芬芳。如今，在圖書館界一提起武漢大學，許多人都會自然地產生「武漢大學圖書情報學院←→武昌文華圖書館學專科學校←→韋棣華女士和沈祖榮宗師」這樣的一連串聯想。而在珞珈山，武漢大學則把圖書情報學院作爲學校的主打招牌院系之一予以大力支持和弘揚，因而，武漢大學圖書情報學院在我國所有的圖書館學信息學院系專業中一直享有同行們羨慕不已而又可望不可及的尊貴地位。

自然，對於有志於圖書館事業的人來說，能夠在這樣的學院中接受熏陶總是一大幸事。而對於本人來說我能夠享有這種榮幸完全是無意之中的事，因爲在 1979 年 9 月考入武漢大學圖書館學系（1984 年組升爲圖書情報學院）之前，我對圖書館學一無所知，甚至連圖書館，那怕是圖書室是個什麼樣子都沒有見過，只是爲了遠離那貧脊而極「左」的「革命根據地」，才選擇了圖書館學專業。從大別山的深山老林中來到武漢大學以後，我當然不會經意珞珈山的自然風光，但是，珞珈山的學術氛圍，尤其是圖書館學系的文華氛圍很快便深深地感染了我。

剛入學時，出於好奇，我時常喜歡問這樣一個問題：「某某老師是哪裏畢業的」？答案基本上不是「文華」就是「本系」，二者必居其一。再進一步打聽，才知道「文華」就是「本系」的前身——武昌文華圖書館學專科學校。那時，圖書館學系位於武漢大學的中心——行政大樓——一座極其壯麗的歐式洋樓的左邊的一座三層的輔樓之中，前面是開闊的田徑運動場兼萬人大會場，國家元首們曾多次在此發表激動人心的演講，對面是著名的具有歐式圓頂門樓的理學院大樓和用青磚琉璃瓦建造的自山腳直達山頂的氣勢磅礴的「老齋舍」，可見，圖書館學系在武漢大學的「地位」尤其顯要。系資料室的藏書擠滿了整個三樓，可謂是「汗牛充棟」。但是，由於那時內地才剛剛走出漫長的「書荒時代」，系資料室的專業藏書中新書刊很少，大多是 50 年代以前出版的蓋有「武昌文華圖書館學專科學校」藍色鈐印的舊書刊或 50 年代以後系裏油印的教材。置身其中，似有分不清這究竟是圖書館學系資料室，還是文華公書林的感覺。於是，從一進校開始，我們就已籠罩在濃厚的文華氛圍之中——聽的是文華老師的課，讀的是文華公書林的書。

次年，我選修了許多同學並不太感興趣的「中國圖書館事業史」課程，任課的年輕老師雖然並不完全被同學們看好，但講課仍不失生動，其中近代史部分的「新圖書館運動」一章給人的映象最爲深刻。也許是 50 年代以後內地的「政治運動」太多，所以，一聽到「新圖書館運動」立刻就有一種「東風吹，戰鼓擂」，「百萬雄師過大江」的感覺。

當聽到發起席捲全國的「新圖書館運動」的是韋棣華女士和沈祖榮宗師時，我不禁由衷地產生了一種對他們的領袖般的崇敬。但是，那時的部分老師思想還很禁錮，對「新圖書館運動」自然少不了所謂的「一分爲二」的辨證評價。記得那時任課老師對韋棣華女士的批判主要集中在「傳教士」之上，而對沈祖榮宗師的批判則主要集中「崇洋迷外」之上，其典型的例子是說沈祖榮宗師長期受美國的影響以至於只會講英語，不會講中文，到各處講演必須帶中文翻譯。許多同學似乎都很容易輕信這個例子，因爲大家畢竟只是剛剛邁出「我是中國人，何必學外文，不懂 ABC，照樣幹革命」的時代。但是，這樣的正反兩種說法使我困惑不已，不知何從，而這個莫須有的例子則使我終身不忘。後來，在拜讀沈祖榮宗師在國內學術期刊上發表的論文時，每當我讀到沈祖榮宗師旁徵博引古今典故的精彩之處時總會因想起這個例子而暗自發笑，這自然是後話。

1980 年，也就是在沈祖榮宗師逝世三年之後，圖書館學系舉辦校慶學術報告會，系主任黃宗忠老師做了題爲《武漢大學圖書館學系六十年》的演講，對文華和韋棣華女士給予了高度正確的評價❷。當時，我對黃老師這種大膽的「翻案」之舉感到既震動又佩服。雖然事後我也聽到過不少不同意黃老師觀點的言論，但我已朦朧地感到文華的歷史在 50 年代以後可能被嚴重地歪曲了。

1983 年，考上中國圖書館史研究方向的研究生以後，爲了獲取一手的研究史料，我先後採訪過多位健在的「老文華」。其中，既有原湖北省圖書館館長張遵儉先生（文華 1938 年本科畢業，藍乾章先生的同班同學），也有一生剛直不阿的圖書館學界元老皮高品教授（文華 1925 年本科畢業，嚴文郁先生的同班同學），還有頭上還戴著「歷史反革命」帽子的吳鴻志先生（文華 1930 年本科畢業）。無論他們有這樣或那樣的經歷或不幸遭遇，也不論他們的政治觀點或學術觀點如何，但是，在他們的言詞之中始終都飽含著對韋棣華女士和沈祖榮宗師的深切懷念和無比崇敬。這使得我感慨萬千，並萌發了研究文華歷史，重新正確評價韋棣華女士和沈祖榮宗師，還歷史眞實面目的強烈願望。

也正是在與文華前輩們的交往之中，他們向我透露了沈祖榮宗師後人的重要信息。由於長期的信息封閉，他們只知道沈寶環先生已去了美國，沈寶媛女士尙在廣東。這也就是我起初對沈寶環先生的全部瞭解，雖然這點瞭解簡直就談不上是瞭解，但是我仍然很高興，因爲就對沈寶環先生的瞭解程度而言，我比當時系裏的很多師生至少還要多那麼一丁點。

---

❷ 黃宗忠，《武漢大學圖書館學系六十年》，《武漢大學學報》1980 年第 6 期。

後來，在瀏覽《文華圖書館學專科學校季刊》和《中華圖書館協會會報》中，我無意中發現了沈祖榮宗師率家人參加文華圖書館學專科學校和中華圖書館協會的有關活動，以及沈寶環先生加入中華圖書館協會等史實。雖然這些史實只不過是隻言片語，但是，在當時還難以看到港澳臺書刊的情況下，這些史實不僅的確彌足珍貴，而且還透露了一個重要的信息：由於對父親沈祖榮宗師的永遠無法忘卻的情結，沈寶環先生走到天涯海角都不會與圖書館毫無關係。憑藉著這些史實，我曾做過這樣的揣測：既然沈祖榮先生是我國圖書館學教育的開山宗師，而沈寶環先生自幼就已開始接受正宗的圖書館學教育和熏陶，一定得到了不少嫡傳眞知，一定會沿著沈師所指引的圖書館事業之路走下去（事實上，我當時的揣測是完全正確的，正如沈寶環先生後來所言：「我堅信『老兵不死』，將來即使退休了，也是脫離不了圖書館界」❸）。雖然，沈寶環先生已遠渡重洋客居美國，使人頗有幾分「昔人已乘黃鶴去，此地空餘黃鶴樓。黃鶴一去不復返，白雲千載空悠悠。」的感慨，但是，我相信：沈祖榮宗師之所以送沈寶環先生赴美國求學，一定是爲了讓沈寶環先生重走宗師的美國之路，而且，如今已過去了 30 多年，如果沈寶環先生還在美國的話，其在圖書館界的地位和影響應該已經與裘開明先生（1922 年文華首屆畢業，後任哈佛燕京圖書館館長）相去不遠了。

位於武昌曇華林的武昌文華圖書館學專科學校於 1953 年併入武漢大學，其後由圖書館學專修科發展成爲圖書館學系，並躍居珞珈之巔。這一切全賴韋棣華女士和沈祖榮宗師數十年的卓越貢獻和他們親手締造的經久不息的文華精神，正是在這種代代相傳的文華精神的氛圍中我開始有了對沈寶環先生的朦朧感知。

二、花城廣州：在歡愉的聚會中拜識沈寶環先生

1986 年武漢大學畢業以後，我來到廣州在中山大學圖書館學系任教。雖然廣州與武漢遠隔千里，但是這裏仍然是文華的天下，系裏的老師幾乎清一色地出自文華，挑大樑的是文華老前輩周連寬教授（文華 1930 年本科畢業），其他的老師基本上都是從武漢大學圖書館學系畢業的。於是，我雖然遠離了母校，但是仍然與文華十分地親近。

由於初來乍到又缺乏經驗，我終日忙於應付繁重的教學任務，稍有空閒又得忙於應付寫點小文章，所以一直無暇旁騖。1988 年底的一天上午，沈寶環先生的妹妹沈寶媛女士從廣州市內到系裏來拜會周連寬教授，坐在系辦公室等候周老。我恰巧在下課以後來

---

❸　沈寶環，《圖書館學和圖書館事業》，臺灣學生書局，1988 年，第 310 頁。

系辦公室辦事，辦公室的年輕同事正忙於公務，擔心冷落了客人，見我來了，急忙叫我去救駕，那知道這種機緣對於我來說猶如「眾裏尋他千百度，驀然回首，那人卻在燈火闌珊處」，眞是喜出望外！

那天上午，我們一見如故，談文華、論先賢、說歷史、敘滄桑，隨著「故事」的起伏跌宕，時而惆悵，時而興奮，不知不覺已至晌午。在那次難忘的邂逅中，我不僅瞭解了沈祖榮宗師的許多鮮爲人知的「故事」，而且還瞭解到沈寶環先生早已從美國回到了祖國的臺灣，並秉承著沈祖榮宗師的夙願正致力於臺灣圖書館事業的發展。自那時起，沈寶媛伯母便與我這個二十多歲的「愣頭小伙子」結下了忘年之交，而我也正式開始了研究沈祖榮宗師的工作。

其後，爲了完成這項心儀已久的研究項目，我曾多次到沈寶媛伯母家拜訪。沈寶媛伯母和林念祖伯父（沈寶媛伯母的丈夫）都是燕京大學的畢業生，爲人熱忱，談吐儒雅，親和力特強。他們不是翻箱倒櫃爲我尋找過去的信函相片，就是爲我娓娓而談沈祖榮宗師的人生、事業和文華的變遷、掌故，有時累了，林念祖伯父偶爾也邀我到他那副高級的圍棋棋枰旁各執雲子手談一番以爲休息，因此，我常常是晨去暮歸，樂不思家。

一年後，我完成了近五萬言的《一代宗師、千秋彪炳——記中國圖書館學教育之父沈祖榮先生》論文初稿。正在我準備將文章寄出的時候，在沈寶媛伯母家我見到了沈寶環先生從臺北寄來的美國學者 Cheryl Boettcher（白齊茹）在《Libraries and Culture》1989 年第 3 期上發表的論文《Samuel T.Y.Seng and the Boone Library School》。因爲有了白齊茹的這篇論文，我得以及時補充了我的論文中所闕如的部分史料。這篇論文後經湖南省圖書館學會會刊《圖書館》雜誌副主編韓繼章先生斧正，刪節爲三萬餘字自 1990 年至 1991 年分五期在《圖書館》上連載，在全國引起了很好的回響。

1990 年正當我的這篇長文在《圖書館》上連載的時候，大約在 8 月中，沈寶媛伯母在電話中告訴我：沈寶環先生將可能利用近期訪問大陸圖書館事業的機會來廣州省親，如果時間允許的話，沈寶媛伯母可以安排我與沈寶環先生見上一面。聽到這個振奮人心的消息，我高興得好幾天都夜不能寐。9 月初，以王振鵠教授爲團長的臺灣圖書館代表團一行十四人在海峽兩岸隔絕四十年之後第一次大規模地正式訪問大陸圖書館事業，並尋根會友。這次訪問翻開了海峽兩岸圖書館界學術交流的歷史新篇章，在內地引起了巨大的反響，消息不逕而走，即便是我們這些處在天高皇帝遠的南國廣州的人也不時可以聽到有關他們行蹤的消息。於是，懷著急切的心情翹首以待沈寶環先生的到訪幾乎成了我那段日子的主課。今天，我已無法形容我當時的心情，但是，有幾點至今仍然記得很清楚，那就是，我常常在努力想象沈寶環先生究竟是個什麼樣子，見了面以後我該請教些什麼問題。

9 月 22 日上午，我系的周老（周連寬教授）、商老（商志馥副教授、廣東圖書館學會理事長）、譚祥金教授（中國圖書館學會副理事長）、我校圖書館的趙希琢副館長、李峻聆副研究館員（文華校友）和我一行六人乘車從中山大學到廣東省中山圖書館去會見沈寶環先生並舉行座談會。當我們在 9 點鐘準時來到中山圖書館貴賓室時，沈寶環先生、沈寶媛伯母、林念祖伯父、黃俊貴（中山圖書館館長、中國圖書館學會秘書長）、趙平（中山圖書館副館長、廣東圖書館學會秘書長）、黃安國（《廣東圖書館學刊》編輯）等早已提前到達了。不用說，我一眼就認出了沈寶環先生，因爲在場的其他同仁我都十分稔知。看到我們來了，沈寶環先生等立刻從沙發上站了起來，大家熱情地一一握手致意以後才各就各位。東道主黃俊貴館長在向我們介紹了沈寶環先生、沈寶媛伯母、林念祖伯父之後又向沈寶環先生把我們一一介紹了一番。在坐的都是圖書館界的前輩，少則比我年長兩輪，多則比我年長一個甲子，而且個個都是有名的專家，而我只不過是一個無名的小字輩。記得當黃俊貴館長介紹到我的時候，沈寶媛伯母曾特地插了一句：「小程正在寫先父沈祖榮的傳記」，沈寶環先生點了點頭後對我說：「沒想到你這麼年輕，很有前途」。雖然這只是兩句極普通的插話，但是，我聽了以後特別地興奮，因爲從沈寶環先生的言詞和表情來看，我知道他至少在到達廣州後已經從其妹妹沈寶媛那裏聽說過我的研究情況，而且已看過並基本認同我的那篇正在連載的論文。這對於我來說具有重要的意義：就我的那篇論文而言，沈寶環先生和沈寶媛伯母是最權威的裁判，而且沈寶環先生還是親歷了文華歷史的圖書館界巨擘，所以，他們的首肯就是對我的最好獎賞。

我開始認眞地眈詳沈寶環先生，並努力地將沈寶環先生的形象深深地刻入自己的腦海。沈寶環先生身材魁梧，身著一套湛藍色的西裝，極有風度；雙目炯炯有神，面容慈祥，散發出濃厚的儒者氣息；雖年逾古稀，但渾身充滿了活力，看上去不過在知天命與耳順之間；一開口，其地道的武漢話立刻拉近了我們之間的距離，並有幾分把我們帶回到了武昌曇華林的感覺。觸景生情，我的腦海中立刻閃現出唐代詩人賀知章《回鄉偶書》中的名句：「少小離家老大回，鄉音無改鬢毛衰」。

在簡要的介紹之後，我們立刻轉入座談。沈寶環先生是座談會的主角，所以大家公推他先發言。沈寶環先生一邊談此次大陸之行的經過，一邊談自己的感想，眞誠謙遜，平易幽默，暢所欲言，座談會開始時的那種拘謹氣氛立刻煙消雲散。有的撫今追昔縱論文華及其同人的滄桑變化；有的噓寒問暖瞭解沈寶環先生的奮鬥旅程；有的百無禁忌詢問臺灣圖書館事業的發展狀況；有的由此及彼比較海峽兩岸圖書館事業的異同優劣；有的憧憬未來探討海峽兩岸圖書館界今後的學術交流；言眞意切，笑聲陣陣，氣氛活躍。不知不覺已近中午，當主持人言明座談就此打住時，個個意猶未盡，依依不捨。步出貴賓室，我們先在中山圖書館內花園合影留念，然後一起參加歡迎沈寶環先生的午宴。午宴後，應我們的邀請，沈寶環先生光臨中山大學。在簡要地參觀了中山大學校園以後，我們才最後依依話別。

這是我第一次拜見沈寶環先生，雖然時間已經過去了差不多九年整，但往事仍然歷歷在目，記憶猶新，終身難忘。記得參加在座談會之前，我曾準備了不少提問，但實際上直到座談會結束，我幾乎就沒有主動發過一次言，這倒不是我自慚形穢或寡言少語，而是沈寶環先生和其他與會者的豁思睿智、眞知卓見和聯珠妙語深深地吸引了我，並使得我一下子變成了一個地地道道的認眞聽講的小學生。但是，即便是一個小學生，我也很不稱職，只知道注視沈寶環先生那慈祥的面容，傾聽沈寶環先生那生動的話語，總是擔心一低頭就會在自己的大腦中少攝入一個沈寶環先生的鏡頭，一走神就會在自己的記憶中少刻錄一句沈寶環先生的言辭，以至於自己帶去的筆記本壓根兒隻字未記。

回想這次拜會，我一直感動不已。沈寶環先生能夠在大陸之行中擠出一點時間來廣州已屬不易，而在掐頭去尾總共才兩天的廣州省親中再榨出一天的時間會見廣東圖書館界同人更是難能可貴，要知道這畢竟是四十多年來沈寶環先生第一次回廣州探望他唯一的至親沈寶媛女士。與此同時，雖然我對海峽兩岸圖書館界的學術交流持樂觀態度，但是，對什麼時候能再一次見到沈寶環先生心中一點數也沒有，所以，又一直惆悵不已。

不久，我在沈寶媛伯母家看到了沈寶環先生在臺灣發表的專門記錄這次大陸之行的經過和感想的論文《本是同根生——我看大陸圖書館事業》。這篇日記體的文章雖是「一人所見」和「一家之言」，但發自肺腑，情眞意切，字裏行間充滿了眞知卓見和深切的希翼祈盼，它實際上反映出了兩岸圖書館界同人的共同心聲。當時，我立刻產生了一個直觀想法：這麼精彩的文章應該廣爲傳播，讓更多的內地圖書館界同人共同分享。事實上，我不僅這樣想過，而且也努力地將自己的想法付諸了行動。那時，內地圖書館學刊物的編輯們還比較保守，擔心轉載會帶來或然的「政治問題」，因此望而卻步。但是，極富活力和開放思想的湖南圖書館學會會刊《圖書館》雜誌則大不一樣，其副主編韓繼章先生在接到我的電話以後，二話沒說，當即應承從正在排印的最近一期《圖書館》中抽掉部分論文，以第一時間全文轉載沈寶環先生的這篇文章。正如我們預想的一樣，沈寶環先生的這篇文章在《圖書館》1991 年第 2 期全文轉載以後，讀者來信紛至沓來，贊不絕口。

自臺灣圖書館界同仁第一次大規模訪問大陸圖書館事業以後，海峽兩岸圖書館界的學術交流日益頻繁，沈寶環先生亦多次往返穿梭於臺灣與內地之間積極推進海峽兩岸圖書館界的學術交流，但因所有的學術交流活動都在其它城市舉行，我不夠格參加會議，所以也就有好幾年沒有見到沈寶環先生。

與此同時，爲了更進一步地加強海峽兩岸圖書館界的學術交流與合作，譚祥金教授（中國圖書館學會副理事長、廣東圖書館學會名譽理事長）和黃俊貴館長（中國圖書館學會秘書長、廣東圖書館學會常務副理事長）一直在努力地從事一項非常有意義的工作——力促中國圖書館學會聘請沈寶環先生爲名譽理事，並以此爲突破口在內地圖書館學術機構中延聘更多的臺灣圖書館界同仁。由於不可理喻的原因，譚祥金教授和黃俊貴館長等人的嘗試最後不得不不了了之。有鑑於此，他們改變策略，從長計議，先從地方圖書館學會做起，待邁出第一步以後再做進一步的嘗試。廣東是內地改革開放的前沿，思想上沒有那麼多的框框羈絆，因此，聘請沈寶環先生擔任廣東圖書館學會名譽理事的報告很快得到了上級的批准。於是，在五年之後，我又有了第二次在廣州拜見沈寶環先生的機會。

1995 年 11 月中旬，沈寶環先生應邀前來廣州接受廣東圖書館學會名譽理事聘書。11 月 15 日，廣東圖書館學會在廣東中山圖書館學術報告廳隆重舉行「沈寶環先生名譽理事聘任儀式暨學術報告會」。早晨八時，系主任譚祥金教授和我自中山大學出發前往中山圖書館參加聘任儀式。當我們到達中山圖書館貴賓室時，沈寶環先生在其親人妹妹沈寶媛女士、妹夫林念祖先生、外甥女鄒維琳小姐（沈寶琴女士之女，武漢測繪科技大學計算機系教師）的陪同下已先期到達，學會的有關人員正在與沈寶環先生自由地交談。第二次拜見沈寶環先生，我已毫無拘束的感覺，向沈寶環先生請安之後，我也立刻加入了自由交談。此時，我已開始著手《沈祖榮先生評傳》的寫作計劃，所以，要請教的問題特多。但由於時間有限，不可能詢問所有的答案，因而我只好單刀直入請教我感到最爲困難的問題——沈祖榮先生的家世。對於我所提出的這個唐突的問題，沈寶環先生絲毫也不介意，沈寶環先生從其祖先原居浙江的郡望，到遷徙四川的變故，直至定居湖北的過程，一一娓娓道來，使得我心中的許多疑團頓如冰釋。在我們談興正濃的時候，學會秘書長林慶雲先生走進來告訴我們：九點鐘差不多到了，請諸位移步學術報告廳。在我們起身前往學術報告廳的時候，沈寶環先生特意拿出數件從臺北帶來的禮物分贈給大家，並特地從包裝精美的禮品中挑出一件對我說：「你最年輕，年青人愛漂亮，這個就送給你好了」。待我打開禮品一看，原來是一條十分典雅的意大利眞絲領帶，我眞有說不出的高興和喜愛。自那時以後，我一直十分珍視這條領帶，只是在一些重要的場合我才帶上它，平時總捨不得用它，儘管我穿西裝的日子很多。當然，這是後話。

上午九時，當我們步入中山圖書館學術報告廳時，報告廳裏已是黑壓壓的一片，坐得滿滿的，足有三百好幾十人。看到沈寶環先生走進來了，來自廣東各地的圖書館學會會員情不自禁地鼓起了熱烈的掌聲歡迎沈寶環先生。會議首先舉行聘任儀式，黃俊貴常務副理事長主持聘任儀式並詳細地介紹沈寶環先生的事業成就和學術貢獻，接著名譽理事長譚祥金教授向沈寶環先生頒發廣東圖書館學會名譽理事聘書並致賀辭，會場不斷地響起一陣陣的熱烈掌聲。

在聘任儀式之後，沈寶環先生應邀給我們做學術演講。沈寶環先生演講的題目是《從圖書館界的一個老兵來看圖書館事業的前景和圖書資訊人員的責任》。在近兩個小時的演講中，沈寶環先生以自己的眞實體驗，闡述「無紙情報社會」和「信息高速公路」的發展前景，解剖圖書館面臨的挑戰，分析中國圖書館事業的現狀與症結，說明圖書情報人員應該肩負起的義不容辭的責任，古今中外，縱橫馳騁，妙語聯珠，發人深省。對於其中的許多內容，我至今仍然記憶猶新，例如：「圖書館員應具有售貨員的精神（Marketing），不能給讀者恥笑，要全力『推銷』館藏」。「世界上 90% 的信息由 5% 的國家掌握，知識文化的侵略產生了兩個壁壘，如何擺脫西方文化的影響是我們今天的責任」。「在我們圖書館員的任務和使命中，最重要的一點是謀求國家的統一，不要有分裂。我們的做法是如何縮短統一的時間」。

午宴之後，沈寶環先生及其親人又一起隨我們到中山大學給我系的師生做學術演講。當我們於下午兩點半準時到達我校永芳堂學術報告廳時，全系師生近四百人早已在此恭候多時，在熱烈的掌聲中，沈寶環先生及其親人在前排的嘉賓席上一一就座。譚祥金主任主持演講會並致歡迎辭和介紹沈寶環先生此行接受名譽理事聘任的過程，其後再由我介紹沈寶環先生的事業成就與學術貢獻。雖然，因爲我當時正在做有關沈祖榮宗師的研究，所以對沈寶環先生的成就能如數家珍一一道來，但是，從聽眾的目光中，我還是明顯地感到他們並不想我過多地佔用沈寶環先生的演講時間。在師生們的急切盼望中，沈寶環先生走上了講臺，開始演講《圖書館學理論的演進與發展趨勢》。和上午一樣，沈寶環先生並沒有預備專門的演講稿子，但是，演講起來條分理析，版述非常清晰，畫在黑板上的示圖一副接一副，直觀明瞭，簡直就象是在放影幻燈片一樣，大家都入迷了。不知不覺已就到了五點鐘，沈寶環先生留出半個小時的時間給大家發問，沒想到素來比較沉默的學生們一下子像開鍋的稀粥一樣沸騰起來了，半個小時根本就打不住，演講結束後還有不少學生圍著沈寶環先生問個不停。可見，雖是初次見面，但學生們對沈寶環先生的親近和擁戴程度已非同一般。

演講結束以後，天色已晚，當我們從永芳堂二樓走到銅像廣場合影留念時，我發現沈寶環先生不斷地冒著虛汗，一打聽，原來沈寶環先生此行乃大病之後勉力所爲。一時間，我們都感到十分地愧疚，要不是沈寶環先生後來的一席話，我們眞不知如何是好。沈寶環先生發自肺腑地告訴我們：「看到這麼勤學好問的學生，我很感動，早把自己的病忘得一乾二淨了，人也好像年輕了許多。沒有關係，我很好」。「這裏有這麼多聰明的學生，將來一定大有出息。我眞想爲他們做點什麼，但是，我已退休多年，個人的能力有限，做不了多少事，我身上帶著三千港幣，現在悉數贈送給貴系，聊表心意，請予接納」。譚主任和我都知道沈寶環先生雖然是有名的大教授，但生活並不寬裕，甚至連一間私房都沒有，一直過著「游擊」式的生活。所以，一再推辭，不肯接受，但是，最後還是沒有拗過沈寶環先生。

的確，三千港幣並不是個大數目，但是，它代表著一顆熾熱的心和一份無價的情。拿著這滾燙的捐款，譚主任和我的心久久不能平靜。從第二年開始，我們決定發動全系研究生和本專科學生撰寫學術論文，每年在系內舉辦一屆「圖書館學信息學檔案學『五四』青年學術研討會」，以沈寶環先生的捐款作爲啓動基金，分一、二、三等獎獎勵研討會中的優秀論文。迄今爲止，「五四』青年學術研討會」已連續舉辦了四屆，先後獲得各等獎勵的學生已不下百人，不僅活躍了我系學生的學術研究氣氛，而且已成爲我系學生的一項傳統的學術活動，得到了學校的充分肯定和表彰。飲水思源，每年召開「五四』青年學術研討會」時，系研究生會和學生會都會請我去作研討會總結，而每次總結我都會毫不例外地講述研討會的緣起，講述沈寶環先生對我系學生的關愛和厚望。値得特別說明的是，如果我不在這篇文章中記述這個「故事」，沈寶環先生及其家人恐怕還會一直蒙在鼓裏，對此一無所知。

三、良師益友：在評傳的撰寫中認識沈寶環先生

迄今爲止，我只拜見過沈寶環先生兩次，每當我回想起廣州的這兩次歡聚，心中總是充滿了愉悅，有時還會嫉妒臺灣的青年才俊——他們不僅曾經有許多的機會親近沈寶環先生，而且還有不少人做過沈寶環先生的學生，經常聆聽沈寶環先生的諄諄教誨。在內地舉辦的幾次海峽兩岸圖書資訊學研討會期間，尤其是在 1997 年的臺北海峽兩岸圖書館事業學研討會期間，我有機會接觸到臺灣圖書館界的許多青年才俊。雖然沈寶環先生

退休後基本上僑居美國，但是他們總是會下意識地提起沈寶環先生，對沈寶環先生的人格力量和學術水平充滿了無限的欽佩，對沈寶環先生對青年們的深切關愛和獎掖提攜充滿了無限的眷戀。記得在 1997 年臺北會議期間，不少的青年才俊對沈寶環先生因健康問題未能與會都流露過不少的遺憾。通過這些接觸，我也一次又一次地被沈寶環先生的人格力量所震憾和感悟。在青年的心目中，沈寶環先生始終是一週便終身不忘的良師益友。就此而言，我和臺灣的許多青年才俊一樣十分地幸運。

俗話說：大樹底下好乘涼。在我個人的成長過程中，我一直得益於始終恩蔭於我的一棵棵「大樹」，如謝灼華教授、譚祥金教授、駱偉教授等內地圖書館學界的前輩，他們既是我的良師，更是我的益友。而在臺灣，沈寶環先生則正是這種恩蔭於我的「大樹」。

1995 年春夏之際，我開始著手準備撰寫《沈祖榮評傳》，由於內地從未出版過圖書館界人物的傳記著作，加上出版界的風氣不良，學術著作的出版十分艱難，所以，我不敢冒然開始寫作，不得不先投石問路，然後再作定奪。我向有可能出版這類著作的十幾家出版社同時寄去了寫作計劃，但是，所得到的反應很令人失望：不是說內地從未出版過圖書館界人物傳記不敢破例，就是說選題很好但恐出版後出版社賺不到錢請另謀高就。在迷盲之際，我鼓起勇氣向臺灣學生書局寄去了寫作計劃，因爲在內地對在臺灣發表和出版著作畢竟還是有一些條條框框的限制。我原本並沒有作多大的指望，沒想到不到一個月就收到了學生書局編輯部的回信。這封信是一份地道的公函除了編輯部的大印沒有簽署任何人名，言詞十分簡煉，但結論令人興奮不已：沈寶環先生是臺灣圖書館界的巨擘，其父親沈祖榮先生是我國圖書館學教育之父，出版《沈祖榮評傳》乃本書局義不容辭的責任，請盡快完成書稿，以便早日付梓。學生書局的覆函猶如一顆定心丸堅定了我完成書稿的信心。

隨即，我於 7 月 20 日寫信給沈寶環先生告訴了這個消息，並表示祈望書稿殺青後能惠賜一篇序文。不久，我收到了沈寶環先生的回信，沈寶環先生在信中說：「先生爲家嚴撰寫傳記，我甚爲感激，將提供若干資料並遵囑爲大作寫一序。其他的事，我沒有意見，完全看先生和臺灣學生書局如何安排」。並囑我抽空爲《資訊傳播與圖書館學》寫一點稿子❹。

在沈寶環先生第二次訪問廣州返臺北之後，我的《沈祖榮評傳》的寫作大綱也隨後寄到了臺北，以就教於沈寶環先生。1996 年 3 月，我收到了世新大學林孟玲小姐轉寄來

❹ 沈寶環致程煥文信函，1995 年 8 月 3 日。

的沈寶環先生從美國發至臺北的回信，始知沈寶環先生由於身體的原因正在美國靜養，林孟玲小姐一直扮演著「信使」的角色。在回信中，沈寶環先生說：

「我在廣州演講兩次乏善可陳，承蒙謬贊愧不敢當。我認爲現在是中生代出頭接棒的時候，你和賴（鼎銘）主任應作交換訪問講學的準備，我也會盡力促成此事。寫作大綱甚佳，足可供我寫序之用，我無需先讀全文。個人認爲問題不在於『太粗』而在於『太細』。謹建議：上篇中 14 點以 paragraph 形式寫，儘管吾兄收集了十幾萬字，寫 chapter 資料可能尚嫌不足。中篇 1-4，下篇 1-3 以 chapter 形式寫，因爲中、下篇可以發揮，而上篇大部分要借重史料。我曾經送了一本文華圖書館專科學校一覽之類的書給武漢大學彭（斐章）院長，應該還在武大院圖書館或辦公室收藏，不妨借閱。」❺

我在給沈寶環先生的信中曾坦言：由於其他的應急性寫作很多，且系裏的事物十分繁重，書稿可能不是一時三刻就能完成的，而且斷斷續續的寫作恐怕亦難盡初衷。沈寶環先生答覆道：

「我個人的經驗有兩點，叨在文末，謹提出來供我兄參考。 1.越忙越能做事。 2.想一部著作十全十美是做不到的事，出版之日即是開始落伍需要修正之時。」❻

看了沈寶環先生的這兩點個人經驗，我茅塞頓開，忽然明白了許多人生的哲理和事業的眞諦。

與此同時，因得知我系譚祥金教授赴臺訪問的事宜已獲批準，爲了保證書稿安全到達學生書局，我決定在譚祥金教授赴臺之前完成書稿。經過一個暑假的日夜奮戰，我終於在 1996 年 9 月譚祥金教授赴臺的前一日匆匆完成了書稿。書稿殺青了，人好像一下子輕鬆了許多，「越忙越能做事」一點也不假；但是，大略地瀏覽一遍書稿，不滿意和遺憾之處好象比比皆時，正好應證了沈寶環先生的那句話：「想一部著作十全十美是做不到的事，出版之日即是開始落伍需要修正之時」。

1997 年春，學生書局給我寄來了《沈祖榮評傳》的一校清樣。從學生書局的來信中，我得知：爲了我的這部書稿，沈寶環先生於 1997 年元月不遠萬里隻身從美國回到臺北，專門校閱拙稿並撰寫序言。那時，沈寶環先生已有七十八歲高齡，且健康狀況亦不佳，所以，這一切均令我感動不已。待仔細校閱一遍清樣以後，我發現除個別文字以外，沈寶環先生基本上沒有對書稿做過多的修改，非常尊重我的原創意志。沈寶環先生在書稿

---

❺　沈寶環致程煥文傳真，1996 年 2 月 23 日。

❻　同上註。

的前面增補了一張十分珍貴的全家福照片，在書稿的後面則增加了一篇由其學生王梅玲小姐編輯的《沈祖榮研究書目》。這一切都恰到好處，爲拙著增色不少。

1997年8月，《中國圖書館學教育之父——沈祖榮評傳》正式出版後，我看到沈寶環先生在「序言」中毫不吝嗇對拙著和我本人的贊揚之辭，受寵若驚，不相信我自己眞的就做得有他說的那麼好，因爲由於成稿倉促，其中需要修改的地方的確很多。數月後，由於不斷地收到海峽兩岸同人以及美國同行的褒獎信息和索書信函，也看到了不少的書評，我才眞正地領會了沈寶環先生在「序言」中所說的一切。「出版之日即是開始落伍需要修正之時」，所以，我一直期待著有機會將拙著修訂再版。

《沈祖榮評傳》出版後，我又開始了《沈祖榮評傳》的姊妹篇——《韋棣華女士評傳》的寫作計劃。1998年8月，我利用赴美國伊利諾大學做高級訪問學者的機會，開始尋求對韋棣華女士研究課題的資助。沈寶環先生得知這個消息以後，給予了我許多的指點。哈佛燕京圖書館館長鄭炯文先生亦幫助出謀劃策。後來，在哈佛燕京圖書館的老館長吳文津先生的鼎力支持下，美國韋棣華女士基金會在去年底已正式批准立項資助我的韋棣華女士研究課題。不出三年，《沈祖榮評傳》的姊妹篇——《韋棣華女士評傳》亦將問世，我相信這部著作將不僅是一部全面研究韋棣華女士的著作，而且亦將是《沈祖榮評傳》的極好補充和完善。

四、事業巨擘：在世紀的回眸中敬慕沈寶環先生

在我們即將邁進21世紀門檻的時刻，回眸20世紀中國圖書館事業的發展，展現在我們眼前的是一副充滿榮辱興衰、遍佈前撲後繼足跡的壯麗歷史畫卷；回響在我們耳邊的是一曲起伏迭宕、歡愉悲愴、激昂低沉的恢弘交響樂。在這跳躍著交響樂音符的圖書館歷史畫卷中最能夠反映世紀歷程、最能夠代表時代精神的乃是圖書館人，而沈祖榮宗師和沈寶環先生則正是20世紀幾代圖書館人的最傑出代表。

20世紀初，沈祖榮宗師第一個遠渡重洋赴美攻讀圖書館學，第一個走南闖北拉開了新圖書館運動的序幕，第一個創辦了我國第一所圖書館學專門學校，……，開眼界之先，開風氣之先，開事業之先，成爲舉世公認的中國圖書館學教育之父和中國圖書館事業的世紀宗師❼。50年代以後，沈寶環先生繼往開來在臺灣又開闢出了一片圖書館事業的新

❼ 程煥文，《一代宗師　千秋彪炳——記中國圖書館學教育之父沈祖榮先生》，《圖書館》1990年第4期、第6期，1991年第1期、第3期、第5期。

天地，享有「圖書館界巨擘」的盛譽。這不僅在中國圖書館事業的歷史上是絕無僅有的，而且在20世紀世界圖書館事業中也是舉世無雙的，這是20世紀中國圖書館事業的驕傲，是我們所有圖書館人的驕傲。

面對著「圖書館界巨擘」的盛譽，沈寶環先生總是特別的謙遜，特別的低調處理。記得十年前臺大圖書館學系的學生採訪沈寶環先生提及「圖書館界巨擘」時，沈寶環先生曾輕描淡寫地說：「其實我常覺得自己一無所成呢！若要勉強地說，有幾件事是我認爲還可以的，比如說：『開架式』的觀念是我帶回來的，『自動化』、『資源分享』也是我首先在國內提出。另外，我也主辦了國內的第一個圖書館學報。做這些，我只希望能夠拋磚引玉，若能點燃圖書館界的一點火花，我也感到心滿意足了」❽。十年後，當我再次將「圖書館界巨擘」這一稱譽寫進我的著作時，沈寶環先生仍然不改初衷地說：「我愧不敢當」，「深感慚愧」❾。儘管如此，事實上，「圖書館界巨擘」已不再僅僅只是沈寶環先生的個人稱譽，而是整個20世紀中國圖書館事業的榮譽。

在臺灣圖書館事業的建設上，50-60年代，沈寶環先生率先在東海大學圖書館、（臺灣）中山大學圖書館等圖書館引進「開架制度」，並進而引發臺灣圖書館界普遍採用「開架制度」。70-80年代，沈寶環先生又率先提出「圖書館自動化」、「館際合作」、「資源共享」等現代圖書館觀念，從而加速了臺灣圖書館事業現代化發展的進程。事實上，沈寶環先生在臺灣圖書館事業的建設上遠遠不止這些具有「硬件」性質的成就，尙有許多在我們周圍時時刻刻存在但往往因我們習以爲常而忽略了的具有「軟件」性質的成就。例如：長期以來，沈寶環先生極力倡導和灌輸的「公共圖書館觀念」、「圖書館讀者服務觀念」、「參考服務觀念」❿。這些觀念不僅對圖書館事業的發展與進步具有潛移默化的神奇功效，而且更是圖書館事業發展與進步的關鍵之所在。

在圖書館學研究上，沈寶環先生一直筆耕不輟，先後在國內外發表圖書館學學術論文百餘篇，撰著出版了許多有影響的著作，例如：

《教師兼圖書館員手冊》，中華文化出版事業委員會，1958年；

《西文參考書指南》，東海大學，1966年；

《中文標題總目》，東海大學，1970年；

---

❽ 沈寶環，《圖書館學和圖書館事業》，臺灣學生書局，1988年，第310頁。

❾ 程煥文，《中國圖書館學教育之父——沈祖榮評傳》，臺灣學生書局，1997年。

❿ 沈寶環，《圖書館讀者服務》，臺灣學生書局，1992年。

《圖書·圖書館·圖書館學》，臺灣學生書局，1983 年；

《圖書館學與圖書館事業》，臺灣學生書局，1988 年；

《圖書館讀者服務》，臺灣學生書局，1992 年；

《圖書館事業何去何從》，臺灣學生書局，1993 年。

拜讀沈寶環先生的著作，總免不了會給人留下這樣一種美好的感覺和印象：不僅「每一個字都是我自己寫的，從不假手於人」⓫，而且，文風質樸，直抒胸意，侃侃如促膝談心，娓娓如春風拂面。

在圖書館事業的聯絡與學術活動的組織上，沈寶環先生曾先後擔任過美國資訊科學學會臺北分會會長、（臺灣）中國圖書館學會（首任）理事長、《圖書館學報》主編、《資訊傳播與圖書館學》主編、美國《International Journal of Reviews in Library and Information Science》編輯顧問等多項重要學術職務，在活躍的臺灣圖書館舞臺上扮演著出色的主角。

在教育事業上，沈寶環先生曾先後擔任過東海大學教授、國立教育學院教授、兼科學教育學系系主任、語文教育系系主任、國立臺灣大學圖書館學系暨研究所教授、以及輔仁大學、淡江大學兼任教授等多項教職，對教育學和圖書館學教育貢獻殊多，而尤爲令人欽佩的是沈寶環先生對學生的愛惜和親和。沈寶環先生十分珍愛自己的學生，並且總是希望學生青出於藍而勝於藍。沈寶環先生曾言：「我的學生都是優秀的，我說這話既不過份，更沒有門戶之見和派系之分」。「老師不一定能做到的事，（林）金枝卻做到了，這不僅是金枝個人努力的回饋，我這個老師亦與有榮焉。」⓬儘管沈寶環先生對學生十分的親和，但是，沈寶環先生總是感到自己還做得很不夠，「我覺得在教院內（國立教育學院），學生非常親近師長，風氣良好，但我在教院內，心裏有一遺憾：總覺得我們對不起學生，沒有好好地注意到及教育到學生。」⓭

在促進海峽兩岸圖書館事業的交流與合作上，90 年代以來，沈寶環先生不僅曾頻繁穿梭於海峽兩岸圖書館界之間，極力謀劃和推進海峽兩岸圖書館事業的交流與合作，而且在理論上亦有許多高瞻遠矚的建樹。1990 年沈寶環先生在第一次大規模的大陸圖書館之行後，以非凡的膽略和豪邁的氣魄吹響了「埋頭圖書裏，人心想統一，本是同根生，

⓫ 沈寶環，《圖書館學和圖書館事業》，臺灣學生書局，1988 年，第 IV 頁。

⓬ 沈寶環，《圖書館事業何去何從》，臺灣學生書局，1993 年，第 259-262 頁。

⓭ 沈寶環，《圖書館學和圖書館事業》，臺灣學生書局，1988 年，第 301 頁。

交流應積極」的號角⓮。沈寶環先生十分重視「紙上座談」這種十分重要的理論建設，其有關「談」的理論——「談」的必要、怎樣來「談」和「談」了以後——對於海峽兩岸圖書館事業的交流與合作具有十分重要的指導意義。

在「談」的理論中，沈寶環先生以一副簡單明瞭的流程圖：「過去—→不敢『談』—→不久以前—→不便『談』—→或，能『談』則『談』，『不能談』則『不談』—→現在—→什麼都可以『談』」生動地概括了「談」的演變，認爲：「我們走過一段漫長崎嶇的路，四十年來光陰虛度」，「從過去的不相往來到現在的推心置腹，攤開來『談』是一個大躍進」，「紙上『座談』不僅加強了海峽兩岸圖書館界的接觸，而且造成了一種良好的風氣。我們目前的問題就是要盡力保持和加強這種良好的氣氛，在人際關係上，我覺得與自家人相處與和外人相處不同。『血濃於水』，自家人好商量，好好的『談』才能達到『家和萬事興』的目的」。在「怎樣來『談』」這個問題上，沈寶環先生認爲首先在心態上要做到：「不妄自揣測，不期望必然，不固執己見，不偏袒自己」；而在「談」的過程中則要堅持：「無比的耐心，無窮的愛心，無限的信心」⓯。這些「談」的理論既體現了沈寶環先生的膽識韜略，也開了臺灣風氣之先，令人欽佩。

作爲 20 世紀的傑出圖書館學家，沈寶環先生先後榮獲過教育部特優教師獎、中國圖書館學會傑出服務獎、美華圖書館學會傑出服務獎、美國資訊科學學會傑出服務獎等多項崇高榮譽。毫無疑問，這些榮譽不僅濃縮著沈寶環先生的卓越成就，而且凝聚著社會對沈寶環先生的崇高敬意。

⓮　沈寶環，《本是同根生——我看大陸圖書館事業》，《圖書館》1991 年第 2 期。

⓯　沈寶環，《圖書館事業何去何從》，臺灣學生書局，1993 年，第 180-185 頁。

賀寶環兄八十大壽

沈寶媛
沈寶環教授胞妹

中山大學程煥文教授電告我，臺灣的圖書館學界要祝賀寶環的八十壽誕，同時希望我也寫幾個字一併寄去。我當然樂於從命，程還囑我暫時保密，以便給寶環以驚喜。

寶環八十，我也七十五了。但我們在一起相聚的時間很短，記憶中搜索出來的都是孩提時代的趣事，但仍然那樣清晰生動，彷彿發生在昨天一樣。

哥哥從小就喜愛讀書，媽媽說他一有空就泡在「公書林」，什麼三國、水滸、西遊記等小說不在話下，西洋的名著，他更讀了不少。我還記得他在講其中某個故事時，往往指手畫腳，眉飛色舞；他非常喜歡地理、歷史，經常翻查地圖，甚至去蹲廁所時還帶著地圖哩！

他一生從事圖書館事業，我認爲這除了是受了父親的影響外，還和他愛讀書也有一定的連繫。

在我小時，寶環哥是我崇拜的偶像，他很喜歡音樂，他會吹長笛，會拉小提琴，曾經在學校裡演奏過名曲，他還有一手絕技，在大漱口杯裡吹奏小口琴，發出絕妙的雙重調，我特別愛聽。

寶環性情溫順，他和老師、同學、親友們都相處得很好。一位朋友告訴我，他在美國丹佛大學讀書時，被留學生推選爲五所大學的中國學生會主席，一提起沈寶環的名字，中國留學生都知道，我爲哥哥而驕傲！

一九八九年以後，寶環幾次來大陸，或參加圖書館學的國際會議，或推動兩岸圖書館界學術交流，作學術演講。他是個愛國主義者，對兩岸的現狀很痛心，作爲一個圖書館人，在他力所能及得範圍內，積極溝通兩岸圖書館的資訊、人才交流，還寫了幾篇文章。

他每次經過廣州時停留的時間都很短，言談中仍然滿嘴武漢的鄉音，給我留下的印象，他是一位眞正的學者，又是位腳踏實地的愛國者，一位眞正的炎黃子孫，愛戴與尊敬之情令我油然而生。

值此哥哥八十壽辰之際，我衷心祝願他健康長壽，吉人天相，他這個人應該長壽！作爲他的妹妹，對臺灣諸學者對家兄的友好情誼，我深表敬意和謝意！

一九九九年六月

賀沈公　寶環教授八十壽——三十年憶往

汪雁秋
中國圖書館學會秘書長

一、圖書館帥哥

民國五十年我初入國立中央圖書館（現國家圖書館）工作，對圖書館界人士全然陌生，記得初聞沈教授之名時，爲蔣復璁館長談到要成立科學資料中心，想請沈寶環教授到歐洲去考察，要我擬計畫向亞洲協會（Asia Foundation）申請補助，於是問同事沈教授是何許人也？同事笑曰:「沈教授你都不知道！他是圖書館界名人，也是圖書館帥哥。」問：「怎樣帥？」曰：「高高大大，瀟瀟灑灑。」問：「有蔣總統帥？」曰：「有。」，上面這一番對話，使我在心目中已刻劃著一位高大瀟灑的前輩帥哥的形象，心想什麼時候能見到這位前輩。不久，天從人願，在一次宴會中見到這位敬仰的前輩，硬是不假，名不虛傳，高大瀟灑，我這個醜小鴨，在他面前突然變得那麼的渺小……。

後來聽說他出自圖書館世家，其尊翁沈祖榮先生爲我國第一位留學美國攻讀圖書館學，回國後協助美國韋棣華女士（Mary Elizabeth Wood）創辦文華圖書館專科學校。沈教授爲其獨子，國內完成學業，公費留學美國，獲博士學位，當時在圖書館界實無出其右者，也是人中佼佼者。

二、文化大使

民國五十四年我調到出版品國際交換處工作，每年都有若干國際會議的舉辦，每一次國際會議都有他的參與，由於他的英語能力強，無論爲主持人或宣讀論文，都爲會議帶來不少讚譽。

美國資訊科學學會（American Society for Information Science，ASIS）臺北分會成立之初，沈教授、張鼎鍾教授、李德竹教授等同爲分會成立奔走聯繫，付出不少心血，使此分會能順利的在臺北成立，每次臺北分會開會，沈教授無論怎麼忙都會趕來參加。十數年從無間斷，並帶領學生參加美國總會年會，獲得該會傑出服務獎，那一年他返國後到我辦公室，談會議情形，非常愉快，在他幾十年國際學術活動中，對加強中美圖書館界聯繫，提攜後輩參與國際活動，不遺餘力，不愧是我們的文化大使。

三、提攜晚輩

沈教授不僅對學生愛護備至，對我們後輩也極爲關懷，記得每一次國際會議，他都要他的學生能有機會參加旁聽，他不僅授予教室內知識，也注意到機會教育。對晚輩如賴鼎銘館長、李美月館長、林志鳳教授及筆者等他都非常愛護，如他協助賴館長爲世新主編「資訊傳播與圖書館學」對此刊物的發行，及內容他都非常細心的策劃，不忘要世新送我一套，讓我增進一些圖書館學的知識。

他的高足如林文睿館長、廖又生館長等，他們的成就，就是他培育下的成果，有一次他因病住院，我去醫院看他，見到這些學生及後輩們圍繞在他床邊，我想當時他一定感到很窩心，誠如佛家所言，種什麼因得什麼果，他種下了「愛的教育」的因，獲得這種溫馨的果。

四、中國圖書館學會共事

中央圖書館搬到新館後，感謝王館長在建新館時，爲學會留了一席之地，中國圖書館學會也能隨之搬到新館。有一天沈教授與胡述兆教授、藍乾章教授，三公到我辦公室，要我幫忙學會會務，我眞受寵若驚不能說不，就這樣我幫忙到今天，也有幸做了他部屬兩年。在他任理事長時，表面上看來他似不管事，實際上他眞管事。每一次理事會、常務理事會開會會前，他都細心指導安排，學會會報，會訊出版前編排，他都會一一看過。在文章前後排序上，他非常重視倫理，一定長者在前，學生後輩在後。在這些細節上的用心，我深感到他雖給人印象是瀟灑不拘，但做事卻認眞嚴謹。在學會數年，他對我如一位慈祥的長輩，也是一位忘年交的好友。

五、退休紀事

沈教授退休後，雖定居美國，但有機會他即回來，每次回來，他會到我辦公室小坐，聊天，有時我說我想提早退休，他趕忙說：「雁秋，妳不能退，圖書館需要妳，學會需要妳，再說妳退了，我到圖書館就沒有歇腳地方了」，他的關懷令我很感動，我也工作到屆齡退休。

每次他來都會帶一張他孫兒的照片，今年年初他出席理事會。會中他又帶來他的剛出世孫女兒照片給我看。看到他那種含貽弄孫的喜悅，洋溢在他的面孔上，眞是有孫萬事足，又有何求。

六、壽比南山、松柏長青

今年見到他時，穿著時髦的吊帶褲，依然健壯，依然瀟灑，只是當年的帥哥，現在是帥爺爺了。今逢他八十大壽，謹以此雜感以表最摯誠的祝賀，恭祝他福體康泰，如松柏茂，如南山壽。

敬賀寶環教授八十榮慶

何光國
美國霍華大學圖書館副館長

賴鼎銘教授的電傳說：今年是沈寶環教授八十大壽，準備出本專集祝賀，賴教授非常客氣給了我選擇，筆者選了“非論文”，表面上，“禮”雖然很輕，但是內心裡，筆者對沈教授敬佩景仰之忱卻非常的“重”。

沈教授出身圖書館世家，他將八十年的一半都奉獻給了臺灣圖書館教育事業，他的成就和貢獻使年輕的同學受惠，使年長的同好感到欽佩和驕傲，沈教授和筆者共事的時間，並不算長，可是，一些小事好似就發生在昨天：

記得，那是好幾年前的一個大熱天，筆者從裝有冷氣的研究室快步跑到系館找一點資料，推開門，一眼就望見沈教授埋著頭坐在一張長桌邊，聚精匯神地用功。走近一看，原來是在批閱同學們繳的研究報告。

「沈教授，眞用功！」筆者趨前打個招呼，他抬頭一看是筆者。

「來得正好，我們一道去午餐」，沈教授說。

時近中午，樂得一口答應，沈教授站起身來，一面收拾堆在桌上的報告，一面連連地稱讚同學們的報告寫得好，篇篇都該得滿分，他小心謹愼地將那些薄厚不一的報告，一份一份地裝進一隻手提包裏，漲鼓鼓的，至少也有好幾公斤重，筆者發現他有點氣喘，建議將提包留在系館，飯後再來取，

「這不可以，同學們的報告萬一掉了怎麼辦？」沈教授不同意。

「那就讓我幫你提著吧。」筆者說。

「那更不可以！」沈教授堅持著。

不再勉強，筆者推開系館的門，我們一道下樓，慢慢地朝向校門走，等到我們穿過了馬路，爬上了餐館的二樓，沈教授額前已冒出了一粒粒的汗珠，他靠在樓梯口的欄杆邊，稍稍停了下，喘個氣，這時，筆者發現早有一桌同學等在那裡，原來，那天沈老師請同學午餐，筆者有口福，作了陪客，同沈教授一桌吃飯，根本也用不著催，總是三下

兩下盤底就朝了天。

付了帳，同學們早跑了個精光，我們慢慢地走下樓，穿過馬路，走進校門，路不遠，太陽大，我們在系館前的路上分手，筆者站在路邊，一直目送著他走向那幾層樓高的教室，他手提著同學們的報告，一步一步地向前行，他走得非常慢，可是卻顯得不靜而穩，漸漸地他轉了灣……。

好像，第二年，沈教授就提前退休，如今安居美國加州，含飴弄孫，享盡天倫之樂。

筆者常常想，假如筆者也能像沈教授一樣的有才氣、有遠見、有抱負、喜歡教書、喜歡做研究、喜歡學生和喜歡獎掖後進，那眞不知該有多麼的高興，不過，筆者早有自知之明，不再做這個夢，倒願年輕的同行們，能以沈教授爲榜樣，多爲我國圖書館事業盡份心力。

（1999/5/3 寫于美國馬利蘭州波城艾文莊）

松柏長青——恭賀沈教授寶環八秩華誕

范豪英
國立中興大學教授

我們要爲沈老師慶祝他的八十華誕了，可是印象中的沈老師總是高大挺拔，奕奕有神，常常叫人忘了他的年齡。

大學時期對沈老師印象深刻的是，他在東海大學圖書館倡行開架瀏覽制，與圖書館工讀制，對學生愛書惜書，全校濃厚的讀書風氣，都有深遠的影響。老師講授的《圖書館學導論》，更爲許多同學在選擇終身志業時，開啓的一扇門扉。那時印象中最深的還有校園中偶見沈師母秀麗的倩影。當年，東海規模小，八百名學生全體住校，大部分的老師也住校，師生生活在一起，見面機會多。沈師母與吳校長德耀夫人、杜教授衡之夫人，是學生公認東海校園裡最優雅美麗，氣質風度最佳的師母。

畢業後，離開臺灣很長的一段時間。再見到老師已是民國 69 年年底，雖然僅僅選過老師一門課，雖然上課時間已隔了十幾個年頭，老師對我的關懷與照顧，卻是有增無減。此後的歲月裡，老師一貫地以他豐富學識與閱歷，爲我指點迷津，解惑釋難。他鼓勵我在冗雜工作中，不忘研究；在館務教研之外還要熱衷於專業學會的發展，積極參與，貢獻個人心力。老師指點了方向，學生也兢兢業業地努了力，可是限於資質能力，沒能交出什麼好成績，辜負了老師的期望。

沈老師對學生的愛護與提攜，向來是不遺餘力的。選課的學生時常樂道他在生活上的關懷與照顧，糖果與巧克力常常成爲他給“小朋友”的獎品，他也喜歡請學生吃飯，老師是一位美食主義者，對飲食相當講究，常在餐飲時順便傳授一些他的美食心得。其實，畢業多年的老同學也常吃到老師的巧克力糖，他喜歡一見面時帶來一些驚喜的感覺。跟老師一同用餐也是一種經驗，他總是爲左右同座的人挾菜，而且每次挾的很多，深怕人家吃不夠，自己卻不怎麼吃，一餐飯吃不到一半，女生總會吃撐。

老師對學生的發展總是十分關切，每次談話總會垂問到工作、家庭的近況。對外他喜歡用“青年才俊”來介紹他的學生。說得次數多了，被褒揚的學生可能受到鼓舞，因而信心大增，確有一些學術、事業成就非凡的，例如賴鼎銘、黃慕萱、林文睿……。大約要等到學生頭髮開始變白、或是額頭髮根開始後退、這“青年才俊”的介紹詞，才會被其他的褒詞取代。

老師嚴律己、寬待人。他有守時的好習慣，無論是開會、參訪，約定的時間，他總是早早到達，不勞他人等待。他講究禮節的態度，也爲學生立下好榜樣。記得到陽明工作不久，某次想打電話向當時國立中央圖書館王館長振鵠先生請教，跟沈老師談及，他立刻說：『王館長是前輩，有事你應該當面請教，打電話不禮貌。』

算一算，有幸受沈老師的教誨，前後也快四十年了。老師的學問廣博，才思敏捷，沒有他的聰穎資質，是難望其項背的。老師對學生後輩的關愛指導，和他的一些爲人處世態度，卻是我們可以努力學習的。

老驥伏櫪，志在千里

楊美華
政治大學圖書資訊學研究所教授

沈先生對圖書館學之執著，眞是無法以筆墨形容，從他對於世新圖書資訊學系的奔走，可以窺見一二；而他對於後進的提攜，更是無人可比。如果圖書館界能多幾位沈老師，該有多好！

我個人以爲祝壽的最大賀禮，應該是以尊敬的心去感念，以虔誠的心去祝禱，以細膩的心來陳述事蹟，以傳承的心去耕耘，並且以具體的行動來體現沈老師的理念。

十年前，沈教授七秩華誕時，我剛好在中正大學籌備處工作，所以研擬了「大學圖書館的規劃」一文，藉以感佩沈教授在東海大學辦館的精神、學習沈先生在中山大學創館的楷模。

十年後的今天，我在政治大學圖書資訊學研究所從事教職並兼任行政工作，因此，想就「圖書資訊學教育改革」的探索，來回應沈老師對圖書資訊學教育的熱忱以及「一路走來，始終如一」的情懷。

獻給一位可敬可愛的長者
——恭祝沈寶環教授八十華誕

陳雪華
臺灣大學圖書資訊學系系主任

今年四月時有朋友告訴我，有一群朋友要準備出版論文集以慶祝沈寶環教授八秩華誕。我很爲此高興並準備投一篇稿子。沒料到這幾個月因爲公、私兩忙，文章過了交稿日期卻只寫了一部份而已。文章無法如期完成使我深感遺憾，希望等沈教授九秩華誕時，我能有幸寫一篇文章在他的論文集當中，這一次僅以此短文恭賀沈教授八秩華誕。

與沈寶環教授相識十多年來，常常感覺沈教授是一位學養兼俱、充滿智慧的長者。有時一起參加會議，在眾說紛紜時，沈教授總是能夠提出獨到的見解，令人耳目一新。沈教授的外語能力很好，在國際會議當中也常聽到他的發言，令人相當欽佩。

沈教授很愛護年輕人，對於提攜後進的工作是不遺餘力。我剛開始擔任系主任的工作時，沈教授常常提供我一些智慧的言語與建議，給我很大的幫助。可惜沈教授很快就到美國定居，無法在我旁邊幫助我。我很遺憾不曾成爲沈教授的學生，但是我有許多學生都津津樂道沈教授的一些趣事，例如在上「西文參考資料」課程時，人高馬大、穿著吊帶褲的沈教授常常帶著一盒巧克力糖來課堂上分送學生，使教室的氣氛變得很歡樂。

民國八十四年十二月，台大圖書資訊學系爲沈教授的榮退舉行了一場歡送會，除了師生踴躍參與之外，有許多沈教授的朋友與過去的學生均到場慶賀。當天早上我有「非書資料」的課程，我只上到十一點，就帶領許多大三同學在系辦公室一起預備點心、水果。有些點心是訂購的，但也有許多是助教與學生們動手做的。會場佈置得很活潑，也是大三同學佈置的。當天有許多大學部的同學表演歌舞節目，相當費心。最感人的部分是：有許多在學與畢業的學生，自發性地上台述說他們對沈教授的感念。講的人哭了，聽的人也爲之動容，由此可以看出學生們對沈教授的愛是多麼的深。

今逢沈教授八秩華誕，因沈教授自幼於基督教聖公會聚會，所以我在此以聖經詩篇二十三篇來祝福他：

「耶和華是我的牧者，我必不致缺乏。
祂使我躺臥在青草地上，領我到可安歇的水邊。
祂使我的靈魂甦醒，爲自己的名引導我走義路。
我雖然行過死蔭的幽谷，也不怕遭害，因爲你與我同在，你的杖、你的竿都安慰我。
在我敵人面前，你爲我擺設筵席，你用油膏了我的頭，使我的福杯滿溢。
我一生一世必有恩惠慈愛隨著我，我且要住在耶和華的殿中，直到永遠。」

願年歲成爲沈教授榮耀的冠冕，上帝的恩惠與慈愛常與沈教授同在！

恭祝沈教授寶環八秩華誕
——榮先裕後，大德必壽——

林文睿
國立中央圖書館臺灣分館館長

中華民國八十八年七月三日（農曆五月廿日）是中國圖書館學界巨擘沈寶環教授，也是我的恩師八秩華誕佳辰，世新大學賴教授鼎銘熱心發起祝賀論文集，囑爲文獻頌，余受恩師指導、教誨、關愛與鼓勵最多，理當謹修蕪文，恭祝恩師壽域宏開，更晉桃觴！惟爲充份而完整的表達內心無盡的崇敬、感恩與南山之祝，學生特別蒐集了七十則恩師榮先裕後令人難忘的塵煙往事，因爲學生覺得只有透過恩師的故舊、門生...發抒內心的陳述，才較能完整、客觀地描繪恩師對圖書館事業的偉大貢獻於萬一，當然蒐集整理的過程，難免有遺漏和疏忽，但並不減損我對恩師的敬意與賀意，再一次衷心祝福恩師松柏長青，平安快樂！

一、　民國 18 年國民政府在南京成立，文華圖書館專科學校亦在同年成立即任沈祖榮先生（沈教授之父親）爲校長，是爲國人專任圖書館教師之第一人……寶環教授之承受衣缽，實家學淵源與夫志向乃克臻此。(藍乾章：賀沈寶環教授七秩榮慶)

二、　抗戰勝利，寶環教授膺任空軍總司令部圖書館主任，於軍事專門圖書館業務之改進，多有建樹。（仝上）

三、　沈氏於獲得丹佛大學圖書館學研究所碩士學位後，入丹佛市公共圖書館，擔任讀者指導及參考諮詢工作，深得館長之讚許，並能以中國人之身份，任職七年，在丹佛市甚得一般市民之愛戴。（仝上）

四、　獲得丹佛大學教育博士學位後，返國促成圖書館學能躋入大學並規畫圖書館學科系之課程，多有貢獻。（仝上）

五、　民國四十四年，得私立東海大學禮聘講授圖書館學課程，並兼任館長職務，沈氏以其抱負，大力經營此一極蒙一般社會大眾讚美之私立大學圖書館，深得圖書館

同業及教育界之支持與嘉許，允爲大學圖書館之楷模。（仝上）

六、沈氏受聘於臺灣省立教育學院，八年間主持科學教育及語文教育學系，常以新觀念從事新的教學法，深得師生之讚美。（仝上）

七、民國六十八年沈氏應國立中山大學之聘，主持圖書館之設計與規畫，本於大學圖書館址應設於各院系均方便使用之原則，故中山大學圖書館設於各院中央，眾皆稱便。（仝上）

八、中山大學圖書館籌設之初，沈氏即與當時校長（李煥先生）洞悉圖書之重要，商撥巨額供作圖書購置經費，使師生享用足量圖書資料，實爲良策。（仝上）

九、沈氏首創開放閱覽制，除特藏外，館藏一律開放供師生使用。（仝上）

十、沈氏極重專才，故館員（中山大學圖書館）十人中，竟有九人係國內圖書館學系（時尚乏修習資訊科學）畢業者，其專才比率高達 90%，實屬難得。（仝上）

十一、沈氏於國立臺灣大學圖書館學研究所民國 69 年成立時即應聘爲專任教授以迄榮退爲止。（仝上）

十二、沈氏每謂國際間雖無外交關係，但於圖書館學專業組織仍當聯繫，歷年派員參加國際性會議，多有所獲，沈氏之見識與做法，的確生效。（仝上）

十三、中國圖書館學會設有國際關係委員會，會務多由沈氏與張鼎鍾教授進行，如 ASIS 年會，每次皆由沈氏以臺北分會名義代表中國圖書館學會赴會，1988 年並獲 ASIS 總會頒授臺北分會服務優良獎。（仝上）

十四、沈教授的專長在參考服務，曾有西文參考資料的專論出版，他如圖書教育、資源利用、館藏控制等主題均沈氏所樂於闡述，故多有論述。（仝上）

十五、近年以來，資訊事業發達，圖書館服務借重資訊科學（尤以電腦爲最）日益加深。沈氏著述之重點以其多年之觀點及行事方向，遂亦趨向資訊之途，並竭力主張資源共享。（仝上）

十六、沈氏在東海大學圖書館服務期間以其得自韋棣華基金會（Wood Foundation）的資助，編印東海大學圖書館學報，並刊印修習英文圖書館學學生之譯作，甚具啓發作用，開大學生研究圖書館學之門徑。（仝上）

十七、寶環教授係一虔誠基督教友，以其篤信耶穌，故深具服務社會大眾之熱忱。（仝上）

十八、寶環教授能於國勢危難之際毅然回國效勞，令人欽佩。（仝上）

十九、其參與東海大學建校工作，達 18 年之久，足見其守成負重之堅定。（仝上）

二十、乾章與寶環爲世交，深知其待人之誠，又以其知人善用，導致其事業成就，其交友也只本乎誠，更以處世以眞，與人相處常坦誠以對，故眾皆善與之共。（仝上）

廿一、無論在中研院美國文化研究所，或是在臺大文學院，我們都是言談投契，合作無間的好同事。（朱炎：慶祝沈寶環先生七十華誕感言）

廿二、由於沈教授擁有天生上好的體格，年輕時喜歡運動（據說他曾是足球場上的健將），而又常年保養得宜，所以在下意識裏，我一直感覺他是我的同輩好友。（按：朱教授三十當中，時沈教授已五十初度）。（仝上）

廿三、他在教書和指導學生之外，辛勤著述，努力不輟的精神，實在令人敬佩，就以他近幾年來由學生書局出版的「圖書、圖書館、圖書館學」、「西文參考資料」、和「圖書館與圖書館事業」等書來說，就已是厚逾千頁，斐然可觀。（仝上）

廿四、學術活動之外，最讓我感動的是他熱烈的愛國心，他每次出國開會，或做領隊，或任顧問，總是出錢出力，奔走不息，主動與外國學者交往溝通。（仝上）

廿五、沈教授對學生的愛心，也是眾所周知，他常與學生並肩研究，把學生的成就當子女的成就，不久前他一面捧著全班學生的作業給我看，一面興高采烈地說：「你看看，我們的學生是多麼優秀，多麼認眞」，一位即將退休的資深教授，對學生的熱誠與喜愛，竟然會如此不減當年而猶勝當年！也許，對這麼一位心中有愛的學者來說，退休雖是一個階段的結束，也更是另一個階段的開始！（仝上）

廿六、圖書館系，文學院和學校，已經推荐沈教授爲年度特優教師，這是同仁們敬佩與愛戴的具體表現。（仝上）

廿七、在重慶第六次年會再次看到他，聽說他在文華圖專執教，編了一部「三民主義化圖書分類標準」，風靡一時，不禁暗讚，家學淵源，克紹箕裘。（嚴文郁：大德必壽）

廿八、沈教授是一才情卓越的人，我們讀沈教授的文章篇篇精采，他演說，擲地有聲；他裁決問題，斬釘截鐵，從不模稜兩可，依違其間。（仝上）

廿九、寶環兄不但博聞強識，學術精湛，還能將所學付諸實施，他回國後設計東海、中山大學及中研院美國文化研究所，三個圖書館，計畫縝密，延攬專才，實行開架，在在顯示能將理想一一施展出來，不是徒託空言的書生。（仝上）

三十、寶環教授治學辦事，多富前瞻性與使命感，無時不在創新、求變。（仝上）

卅一、寶環兄雖然活躍於教育文化界，從無作「秀」心態，而是以書生本色，奉獻社會。（仝上）

卅二、沈教授的道德學問爲我界同仁所景仰者，不勝枚舉，他素有圖書館「巨擘」的雅號，現雖退休，不會從絢爛走向平淡，而是另一個絢爛的開始，我們拭目以待。（仝上）

卅三、沈教授竭其畢生之力，奉獻圖書館學教育工作，盡其貫通中西之學問，啓迪無數莘莘學子，對於我國當今圖書館學術思想盡力最多，貢獻最大，影響也最深。（李德竹：恭祝沈寶環教授七秩榮慶）

卅四、沈教授自 69 年 8 月受聘爲臺大專任教授迄今，以其具有教育學及圖書館學之專長及對工作之執著，亦從不計較工作待遇，尤能在學問上精益求精，在工作上日新又新，在待人接物上進退得宜，因此有傑出之表現，頗受各方之讚譽。（仝上）

卅五、沈教教早年著有「三民主義化分類標準」、「教師兼圖書館員手冊」等書，民國 55 年至 57 年間另出版「西文參考書指南」及「中文標題總目」二書，尤爲頗具前瞻性經典之作，最近幾年並陸續編撰「西文參考資料」「圖書、圖書館、圖書館學」及「圖書館事業」等書，對於圖書館相關領域之研究，可謂不遺餘力，其思想、見解實乃當今圖書館界之主流，而爲吾人學習之標竿。（仝上）

卅六、沈教授對於大專院校圖書館之評鑑、受聘擔任大專教師送審著作審查、參與文化中心業務訪查，各種圖書館建築藍圖之審查，中國圖書館學會會務，各項學術會議、專題演講之參與，圖書館自動化觀念之推動，資源共享原理之提倡，均頗多貢獻。（仝上）

卅七、從沈教授畢生獻身圖書館學的歷程，我們得到一個啓示：那就是惟其能學有專精、淡泊名利、犧牲奉獻、專心致志及不斷研究創新，始能對圖書館事業做承先啓後，繼往開來的大業。（仝上）

卅八、荀子與沈寶環非親非故，而且在生辰上也差了將近 23 個世紀。可是，他們二人之間卻有一點相同，那就是在中國圖書資訊分類的發展史中，他們都作了重要的貢獻（何光國：荀子與沈寶環）。

卅九、寶環先生 24 歲編著的「三民主義化的圖書分類標準」是民國以來 16 種圖書分類法中的一種，當其他 15 種分類法還在改革四部和仿杜威法的圈子裡打轉的時候，寶環先生的三民分類法就已跳出了那個圈子，而自成一家。（仝上）

四十、三民分類法是一種以三民主義思想體系爲經，以中國圖書資料爲緯，繼七略、四部分類法以後，編織成功的唯一「國產」圖書分類表，不可否認的它是一種別出心裁、打破傳統，在中國圖書分類史上難得一見的主要創作和嘗試。（仝上）

四一、沈寶環先生和荀子生長在二個截然不同的時代裡，但是他們兩位對世界圖書分類學上的貢獻，當會受到同樣的歷史肯定。（仝上）

四二、近年來圖書館學界同仁贈以「圖書館界的巨擘」的稱呼，我覺得此一讚譽極其貼切，培公（按：沈教授之號爲培基）是當之無愧的。（黃世雄：亦師亦友話培公）

四三、培公在圖書館事業上強調館際合作，資源共享，此一思想表現在處事態度上，就形成與人爲善和成功不必在我的無私風範。（仝上）

四四、培公獎勵後進不遺餘力，爲鼓勵圖書館學青年，於七十二年起，在中國圖書館學會設置「沈祖榮先生獎學金」授與圖書館學系成績優良在學學生每年七名，嘉惠學子。（仝上）

四五、沈教授從事圖書館事業，熱心執著，又家學淵源「背景特殊」。（盧荷生：我國圖書館界的智多星－恭祝沈寶環教授七十嵩壽）

四六、經過了約十分鐘的寒暄交談之後，沈先生親切和藹，平易近人的風度，使我緊張的心情完全放鬆，有如沐春風之感，覺得所面對的，不是剛認識的同事，簡直像是多年不見的老友，於是我那口無遮欄，直言無隱的個性逐漸顯現。（范承源：我最敬愛的一位長者——爲祝賀沈寶環教授七秩華誕而寫）

四七、在一個多小時的時間裡，我一面對國內教育的現況直抒胸臆，一面也對國內圖書館事業的發展大發議論。沈先生始終耐心的微笑聆聽，並以讚許的口吻鼓勵我說下去，使我愈說愈起勁，欲罷不能，簡直到了忘我的地步。（仝上）

四八、事後從其他同事口中得知，沈先生那時已屆耳順之年，而我竟在長者之前班門弄斧，放言高論，實在是不知天高地厚。沈先生竟然不以爲忤，讓我盡情發揮，慚愧之餘也不禁佩服其涵養與風度。（仝上）

四九、近年來無論在研究方面或教書方面，在遇到任何困難時，首先想到的就是向沈先生請教，而每次無不獲得詳盡、圓滿的指點，使我有「聆君一夕言，勝讀十年書」之感。（仝上）

五十、沈先生從事百年樹人的教育事業，數十年如一日，桃李滿天下，對我國圖書館事業的貢獻尤大，凡是我接觸到認識他的人，對其學問道德無不推崇備至，也無不尊爲圖書館界的泰山北斗。（仝上）

五一、他常說，把一個不好的人教好，把一個不會的教會，正是教育最大的成功與樂趣。（李美月：亦師亦友的沈寶公）

五二、綜觀先生獻身圖書館事業三十多年來，評其爲開拓者、設計者、奠基者，可當之

無愧。（胡家源：我所感佩的沈寶環先生）

五三、大學圖書館館長，得有博士學位者，先生爲第一人。（仝上）

五四、大學圖書館館長，得有圖書館高級學位者，先生爲第一人。（仝上）

五五、開風氣之先，決定圖書館採用開架制度者，先生爲第一人。（仝上）

五六、建議校方（東海）並蒙採納組成圖書館委員會，以供館長諮議者，先生爲第一人。（仝上）

五七、策劃大學圖書館（東海）保有出版品（學報），先生爲第一人。（仝上）

五八、注重圖書館教育，並撰文闡述之，先生爲第一人。（仝上）

五九、以中文編著「西文參考書指南」一書，先生爲第一人。（仝上）

六十、正式撰文闡述「圖書館工作自動化」之重要性，先生爲第一人。（仝上）

六一、大學圖書館館長於其任內極力自海內外蒐購我國古籍具有成績者，先生爲第一人。（仝上）

六二、大學圖書館，因先生曾任館長而蒙教育部評鑑名列前茅，並獲雙捷（中山、東海），先生爲第一人。（仝上）

六三、沈教授給人的印象如「和風煦日」，不見沈教授，你想不出他是怎樣的人，但是受過他教導的學生都可以「感覺」到教授的俊拔睿智，就想和他親近。（俞芹芳：沈教授七秩榮慶賀詞）

六四、望著臺大文學院長廊，憶及往昔師生相處，恰似白鹿鵝湖，一堂雍穆，情如家人父子，此情此景令我片刻也難忘懷。（廖又生：沈教授七秩榮慶賀詞）

六五、我十分欣賞老師那匠心獨運的寫作風格，巧妙的構思，動人的佈局，婉約的口吻及清新的筆調，那正是沈師著作的最佳寫照。（仝上）

六六、雖然我們算不上是「英才」，但你對學生的指導教誨與關愛鼓勵，讓我們深切體會到「遇天下良師而受教，一幸也。」。（林金枝：沈教授七秩榮慶賀詞）

六七、如果曾經和沈老師一起吃過飯的人，一定都知道沈老師也有一個「習慣」——替人挾菜。（林慶弧：沈教授七秩榮慶賀詞）

六八、謝謝您近一年來的教導，讓我從茫然中體會到「什麼才是有意義」的追尋！（曾美惠：沈教授七秩榮慶賀詞）

六九、沈老師一向愛護我們，沈老師也最照顧我們，今日，我們在老師的疼愛與呵護下學習，他日，我們必將傾盡所學貢獻於圖書館事業，讓老師再一次驕傲地說：「這些都是我的得意門生！」。（呂姿玲：沈教授七秩榮慶賀詞）

七十、風聲、雨聲、讀書聲，聲聲入耳；家事、國事、天下事，事事關心，讀書愛國兩相宜，這是沈師給我啓迪最深的了，如果我學得一絲一毫關愛別人的心，如果我學得了一點點待人接物的和氣，如果我能更精進學業，如果我能更熱愛國家，我都得感謝沈老師對我的教誨。（林文睿：我心目中的沈寶環老師）

末了，僅以最虔誠之敬意，抒作題詞恭祝　寶公恩師八秩華誕：

恭近於禮得歡喜
祝頌南山逾耄期
寶刀未老無人比
公忠體國甘之飴
恩同再造沒齒記
師嚴道尊受缽衣
八仙駢臻獻賀意
秩祿無爭浮雲棲
華封三祝恩永繫
誕壽鴻輝兆瑞齊

沈思沈師

廖又生
陽明大學圖書館館長

業界同道對沈先生的印象慣以圖書館學巨擘來頌讚其絢爛的學術生涯，其實對這位曾在醉月湖畔獨思的智者，在亦師亦父的情愫交織下蘊藏著許多值得追憶的往事。

民國八十四年十二月廿三日沈師住進臺北榮民總醫院，由於地利之便，多次探望，嗣後病情漸有起色，轉回南京東路住居靜養，同月卅一日再次會晤沈師，並見其親自從書房中取出一紙盒，內放置一九五三年美國科羅拉多丹佛大學授與沈先生教育學博士學位之博士袍一件，師以黽勉的口吻期望我能接受這件博士袍，進能薪火相傳圖書館學，光大圖書館管理研究；並贈予泛黃的稿紙千餘張；一九九五年歲末這則博士袍與稿紙的故事，讓我矢志以管理科學、行政法學來探索圖書館經營所遭遇的諸多難題，也正因沈師謬賞，得以使圖書館管理園地逐漸撥雲見日。

另民國八十六年一月十日沈師由美國加州返臺，下榻臺北市四維路蘭沁大廈武昌文華校友會館，一月十三日師來電告知午後三時於國立中央圖書館臺灣分館見面，化雨學生無數的沈師心細如線，再度賜贈塑雕鎮尺乙座刻有「又生學棣存念　胸藏萬卷　筆掃千軍　沈寶環贈」幾個字，旁觀分館同仁稱羨道賀，我則在卻之不恭、受之有愧的心情下領受這份盛情，當日稟告恩師，截至目前止，有關圖書館管理專門著作計出七本、單篇論文發表共一百三十七篇，念茲在茲，當時的心境仍是在關切低氣壓籠罩的圖書館管理動態，思緒複雜難以筆墨形容。

我所親炙的沈寶環師，身材魁偉、俊秀挺拔、倜儻軒昂、風度翩翩，人盡皆知、論沈先生學識事功更是我輩所無法望其項背，與沈師結識的經過應是臺灣圖書館事業發展史極爲珍貴的史料，沈師雖開啓我圖書館管理研究的大門，然畢竟教育是這一代人對下一代人的奉獻；著作更是這一代人傳遞給下一代人的聖火，今後唯有努力筆耕硯田，不使那些無註腳的學術論著消失於業界決不放棄這沈重的十字架，沈思沈師　您給後輩的影響就是那份自然偉大的人格。我與沈師、沈師與我這不可分之師生緣可著墨處甚多，謹摘二件小事以饗讀者；隨時空更迭、文化解嚴，迨可預見的未來若得撰擬「圖書館事業烏魯木齊傳」或「圖書館界趣譚」等軟性小品問世，將愈能引發業界同道共鳴。吾人拭目以待有志者早日刊行這些反思著作。

民國八十八年五月二十六日

作者謹識於唭哩岸

國立陽明大學圖書館

賀沈老師寶環八十嵩壽

黃慕萱
臺灣大學圖書資訊學系教授

這幾年來，每當碰到一些需要抉擇的事，或是有些話想與長者分享時，我一定想到沈老師，那股濃濃的思念，經常久久不能散去。我想告訴沈老師，您近年來的作品，常讓我有「大師之言」的感覺，您對學生盡心的提攜與愛護，更讓我永遠銘感在心。我常在想，「典型在夙昔」就是這麼一種感覺，我只能不斷的學習，希望以後我的學生看我，就如同我看沈老師一樣，是一個充滿智慧的長者，最眞心關懷學生的好老師。

生活中的沈老師

林孟玲
世新大學圖書館採訪組組長

今年正好是五四的八十週年，五四對中國而言是個文化轉捩點，活在當下常覺得升學主義讓自己索然無趣，每每展讀二、三十年代知識份子的種種，就由衷佩服在那個年代中文人紳士的學養，各個允文允武，不僅國學淵源，外文專精，還能十八般武藝，我的身旁正好有這麼一位典範人物，他就是沈寶環老師，今年他也正好八十歲。認識沈老師也是出乎我預料之外，當初來世新工作，只知道在正常業務外，還要做「資訊傳播與圖書館學」編輯工作，就在這樣的因緣下認識了當時的主編沈老師，在那時的印象中，他是位知名臺大的教授，有出版關於圖書館自動化、西文參考書的著作，共同任事後，卻深深為其學養和為人處世的風範感動，關於沈老師，何光國教授已撰述一篇老師的傳記於「資訊傳播與圖書館學」刊載，再撰者恐無人出其右者，僅以生活中的體認，介紹這位圖書館學的大師。

一、承庭訓，發揚中國圖書館學教育

老師常說他會走上這個學科，是因為沈太夫人所影響，如眾所周知的，沈老師的先嚴一沈祖榮先生為「中國圖書館學教育之父」，沈老先生協助韋棣華女士建立文華圖書館學校與文華書林，推展圖書館教育，然而一切實根基於沈太夫人姚翠卿女士開明之作風，從其主張婦女解放、拒裹足、參與救國等活動，可驗證老師常言其母親對社會之參與和投入更勝沈老先生。這般驅動力間接使老師受到父母親之影響，承續家學，更光耀中國圖書館學教育於後世。在臺灣，我們可以看見老師不斷倡導新的觀念，如開架陳列圖書、圖書館自動化……在中美兩國學界，甚至於兩岸間穿針引線，為的是讓整體圖書館學教育更具世界宏觀，更符合實踐的科學。

二、沈老師與「資訊傳播與圖書館學」

「資訊傳播與圖書館學」這份學報在沈老師的苦心經營下，堂堂邁入第五年，這份學報可說創造了國內圖書館學專業學報不同的風格，為了能進軍國際，我們堅持要有題名、關鍵字及摘要中英文之對照，我們要求完整的參考文獻，開放學術對談，稿源來自於國內外與兩岸學者，為了讓後學對撰稿人有所了解，我們有「作者簡介」……。身為主編的沈老師邀稿從不侷限一格，他的誠懇與知名度確實為學報邀到不少知名學者，倘若看見其他文獻中有可以同我們寫稿的人，沈老師常主動聯繫，邀稿的信中文筆至誠與熱情洋溢。沈老師對事情從不馬虎，每一期的編校安排總是叮嚀再叮嚀，賴老師從他手中接下此務也是很用心的經營著，現在儘管人在美國休養，他看到學報中有錯，總是會一點一點交待提醒。

五年來我們接獲不少的肯定，除了每年受到國科會科資中心評為優良期刊，前年我們收到 Library Literature 的信，說要收錄我們的期刊做索摘，這是不容易的，要得到收錄經過許多圖書館員與專家的考核，這也是我們繼中華民國期刊論文索引、LISA、Sociological Abstracts、Social Planning/Policy & Development Abstracts，與 Linguistics and Language Behavior Abstracts 後，再次的被專業索引收錄。去年底今年初，我接獲 British Library 的訂單，以我們這樣小規模經營，能受到專業的肯定與成果，這些榮耀全歸於沈老師，若不是他的開疆闢土與編輯策劃，不會有今天的「資訊傳播與圖書館學」。

三、允文允武，樣樣能上手

在老師身邊有不少時間代為處理信函，每次幫忙繕打書信，總有些收穫，他對書信的用詞除了通達外，尚要求典雅，老師的國學修養自不在話下，英文表達更是流暢，如果有空，他會分析為何要這麼用字遣辭，從一般觀念中，法文才有男女用詞之別，事實上應用英文中也有陰陽屬性，這些是學校沒教的事，每次打信馬上要校稿，瞬間壓力很大，但是受益匪淺。最近一次詳讀他的文章，是世新第二次舉辦國際學術研討會時的論文，看他在美休養念書的內容十分廣泛，旁徵博引，舉凡時事、社會文化與歷史的話題，無所不談，文字歷練不失幽默，不能不折服這樣好學不倦之本領。

讀書人能清楚表達意念也許不夠驚人，沈老師還可勝任大廚，對於美味飲食講究，洗手作羹湯一點也不馬虎，雖未親嚐，但從對食間的種種要求與評斷，明白會做菜這事所言不假。他還能彈一手好吉他、能跳舞……他常自謙沒念好書，到處磋跎，實在是客套了！

四、提攜後進，不遺餘力

從世新重新創建圖書資訊學系的歷程，沈老師爲讓創學理念突顯，大刀闊斧延攬了賴鼎銘老師，在當時主流中對這樣人事安排，總是要有番眞知灼見，看他劍及履及的爲新設系所打通關，對課程建議向來採開明作風，對於好的團隊與個人一定大力支持，個人完全不居功勞，他覺得要適時全然身退，讓後學能有晉升之機會。他的心血總算沒有白費，今年夏天，第一屆的畢業學生將步入社會，圖書資訊的血脈正在傳承。

也曾經看他撰寫臺大新興教授的升等意見，在香煙繚繞中陷入一片沉思，縉打時看他用詞剴切與誠摯，爲晉升提攜後代，毫不吝嗇，彷彿孕育的生命就藉由這個推動搖籃的手蓬勃起來。

五、深思熟慮，待人以誠

凡是幫助過他的人，他總是記得感謝或讚不絕口，世新圖資系成立四年來舉辦過大型會議三次，前兩次在人事佈局上，他在討論的過程中總是周詳，他會顧及每個點與面，讓每個人都舒服。同他用餐的人都有經驗，老師在吃飯時是不准留下殘羹的，老師會一一爲所有人挾菜，從不會厚此薄彼，照顧到每一位。有一陣子太忙，未能仔細顧慮到他，沈老師忙差人問話，打聽我是那兒不對了，懇切與細心讓人很是感動。

六、宜室宜家，孩子的沈爺爺

沈老師退休赴美前，有大批的書籍與物品待處理，家中陳列簡單，唯書海充棟，整理起來頗耗時日，同時也看到一位學者之風範與讀書的歷程，書籍中夾雜些他一對兒女的獎狀、唸過的參考書或課本、筆記，這些東西他如數家珍，礙於行囊空間，不能全數帶走，看他睹物斟酌的情懷間，充滿細心與愛憐，對孩子來說是個好爸爸！

他的魅力還延續給下一代，在美國，他非常得意他的兩位孫子，他會同他們玩球，其中長孫 Patrick 還是球隊隊長，敘述起來眉開眼笑，慈愛不在話下。這份慈愛也關愛著身邊的小小孩，每回從美國回來，世新幾位同仁的小孩都通通有獎，他總是刻意買眞正「made in USA」的禮物給小輩的孩子。有一回星期五晚上他請世新的幾位老師聚餐，我因下班後得全職照顧兩位稚齡的孩子，只好帶著孩子赴餐會，席間他給孩子不斷鼓勵與讚美，未料這番影響力給了當時四歲的長子很深刻的印象，事隔一週後，同是星期五，下了課的長子回到家執意不肯換鞋，說今天是要去陪沈爺爺吃飯，當時沈爺爺已經回到美國，我費了好一番功夫，才讓他脫鞋進家門，沈爺爺的功力果然過人！

在我經驗中的沈老師充滿著學養風範、平易近人、處事周詳，雖然屆八十歲，仍舊活力十足、觀念新穎、幽默風趣，能這般同老師共事結緣，好比讀了本好書，讓人雋永回味，無比幸運與感激！最後祝福老師福如東海，壽比南山！

公共圖書館館長眼中的圖書館工作者
——圖書館專業隊伍建設瑣談

黃俊貴
廣東省中山圖書館館長

一、小序

中華民族文化，在思維方法上研究「天人合一」，著重個人的體驗、悟性和直觀，著重情感感受，正如愛因斯坦（A. Einstein）說：「物理學家的最高使命是要得到那些普遍的基本定律，由此世界體系就能用單純的演繹法建立起來。要通向這些定律，並沒有邏輯的道路，只有透過那種以對經驗的共鳴的理解力爲依據的直覺，才能得到這些定律。」可以說，許多新概念、新思想、新理論，特別是涉及某一門學科更爲深層的東西，往往都是悟性、直覺的產物，基本理論的作用是對一定實踐的反思，將個別、局部的實踐經驗，上升爲具有普遍意義的理論。

1995 年 11 月，中國知名圖書館學、資訊科學專家沈寶環教授訪穗，對廣東圖書館學會會員及中山大學信息管理系師生分別作「圖書館學基本理論」的學術報告，他以廣博的學識精闢地闡述了其中的哲學觀點，更以他在美國和臺灣圖書館工作的現身說法生動地描述了自己作爲館員畢生從事圖書館工作的經驗體會。報告深入淺出，娓娓動人，深得好評。沈先生的報告使我至感實踐體驗的重要性，學科的發展必須解決基本理論與實踐工作經驗的關係。實踐出眞知，眞知又指導實踐，並需要通過實踐加以檢驗。當時學長沈先生建議我從當館長的親身體驗，寫一篇對中國大陸公共圖書館工作人員狀況進行分析，並提出素質要求、培養教育及使用問題的文章，由他親自確立了文章的題目。我作爲從業圖書館 40 餘載，又曾任省級公共圖書館館長多年，是有條件撰寫這樣的命題文章的，唯近年瑣事纏身，久拖未能成篇，今沈先生 80 華誕，謹以此拙文遙祝兄長長壽、健敏。

二、大陸公共圖書館工作人員狀況一瞥

在「圖書館學是研究圖書館事業發展規律的學科」的諸觀點中，莫過於「要素說」最具代表性，按這一觀點把圖書館劃分爲若干個要素、範疇，其中基本要素爲圖書資料、工作條件和工作人員。前者是物，後者是人。毫無疑問，在人與物的關係中，人是決定因素，正如阮綱納贊（S.R. Ranganathan）說：「一個圖書館成敗的關鍵在於圖書館工作者。」提高圖書館工作水平，充分發揮其開發利用文獻信息的動能，首先必須提高圖書館工作人員的素質，從大陸圖書館工作人員編製上看並不算少，約 20 多萬（不含中小學圖書館人員），其中 2661 所公共圖書館工作人員有 4.78 萬人，但專業工作人員不僅在數量上不足，而且在整體素質上仍然偏低，尙不能適應工作要求。在公共圖書館職工人員管理中首先區分爲幹部和工人，幹部區分爲行政幹部和專業幹部，工人區分爲合同工和臨時工（有相當一部份未經專業培訓，從事圖書館業務工作）。專業幹部又可以區分爲圖書館學、資訊科學專業人員和其他學科專業人員。例如，廣東省中山圖書館全體職工 304 人，其中幹部人員 126 人（專業人員 107 人，行政人員 19 人），合同工 75 人，臨時工 72 人。公共圖書館專業人員的學歷結構可分爲四類：一是正規大學圖書館學、資訊科學（信息管理）的畢業生，包括本科、專科生和少數碩士、博士研究生。這些科班出身的人員，在不同層次上具有圖書館學、資訊科學專業知識和技能，他們是圖書館工作的主要技術力量，除少數科學文化知識較好外，大多數都不可謂「廣博」，處理各學科圖書資料並非都得心應手；二是正規大學非圖書館學、資訊科學專業的畢業生，他們具有自己所學專業的基礎知識，但不具備圖書館學、資訊科學專業的知識和技能；三是通過各種業餘學習獲得與圖書館學專業相關或不相關的大學（主要是專科）文憑的人，具備了一定的所學專業知識，但其知識系統往往存著許多薄弱環節，運用知識的能力欠佳；四是沒有任何大學文憑的人員，不論是知識還是能力水平一般都低下，他們在開發利用圖書資料上的作用極其有限。在上述四種人員中的第三、四種卻占有相當比例。以廣東省縣以上 99 所公共圖書館爲例，總計從業人員 1804 人，其中大專文化以上程度的有 318 人，占圖書館總人數的 17.6%，中專業文化程度的 193 人，占總人數 10.7%，高、初中文化程度 1293 人，占 71.7%。廣州市八個郊縣圖書館，共有工作人員 84 人，具有大專文化程度僅占 6%，大多是高、初中文化程度占 55%，初中文化程度以下占 39%。就總的情況而言，文化程度偏低，圖書館學專業人才較少，外文、理工和農業等專業人才奇缺。

1986年，大陸公共圖書館推行圖書館專業人員的專業職稱制，依據專業人員的學歷、

資歷、工作業績、學術成果等條件，按三級五等即高級職稱分爲研究館員、副研究館員，中級職稱爲館員，初級職稱的分爲助理館員和管理員。採取評定與聘任結合的辦法，其職稱與承擔業務工作責任及生活待遇相聯。由於公共圖書館工作人員整體素質不高，各級職稱結構參差不齊，就北京、上海、天津、深圳、甘肅、廣東中山圖書館的職稱結構及學歷結構調查可見一斑。（表一、表二）

表一：大陸六個省(市)級公共圖書館工作人員業務職稱調查

單位	專業人員	正研	占總數%	副研	占總數%	中級	占總數%	初級	占總數%
首都圖書館	143	1	0.6	10	6.9	78	54	54	37.8
上海圖書館	705	16	2.2	104	14.5	332	46.4	262	37
天津圖書館	257	5	1.9	22	8.5	104	40	126	49
深圳圖書館	127	2	1.5	10	7.8	50	39.3	65	51
甘肅省圖書館	124	1		11		55	44.4	78	
廣東省中山圖書館	179	3	1.6	11	6.1	50	27	115	65

表二、大陸六個省(市)級公共圖書館工作人員學歷調查

單位	總人數	碩士博士	占全部人數%	大學本科	占全部人數%	大學專科	占全部人數%	大專以上	占全部人數%
首都圖書館	192	3	1.5	94	17	70	36.5	85	44.3
上海圖書館	905	26	2.8	182	20	189	21	508	56
天津圖書館	306			81	26.4	124	40.5	101	36
深圳圖書館	170			40	23.5	60	35.2	65	38.2
甘肅省圖書館	191			51	26.7	67	35.1		
廣東省中山圖書館	179	4	2.3	58	32	72	40	45	25

在年齡結構上，50-60 年代的圖書館工作人員相繼退休或接近退休，60-70 年代因「文革」干擾，圖書館事業發展滯後，圖書館工作隊伍數量相應萎縮：80-90 年代進入圖書館崗位的青年人較多，45 歲以下據不完全統計占總人數的 70% 以上。由於缺乏資深的圖書館工作人員，中青年工作者或不安心本職或缺乏經驗，使業務基礎和服務質量在不同程度上受到影響。僅以首都圖書館工作人員的年齡及學歷結構爲例：（表三）

表三、首都圖書館工作人員的年齡及學歷結構

	總數	25 以下	占總數%	26-35歲	占總數%	36-45歲	占總數%	46-55歲	占總數%	55 歲以上	占總數%
大本以上	3			2	66			1	33		
大本	34	2	5.8	18	53	5	14.7	7	20	2	5.8
大專	70	1	1.4	23	32.9	24	34.2	20	28.6	2	1.4
合計	107	3	2.8	43	40.2	29	27.1	28	26.2	4	3.7

在性別結構上，由於職業本身的特色，婦女從事圖書館工作者較多，普遍占 70%以上。而圖書館不少技術、勞務工作需要男性工作人員去做，一些圖書館的工作人員健康體質不佳，常因老弱病殘者不能保證正常上崗，或者女青年工作人員過多，在她們婚後出現群體產假、哺乳假或保育假等家務而影響圖書館工作的正常運轉。為此，不少圖書館採取措施，盡量控制女性圖書館工作者數量。

社會環境也是影響圖書館工作人員的思想文化修養的重要因素，中國大陸市場經濟體制的推行，極大地震動著文化領域，對公共圖書館原有的生存方式、供需格局、運行機制形成了巨大的沖擊波，由於圖書館社會地位低、物質福利待遇差，在外界的誘惑下不少圖書館工作者的價值取向產生變化，不再安心本職工作，或要求「跳槽」（調動工作），或毅然「下海」（經商），特別是一些具有專長的人員極少願意與圖書館「長相廝守」。據有關方面報導，1992 年，某一大型圖書館每月都有十幾個人，甚至幾十人要求調離圖書館，新分配來館的大學生一般工作很少超過兩年。目前，公共圖書館工作人員狀況是：一方面有用之材、骨幹留不住，許多關鍵工作缺崗或「滑波」；一方面，在崗的冗員太多，且形成「請神容易，送神難」，只好長期背上包袱。

為進一步說明公共圖書館工作者的狀況，筆者對廣東省公共圖書館 100 個工作人員就他們自己的職業態度、工作成績及未來發展認識等問題進行了訪談調查如下：

1.職業態度的調查

1.1 是否熱愛圖書館工作：熱愛 69%，不熱愛 5%，一般 26%；

1.2 對圖書館的價值取向：為讀者服務 55%，為學習研究條件 11%，為能從事圖書館一般工作而滿足 34%；

1.3 對選擇圖書館工作的原因：為工作環境好 68%，家庭因素 14%，無可奈何才進圖書館 18%；

1.4 對圖書館工作重要性的認識：重要 55%，一般 41%，不重要 4%；

1.5 對圖書館員的地位：較高 0%，一般 65%，較低 35%。

2.對工作成就認識的調查

2.1 是否有成就：是 54%，否 46%；

2.2 對自己專業水平是否滿意：是 21%，否 64%，無所謂 15%；

2.3 如何在事業上發展：做好本職工作 85%，專業寫作 10%，發展個人興趣 5%；

2.4 撰寫專業論文數量：0 篇 27%，1 至 2 篇 39%，3 至 5 篇 26%，10 篇以上 6%，具有專業著作 2%。

3.對圖書館工作人員素質理解的調查

3.1 對素質的表現：敬業精神 40%，文化水平 45%，熱愛圖書 15%；

3.2 個人發展的主要因素：自我因素 50%，工作環境 25%，家庭因素 10%，社會因素 15%；

3.3 培訓方式：學位 28%，在職培訓 58%，技能訓練 14%；

3.4 當前最關心的問題：工資(含其它收入)43%，職稱 25%，求學深造 8%，生活條件 14%，家庭 10%。

4.對未來發展認識的調查

4.1 對事業發展的信心：有 76%，無 2%，無所謂 22%。

4.2 對學習圖書館新技術的興趣：有興趣 75%，無興趣 8%，無所謂 17%；

4.3 對再次選擇工作的看法及傾向：繼續本職 85%，出國深造或找工作 5%，經商 5%，企業工作 2%，其他工作 3%。

從以上調查材料表明，大陸公共圖書館工作人員整體素質有待提高，爲適應社會發展潮流和服務社會的需要，必須在充分認識自己的基礎上，採取對策，不斷自我完善。

三、順應社會發展趨勢，圖書館需要具有綜合素質的人才

我們正處於跨世紀時代，如果說 20 世紀科學技術人才已成爲生產力發展的主要因素，那麼 21 世紀必將成爲決定因素。在世界範圍的綜合國力的競爭中，人才作爲科技是第一生產力的核心，直接影響著這個國家生產力發展水平。可以說，綜合國力的競爭焦點正表現爲人才的數量與質量的競爭。當前，我國圖書館事業發展正面臨兩個外部環境的衝擊：一是隨著全球經濟一體化，圖書情報也在一體化，我國正處於信息「高速公路」演進中的國際網絡和知識經濟不斷發展的環境；一是國內市場經濟環境下，圖書館事業發展不平衡，在辦館條件和辦館效益諸方面盡管取得了很大進展，但也還有許多不能盡

人如意的問題存在，需要認眞研究、解決。

21 世紀將是信息的世紀，知識的世紀。現代信息技術的發展大大改變著圖書館的外部環境，同時又改變著人們對收集、貯存、加工、傳遞和利用信息的方式。面對縱橫交錯的電子信息網絡，圖書館不再具有絕對優勢的信息源。圖書館的生存和發展必須適應網絡時代的要求，改善自身的服務方式和管理機制，加快現代化建設，把自身建設成爲電子信息源網絡中的一個重要信息和主動搜集、加工、傳遞網絡信息的「信息中心」，成爲全球信息網上的一個有效結點。鑒於知識經濟屬於智能經濟，軟資源即智力資源（人力資源）、技術資源（技術素質）、信息資源（信息、管理素質）比硬資源（包括館舍、館藏、設備、經費等）更加重要。爲此，必須處理爲人才資源與館藏文獻資源的關係，堅持以人爲本，人才資源優先的原則，因爲文獻資源靠人才資源去鑒別、組織、開發、才能將靜態信息活化，眞正在服務社會中發揮作用，產生應有效益。

現代圖書館需要具有綜合素質的複合型人材。綜合素質包括思想素質、專業素質與文化素質等。複合型人才是指具有自然科學、社會學科綜合知識和業務能力的新型人才。具備圖書館學知識、資訊科學及其他相關科學知識，熟練掌握一至兩門外語，懂得計算機應用技術及熟悉電子出版物等現代化信息的管理，具有綜合性知識結構。因爲圖書館是一項綜合性的文獻處理專業工作，其工作內容可分爲文獻的收集、整理和加工，以及文獻的研究、報導和服務。它不僅具有服務性，而且還具有學術性、技術性等特點。文獻的收集是一種對知識進行選擇與組織的工作，它是開展其它業務工作的前提，只有掌握圖書館採訪學方面的知識，才能採集到質量高和適用性強的圖書資料。文獻的整理和加工是對知識進行分類以及對知識的內涵進行揭示的工作，要完成從組織文獻到組織知識的轉變，將數量眾多、種類浩繁以及學科交叉、滲透的文獻中蘊涵的知識，準確而有序地揭示，就必須具備分類和編目方面的技能。有人認爲，收集、整理和加工的過程只對文獻作了淺層次的開發，是有失偏頗的。文獻的研究、報導和服務則是在一次文獻即原始文獻的基礎上提練、加工產生更具有針對性和時效性的二、三次文獻，具體表現爲編制各種專題內容的索引、文摘、評介、綜述等提供讀者服務，這些工作更能體現圖書館工作的學術性特點。

圖書館工作人員不僅應具備文獻管理技術方面的基礎知識，而且還應具備廣博的科學文化知識，具備一定的寫作能力和文字表達能力，有的基層圖書館要求工作人員向「三個一」努力：寫一筆好字，撰一手好文章，有一張好口才。以自身良好的素質爲讀者提供優質的服務。誠然，對於擔負不同具體任務的圖書館工作人員，其知識結構的要求是不同的，如從事社會科學資訊工作的人員應對哲學、政治、法律、軍事、經濟、文化、教育、體育、語言、文學、藝術、歷史、地理等知識有所了解，而從事自然科學資訊工作的人員則應了解理工學科方面的知識。只有這樣，才能使圖書館工作人員的知識貯存具有針對性和適應性。而根據當今圖書館工作趨向自動化、網絡化的特點，所有工作人員都還要學習信息科學方面的知識，學習電子計算機和外語知識，從而增強信息意識，做知識的工程師，將各種館藏文獻變成「活」信息，準確、及時向社會傳播，提供讀者服務。

圖書館科學管理和有效開發，要求工作人員不僅應具備圖書館學專業知識，而且應具備與其相關的科學文化基礎知識。否則，要勝任工作是很困難的。當前圖書館工作人員素質存在突出的問題正是知識占有的不足，他們沒有完全具備從事現代圖書館工作所需的知識結構。知識是才能的基礎，知識結構的完善與否決定了人才素質的高低，人才素質的高低又決定了工作效果的大小。

複合型人才是指知識結構的多元化，限於工作人員的專業素質、文化素質。而綜合素質則包括專業素質、文化素質和思想素質等，兩者必須兼得，不可偏廢。思想素質主要體現在圖書館精神。何謂圖書館精神，有的學者已作過專論，但因尚未界定它的概念內涵，各自對它所包括的內容見仁見智。筆者認爲，圖書館精神是圖書館職業道德與傳統民族精神、時代精神的結合。職業道德屬於行業行爲規範，是從業人員長時期積澱下來的愛書、愛讀者、敬業、樂業品德。圖書館作爲文化教育事業，社會意識形態必然滲透其中，傳統文化的民族精神，諸如愛祖國、愛民族、艱苦奮鬥、自強不息、重德務實等等，都是構成圖書館精神不可或缺的內容。中華文化的注意中心是倫理，思想特點實用理性。圖書館人應該從中學習講求公共關係，崇尚協調、協作的精神。圖書館學是方法之學，「技術方法中心論」的根源在我國傳統文化的務實精神，而不是美國杜威（J. Dewey）的實用主義。時代精神是反映世界文化的、激勵人們推動時代發展的思想精髓。當今在信息網絡環境下由於讀者對信息的選擇性更大，要求圖書館提供有價值信息，圖書館人員結構將是「雙峰形」，即人才的創造性與服務性，提高對信息的鑒別，確定信息價值，給讀者導讀，做知識工程師。人才的創造性包括領導決策的創造性和一般工作人員的創造性，均不留於傳統的俗套，與此相應，圖書館管理的重點將更加重視研究與開發。研究指發展政策方面的研究、技術與方法的研究；開發包括智力開發、文獻開發、技術開發等。這樣，圖書館就不能株守傳統，囿於單一、僵化格局。「創新則興，守舊則敗」，圖書館工作人員必須具備創新、開拓精神，走出傳統的窠臼，營造工作特色，不斷以社會需求為導向，在各個歷史發展階段適時地推出新的工作項目、科研項目，新的服務內容、服務方式，才能調動自身的積極性，永保圖書館活力。

應該指出，明確「圖書館精神」的內涵，弘揚圖書館精神眞諦極其必要。其一，圖書館精神是我國圖書館事業的寶貴財富。我國近代新式圖書館運動的興起，圖書館教育的發展，從二千多年的傳統管理桎梏中迅速振興，躍進世界潮流，不是依經濟實力、技術條件，而是靠造就了沈祖榮、杜定友、劉國鈞等一批具有圖書館精神，矢志不移地獻身於近代我國圖書館事業的奠基人；其二、明確圖書館精神，利於完善圖書館工作人員素質。圖書館精神是圖書館工作人員素質的核心，它與專業、文化素質是德與才的關係。事實表明，凡是辦得比較好的圖書館都具有一個能團結、協作、由資深專家組成的領導班子，相反那些不景氣的圖書館，不是領導缺乏事業心，就是專業、文化素質較低所致。圖書館精神與專業、文化素質密不可分，很難想像缺乏專業、文化修養的人，能夠具有圖書館精神，即使其中一些尚能安心工作也是盲目的。鑒於圖書館精神溶入傳統民族精神和時代精神，如果對我國傳統文化數典忘祖，對世界文化茫然無知，圖書館精神也就無從談起。我國近代圖書館的前驅者都學慣中西，正是他們形成圖書館精神的底蘊；其三、弘揚圖書館精神是發展現代圖書館事業的需要。我國圖書館事業發展不平衡，不少圖書館因經費短缺，步履唯艱，在社會經濟大潮的衝擊下，不少從業人員不時發出「外面世界眞精彩，圖書館自己卻無奈」的感嘆，導致隊伍不穩定，事業凝聚力減退。為此，回歸圖書館精神是時代的呼喚，事業之所需。事業的構成既是物質的又是精神的，是物質與精神的有機結合，當今尤為需要強調圖書館精神對從事業發展的推動、指導作用。甘肅省圖書館為激發從業人員的圖書館精神，提出「讀者至上，服務第一，勤奮求實，開拓進取」作為館訓，既體現職業道德，又反映民族精神及時代精神，這一措施是值得效法的。

四、改革圖書館學教育，培養符合事業發展需要人才

我國圖書館學、資訊科學教育迅速發展及其對圖書館事業產生的作用是有目共睹的。但也存在著不適應社會發展需要的問題。諸如培養目標定位不明確、課程設置不切合實際、教學方法單一僵化等，都需要深化改革，進一步完善，以培養符合事業發展需要人才。

㈠要按需求辦學，著重造就高層人才。鑒於傳統圖書館正向現代圖書館轉型，單一的書刊借閱活動正轉向綜合的文獻信息服務，圖書館學、資訊科學應突破傳統的以一般

圖書館方法技術爲主體的培養人才的藩籬。培養目標的基本點必須適應社會發展的現實需要，培養具有以文獻爲主體的信息收集、加工、傳遞、交流及提供的複合人才。所謂「以文獻爲主體的信息」是立足圖書館的實際，因爲文獻信息是圖書館學、資訊科學之根；「爲主」當然也就存在「爲輔」，這個「輔」指可以兼顧掌握其他信息的產生、傳遞及提供的行爲過程，以及各類信息的經營、管理系統與手段。要以按需辦學，培養人才的基本原則，劃分培養人才的層次及畢業分配使用的對象，改變高級人才缺乏，中、初級人才界線不清，分配使用無序的狀況。筆者認爲，可將人才培養大致劃分四個層次：⑴初級文獻管理員。指中等圖書館技術學校或大學專科畢業生，主要分配從事圖書館、資訊系統的一般技術性、事務性工作和初級實際管理人員，此類人才不宜超過 20%；⑵本科學士，指各大學畢業的專科學士。主要分配從事一般業務工作，此類人才可占 40%左右；⑶碩士研究生。目前各大學培養的碩士畢業生不多，在實際工作中作用不大，今後應逐步成爲專業教育的主體，在圖書館工作中占主導位置，此類人才占 50%爲宜；⑷博士研究生。大陸圖書館高級人才甚少，需要加大培養力度，著重在解決能以跨學科專業知識及科學方法，研究和分析社會需求信息問題，主要從事圖書館發展研究和教學工作，此類人才應占 10-20%。

由於目前「圖書館學」教育改名爲「信息管理」，培養目標難於定位，留於「上不成下不就」，遂使傳統圖書館學、資訊科學教育上存在著供需脫節的現象，一些專業畢業生在知識結構上不能適應實際工作，特別是信息服務的需要，不願意從事一般書刊借閱工作及採編基礎業務，而要求專門進行所謂業務研究與輔導工作或參考諮詢（實際上並不能勝任），有的甚至乾脆就改行，進入與信息業完全沒有關係的領域。筆者認爲，不能把高等學校教育主要培養的「通才」，理解成幹什麼工作都能適應，不必過分強調專業技能。「通才」是指某一專業的通才，還須在實際工作中學習提高，提倡熟悉了解圖書館與資訊工作全過程，從一般基礎工作做起，並能精通某一項專項業務。專業教育還是要強調學什麼、幹什麼、研究什麼，不同層次的教育具有相應的不同要求。必須強調培養圖書館學、資訊科學高層次專業人才的重要性，既採取各種途徑培養各級專業人才，同時造就一批跨世紀的學術和技術帶頭人。鑒於目前圖書館對文獻信息收集、加工和傳遞手段落後，服務水平不高，培養更多的碩士、博士及雙學位畢業生，是事業發展的實際需要。培養高層人才關鍵在於具有良好的教材和合格的師資，當前低、中、高圖書館學及資訊科學專業教材的內容水平沒有明顯差別，其不同教育檔次只是通過授課科目（主要是外語、文化課）拉開距離。而其它科學課程學得越多越深，圖書館學及資訊科學就相形失色，使學生見異思遷，再無心從事自己的專業。正是由於學科自身的貧乏，沒有學過圖書館及資訊科學的人（學過其它專業），也可以當館長、教授、研究生導師。有鑒於此，目前圖書館學、資訊科學界還不可能樹立「說一不二」的學術權威。筆者認爲，必須強化學術研究，以高質量的教材去推動教育發展，教育發展也必將促進學術繁榮。

㈡要反映圖書館事業發展實際。圖書館學、資訊科學教程必須反映圖書館事業發展實際，培養學生處理、解決實際問題的能力，避免只是空談理論或原封不動地移植其他學科的原理方法作爲專業教材的框架。比如，圖書館管理就不應一般地搬用管理科學的原理、方法，而應根據當前圖書館事業發展狀況闡明它的管理理論、原則、制度、方法，以及事業發展如何解決內涵充實與外延發展、傳統圖書館如何轉型、事業發展趨勢與辦館模式、辦館規模與辦館效益、圖書館如何與社會合作、發揮整體效應等等。在文獻編目方面，根據國際標準書目著錄（ISBD）的發展和各國文獻編目規則的變化隨時更新內容是非常必要的，既反映實際又預見編目理論、方法的發展規律。文獻編目課程還應擺脫就技術講技術，或者一般地解決編目條例，努力去構建文獻編目的理論體系，闡明技術方法的理論依據，引導學生分析文獻特徵及有關文獻知識，提高學生的文化素質。可惜，目前文獻編目問題在高等學校教程中淡化了，將各文種編目整合在一起，甚至沒有把標目的規範控制作爲重點內容。這是不符合圖書館從組織文獻到組織知識轉變的需要的。

當今評判專業人員是否合格，以專業思想、職業道德、知識水準、工作能力等爲基本條件，具體表現爲勝任和解決實際工作的能力。專業教育部門要達到這些標準，必須解決教程建設深入實際，反映實際，不能關門造車，無的放矢。

㈢要採取「系館結合」的教學方式。把課堂知識傳授與社會實際結合起來，是圖書館學資訊科學專業教學改革的重要課題。圖書館學及資訊科學是應用之學，脫離實際往往無法施教。目前許多技術方法課只講技術原理，缺乏現場實踐，沉緬於書本、課堂，令學生如墮雲霧，不得要領。因此，圖書館學、資訊科學確定教學實踐基礎是非常必要的。即教學中的有關實踐環節的內容，由來自實踐工作部門的專家主講、指導，學生到實際工作部門從事專業實踐。通過「請進來，走出去」或聯合辦學形式，讓學生與有實踐經驗、有眞材實學的人接觸。其好處有：⑴提高辦學效益和教學目的性，了解實際工作部門對畢業生的需求，改善畢業生分配中的雙向選擇；⑵通過與實踐相結合，使教師改變只務虛不務實的弊病，促進理論與實踐結合，更新知識結構，注重教學內容的新陳代謝，提高教學質量。

筆者認爲，實行「產學聯合」、「系館結合」是必要的，在明確聯合或結合目的性的前提下，確定兩者的結合點，即實際工作部門具備學生實習、研究條件或具有較強業務技術人員，可以勝任教學、輔導任務；教學部門可以幫助工作部門解決一些問題，有利於促進事業發展，也就是說，雙方要具有協作的基礎條件，目的在於促進雙方事業發展，良性互動。

五、繼續教育是在職人員提高素質的必由之路

繼續教育既是專業人員的知識追加教育也是公民的終身教育。縱觀世界發展趨勢，各國都在實施繼續教育工程。每年接受繼續教育的培訓率，荷蘭爲 80%、丹麥爲 45%、美國爲 43%、英國從 1991 年開始建立一個全國性的繼續教育體系。我國大陸也形成了繼續教育制度，不少省份對圖書館專業技術人員職稱條件都具有繼續教育要求，明文規定必須結合實際工作的需要，學習本專業及相關學科的新理論、新方法、新技術，注意提高外語水平和計算機技術，不斷更新知識，轉變觀念，同時還規定申報相應職稱必須完成繼續教育的任務，提交繼續教育主管部門認可的有效證明（包括科目、內容、時間和考核成績等）。由於我國人口數量過多，經濟尚不發達，加之歷史原因，人才出現斷層，急需人才缺口大，形成大規模的教育需求。而我國的高等教育遠不能滿足社會經濟發展對人才的需求，據統計，近十年來我國開設圖書館學、資訊科學專業的正規大學的 52 所（其中改名信息管理系 34 所），在校學生達 4 千多人，每年培養的畢業生近千人，從統計數據看似乎不少，但還遠不能滿足全國各類型情報機構的需要，因爲畢業生人數只約占全國 25 萬圖書館工作人員的 10%，況且，近幾年畢業生的實際工作能力還存在一定的局限性。圖書館在職人員培訓機會較少，據粗略統計，目前我國從事圖書館工作的人員中約 15 萬人需培訓，文化素質及專業能力還不能適應現代化圖書館發展的需要，許多該發展的業務工作無法進行，造成了圖書館專業人員的配備與事業發展不能成比例。如果與幾個繼續教育發達國家相比，差距就更大了，美國圖書館有 1/3 的人員受過高層次專業訓練，高校圖書館的碩士比例達 89%，館員中的 32.8% 除了有圖書管理學碩士學位外，還有第二碩士學位或更高學位；前蘇聯擁有龐大的夜校和函授教育網絡，全國有 60% 的圖書館員接受各個層次的在職培訓，前聯邦德國圖書館每年舉辦 15 期短訓班，輪訓在職人員，每個館員每兩年必須接受一次輪訓，高級館員主要是學習計算機技術、數據處理等新技術課程。圖書館繼續教育目的明確，針對性強，時間短，見效快，方式靈活，

經費節省，是適合我國國情的培養人才方法。它可充分利用所在工作環境或眾多的社會渠道培訓人才，具有較大的適應性和有效性，而且一般能根據各地區人才需求特點，重在更新知識，補充急需知識，培養急需的專業人才。繼續教育的對象多數是具有一定專業特長和實踐經驗的成年人，他們帶著工作實踐中提出的大量理論問題參加學習，學習目的明確，培養內容針對性強，學以致用。

大陸圖書館繼續教育大體有以下幾種：

1.學歷教育

1.1.大專在職教育。主要是從具有高中畢業或中專學歷的圖書館在職人員中培養，可參加全國成人高等學校統一招生考試入學，也可參加高等教育自學考試，使這一部份的人員能夠初步掌握圖書館學基本理論和技能，提高崗位適應能力。

1.2.本科在職教育。主要是從已具備大專學歷的圖書館工作人員中培養，參加大專起點本科班的學習。由於他們具有一定的專業知識和實踐經驗，對於進一步提升學歷一般都學習積極性高，成績優異。目前，北京大學、武漢大學兩間大學在全國開辦的專科升本科的三年函授本科班，大部份畢業論文質量好，使他們掌握國內外圖書館學發展動態，補充相關學科的知識，學習新理論、新技術、新方法，成爲圖書館工作的業務骨幹。

1.3.雙學位教育。從非圖書館專業的理工科、文科專業畢業生中招收。不僅可培養「複合型」高級人材，而且可改善圖書館員隊伍的結構，推動理論和實踐的發展，並在圖書情報事業中起骨幹和中堅作用。這種教育方式的最大優勢就是培養的圖書館員有定向研究生性的雙重適應性，能夠從事比較專深的業務工作。

1.4.在職研究生教育。從大學本科畢業生和具有同等學歷的圖書館中挑選，可使他們進一步提高學術水平，在原有的基礎上進一步學習，掌握系統的專業知識和堅實的基礎理論，及時熟悉並掌握國內外圖書館學的新理論、新技術和新方法，擔負起學科建設和科研工作的重任，使之更適應圖書館現代化建設的需要。

2.非學歷教育

2.1.在職培訓。爲使專業人員能在德、知、才方面全面發展，就不能局限於學歷教育，無論取得高學歷或沒有取得應有學歷的專業人員都應不斷地努力學習。事務總是發展的，在掌握了一定知識、方法的圖書館員應及時吸收新的知識，掌握新的方法。在形式上除了自學以外，一般採取培訓班、研討會、座談會等。在職業務培訓各館都有較長遠的計劃，解決圖書館工作員逐步提高水平的問題，在方法上採用操作性學習、討論式學習、開放式學習、自學等。

2.2.參加學術活動。必須明確一個全新的觀念，即對圖書館學及其它學科的研究是專業技術人員，尤其是中高級館員份內的工作，每個人都應選擇最適合於自己的課題及方式進行研究。爲此，必須將圖書館員的科研活動納入管理工作的體系之中，使之經常化制度化。作爲領導者在工作安排以及其它方面爲科研活動提供便利。同時建立獎懲機制，調動圖書館員從事科學研究積極性，使科研成果與晉級、晉職掛鉤，以強化科研行爲。要組織專業人員積極參加本專業的各類型，多層次的學術會議，以及國內外參觀考察，不斷提高自己的學術水平。凡參加學術會議必須撰寫論文，要求廣泛獲取信息，努力擴大知識面，加快自身的知識更新，提高自身的理論水平和工作的應變能力。如此持之以恆，必然會促進個人知識結構的全國發展和科研素質的培養，進而能創造性地、出色地做好本職工作。

六、完善專業人員管理，體現「以人為本」原則

圖書館管理的對象除了人、財、物三大要素外，起碼還可以加上信息、時間等等，隨著圖書館的社會作用日益突顯，人的認識深化，對圖書館管理的研究越來越得到重視。在圖書館的諸因素中關鍵應抓住其中的核心和動力，即生產力中最活躍的要素，這就是以人爲本。因爲管理工作是一種社會活動，各個不同因素、不同環節都離不開人去掌握和推動。沒有人正確、合理地支配和使用財、物、信息、時間，管理就起不到應有的作用。可以說，圖書館管理首先應該是對人的指揮、調控，最大限度地發揮人的主觀能動性，否則將不可實現圖書館的管理目標。

面對人力不少，人才奇缺的現狀，發人思考的問題是如何留住人材，用好人材，而在實際管理中各館因地制宜，都採取了一些相應措施：⑴在指導思想上把圖書館人才培養、使用與智力開發提高到戰略地位，克服把圖書館作爲安置幹部的好去處，以爲什麼人都可以勝任圖書館工作，甚至鄙薄專業幹部的現象。要注意當圖書館規模擴大，業務工作得到發展時，嚴把進人關，著力建立一支熱愛圖書館，了解圖書館工作規律，熟悉業務，懂管理，善經營的專業幹部隊伍。確保圖書館隊伍整體素質適應發展形勢要求；⑵「開門養士」積極延攬人才，保持圖書館具有一批骨幹，帶頭人，特別是物色好一個德才兼備的館長，作爲開創局面，再創佳績的關鍵。20年來，廣東從全國各地延攬不少幹部，英才大都集中於深圳、廣州，他們對珠江三角洲乃至全省圖書館事業發展所發揮的作用是不容忽視的。事實表明，館長的決策、管理能力和骨幹的組織、推動、實幹，兩者有機會結合，良性互動，可以彌補歷史原因造成整體隊伍素質偏低的缺陷。物色館

長應該講求綜合素質，一些館長是專家，善於管理；一些館長不是專家也善於管理，這除了靠他們的學識、能力之外，其中搞好領導班子團結、聯繫群眾、民主作風、謙遜好學、清廉勤政等思想作風也是密不可分的；(3)認眞貫徹「尊重知識，尊重人才」政策。「金無赤足，人無完人」，要善發現人才，大膽使用人才。珠江三角洲一些圖書館注意克服只歡喜唯唯諾諾，聽話幹活「老實人」，唯排斥思想活躍，勇於開拓「好事者」的傾向。重視事業發展需要富有創造力的改革者，而不是滿足現狀，不思進取的「守攤人」。尊重知識是尊重人才的前提，雖然圖書館學並非深奧科學，但它畢竟是學（科學）也是術（技術），不可以長官意志，隨心所欲，或者一個領導一個主意，甚至將學術變爲權術。許多圖書館領導遵循圖書館工作連續性、積累性規律，並尊老敬賢，對重大事業發展決策認眞垂詢。對年輕骨幹則給任務壓擔子，把他們推到關鍵崗位上發揮作用；(4)完善管理機制，充分調動人的積極性。首先，要完善動力機制。領導者應具有「無爲而治」的修養，「人有所不爲，而後可以有爲」。管理者注意了自己的道德修養，就能夠起到上行下效的作用，使部屬自學地按照組織原則，價値標準去行動，管理者也很瀟灑，就不需「日理萬機」，事無鉅細，事事躬親，不致於妨害被害者主動性的發揮，甚至挫傷人家的自尊心。事實表明，在一些地區圖書館工作較有起色者，幹群關係就較融洽，領導作風就爲人們贊許。

要引導圖書館工作人員甘於寂寞，安貧樂道，不斷充實自己，體現價値。圖書館不是做官發財和事業，「官宦匆匆只十年，文章草草皆千古」，即使能在圖書館當個「小官」也需要試崗、助理、能上能下。圖書館要以工作項目或科研項目去組織工作人員的積極性，鼓勵他們參加各類在職學習，包括攻讀學位。第二，要完善激勵機制。圖書館必須明確提倡什麼，反對什麼，有一個健康的價値導向、行動導向。1994 年起，深圳圖書館推行「崗位職級制」，提倡按照職級使用幹部，又克服唯職級的弊病，樹立崇尙實績的風尙，上崗聘用主要看職工的實際工作能力和業績。廣東省中山圖書館也建立職工工作成績、學術成果獎勵制。還有其他地區圖書館建立季度、年度評選先進集體、個人、並與其待遇直接掛勾的制度，都極大地刺激著職工的工作積極性。第三、要完善利益機制。營造關心人、信任人的氛圍，「衣食足而思禮」，既要靠事業留人、感情留人，也要靠待遇留人，各館除了注意豐富職工的文化生活之外，都積極開源節流，逐步提高職工的物質待遇。對於一些高級知識分子、專門技術人員，給予特別照顧。

對事業人員實行「以人爲本」管理的目的在於贏得人心，達到事業健康、穩定發展，而更爲重要者還在對外服務，以讀者爲中心，尊重讀者、研究需求、方便讀者，以優質服務爲讀者信賴，從而提高全民的圖書館意識，取得社會支持，促進圖書館事業發展。

參考文獻

彭斐章，「圖書館情報學教育改革與學科建設」，圖書館學、信息科學、資料工作，1995(1)。

李景正，「信息化是圖書館學教育的必然走勢」，中國圖書館學報，1995(2)。

岳劍波，「走向信息時代的圖書館教育」，中國圖書館學報，1993(3)。

程煥文，「論『圖書館精神』」，黑龍江圖書館，1987(4)。

黃俊貴，「走出傳統，迎接未來」，圖書與情報，1999(1)。

黃海燕，「公共圖書館的人才狀況調查與分析研究」，改革開放 20 年中國圖書館事業高層論壇文選，1994(4)。

黃俊貴，「適應經濟發展，強化事業導向」，改革開放 20 年中國圖書館事業高層論壇文選，1999(4)。

最具創意的大英博物館館長潘尼茲

（Sir Anthony Panizzi, 1797-1879）

胡述兆
臺灣大學圖書資訊學系教授

沈寶環教授自美學成歸國後，一直在圖書館界服務，其敬業精神值得敬佩與效法，而其對我國圖書館事業的熱愛與貢獻，更是有目共睹。茲值沈公八秩大慶，特撰此小文為其祝嘏，敬祝「老當益壯，多福多壽」。

潘尼茲是 19 世紀英國最著名的圖書館員，也是大英博物館（British Museum）有史以來最具創意的館長，他的傳記作者米勒（Edward Miller）更稱讚他爲「館員中的館員，也許是迄今爲止我們所見到的最偉大的館員」（a librarian of librarians, perhaps the greatest we have yet seen）。

潘尼茲原名 Antonio, Sir Anthony 是 1869 年英王封他爲爵士時的稱謂。他於 1797 年 9 月 16 日生於意大利北部莫戴納公爵領地（Duchy of Modena）的 Brescello。派馬大學（University of Parma）畢業後，在故鄉執行律師業務。其時該地受奧國的專制統治，無異是個警察國家，經常受到當地人民的反抗。潘尼茲賦性剛烈，無法忍受異族的管制與歧視，乃參加秘密社團，從事反政府活動，不幸事發，被迫逃亡他國，先在瑞士暫住，1823 年轉往英國，度其流亡生活。

他到英國後，最初在利物浦（Liverpool）以教意大利文爲主。1828 年，應新近成立的倫敦大學（University of London）之聘，出任該校首位意大利語言與文學教授。1831 轉往大英博物館任職，直至 1866 年因健康關係辭職時爲止，長達 35 年。

大英博物館成立於 1753 年，最初藏品係由醫生兼博物專家的史隆爵士（Sir Hans Sloane, 1660-1753）所捐贈，包括圖書、古物、繪畫及錢幣等，於 1759 年 1 月 15 日在 Montagu House 正式對外開放。多年來在一批安於現狀以領取養老金爲目的學究們管理下，顯得雜亂無章。館內圖書主要來自 Old Royal Library 及 King's Library，後者係喬治三世的私人圖書館，於 1823 年移送大英博物館，由該館印本圖書部（Department of Printed Books）負責管理，1831 年潘尼滋進館時，即派在該部擔任額外編目員。

潘尼茲到職時對圖書館的知識不多，為了應付工作，乃以參訪圖書館及與專家們的書信來往，努力自修，至 1836 年，已能代表大英博物館到國會作證，就該館的現況與管理提出報告，表現出色，翌年（1837）即升任印本圖書部主任。此後聲譽日隆，終在 1856 年更上層樓，膺任大英博物館館長。由於年歲日大，健康日壞，不勝繁劇，於 1866 年辭職退休。1879 年 4 月 8 日病逝倫敦，享壽 82 歲。

潘尼茲對大英博物館及圖書館事業均有重大貢獻，舉其犖犖大者，可歸納為下列數端：

㈠為大英博物館規劃興建新館，館內舉世聞名的大圓形閱覽室，就是他與建築師史邁克（Sir Robert Smirke）共同設計。這是一個中間挑空的大廳，直徑 140 英呎，四週圍繞著鋼製的書架，可陳列 30,000 冊參考書，讀者可自由取閱，為英國圖書館開架閱覽建立典範。由於其壯觀實用，1897 年竣工啓用的美國國會圖書館傑佛遜大廈（Thomas Jefferson Building of the Library of Congress），其中間的圓形大廳（Main Reading Room，高 125 呎，寬 100 呎）就是仿照大英博物館建造，可見其影響之大。此一建築至今仍矗於倫敦的布魯斯伯區（Bloomsbury District of London）。

㈡制訂「大英博物館編目規則」（British Museum Cataloguing Rules），在 1831 年潘尼茲進館時，大英博物館的圖書編目極為混亂，他有意改進，但力不從心。1837 年他就任印本圖書部主任後，立即動員全組同仁研訂編目規則，至 1841 年一部包含他基本理念的編目規則終告完成，此即舉世聞名的「91 條編目規則」（91 Catalogue Rules）。這是一部以著者姓名為主而依字順排列的編目規則，其主要目標有二：⑴將圖書依著者的字順排列，並將同一著者各種不同形式的姓名加以列舉，以參照的方式聯結，使同一著者的圖書無所遺漏；⑵便利讀者根據著者的姓名迅速檢索到所需要的書，並得知圖書館收藏了同一著者的那些書或同一書的那些版本。除以著者為主要款目（Main Entry）外，這部規則也為副款目、團體著者、形式標目（如 Encyclopedia, Dictionary, Directory, etc.）、著者／書名（Author/Title）款目等，訂立了規則，為後世的編目規則奠立了良好基礎。

㈢促成大英博物館館藏圖書目錄之出版。圖書必須編目，始能為讀者利用，為潘尼茲的一貫信念，所以在他接任印本圖書部主任後，首先制訂編目規則，並督促同仁加緊編目工作，至他 1879 年去世時，編目的圖書已近百萬冊。這些編目過的圖書於 1881 年至 1905 年間出版爲館藏目錄，此即世界圖書館界譽爲瑰寶的大英博物館藏書目錄（British Museum General Catalogue of Printed Books），其後曾多次印刷補編，至 1973 年大英圖書館（British Library）接辦時，出版的目錄已達數百巨冊，涵蓋的圖書超過 6,000,000 本。

㈣嚴格執行呈繳法，充實館藏。依照英國的呈繳法，英國境內的出版品，必須免費呈繳大英博物館一冊收藏。由於當時的出版品有些品質不佳，被人稱之爲“垃圾”（Rubbish），故主張對這些出版品做選擇性的收藏者，大有人在。潘尼茲力排眾議，堅持每件收藏，使大英博物館眞正成爲收存全國出版品的國家圖書館。在另一方面，他利用每年的圖書經費，購買世界其他國家、特別是歐洲與美國的圖書，卒使該館的館藏凌駕當時的法國國家圖書館（bibliothegue Nationale de France），成爲世界第一。

㈤對所有讀者提供平等服務。潘尼茲生性剛正，厭惡特權，他對讀者的服務準則，是不分貧賤富貴，沒有任何差別。他於 1836 年出席國會作證時嘗謂：就我而論，此聯合王國內，任何貧苦的學生，在追求知識的領域中，應與任何富貴的人，享有同等的權利與待遇。事實上，在他擔任印本圖書部主任期間，他曾堅定地否決了當時英國名作家卡來爾（Thomas Carlyle）使用大英博物館閱覽室的特權，而促使後者於 1841 年積極推動成立倫敦圖書館（London Library），以便利他自己的研究工作。此一插曲受到一般讀者的讚揚及圖書館員的喝彩。

㈥爲館員爭取福利。爲了提昇館員的士氣與工作效率，潘尼茲極力爲館員爭取到公務員的身份（Civil Service Status）與待遇，包括不被免職的終身任期。此一制度的落實，不但使館員得以安心工作，也使英國公共圖書館員的地位獲得保障，眞是功德無量。他擔任館長期間，有幾位著名學者參加大英博物館的工作，就是因爲工作有保障之故。直至今日，仍有許多學者，願意終身在此奉獻，也是拜此制度之賜，可謂影響深遠。

潘尼茲經營圖書館的理念與貢獻，多見諸於他的行事與政策，很少寫成文字，偶有發表，多與語言及文學有關，難以找到有關圖書館的論著，這是美中不足的事。

參考書目

Borrie, Michael. “Panizzi and Madden,” *British Library Journal* 5:1 (Spring 1979): 18-36.

Esdaile, Arundell. *The British Museum Library: A Short History and Survey*. London: G. Allen and Unwin, 1948.

Foot, M.R.D. "Gladstone and Panizzi", *British Library Journal* 5:1 (Spring 1979): 48-56.

Miller, Edward. "Antonio Panizzi and the British Museum", *British Library Journal* 5:1 (Spring 1979): 1-17.

Miller, Edward. *Prince of Librarians: the Life and Times of Antonio Panizzi of the British Museum*. Athens, OH: Ohio University Press, 1967.

館際資源分享在終身學習社會中之角色

胡歐蘭
政治大學圖書館館長

欣逢寶環教授八秩華誕，感念他在館際合作資源共享之理念與實務之推展活動貢獻良多，尤其在他退休後，不求任何代價為世新大學的圖書館擴展館務與創立圖書資訊學系，近幾年來，晚輩受其精神感召，特在臺北市文山區推展館際資源分享，不但與世新大學及中國工商專科學校進行文山區圖書館館際圖書互借，而且對文山區「社區大學」開放圖書資料借閱。本文藉南臺技術學院邀約專題演講，公開發表，刊登在此，聊表敬意與賀忱。

壹、前言

教育部將民國八十七年訂爲「中華民國終身學習年」，擬訂「邁向學習社會白皮書」，提倡終身教育，而在「終身教育體制中的學習社會，強調學習經驗比學歷更重要」，也就是利用各種不同的組織，使得每個人都很有彈性的在各種不同環境中來學習。在這白皮書中，希望有一個學習的認證制度，把它列爲重要的行動綱領，也就是把終身學習列爲教育部在白皮書裡面的一個綱領來付諸實施。

首先響應這個活動的是臺北市政府在去年七月提出了一個「終身學習護照」的發放 ，而這個護照是希望中華民國國民除了出國的護照外，還有一種終身學習的護照，這個護照所強調的是學習經歷比學習本身更重要。這本終身學習的護照，可以讓個人在學習的道路、學習的社會、學習的國際及學習的天地能暢行無阻。

一、閱覽借書證即為終身教育護照

臺北市提出來的這個方案，最主要的用途可以歸納成兩點，第一點是人人能在學習網路中享用資源；第二點是人人都能自由自在享用圖書館資源。我覺得這個護照是非常重要的，可以銜接所謂三方面的教育：學校教育、社會教育以及其他非正軌的教育。我們希望這樣的護照是具有公信力的，一卡在身可行遍天下，因此我們可以肯定的說，未來我們國民終身的第二個護照應該可與我們的閱覽借書證通用。而圖書館界必須要有心理準備與認識。

二、國家資訊基礎建設中的圖書館

從一九九二年我國開始倡導有關「國家資訊基礎建設」，當時在資策會、國科會、教育部等單位提出這樣的一個政策時，我就在開始思考一個問題，圖書館在這樣的一個國家資訊基礎建設之中，到底是站在怎樣的位置？到底跟我們有什麼關係？當我去瞭解整個內容之後，知道國家資訊基礎建設內容主要是在將來整個國家的高速網路等建立起來，成爲一個資訊社會之後，圖書館能跟人民的生活緊緊結合在一起，讓我們方便的使用資料，讓我們很方便的採購資料，也讓我們很方便的接受醫療，當然更重要的是要我們的教育和終身學習在這個國家資訊基礎建設裡建立起來。大家知道談學習、談教育當然就離不開圖書館，而圖書館在這樣一個建設之中，就扮演一個非常重要的角色。

三、館際合作與館際資源之整合

現在整個網路的發展都以圖書館資訊資源爲第一，不管這些資料是生活上的或者是我們學習上的亦或是研究上的都來自於圖書館。終身學習需要資源，而資源必須要整合，這是推廣終身學習非常重要的一項工作，而資源的整合就是靠「館際合作」，即今天我們在這裡所要講的課題。

貳、終身學習社會之需求

林清江部長曾說：「學習權是人人的基本權利，是人的基本人權之一。終身學習要跨入廿一世紀是學校和社會最重要的事情，我們不能把學校跟教育在很短的時間所學習的東西作終身學習來使用」。我們的學習是一輩子都在學習，所以要不斷地去學習。因此，我們知道學習社會中的每一個人應該要享受下列的三種需求權利：

一、人人求知的需求

圖書館要能滿足每個人的求知需求。

二、學習者資訊的需求

圖書館必須提供資訊，滿足每個人資訊的需求。

三、民衆學習的權益

民眾的學習權益非常的重要。所以，當學習教育取代了學校教育制度，整個圖書館和科技結合，讓我們每位民眾能隨時隨地都可以來上網讀書時，學習就不一定要在學校裡。要滿足每一階段的學習，圖書館扮演一個很重要角色。圖書館應該是一個社區資源中心，而圖書館館員應該是一個知識的經紀人，知識的提供者。

參、圖書館與社區的關係：以政大圖書館為例

最近有關於我們圖書館的服務方面，做了些推廣服務工作，身爲一個大學圖書館館長，以我們的館藏二百三十萬冊／件，只爲了政大一萬多個師生的需求來提供服務，我覺得是太可惜了。爲了呼應終身學習的一個需求，我覺得有幾點在經營上必須有所突破，不能夠再固步自封。

一、社區館際間資源之互補與共享

在提到社區館際資源互補和共享方面，一般而言小館對大館的仰賴比較多，大家都集中到一個大館去做服務，這個是必然的現象。今天大館如果沒有辦法向小館提供服務與交換合作，則館際合作永遠沒有辦法談下去，所以我覺得政大的這些資源在文山區我不敢說全國，但實際上也是全國性提供服務，因此從文山區先做起。文山區二個大學，一個專科學校，試作文山區的館際合作聯盟。我願意開放我的圖書館，也就是我說的館際間資源的互補，不要去計較大小館之差別，因爲如果用大小之分，館際合作、資源分享就難踏出去。反過來說，小館也不能處處要仰賴大館，必須依照各學校的特色和教學研究需求把個別的核心館藏和特色館藏要建立起來，來彌補大館可能經費上也有限制、服務也有不足的地方。所以這個大與小之分，其實講館際互借不要去抱怨他們來的人一定比我去的人多。政大老師想去世新借書或去中國工商專校借書的機率大概不會很多，但是我覺得假如這一步不踏出去的話，那我們談這個館際合作大館小館永遠在那邊計較不清楚。換句話講，我們也要他們兩個學校就他們特色能夠趕快提出並建立起來。請大家參考印發之「文山區圖書館館際互借實行計劃和實施要點」。（請參考附件一）

辦法是給各位做個參考，當然各位要知道要能做到像我們這樣子三所館能夠通行無阻來借書，必須圖書館要有自動化系統，否則我剛剛看了你們的提案，如果靠人工來控制的話，那準沒有那麼多的能力可以配合得上。因此，我們在技術層面上先研究解決之後才能訂定規範。

二、圖書館與社區大學

社區大學之設立符合「活到老、學到老」的終身學習觀念，也是社會民眾教育之延續。民國八十七年臺灣第一所社區大學是設在文山區，這一所社區大學多半師資的來源是政大比較多，這一年來社區大學的運動可以說在開始慢慢蘊釀起來，接下來南部會有

五所社區大學。所以，各位的圖書館也將面臨對社區大學開放的問題，圖書館尤其大學圖書館對社區大學開放最主要的目的是結合民間資源與社區大學互動。換句話講，如果地方資源沒有支持社區大學，社區大學也很難辦下去。社區大學屬於社區圖書館公共服務範圍，不是屬於學術圖書館服務的範圍。雖然臺北市立圖書館文山區也有分館，但是他們感覺到有些資源還是不足，希望大學圖書館也能提供服務給他們。因此，政大圖書館也正式服務社區大學。各位可以想像社區大學的成員複雜，而且是廣大的社會民眾，爲有效服務社區大學，圖書館與社區大學訂立「國立政治大學圖書館對臺北市社區大學開放圖書資料借閱辦法」，（請參考附件二）由政大圖書館委員會通過實施。

將來臺北市的社區大學不止限於文山區，所以我們的服務越來越廣。圖書館與社區大學之結合，是配合全民終身學習教育，也是將來必須努力之方向。

三、館際網路與學習社會

現在館與館之網路都相當順暢，每一個館都有它的網站開放給大家使用查詢資料，我覺得透過這個館際網路，可傳播知識；便於讀者擷取資訊；節省財力又可集中利用資源，對於整個學習社會的一個推動有很大的幫助。所以，館際網路的相通也是推行我們學習社會的一個非常要件。我請大家參考「國立政治大學社會科學資料中心進館人數統計分析表」：

國立政治大學社會科學資料中心
進館人數統計分析表

八十七年一月至十二月

月份	本校師生	校外人士	每月人數	備註
1	2708	4229	6937	寒假
2	1448	4205	5653	寒假
3	3278	7326	10604	
4	3172	6606	9778	
5	4469	7963	12432	
6	3341	5384	8725	
7	1181	5663	6844	暑假
8	789	4181	4970	暑假
9	1404	4994	6398	暑假
10	3180	6294	9474	
11	3814	7307	11121	
12	5111	7477	12588	
總計	21790	50551	72341	
百分比	30.12%	69.88%	100.00%	

開放時間：週一至週五　8:00-21:00
　　　　　週六　8:00-12:00（含週休二日）

社資中心典藏有全國博碩士論文、政府出版品，國科會的研究報告，國際組織相關資料等，全部資料只開放閱覽，但不外借，我們從上表可以看出進館讀者以校外人士居多。校內師生使用比率不高。尤其資料整理後，讀者可透過網路查到資訊，外來使用者人數有日漸增多之趨勢，同仁的工作壓力比過去大了很多倍。但從使用者之滿意與笑臉即可回饋同仁熱誠的服務。

肆、現代圖書館的社會責任

現在談到我們的圖書館到底在這樣一個學習社會中要有什麼的社會責任：

一、知識的典藏所

現代圖書館典藏資料之形式是多元化—由過去傳統紙本式到各種多媒體甚至於電子檔等等，這些都是我們收集典藏的範圍。除了這個之外，我一再強調，我們不要以爲圖書館典藏的只有在架上，或者櫃子內，或者在電腦檔裡頭有的東西，還有很多不是在你館內的東西，是館外的。館外這些是典藏在別的圖書館，或在一些專門資訊服務公司裡面，圖書館之責任是如何使這些資料方便讀者使用。

二、文化保存與維護

文化保存並非只講空氣調節、溫度、濕度問題，而是保存那些東西？怎麼保存？保存多了之後可能造成剛剛盧老師提到的合作典藏空間的問題出現。那我們就要考慮到那些東西是你自己特殊要去典藏的，那些東西不是你特殊典藏的，館際間就必須要有分工合作的方法。此外，對於珍貴不易蒐集之資料，日久容易損壞，我要用什麼方法把它變成電子檔或者變成其他媒體資料，像微片這些都可節省我們的空間，也便於讀者使用。例如政大圖書館與國家圖書館合作即將要開發所謂全國博士論文做電子檔、全文掃描的著作，國家圖書館一起在跟我們研究。因爲以紙本來說，在政大典藏有最全的博碩士論文，我也是覺得用的多，壞的多，經常都在修補。這份資料有必要爲國家好好的做第二種媒體資料的典藏，讀者更可透過網路查詢使用。

三、知識傳播與共享

知識的保存技術日新月異，館際間資訊的傳播，可透過 Z39.50 技術使同質與異質系統查詢資料，圖書館界尙得克服製作權等問題，使得館際間之資料能共享。

四、資訊素養的培育

資訊素養所強調的是表達資訊需求的能力；解決問題的技巧及評估資訊品質的能力。近年來，大學圖書館及圖書資訊學系所，一直都在做這方面的教育工作。我覺得從中、小學圖書館開始就要去做這件事情，雖然在教育改革聲浪中之中、小學開始都有在變，但是他們跟圖書館結合這一環太慢了！有時在國外看小孩子到公共圖書館利用圖書館的一些狀況，他們利用圖書館能力值得我們學習。每一個階段的資訊素養教育都要有。實際上資訊素養培養也是我們圖書館應該負起的責任。

五、社區互動

社區學習的課程可分爲三方面，一是有關於民眾生活的課程、家庭生活的課程還有職業的進修等，這些都是我們要跟社區去互動，看我們所服務的社區民眾有什麼需要。未來我們也在研究怎樣對我們文山區的這些家庭開放圖書館？如將有意義影片能即時送到社區家裡頭，讓那些沒有做事的媽媽們在家裡同樣可享受到娛樂、教育的目的。

伍、館際資源分享相關問題之突破

一、圖書館方面

可從三方面來說：

㈠摒棄大小館之分：

大館服務小館，小館建立自己的特色支援大館不足之處，館際合作只能在互惠之原則下，不計等值等量之問題，才能進行。

㈡傳統角色之再創新：

1. 資料加工與重製—對於傳統不易保存之資料，應加以重製，以新傳遞技術解決館際間需求。
2. 資訊篩選與過濾—資訊爆炸，圖書館對於使用之資訊，應加以篩選、過濾。使讀者能使用適用的資料。

㈢嶄新角色的再建立：

圖書館的角色將由被動轉爲主動，不但加入資訊的生產與仲介，而且要快速地提供服務。

二、使用者方面

使用者對於資料的利用與接受服務的觀念，亦應由圖書館所提供之服務，而逐漸調整，由過去「擁有」資料爲主求，轉而建立接受良好服務「使用」爲需求，來面對圖書館之服務，因此不但圖書館館員要再教育，使用者也要再教育。

三、主政者方面

主管單位或主政者，學校方面如校長，對於圖書館經營的參與與支持，是辦好教育與學校之主軸，任何先進的國家或優良的學校只要視其圖書館即可瞭解主政者對圖書館的重視度，圖書館界非常需要有更多主政者之支持與瞭解。

陸、結語

一、圖書館是終身學習的場所：

在終身學習社會環境中，圖書館是功不可沒；沒有良好的圖書館服務，即無良好的終身學習的場所；

二、圖書館服務方式的改變：

圖書館必須去除本位主義，積極推動館際合作計畫，使社會的圖書資源擴大，便於社會民眾使用。

三、圖書館服務對象的擴增：

只要民眾有一份「終身學習護照」即可進入任何圖書館利用資料，也就是一證通用全國，使民眾因圖書館之使用方便，而能提昇其生活品質及文化水準。

參考書目

1. 王政彥，「終身學習護照的功能」，臺北市終身學習網通訊，創刊號（民國 87 年 7 月）：1-20。
2. 楊碧雲，「臺北市終身學習護照制度的建立與理想」，臺北市終身學習網通訊，第 2 期（民國 87 年 10 月）：2-7。
3. 蘇諼，「由使用者導向的圖書館服務談學術圖書館的教育功能」，圖書館學與資訊科學，23 卷 1 期（民國 86 年 4 月）：60-71。

附件一

文山區圖書館館際圖書互借試行計劃實施要點

一、宗旨：

政治大學（校本部圖書館為限）、世新大學、中國工商等三校圖書館，為加強館際合作，特組成「文山區圖書館聯盟」（以下簡稱本聯盟），訂定「文山區圖書館館際互借試驗計劃實施要點」（以下簡稱本要點），以結合三校圖書館資源，達成資源共享之目標。

二、互借要點

㈠教職員部份

1.本聯盟成員館之教職員應憑教職員證（或服務證）親至各合作館辦理借書事宜，第一次辦理借書需附各該館簽證之文件（如附件一）。

2.借書冊數：10 冊

3.借書期限：3 週

4.期滿得續借一次

㈡學生部份

1.各合作館互相提供借書證 10 枚。

2.每張借書證可借書五冊，借期二週，不得續借及預約。

三、其他資源服務

1.本聯盟各合作館，應優先處理館際合作期刊影印，並依人文及科技館際合作組織收費辦法收費。

2.本聯盟各合作館之學術性活動應優先提供合作館參與。

四、管理

1.本聯盟各合作館應督導各校教職員生遵守各館借書（閱覽）規則及開放時間。

2.借用人需善盡圖書保護之責任，如有遺失或毀損，悉依貸方圖書館規定辦理。

3.借用人遺失借書證時，應向原申請單位辦理掛失，掛失前如有遭人冒用情事，概由用證單位負責賠償。

4.借用人如有圖書逾期未還及罰款未繳事宜，借方圖書館應負催還及繳交罰款。

5.借出之圖書，如遇貸方圖書館急需，得隨時請借方圖書館於指定時間內歸還所借圖書。

6.各聯盟館應互相提供合作館成員每月借書紀錄，以利統計作業。

7.本試驗計劃不含光碟及線上資料庫之使用。

五、本要點自民國八十八年三月至八十九年二月試行一年，期滿再行檢討是否繼續。

六、本要點如有未盡事宜，應由本聯盟各館協商後修訂。

文山區圖書館館際圖書互借試行計劃

教職員借書證申請表

辦證日期：　　年　　月　　日

姓 名		性別		借書證號碼	
單 位		職稱		生 日	
身份證字號				有效期限	
永 久 地 址					
通 訊 地 址					
電 話 （O）					
電 話 （H）					
E-mail ADD					
備 註					

備註：借書證號碼請填原學校借書證號碼

單位簽證：

附件二

國立政治大學圖書館
對臺北市社區大學開放圖書資料借閱辦法

中華民國八十七年十二月二十一日

第六十六次圖書館委員會會議通過

一、國立政治大學圖書館（以下簡稱本館）爲提供社區大學師生暨工作人員研究之需，秉持資源共享之理念，開放本館圖書資料借閱，特訂定本辦法。

二、臺北市社區大學師生暨工作人員得向本館辦理借書證。

三、辦理借書證，請攜帶學員證或相關證明，照片兩張、保證金新臺幣參仟元（繳回借書證時，保證金無息退還）、工本費新臺幣壹佰元及年費新臺幣壹仟元，至本館辦理。

四、借書總冊數以五冊爲限，借期三週，期滿無人預約得續借一次。

五、使用本館資源比照本校師生辦理。

六、借書證請妥爲保存使用，如有遺失請向本館掛失申請補發（每次工本費新臺幣壹佰元）。

七、借書證不得轉借他人使用，如經發現，本館有權予以沒收，並停止其借書權利一年。

八、其餘未盡事宜，悉比照本館相關規定辦理。

九、本辦法經本校圖書館委員會會議通過，報請 校長核定後實施，修正時亦同。

書林五十年：我與圖書館的邂逅

宋　玉
國家圖書館顧問

賴鼎銘兄爲了祝賀圖書館界領導群倫的沈寶環教授八十大壽出紀念論文集事向我索稿。這兩位都是我深深敬佩的朋友，更何況沈公的八十大壽是一件大家都期待的大喜事，所以我雖然平常怕寫文章也只好欣然允承下來。沈公是圖書館界大家都熟知的人物——兩代圖書館學系宗師，家學淵源；學貫中西，其涉獵之廣且深，彌足欽佩；桃李滿天下，學生無不敬而愛之；但他對青年後進不論是否渠門生都在需要時一樣愛護與協助；而且處事和平，無意氣之爭，熱心排解糾紛；結緣遍世界，常運用他個人的關係來推動國內學術活動。我認爲他最重要的特點是好交朋友，所以他的好朋友無數；還有則是做事有原則，有所爲也有所不爲。

至於本篇的題目，我想藉此機會將我如何踏進圖書館這個圈子的經過及五十年來我的學習歷程和心得，（事實上，我只有一部分生涯是和圖書館有關，但前後卻跨越五十年）不揣淺陋記述如後，敬請大家批評指教。文內有記述錯誤和言論偏誤之處也請予以指正，幸甚幸甚！

一、航空工業局

我在大學裡主修航空工程，所以畢業後進入空軍。在這之前，雖然中學和大學都接觸過圖書館室，但也僅限於一般學生查借參閱書籍，沒有更多參與。1948 年在空軍維護單位實習期滿後，我調到航空工業局編輯一份「技術通報」（Technical Bulletin）週刊，在局內油印發行。用英文的原因是編輯航空技術消息報導和文摘時，英文比中文節省人力，英文打字也較中文快捷，並且局內人士閱讀英文不是問題。辦公地點就在航空工業局的圖書室。因爲當時沒有技術編輯的職缺，我的編制職務是「圖書管理員」。

航空工業局的圖書室是一個很特殊的專門圖書館。我相信它是我國唯一和美國國會圖書館有特別合作關係的圖書館。緣起是在抗戰末期我國有一個「航空工業發展計劃」，目的在戰後建立我國自己的航空工業。英美政府都非常支持這個計劃，他們答應接受我國技術人員在他們各製造廠內實習，最後這些技術人員回國建廠。配合這個計劃，美國國會圖書館也指定專人來規劃和採購所需要的圖書，最後將這批圖書運到航空工業局。所有圖書的技術處理（technical processing）如編目、貼標籤都是國會圖書館做的。這套圖書沒有卡片目錄，但有國會圖書館編的書本式目錄。圖書的選購都很有水準，充份顯示他們人員的素養。

航空工業局圖書室實際的工作人員僅有三名——一位館長，一位館員，一位工友。但當工業局奉命遷來臺中的時候，館長和工友都不能來。我雖然不是圖書室的工作人員，但臨危受命，結果將整個圖書室搬家的事變成我的責任。我也就不由自主地變成圖書室的一份子了。

遷臺後圖書室的工作不算繁重，也還繼續出「技術通報」。二年後調到航空研究院空氣動力組做研究。之後有幾次職務變動和出國進修。進修是 1965 年去美國史丹佛大學攻電子工程兩年。除攻讀電子的課程外，也選讀了不少電腦課程。學成回國調中山科學研究院。

二、中山科學研究院

1967 年我調中科院電子研究所，1970 年調計劃處。那時圖書館和稍後成立的電腦室都屬計劃處管。所以我那時開始試驗開發西文的圖書館自動化系統。（那時中文電腦還在萌芽階段，並且中科院的館藏主要為英文。）

我們使用 CDC Cyber 72 型電腦，主記憶體有 64K 60 位元字的容量，次級貯存器包括兩部 144 百萬位元組（每組 6 位元）的磁碟和四部磁帶機。列印機可印出大小英文字母和標點符號。第一期工作是將佔館藏三分之一的技術報告以人工編目填寫輸入單，然後打卡讀入電腦，輸出則包括登錄記錄，兩種不同排序的新書通報，四種不同型式的卡片。這部分軟體順利發展出，運作一直到進行到 1990 年被新系統取代時才告一段落。

第二期計劃是圖書技術處理的自動化。已訂購 LC MARC 磁帶，原來的構想是將 MARC 的書目資料過濾，只挑選中山科學院有興趣的類別如 Q、T、U、V 等，並且將資料簡化成一專檔（當時磁碟貯存的費用仍高）。採訪則可利用此檔來選購書籍，且也可用之幫助編目。計劃中並擬有館藏檔以追蹤處理館藏情況。第三期計劃是期刊管理，這兩期計劃都已有初步設計，但後來因我調職未繼續進行。

回顧這計劃，我們當時做的並不是很多。在這之中，我們獲得一些經驗，更重要的是獲得不少信心。做個比較的話，在那時候西方國家對整合式自動化系統也還在開發階段，1972 年史丹福大學的 BALLOTS 系統問世，是整合式系統的先驅。而我們已規劃後續動作，只是功虧一簣，沒有做出來。

在中科院的那段時期，我們還做了一件事，就是成立全國科技圖書館館際合作組織，（這個名字後來變了好幾次，在這裡我仍用原來的名字。）這項合作是大家都感覺需要的，只是需要有人出來一呼。在 1972 年中科院聯合八個科技圖書館——成功大學、交通大學、清華大學、航發中心、兵工研究院、精儀中心、中正理工學院、聯工所——成立合作組織。臺大當時沒有立即同意，但稍後也參加。主要合作項目有館際圖書互借（interlibrary loan）和館際影印服務（interlibrary copy service）。一切作業依靠郵政。歷年來大家參加合作組織的熱忱都很高。1974 年已經有 23 個館，現在已達到 366 個館。作業數量已從起始時的微不足道到現在每年 20 萬次。

因為科技館際合作的成功，人文及社會科學館際合作組織也相繼成立。目前的趨勢是兩個組織可能合併成一個大的組織。這也是合理的發展，因為有許多圖書館是同時參加兩邊的。

科技館際合作的成功主要因為當初辦理這件事的人的努力和合作，如科資中心第一位主任沈曾圻先生，中科院陳館長炳昭，臺大楊館長日然，淡江胡館長歐蘭，和在下等。沈主任在國內還沒有前例的情況下，奔走斡旋各機關間，終於得到一個折衷方案，使這個組織能成立和順利運作。這是國內第一個跨公私單位的合作組織。此外，沈主任組織和規劃也是長才。臺大雖不外借圖書，但在楊館長的努力之下，臺大提供其館藏作影印服務。實際上臺大承擔絕大多數的影印工作。早期合作組織秘書工作的人力和費用，都是中科院負擔的。

在館際合作的初期，作業數量不是很高，其原因可能是聯合目錄的缺乏。自從網路發達以後，很多圖書館都有 OPAC 系統供人查詢，所以館際合作的使用率也就因之提高。

三、駐美大使館和國科會

1975 年我奉調到華盛頓我國駐美大使館任科學參事。1978 年中美斷交後，大使館科參處改為北美事務協調委員會科學組，但我們的工作仍和以前一樣，沒有變。1984 年我調到舊金山開闢一個新的科學組，直到 1986 年我奉調回國。前後在美 11 年。

在美的工作主要是作國科會在美的代表或聯絡單位。因此對於國內來訪的人我們都接待，並協助他們在美的任務。圖書館界人士也常來美開會或參訪，沈公就是在這段時期認識的。當然我很高興予以協助，要是時間許可的話，我會陪去拜託美方人士或參加開會。這樣我也認識好幾位美國的圖書館人士，像國會圖書館的 Avram, OCLC 的 Kilgour, UCLA 的 Hayes。有時國內也有事要我在美代辦的。

科參處的業務包括所有科學，這也讓我有機會接觸到美國政府科技部門，學界及工業界人士。我旅行很多，美國五十州到過四十州。

1986 年我奉調回國。起初國科會沒有適當的事，就把我暫放在資訊工業促進會。資策會的事不多，所以這段期間我做了好幾個單位的顧問——中央圖書館、中央研究院、立法院和東吳大學，多半是系統採購方面的事。但在中央圖書館我參與規格的草約和修訂。後來國科會要我回去主持國際合作事務處，這些事才放下來。

四、中央圖書館（現國家圖書館）

1990 年我從國科會退修。除了一小段時間我加入永麒公司之外，其餘的時間我都在中圖（現在是國圖）做顧問。我花了不少時間在字集字碼問題上，因爲字集字碼是電腦處理中文圖書資訊的基本。而中文字集字碼一直沒有得到圓滿的解決。

國內圖書館界現在採用的碼是 CCCII 碼（中文資訊交換碼）。CCCII 碼是謝清俊與仲陶等教授專爲解決圖書館電腦化問題所創立的中文碼，已編有 53,940 字。自從 1980 年發表以來，陸續爲大學圖書館所使用。現有約 40 所圖書館在使用。

CCCII 碼是一種三位元組的碼。編碼空間每個位元組有 94 個位置，三個位元組的組合可以有 830,584 個位置，所以容納所有的中文字足足有餘。CCCII 的目標是把所有的中文字全部納入，並且經過文字學者考證。它的架構有一個特點是將中文的正異體字的關係用碼的位置表現出來。譬如大陸用的簡體字，CCCII 認爲是一種異體字。簡體字的字碼和正體字字碼在第一個位元組值，而其餘第二、三位元組的碼值則完全相同。其他的異體字也是第一位元組碼值多 6 的倍數，而第二、三位元組的碼值不變。CCCII 碼的排列和排序無關。所以排序還得另想辦法。

CCCII 架構的另一特點是它容許將日韓文一併放在系統裡。一來它的編碼空間特大，二來因爲日韓文中有許多漢字，可視爲中文的一種異體字。拼音部份則可另找地方安置。美國國會圖書館（LC）和研究圖書館組織（RLG）決定採用 CCCII 的架構來發展他們的中日韓文系統，現稱爲 EACC。EACC 中的中文集只選用了一萬五千多 CCCII 中的中文字碼。另外 EACC 編入日韓文碼。目前國內廠商所作的系統實際上是 CCCII 和 EACC 的聯集。

CCCII/EACC 的架構設計有長處，但編碼及廠商實作方面有若干缺失，因此產生問題，這些缺點重要的列舉如下，後面兩點雖不是 CCCII 本身的缺失，但也是相關的問題。

1. 所收容的字有少數錯誤和不少的重複。違背「一字一碼」的原則，也使使用者困擾。
2. 當初 CCCII 和 EACC 連繫協調不理想，以致於一小部份 EACC 碼和 CCCII 碼不一致。
3. 中文字常是由「部件」組合而來。在 CCCII 中這些「部件」的字形有時有不一致或是不完全的情況。
4. CCCII 中仍有編碼不全缺字的情況。
5. CCCII 碼前後分幾波出版，但並未彙集索引（cumulated index），因此查字困難。異體字甚至沒有檢字索引，根本無法從字形查碼。
6. 編碼時沒有顧及實作廠商（implement vender）和使用者的困難和需求，也沒有溝通管道。
7. CCCII 編製後期進度緩慢。最後一批待增加的字碼始終未發布。
8. EACC 碼內日韓文部份有疏漏。
9. CCCII 內的漢字有一部份作日韓文使用，但字形不是日韓人習慣者。
10. CCCII 未規定輸入法，由廠商各自發展，其中有不少錯誤，遺漏和不方便之處。並且不同廠商的不同輸入法也會造成困擾。
11. 如僅處理中日韓文，則具備全型字型即可。如要加入西方文字，則需考慮全型半型問題。

我在 1994 年成立了一個「書目共享」字集字碼問題工作小組。這個小組成員除教育部和中圖外，還包括圖書館人員，中文系統廠商和圖書館自動化系統商家的代表和編碼專家。小組定期開會，討論各項問題。希望建立一個溝通管道，以得到共同認可的解決方案。這個小組到 1996 年共蒐集了百多個中文問題字，將歐洲文字（所有拉丁語系的語文、希臘文、俄文）編碼納入系統，並完成日文假名羅馬字輸入的對照表，也完成符號圖形的整理。在沒有經費支援的情況下，廠商沒法將結果實作。

這種情況直到這個會計年度經費情況才有改善。所以國圖委託鼎盛/昌泰公司將前述 CCCII 整理結果實作出來。合約採購 200 套三合一（即適用於 Urica、Dynix 及 Innovative 三種系統）供國圖及編目合作館使用。

是以現在 CCCII 系統已將整理出缺字、錯字予以改正。歐洲文字因工作量較巨，暫不處理。至於 CCCII 內之重複碼（一字多碼）尚無法清理。

圖書館界使用的中文字碼尚有 BIG5 碼。按該碼是國內絕大多數 PC 所使用的碼，所以凡是網路瀏覽，光碟資料查詢都用它。小型圖書館自動化系統也用它。BIG5 碼雖然很普遍，但字數較少，只有 13,051 個字，爲圖書館用，實在不夠。國圖三種系統---書目光碟，期刊論文索引、博碩士論文——都採用 BIG5，但都有需要加字。我爲了減少使用上的混亂，對加字堅持要協調統一加字，以避免重複。原加字都是以點陣式形。最近因 WINDOWS 介面需要，已請華康公司以 TrueType 型造字。

CCCII 除上面所說的缺點外，還有一個大缺點，就是沒法把它放到 Windows 環境內去。電腦系統的螢幕介面從前是使用者透過字符組成的指令控制電腦運作。現在這種操作方式已被圖形介面(graphical use interface 簡稱 GUI)如 Microsoft 的 Windows 所取代。所以 CCCII 需要考慮替換方案，是時候了。

我認爲 Unicode 是最適合圖書館系統採用的碼。它是二位元組的碼，但它打破了多位元字碼必須避開每個位元組控制碼位置編碼的傳統規定。這項改變使操作系統必須作基本性的改動或是作大幅的修改，連帶的所有的數位通訊設備也需要更改。但這次改動大大提高了電腦的效率，二位元組可有 65,536 個編碼空間，於是 Unicode 可以容納世界上大多數拼音文字和主要的表意文字（ideographic 即象形文字）漢字。因爲共用一個碼，各種語文都可在 Windows 環境內同時顯示，而不須要將不同的碼表換進換出。這樣圖書館就有眞正方便的國際性資訊系統。

Unicode 雖然有較大的編碼空間，但仍需節省以作有效的運作。所以一個語系共有一個碼區，而不是像多碼表系統裡每個國家或地區有它的碼表（code page）。譬如 Unicode 西歐的拉丁語系碼區內只有一個，而不是以前德文、法文、西班牙文碼表內各有一個。這原則也適用於東亞，特別是中文漢字。凡使用漢字的國家或地區，都共有一套漢字碼。如此 Unicode 可以容納世界上主要和和較少見的拼音文字，以及中文漢字集中常見和較罕見的字（最新的修訂增補後，有 27,814 漢字）。

Unicode 除了二位元組的格式外，還有四位元組的形式。這是爲在第一個 65,536 字平面（Plane 0, Basic multilingual plane 簡稱 BMP）之外編碼用的。它的碼是兩個特殊二位元組碼合成的——前面一個碼叫 high surrogate，範圍是（D800-DBFF），後一個碼叫 low surrogate（DCOO-DFFF）。前後合起來可以代表 1,048,576 個字，分貯於 16 個平面內。擔心編碼空間不夠的人應該可以鬆口氣了。事實上根據國家圖書館製作光碟資料庫的經驗，國圖全部書目不過用 16,000 字而已。香港迪志公司製作四庫全書電子版，八億字的古籍用了 30,000 字左右。這 16 平面之中現已指定 Plane 2 爲漢字，已知有四萬多字將放在擴充集 B（Extension B）在明後年內發布。另外 Plane 15 及 16 是使用者造字區，所以編碼空間很大，漢字集應沒有太大問題。

Unicode Consortium 的成員有不少知名的電腦廠商，Apple, Dec, IBM, Microsoft 等。其中以 Microsoft 在開發適用 Unicode 的軟體上最爲積極，它的新一代操作系統 Windows NT 的文字檔案架構即是 Unicode 爲基礎。另外 Windows98 雖然不是以 Unicode 爲主要字串型式，但也有若干 API 功能。所以在 Windows 或其他 GUI 介面，Unicode 已有相當的成熟度和對使用者的親和性。

總之，圖形使用者介面已因 Windows 旋風的到來而形成一個新時代，Unicode 應是在這新時代中可以發揮過去從沒有的功能和便利。爲了加速這個時代來臨，以及幫助將來轉換的順暢，我在做些準備工作爲 Unicode 圖書館系統催生——轉碼表和轉碼程式、以及製作一個 Unicode 自動化試驗系統。下一年將是我爲圖書館工作最有意義的一年。

推介「好書大家讀」活動

鄭雪玫
臺灣大學圖書資訊學系教授

本人返國服務已逾廿年，回顧在臺灣的教書生涯中，屢番聆受教益的前輩們不少，沈寶環教授便是其中之一，銘感不勝。今欣逢沈教授八秩華誕，特別撰文〈推介「好書大家讀」活動〉，為一位真誠關心兒童圖書館服務的專業前輩賀壽，並表敬意。

壹、兒童圖書館選書工作面臨的挑戰

據民國 80 年、81 年國立中央圖書館臺灣分館委託本人對臺北市及臺灣省（市）縣（市）公私立兒童圖書館（室）進行之調查顯示，大多數的兒童圖書館員對館藏滿意度爲「尚可」，其中部份館員反映新書量不夠、館藏過於破舊，非書資料及參考資料都非常缺乏，再加上經費來源不固定等因素，造成臺灣地區兒童圖書館（室）之館藏品質不佳❶。若欲改善此種狀況，除了圖書館界應重視兒童圖書館員的專業性，充實館內資源等因素外，亦必須重新審視圖書館本身選書政策之內容，因爲圖書選擇與館藏品質兩者是息息相關的。

近年來中外圖書館均面臨經費縮減的危機，再加上書價不斷上揚、出版量激增等各種因素造成圖書館選擇圖書資料的工作更形艱鉅。據行政院文化建設委員會針對 1997 年（1996 年 11 月至 1997 年 12 月）臺灣圖書出版市場所做之調查，童書出版量爲 1,187 冊，其中圖畫書佔 42%，又以文學類作品居多，而國內童書出版社約有 79 家，童書出版品平

---

❶ 鄭雪玫主持，臺北市公私立兒童圖書館（室）現況調查研究（臺北：國立中央圖書館臺灣分館，民國 80 年 6 月），頁 47-48。鄭雪玫主持，臺灣地區省（市）縣（市）公私立兒童圖書館（室）現況調查研究（臺北：國立中央圖書館臺灣分館，民國 81 年 6 月），頁 50-51。

均定價爲新臺幣 262.95 元❷。又根據〈中華民國八十四年出版年鑑〉之調查，估計臺灣圖書直銷業中有七成是以銷售童書爲主❸，除了出版量增加，出版資料的類型也相當多元化。目前童書價格繼續上揚，且多數有成套購買的限制，因而兒童圖書館（室）選擇資料時必須更爲謹慎，妥善運用選書經費實是對館員的一大考驗。

國立臺灣大學圖書資訊學系研究生孫筱娟，近日完成了〈臺北地區兒童圖書館（室）童書選書政策之調查研究〉碩士論文❹，對選書政策、選書人員及圖書館三方提出多項值得參考的建議。其中指出國內缺乏具書本知識的選書館員及欠缺選書工具之事實，促使本人撰寫本文。

在經過兒童文學界，兒童傳播媒體、行政院文化建設委員會及圖書館界等九年的努力，「好書大家讀」活動計劃明年由臺北市立圖書館接棒主辦。在千禧年的前夕，欣聞圖書館界將責無旁貸地負起主導推薦優良兒童圖書的重要工作，這眞是一個令人振奮的事情！今謹就「好書大家讀」活動之緣起、成長與迴響，及其資源運用等敘述於後。

貳、「好書大家讀」活動緣起❺

「好書大家讀」是在民國八十年由民生報（當時民生報少年兒童組組長桂文亞小姐適擔任中華民國兒童文學學會秘書長），與中華民國兒童文學學會（當時學會的理事長爲本人）共同發起創辦的一項文化推廣活動，主旨是鼓勵優良少年兒童讀物的出版與寫作、提供圖書出版新資訊、建立優良少年兒童圖書評鑑制度、提倡讀書風氣，並爲家庭、學校、社會搭建一座相互溝通的讀書橋樑。

當時無論政府或民間尚未開始推動「建立書香社會」、「終身學習」、「讀書會」等活動，而國內兒童圖書館功能不彰，本人體認此活動的重要性，願意把握這個有助兒童圖書館的發展及推廣兒童閱讀的機會，便極力支持首創這個活動。但當時兒童文學學會的經費有限，除了舉辦必要的活動及出版會訊等費用支出處，財務上已捉襟見肘，何來款項創辦此一龐大的活動呢？另一方面部份理監事及會員對此提議表示保留意見，實

---

❷ 行政院文化建設委員會，1998 臺灣圖書出版市場研究報告（臺北：編者，民國 88 年），頁 73,48。

❸ 林訓明，「臺灣圖書直銷事業的發展沿革與展望」，中華民國八十四年出版年鑑（臺北：編者，民國 85 年），頁 26。

❹ 孫筱娟，「臺北地區兒童圖書館（室）選書政策之調查研究」（國立臺灣大學圖書資訊研究所，碩士論文，民國 88 年 7 月）。

❺ 謝玲主編，1998 年少年讀物·兒童讀物好書指南（臺北市：「好書大家讀」工作小組，1999），頁 001。

在因爲他們考慮學會的立場，期避免受到和企業界（指民生報）「掛鉤」的批評。經過學會工作人員多方磋商溝通，終於達成由民生報負擔 2/3 的費用，並在其報紙「少年兒童版」刊出「好書大家讀」活動的資訊以爲推廣，兒童文學學會則提供 1/3 費用並負責其他繁雜的事務性工作，每年並編印「好書大家讀」指南，贈送國內圖書館及相關單位以彰效益。創辦前三年主辦單位爲民生報和中華民國兒童文學學會，協辦之單位則有：臺北市立圖書館、國立中央圖書館臺灣分館、臺灣省立臺中圖書館、行政院文化建設委員會等單位。在此特別銘感上列各機構在這活動初創艱苦階段給予之協助。

參、「好書大家讀」活動之成長及迴響❻

本活動初創的第一及第二年（1990、1991），均以每兩個月爲一梯次，邀請出版社提供當月新書參加評選，並邀請五位學者專家擔任評選委員，以公平公開之原則，票選好書，後因參選圖書逐次增加，質與量明顯提升，評選方式亦經逐次修正；第三年增設爲七位評選委員；第四年增至八位評選委員，並改以每季評選一次優良童書。除原有四梯次外，再增設年度最佳少年兒童讀物獎，將圖書分類評選；第五年（1995）開始分「文學·綜合」與「科學讀物」兩組分組評選，每組各聘請評選委員五位，改以四個月評選一次。自第二十七梯次（八十六年）起，因參選圖書日多，將圖畫書自「文學·綜合組」中分出，成立「圖畫書組」，另聘五位評審委員；因「文學·綜合組」參選圖書數量日增，自第三十三梯次（八十八年）起，將分爲二組，評委增加爲十位，俾使評審工作更爲精確公允。

---

❻ 同上註。

〈好書指南〉成長過程

年次	年份	評選梯次	評委人數	年度評審	讀物分組	梯次
1	1991	4	5	無	不分組	1-4
2	1992	6	5	無	不分組	5-10
3	1993	6	7	無	不分組	11-16
4	1994	4	8	有	不分組	17-20
5	1995	3	10	有	文學・綜合、科學讀物	21-23
6	1996	3	10	有	文學・綜合、科學讀物	24-26
7	1997	3	15	有	「文學・綜合」、「圖畫書」、「科學讀物」	27-29
8	1998	3	15	有	「文學・綜合」、「圖畫書」、「科學讀物」	30-32
9	1999	3	20	有	「文學・綜合」(一)(二)、「圖畫書」、「科學讀物」	33-35

資料來源：本文作者提供。

由於主辦單位力求評鑑制度之嚴謹公允，這項活動日漸廣受兒童文學界及出版界之重視與肯定。美中不足者，圖書館界及教育界的反應似尚欠理想；本人曾多次在對圖書館工作人員或教師演講場合，詢及知道有〈好書大家讀手冊〉（或〈好書指南〉）一選書工具嗎？舉手回應者總寥寥無幾。為擴大影響力，目前主辦單位有：行政院文化建設委員會、民生報、國語日報，協辦單位有幼獅少年月刊，贊助單位有：九歌文教基金會、毛毛蟲兒童哲學基金會、文訊雜誌；此外並有漢聲廣播電臺及警察廣播電臺介紹每梯次入選好書。不僅創下國內兒童媒體攜手合作紀錄，也為推廣少年兒童讀物開創更深更好的遠景。今年起，臺北市立圖書館已加入協辦單位行列，藉由該館在公共圖書館的領導地位及較豐富的資源，必更能彰顯這活動的功效。

一個活動的成長、茁壯有賴參與者的共同努力支持與推廣，現在已存在一具相當利用價值的選書參考工具，若不為圖書館界或教育界所重視利用，那眞是白費功夫而令人痛心的事。本人及兒童文學界的同好，知道此工具書的重要性，每年各人都購買上百本贈送學生或親友，這也是一個推廣之道，但實在力量微薄。

肆、「好書大家讀」手冊❼資源之運用

「好書大家讀」手冊自民國八十年出版以來名稱略有更改：〈1991 年優良兒童讀物「好書大家讀」手冊〉，〈1992 年優良圖書好書大家讀手冊〉，〈1993 年優良童書指南〉，〈1994 年優良少年兒童讀物指南〉，〈1995 年優良兒童讀物指南〉，〈1996 年兒童讀物·少年讀物好書指南〉，〈1997 年兒童讀物·少年讀物好書指南〉，〈1998 年少年讀物·兒童讀物好書指南〉。從外形而論，其版式也有改變，從 1991 年較大的版本而改爲以後較小而精緻的便覽式指南，但各冊所涵蓋內容大致相同。其組織有層次、版面設計美觀，提供利用者：詳盡的目次（兼具索引功能）、活動相關資訊、年度好書中的好書專輯（八十三年起）和 500 字左右好書評介（推薦的話）等。爲了便利使用者找到適齡及不同類別、性質的好書，在編排評介時刻意採分齡方式，從學齡前至國小低年級，國小中年級至高年級，國小高年級至國中及國中四單元，各單元再分「文學·綜合」、「圖畫書」、「科學」三類，每類將同性質的書再按照參選梯次（出版先後）排序，同時也附書影及詳細書目資料，全冊最後並列出各出版社地址、電話及劃撥帳號等。眞是一本精緻、實用、內容豐富、便利參考且可讀性高的選書工具。

本人自一九九一年參與創辦的「好書大家讀」活動以來，曾扮演不同角色的〈好書指南〉推廣者。身爲兒童圖書館學教育者、兒童閱讀鼓勵者，深深體認到主辦單位邀請評選委員對推薦的好書寫評介，每年編成一冊〈好書指南〉，對社會大眾發揮了實質的導引功能。在明年臺北市立圖書館接棒主辦「好書大家讀」活動後，因爲增加了圖書館界的資源，〈好書指南〉之編撰應能精益求精在內容和推廣兩方面有所改進。目前，〈好書指南〉不但是圖書室、館的選書工具，眾人研究兒童讀物的參考書，也是教師、家長獲得優良兒童讀物資訊的管道。本人特別在此推薦此書給圖書館界、教育界及所有關心兒童閱讀和喜愛兒童文學的朋友們。希望大家好好利用這寶藏，進而推介給親朋好友❽。

---

❼ 同上註，頁 142。

❽ 團體購買有折扣優待，可洽詢民生報社少年兒童組。（電話：(02)2768-1234-2588）

圖書館學是甚麼樣的科學？——簡述沈寶環先生對圖書館學理論與哲學之論點

盧秀菊
臺灣大學圖書資訊學系教授

清季政治腐敗，內憂外患接踵而來，除熱血青年有志投身革命之外，不少知識份子有感於社會風氣不良，民智未開，獻身於社會改革運動，辦教育、設學校、建圖書館等活動不一而足。終生獻身於圖書館事業之推廣者，更不乏人，而其中之佼佼者，尤推沈寶環先生之尊翁沈祖榮先生。而衆所敬愛的沈寶環先生克紹箕裘，在臺灣圖書館事業之推展，不論是理論方面，圖書館學理論之建構與發揚，抑或實務方面，圖書館之建設、擘劃與經營，皆貢獻良多，嘉惠士林學者，為我等圖書館界後學晚輩之楷模。沈寶環先生在其主編之〔圖書館學概論〕一書中，曾探討「圖書館學是甚麼樣的科學？」❶，其論點為我國圖書館學理論建構提綱並成一家之言。本文即以此為題略加闡述，以示對圖書館界前輩之景仰，並表追隨之意。今值沈寶環先生八十嵩壽，謹以此短文，祝賀先生

福如東海　　壽比南山

添福增壽　　福壽無疆

一、圖書館學之意義

中文「圖書館學」一詞，在英文中有意義不盡相同之二詞：Librarianship 和 Library Science，以下茲列數則中西學者及字典之釋義：

1.沈寶環教授根據〔ALA Glossary of Library Terms〕1943 年版之釋義：

---

❶ 沈寶環等編著，圖書館學概論（臺北：國立空中大學，民國 81 年初版，民國 83 年初版四刷），頁 13-30。

圖書館學是「發現、收集、組織和運用文字記錄的知識和技術」，這種知識和技術應用 Application 到實際情況，就是 Librarainship。❷

2.〔ALA Glossary of Library and Information Science〕1983 版：

Librarianship 是一種專業，將各種媒體之知識及其原則、理論、技術和科技加以應用，以建立、保存、組織和利用圖書資訊之館藏，並透過各種媒介傳播資訊。❸

3.沈寶環教授根據〔ALA Glossary of Library and Information Science〕1983 版之釋義：

圖書館學（Library Science）乃是將記錄下來的資訊加以選擇、蒐集、組織以及利用，以因應社區中使用者資訊需求的知識和技術。❹

4.王振鵠教授：

圖書館學是一種知識和技能，據以研究如何選擇、蒐集、組織和利用記錄的資訊（recorded information），以應利用者的需求。「記錄的資訊」泛指一切圖書資料而言。❺

5.胡述兆教授：

圖書館學是「以科學方法，研究圖書館的發展與運作的各種必備知識之理論與實際的學科，謂之圖書館學。」❻

至於英文二詞之區別，一般而言，Library Science 可譯成圖書館學或圖書館科學，偏重學科的訓練；Librarainship 可譯成圖書館事業，則除學科訓練外，尚加入圖書館專業之經驗與活動。而應用上，兩者相通，美、加喜用 Library Science，英國喜用 Librarianship。❼

---

❷ *ALA Glossary of Library Terms* (Chicago: American Library Association, 1943), p.82。此處中文翻譯，引自沈寶環，「圖書館學的趨勢」，在圖書・圖書館・圖書館學（臺北：學生書局，民國 72 年），頁 250。

❸ *ALA Glossary of Library and Information Science* (Chicago: American Library Association, 1983), p.130。此處中文為我之翻譯。

❹ 同註❸，p.132。此處中文翻譯，引自沈寶環等編著，圖書館學概論，同註❶，頁 15。

❺ 周寧森著，圖書資訊學導論（臺北：三民書局，民國 80 年），「王振鵠序」，p.v。

❻ 胡述兆、吳祖善合著，圖書館學導論，初版（臺北：漢美，民國 78 年），頁 11。

❼ 同註❻。

二、圖書館學之研究

圖書館起源於古埃及，約在西元前 4000 年左右。羅馬人瓦諾（Varro）在西元前一世紀曾有〔圖書館論〕（De bibliothecis）一書，爲最早之論著。❽ 1807 年德國施瑞廷格（Martin Wilibald Schrettinger）提出「圖書館學」（bibliothekswissenschaft）名詞，並於 1808 至 1829 年出版探討圖書館目錄編製原理之專書。❾

近代圖書館學，作爲有系統的研究，始於 1887 年。該年，德國格丁根大學（Gottingen）狄扎茲克（Karl Dziatzko, 1842-1903）教授開授圖書館講座；而美國哥倫比亞學院杜威（Melvil Dewey, 1851-1931）創設第一所圖書館學校。❿

我國由美人韋棣華（Mary Elizabeth Wood）於民國九年（1920）設立武昌文華大學之圖書館科。在臺灣，民國 44 年（1955），師範大學社會教育系圖書館組成立最早。其次是臺灣大學民國 50 年成立之圖書館學系。

三、圖書館學之理論基礎

前第二節述及圖書館學之研究雖自 1887 年起，美國在高等教育之大學設有系所，但是早在 1930 年即爲威廉生（C. C. Williamson）批評圖書館服務缺乏科學性研究。⓫

事實上，自 1920 年代起，圖書館學的觀念即因圖書館事業之推行而漸爲社會人士所接受。圖書館界開始討論圖書館學的原理與方法，而討論最多的是美國學者，其焦點在圖書館學的本質與內容。首先討論圖書館是否以技術爲主，一般以爲技術不可缺，而學識基礎及對圖書館方面的知識亦甚重要。其次討論圖書館對社會的價值與功能，以及在文化史中所佔的地位等議題。⓬其中最有名的三位學者之理念如下：

1. 巴特勒（Pierce Butler, 1886-1953）

美國芝加哥大學圖書館學研究院之巴特勒教授企圖發展一套圖書館學哲學的理論體系⓭，他的〔Introduction to Library Science〕（1933），即從科學的本質，以其社會學、

---

❽ 同註❻。

❾ 王梅玲，「淺談圖書館學」，資訊傳播與圖書館學 1 卷 3 期（民國 84 年 3 月），頁 80。

❿ 王振鵠，「圖書館與圖書館學」，圖書館學，再版（臺北：學生書局，民國 69 年），頁 53。

⓫ 同註❾。

⓬ 同註❿，頁 79-80。

⓭ 沈寶環，「在『圖書館哲學』的竹籬外徘徊」，臺北市立圖書館館訊 13 卷 1 期（民國 84 年 9 月 15 日），頁 19。

心理學、和史學等觀點，探討圖書館學的問題，討論理論問題而非實務現象。他認為圖書館是社會機構，其治學方法，力求科學化，圖書館事業是任何社會學體系所需探討的社會現象之一，可視為社會科學之一部分。⓮

2.薛拉（Jesse H. Shera, 1903-1982）

美國圖書館學大師薛拉的〔Introduction to Library Science〕（中譯：鄭肇陞之〔圖書館學概論〕）於 1976 出版，以社會知識論（Social Epistemology）做為圖書館學之理論基礎。

社會知識論是探討社會中知識的生產、流通、整合、與消費，此學科有助於我們產生一個知識與社會如何互動的新知識體。薛拉認為，資訊與知識的需求驅動個人及社會，個人及社會之進步在不斷吸取資訊。圖書館員作為知識及資訊傳播之連結人，就必須關注所傳輸的知識，及知識對人類與社會的重要性。⓯

換言之，圖書館係一社會機構，以圖文記錄（graphical record）之形式累積知識，並透過圖書館員將知識傳遞給使用者以為溝通傳播之連結人。圖書館是社會傳播系統（Communication System）之一部分，以傳播並保存人類文化財產。圖書館員需具備哲學、語言學、心理學等知識助其達成服務目標，保存傳播人類文化之圖文記錄。⓰

3.阮甘納桑（Shiyali R. Ranganathan, 1892-1972）

阮甘納桑是印度學者，於 1931 年發表「圖書館學之五項法則」（The Five Laws of Library Science）。⓱現列其英文文字，並附王振鵠、黃宗忠二位教授之翻譯於下：

(1) Books are for use：圖書是為利用的（王），圖書在於利用（黃）。

(2) Books are for all：圖書是屬於所有人士的（王），人各有其書（黃）。

(3) Every book has its reader：每一本書都有其讀者（王），書各有其人（黃）。

(4) Save the time of the reader：節省讀者的時間（王），為讀者節省時間（黃）。

(5) A library is a growing organization：圖書館是一成長的有機體（王），圖書館是正在發展的有機體（黃）。

由以上五原則，推演出圖書館經營的技術與科學，而圖書館學應為社會科學之範疇

⓮ 高錦雪著，圖書館哲學之研究（臺北：書棚，民國 74 年），頁 111, 115。

⓯ 賴鼎銘，「知識社會學與圖書資訊學的學術基礎」，資訊傳播與圖書館學 2 卷 1 期（民國 84 年 9 月），頁 50-51。

⓰ 同註❾。

⓱ 同註❿，頁 80-81。黃宗忠編著，圖書館學導論（臺北：天肯文化，民國 83 年），頁 125。

之內。⓲

此外，英國學者布勞德菲爾（A. Broadfield），即因爲圖書館學沒有哲學理論，因此撰寫〔圖書館哲學〕一書，認爲圖書館之存在是爲了維護思想之自由（Freedom of Thought）。⓳

四、我國學者對圖書館學理論之探討

圖書館學自民初傳入中國，歷年來我國學者亦有不少探討圖書館學理論基礎的，以下僅列數位以見梗概：

1. 杜定友「圖書館管理法上新觀點」（1932）與〔圖書館學概論〕（1934）⓴

圖書館理論基礎是「三位一體」：

書　圖書館等一切文化記載

人　閱覽者

法　圖書館之設備及管理方法、管理人才

而以上分三期，圖書館之重心轉移，先重書、次法、再次人。

2. 劉國鈞「圖書館學要旨」㉑

圖書館學要旨有四要素：圖書、人員、設備、方法。

而圖書館學是研究圖書館的組織法、管理法和使用的學科。

劉國鈞先生的「什麼是圖書館學」（1957）認爲，「圖書館學就是關於圖書館的科學，也就是研究圖書館事業的性質與規律及其各個組成要素的性質和規律的科學。」㉒

3. 李景新「圖書館學能成獨立的科學嗎？」㉓

圖書館學分爲歷史的圖書館學和系統的圖書館學：前者包括圖書學、圖書館及圖書館學的歷史研究；後者包括圖書館學的理論與實際。

⓲ 同註❿，頁 80-81。

⓳ A. Broadfield, *A Philosophy of Librarianship* (London: Grafton, 1949)，p.11；見註⓭，頁 14, 21；又見註❾，頁 80。

⓴ 杜定友，「圖書館管理法上新觀點」，1932 年刊於浙江圖書館月刊；杜定友，圖書館學概論，1934 年出版；見註⓱，黃宗忠書，頁 7-8, 127。

㉑ 劉國鈞，圖書館學要旨（臺北：中華書局，民國 47 年）；見註⓱，黃宗忠書，頁 7-8, 127。

㉒ 同註⓱，黃宗忠書，頁 30。

㉓ 李景新，「圖書館學能成獨立科學嗎？」文華圖書館學季刊 7 卷 2 期（民國 24 年 6 月），頁 263-302；見註⓱，黃宗忠書，頁 30。同註❿，王振鵠文，頁 85。

圖書館學研究範圍，狹義說，是研究圖書館的整體；廣義說，是研究圖書館和圖書館有關係的學科。

以上僅列舉早期我國學人對圖書館學理論基礎之探討。而晚近，臺灣之學者亦有不少對圖書館哲學之探討，茲不贅述。㉔

五、圖書館學是甚麼樣的科學？

由前第三、四節概述圖書館學理論以及哲學，可見中外學者皆在為圖書館學尋求「科學」定位，及「理論」基礎，並試圖發展圖書館學之「哲學」。其中，沈寶環教授一直致力於此，其一系列著作，如「圖書館學的趨勢」㉕、「在『圖書館哲學』的竹籬外徘徊」㉖，皆提出許多值得思考並具啓發性的論點。

沈教授篤信杜威（John Dewey，1859-1952）之教育哲學，而杜威從進化論觀點，把一個「靜」的宇宙觀念變成一個「動」的宇宙觀念。因此，沈教授曾說靜止不動是圖書館事業的危敵而提出圖書館是：偏重行動的科學、不斷變動的科學、進入自動的科學。同時提出圖書館是有生命的有機體主張而製作生命的要素與圖書館活動比照表。㉗

而本文作者認為最具代表的思想結集，乃沈教授在其所編著〔圖書館學概論〕中，討論到「圖書館學是甚麼樣的科學？」時，所提出之論點，為保存原意，現簡略摘要如下：㉘

㈠圖書館學是一種偏重行動的科學

自 1930 年代開始，圖書館學研究工作分二派：

1. 發展圖書館學的理論體系：Pierce Butler, William Randall.
2. 以高度發展技術和科學方法控制圖書館業務：Carleton Jockel.

而卡洛夫斯基（Leo Carnovsky）教授認為圖書館是一種偏重行動的科學，其主要職責在於收集及組織資料以供讀者使用。英國學者布勞德菲爾（A. Broadfield）認為圖書館應將其功能：對社會服務，發揮到盡善盡美，而圖書館之對社會服務即是「將讀者和書籍結合起來。」

㉔ 如沈寶環、高錦雪、賴鼎銘等教授，其著作，參見註⑬、⑭、⑮。

㉕ 同註②，頁 247-285。

㉖ 同註⑬，頁 8-28。

㉗ 同註⑬，頁 14-17。

㉘ 同註①，頁 16-28，列 1-7 點。同註②，沈寶環文，頁 250-251，列 1-3 點。

㈡圖書館學是不斷變動的科學

圖書館學是一個有生命的有機體，其館藏有新陳代謝，要適應讀者的需要而維持均衡的館藏。圖書館的組織因應時代而變，以滿足讀者的資訊需求。

㈢圖書館學是進入自動的科學

資訊爆炸，促使圖書館利用新科技如電腦從事自動化。圖書館自動化的主要目標，是加強服務而不是精簡人力。

㈣圖書館學是強調服務的科學

「在最短的時間內將以適當形式製作的資訊，提供讀者作恰當的運用」即是讀者服務的過程。而美國圖書館學會（ALA）之「圖書館權利宣言」（Library Bill of Rights, 1939 公布，後多次修訂）宣示：讀者使用圖書館之權利不受種族、年齡、背景和觀念之差異而受到拒絕或不公平的待遇。讀者服務應以服務功能、組織精神、學術研究與工作目標爲四項重心。

㈤圖書館學是主張合作的科學

由於資訊爆炸，雖新科技之應用亦不足以採訪、組織足夠資料，在短時間內提供讀者使用，因此圖書館之間的合作很重要。圖書館合作的主要目的是資源共享。

㈥圖書館學是主導大衆傳播的科學

圖書館的最高目標是爲全民供應資訊服務，大眾傳播則是傳布資訊，兩者皆採用通訊。圖書館是傳播媒體之一，並且是大眾傳播媒體的主力。

㈦圖書館學是著眼未來的科學

圖書館學的基本理論是控制資訊、處理資訊，並提供利用。在探討世變及預測未來發展的著作，皆強調爲因應變局，知識和資訊很重要。托佛勒（Alvin Toffler）認爲「在以知識爲主的經濟體系中，最重要的問題已不再是財富的分配，而是製造財富的資訊和媒體的分配。」而儲存和處理資訊的方式，也會改變人類思考、分析、綜合整理和表達資訊的方式。圖書館學要因應世變，對未來圖書館提出新的構想，並對讀者提出新的服務。

六、結語

由前節所述，沈寶環教授對「圖書館學是甚麼樣的科學？」的簡要摘錄，可窺見沈先生對圖書館學之理論和哲學有獨到見解，並成一家之言。本文作者認爲沈先生所云：「圖書館學是一種偏重行動的科學、不斷變動的科學，進入自動的科學」（a discipline of action, a discipline of change, a discipline of automation）㉙三點，尤其言簡意賅，可作爲本文之結論。

後　記

自從 1970 年由歷史轉讀圖書館學以來，個人對圖書館學之探索和熱忱始終未減。其間也不斷思索「圖書館學是甚麼樣的科學？」這樣嚴肅的大問題，但一直不敢執筆爲文。受沈寶環先生精神感召，不耑淺薄的將圖書館學界之前賢及前輩的論述加以介紹，重點尤其在介紹沈寶環先生之一家之言。至於個人在本文中實在說不上有什麼新意，淺陋之處，尚祈專家學者見諒之。

㉙　同註❷，頁 250-251。同註⓭，頁 14-15。

論圖書資訊學教育之改革

楊美華
政治大學圖書資訊學研究所教授

壹、前言

隨著資訊社會的到來，「資訊經濟」、「知識工作者」、「資訊爆炸」等名詞紛紛出籠，顯示了「資訊」是社會、政治、經濟上一個非常重要的資產；但是諷刺的是傳統上和資訊極其相關的系所——「圖書館學研究所」——在美國卻敲起關門的喪鐘。截至1994年止，美國有19所圖書館學院關閉，包括著名的芝加哥大學和哥倫比亞大學❶。有人分析原因，試著提出合理的解釋；其中，⑴資訊領域的理論基礎向有許多分歧的意見；⑵理論和實務界未能攜手合作，帶動行業的蓬勃發展❷等因素是造成圖書館學校沒落的主要緣由。

我個人覺得，今天臺灣地區的圖書資訊學教育有點像中小企業，是「短小精幹」、「搶了就跑」的炒短線行爲。往好處想：我們很有彈性，隨時調整，見好就收；往壞處想，沒有中心思想，隨風搖擺，人云亦云。

總的來說，有關圖書資訊學教育的討論，約可以有下列幾個面向：

1.圖書資訊學的範疇：圖書館學 v.s. 科際整合的相關知識。

2.學制的改革：大學部教育 v.s. 研究所教育。

3.學院的歸屬：文學院？管理學院？社會科學院？

4.研究所學生的來源：人文？社會？理工科系？本科系 v.s. 其他專業領域。

5.學科專家的培育：通才 v.s. 專才。

---

❶ 趙俊玲，楊子競，「90年代美國圖書館工作與研究鳥瞰」，圖書館雜誌，1997年第6期，頁59。

❷ J. Michael Pemberton and Christine R. Nugent, "Information Studies : Emergent Field, Convergent Curriculum," *Journal of Education for Library and Information Science*, v.36(Spring 1995): 126.

6.教學內容的重點：理論 v.s. 實務。

7.課程的調整：核心課程 v.s. 學群組。

筆者在 1997 年曾於中國圖書館學會會報上發表「圖書館學碩士教育之檢討與展望」一文❸，限於篇幅，並避免重複，本文僅就兩年來的發展以及幾個面向談圖書資訊學教育的改革。首先由美國圖書館學校的名稱、排行榜談起；其次，探討目前臺灣地區圖書資訊教育的困境，最後建議理想的教育目標和未來研究的方向。

非求新無以為繼，非求變無以為行。

貳、文獻分析

近年來有關圖書資訊學教育改革之探討，在美國較為著名的，有一九八六年的 "King's Report" ❹以及密西根大學於一九九三年向 Kellogg 基金會所提出的「廿一世紀資訊和圖書館從業人員教育」的五年研究方案❺。國內方面，則有教育部圖書館事業委員會委託的研究計劃「圖書館與資訊教育之改進研究報告」以及一九九三年，臺大圖書館學系所舉辦的「圖書館學與資訊科學教育研討會」和一九九七年，在武漢大學舉辦的「海峽兩岸圖書資訊學術研討會」，針對核心課程的討論，一九九八年「造訪圖書資訊學」工作坊；此外，則有李德竹教授的「美國、大陸和我國圖書館學系所資訊科學課程之研究」計劃。❻

根據 U.S. News 1996 年對美國圖書館學校的排名：第一名是 University of Illinois，第二名是 University of Michigan，第六名是 Indiana University。而 1996 年 Gourman Report 則是：第一名 University of Michigan，第二名 University of Illinois，第三名 Indiana University。仔細分析 University of Michigan 和 Indiana University 能夠名列前茅，更上一層樓的原因有二：首先是換了新人主政，其次是分別獲得經費的補助。

---

❸ 楊美華，「圖書館學碩士教育之檢討與展望」，中國圖書館學會會報，第 58 期（1997 年），頁 27-35。

❹ Jose-Marie Griffths and Donald W. King, *New Directions in Library and Information Science Education* (Westport, CO: Greenwood Pr., 1986).

❺ "Educating Human Resources for the Information and Library Professions of the 21st Century," A Proposal to the W.K. Kellogg Foundation form the Faculty of the School of Information and Library Studies, the University of Michigan, 1992.

❻ 李德竹，「美國、大陸和我國圖書館學系所資訊科學課程之研究」，國科會研究成果報告，民 83 年。

密西根大學（University of Michigan）新的院長是 Daniel Atkins，於 1992 年就任，在此之前是工程學院的院長，獲得 Kellogg 基金會 430 萬美金補助，將密西根大學的課程全面改造，成立「資訊科學、科技和圖書館教育的改造聯盟」（Coalition on Reinventing Information Science, Technology and Library Education，CRISTAL）。密西根大學於 1996 年三月將「資訊和圖書館研究學院」（School of Information and Library Studies）改名爲「資訊學院」（School of Information），並且結合數位化檔案、記錄管理（digital archives and records management）的專家和人機界面（human-computer interaction）的頂尖人物以及來自經濟、電腦、組織理論、管理、認知科學、工程、企業管理、公共政策研究、心理學等領域的學者共同規劃學程。❼

而印第安那大學（Indiana University）則是重金禮聘 Blaise Cronin，並支援 50 萬美金，充實師資、設備。Blaise Cronin 的專長是學術傳播（scholarly communication）、引文研究（citation analysis）、資訊市場（information markets）和策略智慧（strategic intelligence），並且著有「資訊、發展和社會智慧」（Information, Development and Social Intelligence）一書。印第安那大學將學程分成圖書館學和資訊科學兩組。

大陸學者徐引篪、霍國慶在「圖書館學研究對象的認識過程」一文裡指出：古代的圖書館是檔案館與圖書館的混合體，將來應從「信息資源體系」的角度來認識圖書館，才能將圖書館的過去、現在、未來整合爲一個連續的統一體。❽

美國圖書館與資訊科學教育學會對「圖書館與資訊研究」的意義與範圍界定爲：「專指研究記錄性資訊與知識，及便於其管理與利用之服務與技術的一門學科，涵蓋資訊與知識之創造、溝通、辨識、選擇、徵集、組織及描述、儲存及檢索、維護、分析、解釋、評估、綜合、傳播與管理」。❾要言之，資訊研究是一個變動的學科，它穩定成長，漸趨成熟，儘管外在環境一再變動，它關注的仍是知識、學習和資訊服務的促進。

由此可見，圖書資訊學是一個邊緣學科，有濃厚的跨科際性質，諸如大眾傳播、資訊科學、心理學、社會學、公共行政和法律等均可以和其結合。做得好，我們可以互相消融，攝取其他學科的菁華，獨創品牌，有自己的風格；做得不好，就會被大浪沖走。

---

❼ "Objectives of the CRISTAL-ED Project", http://www.si.umich.edu/cristaled/objectives.html (visited 12/31/98)

❽ 徐引篪、霍國慶，「圖書館學研究對象的認識過程」，中國圖書館學報，第 24 卷第 115 期（1998 年 5 月），頁 12。

❾ *ALA Standards for Accreditation of Master's Programs in Library & Information Studies*, 1992。

在科際整合的時代裡，圖書資訊學如何為自己爭得一席之地，而屹立不搖，值得我們深思。

華麗的外表，抑國王的新衣？

參、圖書資訊教育學門的困境

一、名稱的釋疑

在很早以前，就有人發現「圖書館學」以機構命名的不妥，如有醫學、法學，沒有「醫院學」、「法院學」。於是國內外紛紛改名，茲分述如下：

(一)美國：

1. Library and Information 同時出現：

(1) School of Library and Information Science

① Illinois

② Indiana University

③ Kent State University

④ Pittsburgh

⑤ Simmons

⑥ University of Iowa

⑦ The University of South Florida

⑧ The University of Southern Mississippi

⑨ The University of Texas at Austin

⑩ The University of Washington

(2) The School of Library and Information Sciences

① The University of North Texas

② North Carolina Central University

(3) School of Library and Information Studies

① The University of Alabama

② The University of Wisconsin at Madison

(4) The College of Library and Information Services

The University of Maryland at College Park

(5) School of Information and Library Science
The University of North Carolina-Chapel Hill

2.以 Information 爲主：

(1) School of Information
The University of Michigan

(2) School of Information Sciences
University of Pittsburgh

(3) School of Information Studies
Syracuse University

(4) School of Information Science and Policy
State University of New York at Albany

(5) The College of Information Science and Technology
Drexel University, Pennsylvania

3.其他：

(1) Graduate School of Education and Information Studies
University of California at Los Angeles

(2) School of Communication ,Information, and Library Studies
Rutgers University

(3) School of Information Management and Systems
University of California at Berkeley

(二)大陸地區

到 1996 年爲止，大陸地區約有 52 個圖書館學相關學系的設置，其中已有 30 所改名爲「信息管理系」、「信息資源管理系」。歸納而言，大陸地區有關圖書資訊學名稱主要有下：（參見表一）

1.信息管理學（21 所）

2.圖書情報學（11 所）

3.圖書館學　（9 所）

表一：大陸地區教學機構一覽表

序號	教學機關名稱	創辦年	主管部門	本科	碩士	博士
1	武漢大學圖書情報學院	1920	國家教委	有	有	有
2	南京大學信息管理系	1927	國家教委	有	有	
3	北京大學信息管理系	1947	國家教委	有	有	有
4	東北師大圖書情報系	1960	國家教委	有	有	
5	湖南大學圖書情報專業	1978	機械部	有		
6	山西大學信息管理系	1978	省教育廳	有		
7	上海大學文獻信息管理系	1978	市高教局	有		
8	北京聯合大學文學院信息管理系	1978	市高教局	有		
9	華東師大國際商學院信息管理系	1979	國家教委	有		
10	安徽大學信息管理系	1979	省教育廳	有		
11	南開大學分校信息產業學系	1979	市高教局	有		
12	蘭州大學圖書情報系	1980	國家教委	有		
13	南開大學信息管理系	1980	國家教委	有	有	
14	廣州中山大學信息管理系	1980	國家教委	有	有	
15	北京師範大學信息技術與管理系	1980	國家教委	有	有	
16	福建師範大學圖書館學系	1981	省高教廳	有		
17	西南師範大學圖書情報系	1983	國家教委	有		
18	西安交通大學管理學院信息管理系	1983	國家教委	有		
19	華南師範大學信息管理系	1983	省高教局	有		
20	四川聯合大學信息管理系	1984	國家教委	有		
21	南京農業大學信息管理系	1984	農牧漁業部	有		
22	中南礦業學院科技情報專業	1984	有色金屬公司	有		
23	河北大學信息管理系	1984	省教委	有		
24	湘潭大學信息管理系	1984	省教委	有		
25	杭州大學歷史系圖書館學專修科	1984	省教委	有		
26	北京海淀走讀大學圖書館專業	1984	市高教局			
27	山東大學信息管理系	1985	國家教委	有		
28	北京外國語大學英語信息管理系	1985	國家教委	有		
29	大連工學院圖書情報專業	1985	國家教委	有		
30	白求恩醫科大學醫藥信息學系	1985	衛生部	有		
31	吉林工業大學信息管理系	1985	機械部	有	有	
32	遼寧師大信息管理系	1985	省高教局	有		
33	黑龍江大學信息管理系	1985	省教委	有		
34	大連大學科技情報專業	1985	市高教局	有		

35	中國科技大學信息技術與決策科學系	1986	國家教委	有		
36	中國人民大學檔案系社會科學情報系	1986	國家教委	有		
37	湖南醫學院圖書情報系	1986	衛生部	有		
38	華中師範大學信息管理系	不詳	國家教委	有		
39	西安電子科技大學信息管理系	不詳	國家教委	有	有	
40	吉林大學圖書館學專業	不詳	國家教委	有		
41	中國科學院文獻情報中心管理幹部學院圖書情報系	不詳	中科院		有	有
42	中國科技信息所碩士（理學）研究生班	不詳	國家科委		有	
43	中國醫科大學圖書情報系	不詳	衛生部	有		
44	同濟醫科大學醫學圖書情報學專業	不詳	衛生部	有		
45	太原重型機械學院圖書館專業	不詳	機械部	有		
46	東北水電管理幹部學院圖書情報專修科	不詳	水電部	有		
47	第二軍醫大學醫學學校管理專業	不詳	後勤部	有		
48	上海空軍政治學院信息管理系	不詳	空軍	有		
49	西安基礎大學圖書館學系	不詳	省高教局	有		
50	雲南大學檔案系圖書館學專業	不詳	省教育廳	有		
51	金城聯合大學圖書館學專業	不詳	省教育廳	有		
52	包頭師範專科學校圖書館專業	不詳	自治區教育局			

出處：參考董小英，「我國圖書館學情報學教育的轉型及其問題」，中國圖書館學報，1996 年第 1 期，頁 29。

其他有關名稱的建議很多，陳光祚即曾提出以下名稱：❿

1. 圖書館與情報（科）學
2. 圖書館情報與文獻學
3. 文獻信息學
4. 信息學
5. 信息管理學
6. 信息系統管理學
7. 知識信息資源
8. 文獻資源學
9. 文獻信息管理學

臺灣地區，除了淡江大學以外，均改成「圖書資訊學」系所。雖然名稱不是最主要

---

❿ 陳光祚，「現代信息技術與圖書情報學科群的發展」，圖書情報工作，1996 年第 3 期，頁 7。

的，卻反映出我們對於學科的態度；圖書館學系的改名，是否說明了我們對這一學科太缺乏自信？名稱的改變，帶給我們新的氣象，給了我們改革的希望，也帶給我們更多的困惑。系科改名之後，課程體系如何建構？「圖書資訊學系」和「資訊管理系」有什麼不同？

二、學院的歸屬

圖書資訊學系能夠歸屬於文學院嗎？在文學院裡，圖書資訊學系的課程、活動常顯得格格不入，非文非理，但是離開文學院，又何去何從呢？

就學院的歸屬而言，與圖書資訊學相關的學門，約有下列幾種面貌：

1. 理學院：政大資訊科學系。
2. 商學院：政大資訊管理系。
3. 管理學院：中正資訊管理系。
4. 文學院：臺大圖書資訊學系、輔大圖書資訊學系、政大圖書資訊學研究所、師大社會教育學系圖書資訊學組。
5. 資訊學院：元智大學的資訊研究所、資訊社會研究所、資訊傳播學系、資訊管理技術系。
6. 傳播學院：世新圖書資訊學系。

圖書館是社會的記憶體，它關心的是文化的傳承、資訊的傳播和知識的累積。在理論上，我們希望圖書資訊學門的終極關懷在「確保文化智慧的利用與文化記錄的保存，並解決實際上的文化記錄問題，以達成文化目標」。⑪在實務上，我們必須學習電腦新科技，圖書資訊系的包袱何其沈重？如何在歷史的長河中，找到自己的定位？在學校裡，我們面臨兩種文化的衝擊，一種是學術殿堂對於「知識創造」的追求，另一種則是業界對於實際問題解決的期盼。然則眞是「處於兩極，才能逼現自己的偉大」？

三、核心課程的規劃

核心課程除了要有基礎性，但更要有時代性及延展性。⑫圖書資訊學的核心課程應包括那些？我們都希望提供豐富而具彈性的課程，以培養學生目前或未來在圖書資訊學領域的與趣及能力，但是如何去做？

---

⑪ 陳雪華主持，人文社會科學教育改進計畫圖書館學系核心課程的規劃研究成果報告，國立臺灣大學圖書館學系執行，教育部顧問司委託，民 86 年 7 月。

⑫ 羅式勝，「關於圖書館學情報學專業核心課程建設的思考」，中國圖書館學報，1998 年第 1 期，頁 32-34。

「圖書館學系核心課程的規劃」研究報告⓭指出：專家學者咸認「圖書資訊學導論」是基礎課程，而五個領域重點分別是：

1.資訊與資源領域：「館藏發展」、「參考資源」；

2.組織與分析領域：「主題分析」、「資訊組織」；

3.使用者與服務領域：「讀者研究」、「資訊服務」；

4.資訊科技與應用領域：「資訊檢索」、「資訊傳播」；

5.系統與管理領域：「圖書館管理」、「系統分析」。

惟 1988 年的高普考科目卻未能遙相呼應，緊密扣合。以致於在第一試裡，「圖書館學與資訊科學」和「圖書館管理」很難切割；第二試裡，「讀者服務」、「技術服務」、「電腦與資訊檢索」、「圖書館管理」和「圖書館學與資訊科學」，又因爲「網路資源」的蓬勃發展、交叉滲透，以致於打混戰，學生搞不清楚應考的科目爲何。再者，儘管各校「科目名稱」相同，但教學大綱內容項目卻大異其趣，使得學生疲於奔命，無從準備。因此，圖書資訊學系彼此之間的共識已刻不容緩，而各校之間的特色更須突顯。

基礎課程固然重要，但是在本質上，它必須有整體性、專業性和穩定性、系統性、邏輯性和操作性。與圖書資訊學相關的領域包括「資訊管理」、「科技管理」、「資訊傳播」、「資訊社會學」……等。我們又有什麼優勢和獨特之處？爲了應用科技解決資料處理問題，圖書資訊學的課程增加了許多與資訊技術相關的科目，如此一來，使得我們無法和別人劃清界線，常遭「以蛇吞象」的嘲諷。

學生來自人文背景，但是圖書資訊學系的教師卻擁抱「科學」，追求「科技」。要之，「科學資訊」（science information）和「資訊科學」（information science）是不一樣的。儘管我們的課程有三分之一和理工科一樣，但是不能保證和他們的畢業生有一樣的競爭力；和其他學科的重複，只有加速我們被吞噬的可能。

美國密西根大學資訊學院（The University of Michigan, School of Information）強調對使用者、科技和使用等三方面深入了解，調和人類、資訊系統和組織三者之間的關係，以改善人類的生活品質。其重點值得我們借鏡，其碩士學位爲 “Master of Science in Information”，其課程規劃包括⓮：

⓭ 同註⓫。

⓮ “Planning for a New Curriculum”，http://www.si.umich.edu/cristaled/curriculum/newcurrie.html (visited 12/3/98)

1.檔案和文書管理（Archives and Record Management ）
2.數位文獻／出版（Digital Document / Digital Publishing ）
3.人機互動（Human- Computer Interaction）
4.新系統架構（New Systems Architecture）
5.圖書館與資訊服務（Library and Information Services）
6.資訊系統管理（Information Systems Management）

昨日的報紙包裹今天的魚

肆、圖書資訊學的教育目標

倪曉建回顧大陸圖書館學系教學教育目標的發展過程，指出其大致經歷了四個階段：以圖書館業務部門爲中心目標的職業教育階段（1920－1949 年）；圍繞圖書館工作需要而延伸課程的專業教育階段（1950－1979 年）；圖書館學與情報學相結合的融合教育階段（1980－1990 年）和注重信息技術及數理基礎知識應用的能力教育階段（1991 年以後）。⓯同時建議大陸地區培養目標的思考如下：⓰

1.知識結構：

(1)具有良好的外語能力和數學基礎；

(2)具有熟練的現代信息技術應用開發知識；

(3)具有系統的信息管理專業知識；

(4)具有某一學科背景知識及較寬廣的人文知識。

2.能力結構：

(1)信息的快速準確採集能力及分析綜合能力；

(2)應用現代計算機技術進行信息系統的分析、維護、設計和評價能力；

(3)外語的聽、說、讀、寫能力和漢語的表達寫作能力；

(4)組織管理協調、公共關係、社會調查及信息產品營銷能力。

3.素質結構：

(1)具有敏銳的洞察力；

⓯ 倪曉建，「大學信息管理專業培養目標的思考」，中國圖書館學報，1998 年第 3 期，頁 29-34。

⓰ 同上註。

⑵具有系統分析與綜合思維能力；

⑶具有較強的自學、科研和創造能力；

⑷具有開拓奉獻精神和責任感。

知識壽命的加速縮短，使得資訊一形成，就像明日黃花。近年來，許多校園刊物均以「FishWrap」為名，用意在強調資訊的稍縱即逝，一不小心，就會落伍，跟不上時代的腳步。教學目標是各校課程與教學活動的最高指導方針。圖書資訊學系又將如何因應這一波的變革？綜觀臺灣地區圖書資訊學系的教育目標（參見表二），似乎未能展現圖書館學的本質與範疇，僅強調「專業知識」、「理論與實務並重」等空洞名詞。

表二：臺灣地區各大學圖書資訊學系所教育目標的比較⑰

學校	教育目標
臺大	培育理論與實務並重之圖書館學與資訊科學專業人才，使能從事資訊之產生、組織、儲存、檢索、利用與傳播之研究與服務，積極推動圖書館學之研究與圖書館事業之發展，改善圖書館之服務品質。
輔大	培養從事圖書館事業的文化工作者，同時更為現代社會漸覺不可或缺的資訊服務，培養軟硬體工程師之外的服務人才，或為各機關團體日益重視的資料與資訊單位育才。
淡江	1.在教學、研究及行政方面，力求造就手腦並用，理論與實用並重的優秀人才； 2.培養學生科學化、系統化的徵集、整理、製作及運用各類型資料； 3.啓發學生的創造力，使其善於獨立思考，判斷和表達意見。
世新	1.培養全方位的資訊技術及服務專業人才，以因應資訊社會的發展。 2.培養學生具有圖書館與資訊科學知識且能運用現代化資訊科技。
政大	1.招收已具有專門學科基礎，受過通才教育及語言訓練之大專畢業生，授予圖書資訊、博物館及檔案管理等專業教育。 2.教授中外圖書資訊學、博物館學及檔案管理學之高深理論與實務。 3.培育各專門學科圖書館，如：音樂圖書館、科技圖書館、醫學圖書館、藝術圖書館及資訊中心等師資、高級行政人員和資訊管理人才。配合圖書館資訊中心博物館等機構之發展，與檔案管理制度之建立，培育新科技人才，以因應新時代之需求。

⑰ 彙整各校網頁：臺大：http://www.lis.ntu.edu.tw；輔大：http://blue.lins.fju.edu.tw；淡江：http://163.13.176.20；世新：http://lis.shu.edu.tw/；政大：http://lis.nccu.edu.tw/。

相對的，美國圖書館學校的教育目標則能顯現崇高深遠的精神，舉例而言⑱：

1.提供學生服務不同族群資訊需求所需之技能與知識（The University of Alabama, School of Library and Information Studies）

2.培養具有資訊需求、組織、管理、過濾與展現的資訊管理者（The School of Information Management and Systems at the University of California -- Berkeley）

3.使學生瞭解圖書館事業和資訊科學的原理，以及瞭解多元化的資訊環境，同時提供學生整合性的知識、態度、技術，使其成為重要的思考者與有效的傳播者（Indiana University, School of Library and Information Science）

個人以為，美國馬利蘭大學圖書館學和資訊服務學院（The College of Library and Information Services at the University of Maryland at College Park）的發展目標最值得我們學習：

1.使學生瞭解圖書館事業的發展、掌握多元化的資訊環境以及熟悉資訊科學的理論；

2.教導學生整合性的知識、態度和技術；

3.培養有效的資訊管理者與傳播者；

4.提昇學生的品質與多元性；

5.持續改善資訊研究課程，保持最佳的形式，以迎接二十一世紀；

6.在資訊領域裡取得傑出課程的認同；

7.提升我國資訊服務的水準；

8.在大學部資訊素養的課程保持領先的地位。⑲

對於未來最好的預測，就是去創造它。

伍、未來研究的方向

迎接千禧年的來臨，應如何研擬圖書館和資訊從業人員的教育方針？IFLA 主席漢斯彼德蓋（Hans-Peter Geh）在第五十六屆年會時呼籲到：「圖書館不只是大量資訊的儲藏

⑱ 同註⑪。

⑲ Mission Statement and Long Term Goals, The College of Library and Information Services at the University of Maryland at College Park, http://www.clis.umd.edu/info/cliswelc.html, visited 1999/5/24.

地，而且是資訊的傳播者；圖書館要繼續駕馭時勢，就一定要成爲富有創造性的媒介資訊交流中心，提供獲得世界各地資訊源的途徑」。⓴

吳美美指出圖書資訊學未來努力的方向爲：㈠人文和科技的整合，㈡資訊組織原理和學習理論並重。㉑而賴鼎銘則強調：圖書資訊人員訓練的層次上必須有所提升，須先行發掘與其他學科可以進行科際整合的切入點，針對這些主題，加強研究質量，以獲得其他學門的肯定。㉒

誠然，圖書館變革的出路在於以創新的價値、鮮活的思維，開啓知識管理的新紀元。㉓因此，圖書館應積極⑴加強知識資料庫的建設和開發；⑵致力於資訊的組織與維護；⑶利用資訊科技轉化組織；⑷以資訊整理與傳播爲研究對象；⑸探討多樣化的研究方法。㉔

綜合各家意見，茲建議下列事項，和同道共勉：

㈠分工合作：配合各校的情境，建立各校的特色。

㈡核心課程教學大綱的擬定。

㈢與其他學門的合作與整合。

㈣開放跨校選課，拓展師資陣容。

㈤建立「遠距教學」、「網路教育」的架構，造就更多人才。

㈥與社區、相關企業、機構的策略聯盟。

㈦參與國際專業組織的活動。

險艱自得石隨波

陸、結語

早期的圖書館學教育曾帶動圖書館事業的蓬勃發展，如今大多數人都能肯定圖書館的工作。然而在網路化、多媒體的今天，「圖書館」做爲一種社會機構，已經面臨嚴峻

⓴ 賀定安，「圖書館變革的出路在於形成知識信息產業」，中國圖書館學報，1995 年第 5 期，頁 22-25。

㉑ 吳美美，「尋找資訊研究的大方向」，資訊傳播與圖書館學 3 卷 3 期（1997 年 3 月），頁 34-47。

㉒ 賴鼎銘，「圖書資訊學教育有待實踐的二個方向」，中國圖書館學會會報，第 58 期（1997 年），頁 37-42。

㉓ 同註⓴。

㉔ 林海青，「新世紀我國圖書館學研究的展望」，中國圖書館學報，1998 年第 1 期，頁 18-26。

的挑戰。在可以預見的未來，圖書館將是一個沒有圖書的圖書館，沒有館員的圖書館。爲了提供新的服務，圖書館必須想方設法，從頭來過；而傳統上圍繞著圖書館發展的「圖書資訊學」也必須脫胎換骨，改頭換面。

以往我們消極的目標是培養圖書館員，積極的目標是資訊專家。就宏觀面來講，我們希望由圖書館員的養成到資訊專家的培育，從圖書館的服務到個人資訊空間的建構，由資訊的管理到知識管理。就研究對象而言，我們亟思調和人類、資訊系統與組織三者間的關係，以改善人類的生活品質。爲了實現這一個願景，亟需培育新一代的資訊專家，使其體認圖書資訊學的價值：我們對於這個社會的服務，是在塑造它，引領它；惟有經由這種服務的熱忱，才能完成理想的使命－對於民主的追求，以及心智傳承的想望。

展望未來，道路是無限寬廣！危機就是危險＋機會，能不能轉機，就要靠契機，我們相信現在是最好的時機。心香一束，焚以禱祝：願以自覺的努力，做不斷的改革。一步一個腳印，我們是否踏出了第一步？

邁向資訊網路時代的公共圖書館建設

宋建成
國家圖書館副館長

圖書館的經營趨勢，爲系統化（制度化）、合作化、自動化、網路化、專業化。圖書館事業要由整體發展的觀念來考慮圖書館功能的發揮。由於沒有一個圖書館能滿足讀者多方面的需求，館際合作的發展爰是提昇圖書館服務的唯一必行的方式。館際合作的核心，應是合作發展館藏，爲求充分供應及滿足需求，宜作計畫性及整體性的館藏圖書文獻建設，從事合理的布局，聯合建置圖書文獻資源。運用電腦及網路科技，經由圖書館自動化作業，進而建立網路環境及設施，透過網際網路（Internet）與館藏數位化工程，經由健全的服務體系，始可達到「資訊共享」的需求。因此，圖書館的營運，也日趨專業，不僅需要專業的圖書館員，而且還需要運用各行各業的專業人員的協助，以竟全功。近五年來臺灣省政府，積極投入公共圖書館的建設，尤其推動各縣市立文化中心及鄉鎮圖書館建置「整合性圖書館自動化系統」及網路連線作業，不遺餘力，促進了臺灣省公共圖書館網路時期的來臨，奠定公共圖書館可利用網路資源的基礎，開啓館藏建設，資源共建共享的契機，以迎接電子圖書館服務的新紀元。

一、均衡文化發展充實文化設施計畫

臺灣省政府爲配合中央政策，落實基層文化建設，以提昇省民文化水準，自民國 75 年度起推動「臺灣省加強文化建設重要措施」，75 至 80 年度及 82 至 86 年度共執行三期。致力於「鄉鄉有圖書館」政策的執行，及書香社會的推動，對於圖書館建設奠定良好基礎。民國 86 年 5 月臺灣省政府文化處正式成立，訂定「臺灣省均衡文化發展充實文化設施計畫」，延續舊有基礎，積極開創，期使公共圖書館，眞正成爲當地民眾知識文化寶庫。臺灣省文化處並邀請圖書館等相關專業學者成立「公共圖書館資訊網路輔導諮詢委員會」及「文化教育諮詢委員會」，作爲推動各級公共圖書館建設相關事項的諮詢，協助輔導各圖書館經營，解決相關技術、專業問題。

二、公共圖書館建設

五年來，臺灣省政府爲積極推動臺灣省公共圖書館的蓬勃發展，編列了十數億元預算，投入人力、物力，也獲得具體成果及各界肯定。其重要績效臚列如下❶：

㈠確立省立臺中圖書館爲本省公共圖書館專業領導單位，積極執行輔導全省圖書館發展之責。

㈡協助縣市文化中心圖書館健全營運，並落實專業輔導轄區鄉鎮市區圖書館效能。

㈢推動圖書館自動化及網路系統作業，完成跨世紀文化建設，以迎接資訊網路時代。

㈣補助各鄉鎮興建圖書館，貫徹「鄉鄉有圖書館」計畫。

㈤補助各級圖書館充實館藏，更新設備。

㈥人力支援、專業培訓、獎勵措施。

㈦推動各項文化活動，倡導讀書風氣。

㈧發揮輔導功能。

㈨結合媒體，加強宣導，讓更多民眾瞭解圖書館功能。

三、廿一世紀公共圖書館發展

民國 87 年 3 月，臺灣省政府文化處主辦，省立臺中圖書館承辦「二十一世紀公共圖書館發展研討會」，其目的有「㈠探討二十一世紀公共圖書館之發展趨勢；㈡檢討並提昇臺灣省公共圖書館之功能、任務、服務、技術，使能因應未來社會之需求；㈢藉國外建立電子圖書館之經驗，使各地公共圖書館能有效將地方文獻電子化」❷。研討會研討子題爲公共圖書館與資訊社會、自動化與網路系統、資訊服務、與地方文獻的整理、電子資訊館藏的發展、經營與管理等六項。探討資訊網路新時代公共圖書館營運的方向。民國 88 年 5 月又辦理「八十八年度臺灣省公共圖書館發展研討會」，以「圖書館的資源與利用」爲中心議題。

---

❶ 黃秀梅，「臺灣省公共圖書館建設工作報告」，書苑，39 期（民國 88 年 1 月），頁 83-86。「臺灣省公共圖書館現階段工作概要暨文化處業務重點報告」，在八十八年度臺灣省公共圖書館發展研討會研討手冊（臺中市：省立臺中圖書館，民國 88 年），頁 4-5。

❷ 「廿一世紀公共圖書館發展研討會計畫」，在該會研習手冊（臺中市：省立臺中圖書館，民國 87 年），頁 1。

四、公共圖書館館藏發展

㈠地方文獻

依「圖書館的資源與利用」中心議題，以討論子題「規劃圖書館館藏發展方向，以符合公共圖書館營運目標」言，公共圖書館所建立的館藏，依圖書館經營相關法令，首要的是蒐集地方文獻。地方文獻可分爲文獻記載及實地調查訪問資料兩大類：

1.文獻記載：⑴檔案資料⑵國史記載資料⑶方志及地方年鑑⑷調查資料⑸私人著述⑹報刊資料⑺工商資料及其他圖書文字資料。

2.實地調查訪問資料：⑴口碑（述）紀錄⑵實地實務的考察測繪⑶民間歌謠傳說等。

各級公共圖書館依其文化功能，「保存地方文獻，弘揚民族文化」，蒐集相關地方文獻。

㈡終身學習

教育部將民國 87 年定爲「終身學習年」，並研討「邁向學習社會」白皮書，作爲我國推動終身學習社會的藍圖，及創造教育改革新紀元的指針。公共圖書館是社會教育的一環，自然應負起教育者的責任，以讀者需求爲導向，以「社區民眾爲主要服務對象，推廣社會教育及辦理文化活動」。

根據國立臺灣師範大學成人教育研究中心研究，成人教育需求可歸類爲十五類❸：

1.運動保健類　2.藝文欣賞類　3.休閒旅遊類
4.學術進修類　5.投資理財類　6.語文進修類
7.職親教育類　8.政治類　9.經濟類
10.職業知能類　11.宗教修身類　12.電腦資訊類
13.生活實用技能　14.成人基本教育　15.公共事務類

公共圖書館依其教育功能，「教育社會民眾，提供終身學習場所」，針對讀者需要，蒐集相關資料，建立館藏。

近年來先進國家，達到全民資訊素養（Information Literacy）已成爲主要的教育目標之一。這是因爲不僅是因應資訊社會需求的反應，更是有助於「學習社會」的重要智識成就。邁入二十一世紀資訊時代的生存條件之一，便是擁有資訊素養。一個有資訊素養的人，必須能分辨何時需要資訊，並且擁有取得資訊、評鑑資訊及有效利用所需資訊的

---

❸ 黃富順，臺北市成人教育現況、需求及可行途徑之研究（臺北市：師大成教中心，民國 82 年），頁 47-49。

的能力，最終成爲一個學會如何去學習的人，也就是爲「終身學習」作好了準備（ALA，1989）。公共圖書館應以提昇民眾的資訊素養爲重要職責之一。

五、公共圖書館與經濟發展

公共圖書館館藏發展，除配合上述文化的及教育的功能外，在走向廿一世紀之際，似應不斷的擴大圖書館的功能，爲讀者提供更全面的服務。

1996 年 8 月 25 日至 31 日在北京舉行第 62 屆國際圖書館學會聯盟（IFLA）。大會主題爲「變革的挑戰：圖書館與經濟發展」（The Challenge of Change：Libraries and Economic Development）。大會鑒於「當我們向本世紀末邁進時，圖書館正面臨著各種新的需求和挑戰。與此同時，社會正在重新評估作爲經濟發展動力的組成部分－資訊的價值。圖書館所履行的社會職能正朝著發揮新的、更大範圍的作用而變化、發展。圖書館在幫助各國開發智力財富所起的教育作用，得到了更廣泛的認可；資訊受到了高度重視，被認爲是一種經濟資源，而新技術又使它得以迅即在世界範圍內爲人們所利用。圖書館員利用他們的資訊管理技能在這一資訊環境中正發揮主導作用」，爰採用這個主題，「用以反映當代經濟和社會的重要因素之一：資訊領域中各個不同的側面」❹。

資訊已是重要的生產力，越來越成爲經濟發展和社會進步的基礎性資源。具有高度經濟價值的資訊生產和流通，正在加速走向商品化，資訊工作已成爲一種跨行業經營產業。效益的高低已成爲衡量圖書館資訊服務工作的標準。美國雷根總統曾宣稱：「美國每年經濟總收入的 40% 至 60% 是由圖書館所製造的，美國每年的中央資訊資源有 90% 來自圖書館收藏的公開出版物」。❺公共圖書館憑借不可替代的文化累積、知識寶藏和資訊的聚散能力，介入資訊市場，堪稱順應時代的潮流。

六、特色圖書館芻議

「臺灣省加強文化建設第三期重要措施」，在「調整並確立各級社教機構專業分工，充分發揮其功能」項下，有建立「館藏特色」的提示。如「各縣市立文化中心圖書館建立館藏特色資料」、「建立各鄉鎮市區圖書館重點發展特色」等等。省立臺中圖書館曾

---

❹ 第 62 屆國際圖書館協會聯合會大會會議錄（北京：北京圖書館出版社，1998），頁 43-44。

❺ 趙達雄，「中外公共圖書館開展信息服務比較研究」，在辛孟希主編，文獻信息服務論文集（北京：北京圖書館出版社，1999 年），頁 183。

編印「臺灣省公共圖書館特色館藏聯合目錄」，藉作各館互通有無、資源共享的目的。相類似的作法，臺北市立圖書館於民國 81 年也開始全面建立各分館的館藏特色。究「館藏特色」似不是專有名詞，而「館藏特色」又好像指「特藏」或特別專有的收藏，也好像是圖書館藏書的特色。基本上，目前所推行者，饒富「合作發展館藏」的意味。

近年來，大陸圖書館界新興「特色圖書館」的經營，特別是北京、上海及湖北省公共圖書館界。這個被認為「社會轉型期圖書館的新走向」，應「宏觀合理布局與網路化建設」等因素產生的「全新圖書館類型」，頗令人沉思❻。特色圖書館是有系統收藏某一主題、學科、領域圖書文獻（信息）的公共圖書館。有以本地區經濟及生產具有優勢的相關學科、專業為依據建立的特色圖書館，如淡水養殖圖書館、服裝圖書館等。有以本地區民眾生活密切相關的方面為依據建立的特色圖書館，如旅遊圖書館、氣功圖書館等。基本上，由於民眾某些方面共同特徵會產生對某方面圖書文獻有較顯著及大量的需求，以這些具有共同特徵的讀者對象的圖書文獻服務需求為依據建立特色圖書館。這種特色圖書館作為「區域經濟環境一部分的地位越來越明顯」。就公共圖書館固有的文化及教育功能，如予更進一步，運用新穎、專精有特點館藏，作為民眾經濟及企業活動的一部分，提供相應的特色服務，創造較高的經濟效益，似較目前沿襲一個模式經營的公共圖書館，衹有規模大小的不同的單一模式；另具有不同的意義。

七、文獻資源建設

特色圖書館的興起，與「文獻資源建設」有密切關係。自 1984 年起，大陸新產生「文獻資源建設」的課題。所謂「文獻資源」，是指一個國家或地區所有圖書資訊機構館藏文獻的集合。從宏觀的角度將全社會的文獻視為一整體，如同礦產資源、水資源等一樣是社會不可或缺的精神財富和寶貴的資源（人類智力資源的一個重要的部分）。而所謂「文獻資源建設」，即對一個國家或地區的文獻資源進行宏觀調控，使文獻的入藏和累積，採有計畫地進行，合理地配置（布局），以滿足和保障社會發展和國家建設的文獻需求的全部活動。換言之，即就文獻資源予以規劃、布局、收藏與管理，以最大限度滿足社會對文獻的需求為旨。1986 年 11 月大陸中國圖書館學會舉行「全國文獻資源布局學術研討會」。1987 至 1989 年展開「全國文獻資源調查與布局研究」，期「滿足國內文獻需求 100% 及國外資訊需求 90% 以上」為目標。1991 年中國人民大學出版社印行

---

❻ 文化部圖書館司，特色圖書館（北京：北京圖書館，1998），頁 1-10。

「研究成果彙編」。❼

這種「文獻資源建設」，乃針對個別館藏，各自發展，形成館藏短缺、重複入藏的缺失及低使用率、低滿足率的窘境，予以有計劃的整體化建設，是值得參考的。

八、公共圖書館城鄉合作

無論是特色圖書館抑館藏特色，均思突破一個模式的藏書建設，尋找分工的差異。因此，以臺灣省或各縣市立文化中心圖書館（或各縣市立圖書館）如何去調整全省或全縣的公共圖書館的圖書文獻資源布局，是應優先思考的問題。臺灣省政府文化處進行了「公共圖書館城鄉合作模式之調查研究」，（由洪孟啓副處長，及胡歐蘭館長、鄭恆雄主任分爲計畫主持人及協同主持人）其研究目的在深入探討臺灣省縣市立文化中心及鄉鎮圖書館城鄉合作的模式，這是一篇用意甚佳，用法良好的文獻。公共圖書館界普遍存在缺乏人力、物力的難題，大膽的預言，即使進入廿一世紀，這種情況也不一定能解決，尤其是人力；但是一個良好可行的規劃，必將獲到重視及預算支持。

館際合作及資源共享的核心工作，應是「合作發展館藏」。面臨資訊網路時代，如何對圖書文獻資源作合理分布（布局）及協調發展，共同合作建設，應有所規劃。在一個全省、全縣市的圖書文獻資源的建設，除分別蒐集地方文獻外，似不能恁其自然發展，繼續在一個模式之下，重複及缺漏，而應在整體規劃指導下，建立分工與合作的合理布局，最後形成整體優勢。民國 84 年教育部編印「推動全國圖書館館藏發展計畫」（曾濟群教授主持，研究人員：王振鵠、沈寶環、吳明德教授及辜瑞蘭主任），建議「在公共圖書館部分應推動全國各級圖書館特色館藏合作發展計畫」❽已爲「合作發展館藏」指出一個「規劃」（先導計畫），由政府機關爲主管機關，以國立、省市立圖書館爲協調執行機構。而合作發展館藏，最後目的仍在全體國民的利用，因此宜積極建立圖書館自動網路系統，以提高資訊傳遞的速度，增進效率，激發合作的意願。

九、合作發展館藏

依據上開「公共圖書館城鄉合作模式」，建立縣市立文化中心與鄉鎮圖書館的館際

---

❼ 李修宇，「大陸的文獻資源調查與布局研究：它的由來、實施和展望」，圖書館學與資訊科學，第 19 卷第 2 期（民國 82 年 10 月），頁 78-97。

❽ 教育部，推動全國圖書館館藏發展計畫（臺北市：教育部，民國 84 年），頁 146。

合作，站在全省圖書文獻資源的建設，目前似省立臺中圖書館仍應為主要協調執行機構。臺灣省政府近五年公共圖書館建設（如上述績效），另一項重大成就，即奠定公共圖書館輔導體系，及省、縣市與鄉鎮圖書館密切合作的基礎。在「城鄉合作模式」調查，「近七成的鄉鎮圖書館」願意配合文化中心進行全縣合作館藏計畫，甚至有四成鄉鎮圖書館願意將合作館藏發展，全數交由文化中心規劃。

因此，建議以省立臺中圖書館為大型公共圖書館，以省轄市如基隆市、新竹市、臺中市、嘉義市、臺南市為中型公共圖書館；大中型公共圖書館均為綜合性圖書館。

至於縣市立文化中心雖然已有「臺灣省各縣市立文化中心（圖書館）館藏特色表」，及曾堃賢先生根據「特色館藏聯合目錄」，各縣市立文化中心收藏之特色略有變動❾，但是期望著眼於資訊時代在全省、全縣市圖書文獻資源建設，採取整體布局及協調發展，能予邀請學者專家、行政官員、縣市鄉鎮圖書館員再予審視。並期進一步，發展特色圖書館，充實其館舍、藏書、設備設施、人員，因地制宜，掌握特色，不必強求齊頭並進。在全省先規劃若干個特色圖書館，收藏既新又全，圖書館員擁有有關專業知識和技能，開創有特色的服務，滿足特定的對象（民眾和讀者）及特定的需要，能急讀者所急，為他們解決一些實際問題。待吸收了經驗，再予陸續推出其他的特色圖書館，建構以這種「大」「中」型及「特色」圖書館，作為全省圖書文獻資源的布局及發展模式。

十、建立資訊網路

合作發展館藏，建設圖書文獻資源，俾達成資源共享的目標，賴各館的資源具備相互的互補性，運用網路，使某館較強的資源，成為他館較弱的「虛擬館藏」，提供該他館讀者使用，這樣始能使資源被充分開發利用，也滿足了更多讀者的圖書文獻需求。

「臺灣省公共圖書館資訊網路輔導諮詢委員會」於民國 84 年 12 月成立，推動「臺灣省公共圖書館自動化及資訊網路要點」的業務。及至臺灣省政府文化處成立，接掌本項業務，由省立臺中圖書館承辦該委員會行政業務，該館已於該館網站設置「臺灣省文化中心暨鄉鎮市區圖書館」的網頁❿。省文化處乃加強輔導全省圖書館自動化的執行，依據「補助辦理建置縣（市）立文化中心暨鄉鎮圖書館自動化及網路系統之縣市一覽

---

❾ 曾堃賢，「館藏合作發展的理論與實踐」，書苑，39 期（民國 88 年 1 月），頁 4。

❿ 賴麗香，「臺灣省公共圖書館資訊網路輔導諮詢委員會八十七年度工作計畫簡介」，書苑，34 期（民國 86 年 10 月），頁 54-59。

表」⓫，（截止 88.4.20）先後補助桃園縣等 20 縣市自動化及網路系統，總計經費達約 3 億 1 仟萬元（313,210,482 元），可稱爲縣市文化中心及若干鄉鎮奠下圖書館自動化及網路作業基礎。而臺灣省公共圖書館自動化與網路系統規劃目標，在建立臺灣省公共圖書館資訊網路，有效經營圖書館業務，進行各種館際合作，便利民眾取用資訊。爲進一步求網路化資訊服務，採縣市立文化中心爲整體性規劃全縣市資訊系統，建立特色電子文獻，整合全縣市資源，便於進行各種館際合作。而前述城鄉合作也著眼於縣市立文化中心與鄉鎮圖書館合作發展館藏，進而合作編目、合作閱覽流通、合作參考推廣服務等。而此種館際合作還是根基於合作發展館藏，將館藏的責任分散，但合而爲一整體，供眾利用。

十一、全國性資源的利用

由於網路的運用，館藏除包括本館館藏及他館「虛擬館藏」兩大部分，顯然館藏概念有了極大的變化。各圖書館可自全國性或其他網路資源中截取資訊，加強自建系統的深廣度；也可以建立網路資源共建共享系統，協同建置，並透過健全的服務體系提供讀者。

圖書館作業自動化，首先就遭遇圖書文獻的編目。各館館藏圖書文獻目錄，彙集匯總也就構成聯合目錄，而爲館際互借的工具。國家圖書館「全國圖書資訊網路系統」（NBINet）與國內各大學圖書館及公共圖書館合作。該館將建置完備的華文書目資料庫。縣市立文化中心與鄉鎮圖書館連線合作，將建置全縣聯合目錄資料庫，再與省立臺中圖書館或「北、中、南三區公共圖書館資源資訊中心」及國家圖書館「全國圖書資訊網路系統」連線，無論選取書目進行抄錄編目或原始編目，均將達成「一館編目，各館分享」的合作目標。基本上「全國圖書資訊網路系統」可建構爲國內中外文館藏聯合目錄資料庫，祇要在行政上配合，依據「全國圖書館館際互借規則」等辦法，即可合作閱覽流通，服務各地的讀者。

然而圖書館作業自動化的服務，似不僅如此。陳昭珍教授「期待第六個模組」的出現⓬，希望在家中或辦公室即可使用所需要的所有服務，認爲國內的自動化系統少的就是「參考服務暨文獻傳遞模組」。

⓫ 同註❶，研討手冊，頁 7-9。

⓬ 陳昭珍，「期待圖書館自動化系統第六個模組的出現」，書苑，34 期（民國 88 年 10 月），頁 13-20。

國家圖書館爲執行「國家資訊基礎建設」（NII）中「遠距圖書服務」，開發了「遠距圖書服務系統」。此系統建置在 WWW 上，連結該館多項資料庫查詢系統，讀者只要申請成爲遠距圖書服務的閱覽人，連線後即可查詢國內出版的期刊論文、期刊目次、期刊指南、政府公報、公報目次、政府出版品目錄、行政院出國報告書、當代文學史料、當代藝術作家等資料庫，並可申請文獻傳遞及目次傳遞服務，可利用線上閱讀、自動傳眞、電子傳遞、線上複印或一般郵寄方式，即時取得所需參考的期刊論文等內容，同時也可透過 Z39.50 做整合性的資料庫查詢。⓭

自民國 88 年 3 月起國家圖書館就該系統又新推出館際合作代表人線上文獻傳遞服務。其特色⓮

1.利用全球資訊網（WWW），進行即時的館際複印申請、文獻查詢與傳遞、帳號及帳務管理，爲功能完備的線上館際合作文獻傳遞系統。

2.提供館合代表人直接進入國家圖書館數位化館藏影像資料庫，進行瀏覽、查詢、逐頁閱讀、複印的功能。換句話說，館合代表人在遠地，可超越時空限制，實質分享國家圖書館豐富的館藏文獻內涵。

3.對於絕版或不易購得的資料，館合代表人可應讀者服務之需，隨時上網提出館際複印申請，遠距圖書服務系統在三天內會將掃描內文即時送出，加速了館際複印的處理成效。

4.提供網際網路上各類文獻電子全文的免費連結（hyperlink）顯示利用服務，便利各圖書館即時掌握最新網路資源。

5.各圖書館館合代表人可應本身業務之需，自行上網進行所屬 ID 或 IP 的授權設定與管理。

6.系統具備電子商務處理功能，提供各使用單位預付款自動扣抵、帳務即時查核列印等功能，可大幅節省各圖書館以傳統方式處理經費的人力與時間。

各圖書館衹要電腦具備中文視窗作業系統（WIN3.1、WIN95、WINDOWS NT 以上），網際網路瀏覽器（NETSCAPE、MICROSOFT、INTERNET、EXPLORER），及網路通訊軟體、數據機就可以進入本系統。如具備印表機、傳眞機，則可直接進行線上複印與

⓭ 詹麗萍，「從館際互借到電子文獻傳遞服務」，（臺大）圖書館學刊，第 13 期（民國 87 年 12 月），頁 142。

⓮ 吳碧娟，「迎向新世紀的館際合作與線上文獻傳遞」，國家圖書館館訊，88 年第 2 期，（民國 88 年 5 月），頁 13-14。

傳眞取件。目前本遠距圖書服務系統將透過省立臺中圖書館的運作，提供廿一縣市立文化中心及縣市圖書館線上文獻傳遞服務，服務讀者。

國家圖書館除上列「全國圖書資訊網路系統」、「遠距圖書服務系統」以外，尙有「全國博碩士論文摘要檢索系統」、「全國新書資訊網」、「漢學研究中心全球資訊網」、「資訊圖書館全球資訊網」等，均開放網路，供眾閱覽，堪稱檢索國內出版品最大的資料庫，爲一綜合性、全國性使用的電子圖書館。

十二、結語

網路科技在圖書館的應用，完全改變了「圖書館館藏」的認知。透過網路的使用，圖書館因此具有檢索外界資料庫的能力，圖書館資源的來源的範圍也因而擴大，「圖書館館藏」的範圍將不再是限於圖書館本身所擁有圖書資料，也包括圖書館館外的各種資訊資源。另一方面，由於讀者資訊需求不斷地增加其多樣化，所需資訊也超過任何一個單一圖書館本身可提供。因此，館際合作服務，也更趨重要。公共圖書館一方面應建立個別所發展的網路資源；另方面也要多方面引進館外網路資源，不僅僅是國家圖書館的網路資源，同時也要選擇各館所需的其他網路資源予以利用。例如當進行「地方文獻數位化」時，也可引進臺大電子圖書館與博物館計畫，有關「詮釋資料」（Metadata）的發展與實作；及其相關臺灣古文書如「淡新檔案」、「岸里大社文書」、「伊能文庫」、「臺大人類學系藏古文書」等數位化工程⓯。一個合理的資源布局，良好的自動化及網路的環境及健全服務體系，此種著重於計畫性的資源共享的館際合作服務已是必然發展趨勢。

⓯ 陳雪華、陳昭珍、陳光華合撰，「數位圖書館/博物館中詮釋資料之理論與實作」，同註❿，頁 37-59。陳雪華、張玉欣，「臺大電子圖書館與博物館數位化資源之組織」，圖書館學與資訊科學，第 23 卷第 2 期（民國 86 年 10 月），頁 51-65。

二十一世紀我國大專圖書館事業展望

薛理桂
政治大學圖書資訊學研究所教授

壹、前言

在即將邁入二十一世紀的最後一個年頭，正好有一個省思的機會，要如何跨入這個嶄新的世紀。大專圖書館在我國的發展是在五種類型圖書館中的佼佼者，國立學校擁有政府經費的資助，館員的素質相當整齊，圖書館的館舍宏偉，學校當局的重視等因素，都是其特有的優勢。私立學校也不乏同時具有上述條件，且能發展得與國立學校並駕齊驅的圖書館。本文主要針對即將面對的二十一世紀，我國大專圖書館（包括：大學、學院、專科學校）事業所處的環境先進行分析，再提出大專圖書館發展的前瞻性，包括：制度方面、人員方面、大專圖書館角色方面、館際合作方面。

貳、我國大專圖書館事業發展環境分析

在探討大專圖書館下一個世紀的發展趨勢之前，首先需了解在本世紀大專圖書館所處的環境，先進行分析。

一、經費緊縮

近年來，國內、外大學校院普遍面臨到圖書館經費緊縮的問題。以國內而言，國立大學校院所受的影響較大，購書經費未能增加，甚至於減少。以教育部補助公立大學八十八年度下半年與八十九年度預算的經費顯示，佔教育部總預算的 37%，比八十七年度的 39.3% 少了 2.3%，可知公立學校得自教育部的補助將日趨減少（朱武智，民 88）。

專科學校圖書館普遍面臨經費不足的困境，每位讀者平均分配圖書經費，公立專校平均每人是 786 元，而私立專校的平均圖書經費更是只有公立專校的一半，只有 374 元（林慶弧，民 87）。

二、期刊費用逐年調漲

前所述，公立大學校院圖書館已面臨經費緊縮的問題，再加上西文期刊費用逐年調漲，將產生雪上加霜的不利影響。以大專圖書館而言，期刊分為美洲與非美洲期刊的價格，漲幅如表一。

表一：大專圖書館西文期刊漲幅（資料由 EBSCO 公司提供）

年代	美洲期刊漲幅	非美洲期刊漲幅
1994-1995	9.6%	9.5%
1995-1996	9.8%	18.5%
1996-1997	9%	11.2%
1997-1998	9%	7.3%

由表一可知，西文期刊價格近年來每年都是調漲。如此一來，大專圖書館能夠運用的購書費將產生排擠效果，只能減少訂閱期刊的種數，將使得原有訂閱期刊受到衝擊，勢必要減少訂閱的種數。對於較少使用的期刊將是優先刪訂的現象，但此舉對於需要使用該期刊的少數讀者造成不便。

三、電子出版品

長期以來，紙本式出版品一直是大學校院中主要使用的館藏。然而，自 1985 年光碟產品問世以來，已逐年增加光碟產品的數量，用以替代原有的紙本式出版品。由於光碟產品儲存量大、檢索速度快所具有的優點，使得此產品已被使用者所接受。各大學校院圖書館大都購買有各種光碟資料庫。此外，還有電子期刊、數位化光碟等電子出版品都將成為圖書館的館藏。

四、人員不足

圖書館人員是大專圖書館發展的基礎。在國內，以公立學校而言，受到政府預算緊縮、人員凍結的政策影響，近年來只能保持原有的員額規定。私立學校圖書館部分大致相同，也未能增加館員數。以吳明德（民 87）在「我國大學圖書館發展目標及行動綱領」一文中提到：「我國公立大學每一編制人員服務師生人數為 258 人，私立大學為 592 人，公立學院為 313 人，私立學院為 374 人，師範學院為 205 人，平均每一位編制人員服務師生為 347 人。1986 年，美國建議一所規模完善的大學圖書館，應有 90 位專業人員和 160 位非專業人員，而專業人員在比例上應佔全部人員的 35%；工作人員與學生的比例爲 1：80」。至於專科學校圖書館館員服務的人數更爲偏高，公立專校每位館員平均服務讀者人數是 721.1 人，而工專是 1,279.4 人，工商專校是 1,561.6 人，商專是 1,295 人（林慶弧，民 87）。可知我國大學校院圖書館人力與美國的標準相距甚遠，而專科學校的圖書館人力更屬嚴重不足。

五、缺乏大學、學院、專科學校圖書館標準

長久以來，我國大學校院圖書館與專科圖書館都在爭取訂定圖書館營運的標準。教育部圖書館事業發展委員會在民國八十年通過「大專院校圖書館標準」（草案），其後大學部分已由中國圖書館學會擬定有「大學圖書館營運要點」（草案），專科學校也於八十四年擬定「專科學校圖書館營運要點」。雖然都有營運要點的草案，但主管單位教育部卻遲遲未公布兩草案，造成大專學校圖書館無法可依據，用以向學校主管單位爭取購書費與增加人員，對於國內大專圖書館，尤其是私立學校的圖書館發展影響甚鉅。

六、現有圖書館組織是否適用

我國現有大學校院圖書館視其規模大小分別設置採訪（錄）組、編目組、期刊組、閱覽組、參考組、系統組等。專科圖書館的規模較小，大都未能分組。對於大學圖書館現有的組織是否能夠適用於下一世紀，值得探討。王梅玲（民 86，頁 38）針對美國十所大學圖書館技術服務部門組織重組進行分析，歸納爲四種變革：1.技術服務部門內部合併；2.技術服務部門與讀者服務部門合併；3.技術服務部門與館藏發展部門合併；4.主題式部門分工等四種類型。以美國地區大學圖書館技術服務部門組織重整的做法，值得我國大專圖書館借鏡。現有的圖書館組織太過於傳統，仍舊針對圖書館舊有的功能分工，如：採訪、編目、期刊、參考、閱覽等，在邁入二十一世紀的資訊時代，恐未能適用。

七、資訊科技衝擊

資訊科技的迅速發展，尤其是電子圖書館與網際網路的發展，對於圖書館館員與讀者都有深遠的影響，分述於下：

㈠對館員而言

資訊科技對館員的衝擊可歸納爲四化，說明如下：

1.館藏蒐集多元化

圖書館館藏已從以往紙本式爲主進展到多元化的館藏，如：視聽資料（包括：錄影帶、VCD、DVD 等）、數位化資料庫（如光碟資料庫）與網路資訊等。

2.館藏資訊數位化

近年來，各種資訊為因應網路發展傳輸的便捷，逐漸採用數位化處理，例如：DVD、CD-ROM 資料庫、全文資料庫等。

3.資訊處理標準化

為便於資訊傳輸與交流，各種資訊處理的標準應運而生，例如：HTML、XML、各種 Metadata（如：用於圖書資料的 Dublin Core、用於檔案與手稿的 EAD、用於地理資訊的 CSDGM、博物館藏品的 CIMI、政府資訊的 GILS 等）。

4.知識折舊快速化

網際網路的發展使得各種資訊交流更形快速，圖書館員在學校所學的知識如未能隨時予以更新，歷經三年知識即將折舊。

㈡對讀者而言

相對的，資訊科技的發展對於圖書館的讀者也造成衝擊，有兩項：

1.學習使用資訊軟、硬體

由於資訊的處理與儲存大都經由電腦軟、硬體，圖書館的讀者為取得電腦或網路的資訊，勢必要學習使用資訊相關的軟體與硬體。具備資訊軟體與硬體的基本知識與使用已成為大專學生基本的素養。

2.學習使用數位化資訊：從紙本到電子版

在具備使用資訊的軟體與硬體後，尚需學習如何使用數位化資訊。資訊的儲存已由紙本式進展到電子版，如：光碟資料庫、網際網路資料庫等。如需使用數位化資訊，必須學習如何有效蒐集與查檢這些數位化資訊。

八、典範變革

以往紙本式圖書館的典範重視館藏的擁有（Ownership）觀念，亦即圖書館的館藏愈豐富愈佳，也以擁有豐富的館藏為傲。進展到網際網路的電子圖書館時代，圖書館營運的典範已改變，重視館藏的取得（Accessibility），亦即儘可能提供讀者所需的資訊。由於網際網路的通路無遠弗屆，以往受限於地理環境、開館的時間、人員等因素的限制，在網際網路的環境都可以逐一克服，讀者可以很輕易的取得遠在太平洋彼岸的美國等地圖書館的電子資訊。因而，以往圖書館引以為傲的豐富館藏將可提供更多地區、更多的讀者使用。

參、二十一世紀我國大專圖書館事業發展前瞻

對於二十一世紀我國大專圖書館事業發展，筆者針對四個方面提出建議，分別是：

一、制度方面；二、人員方面；三、大專圖書館角色方面；四、館際合作方面，分述於下：

一、制度方面

㈠教育部儘速公布大學校院與專科學校圖書館營運要點

大學校院與專科學校營運要點是大專圖書館營運的基礎，如未能有良好的基礎，恐事倍而功半。因此，筆者呼籲教育部儘速公布大學校院圖書館營運要點與專科學校圖書館營運要點。由於法令與規定是圖書館執行其業務的依據，有此依據才得以向學校主管爭取最基本的館藏、經費與人員等需求。

㈡組織重整

前所述，美國大學圖書館對於技術服務部門進行組織重整工作，而我國大專圖書館的組織仍處於傳統的型態。王梅玲（民 86，頁 49）提出幾種方式可供參考：1.採訪組與期刊組合併；2.採訪組與編目組合併；3.建立以讀者服務為中心的觀念；4.成立重組小組專門研究與規劃組織重整問題；5.簡化工作流程；6.學習再生工程、全面品質管理的觀念、原則、與方法，並應用於圖書館管理；7.充份運用資訊科技於作業程序中等項目。吳政叡（民 86，頁 116）提出在電子圖書館時代的大學圖書館組織分為三個組：1.資料處理組；2.資訊諮詢組；3.技術支援組。將傳統的圖書資料採訪、分編與典藏工作都納入資料處理組，而與電腦設備與軟體有關的業務則屬於技術支援組。

廖秀滿（民 86，頁 42）針對英國大學圖書館在 1985-1995 年之間組織結構改變所做的調查顯示，大部分的圖書館（68.9%）都採用「增設新功能或新部門」。其次是採用「部門名稱改變」或「功能合併」的方式。至於大學圖書館的名稱也以新的名稱替代舊有的「圖書館」，如：學術資訊服務、資訊服務、資訊資源服務、圖書館和資訊服務、圖書館和媒體服務、學習中心等名稱（廖秀滿，民 86，頁 53）。

由美國與英國兩國大學圖書館的經驗，可供我國大專圖書館日後在進行組織變革時參考。

二、人員方面

㈠增加館員

前所述，大專圖書館普遍面臨館員不足的困境，尤其是專科學校圖書館的人力更是嚴重不足。如能通過大學校院與專科學校圖書館營運要點，將可增加圖書館人員，以解決大專圖書館營運管理的困境。

㈡館員再教育

大專圖書館如果需進行組織重整或再生工程，對於原有圖書館館員的職務或任務將產生變革。高文彬（民 86，頁 87）提到圖書館員的職能已由以往的「幕後性專業」改變爲「幕前專業性顧問」的角色。圖書館員面對此變革時，需學習如何因應，心理上需先做調適，以因應此變化。此外，由於資訊科技的不斷推陳出新，速度上已愈來愈快。圖書館員如要能隨時迎頭趕上，只有透過不斷的再教育。大專圖書館主管應多鼓勵館員參加各種相關的研習會、研討會、學術會議等，以增加館員的新知與技能。

三、大專圖書館角色方面

㈠大專圖書館是網路資源蒐集站

雖然網路上已有各種資訊蒐尋引擎可供讀者自行檢索網路上的資訊，然而，我們會發現經由此工具所查獲的資訊還需進一步過濾。蒐尋引擎工具的查全率雖高，但是查準率卻是較低，往往會查到許多與所需主題不相符的資訊。圖書館員如能協助讀者將網路資源加以蒐集，並整合於圖書館原有的目錄，將更便於讀者查檢資訊（吳明德，民 86，頁 11）。Rice-Lively 與 Racine（1997，p.33）認爲傳統大學圖書館員將由圖書保存者的角色蛻變爲網路領航員。由於在大專學校中仍舊有一些使用者無法辨識資訊資源，需仰賴館員的協助其查檢到電子資訊（Small，1997，p.415）。

㈡大專圖書館是多元媒體的提供站

即使已進展到數位化圖書館或虛擬圖書館，讀者使用的習慣仍舊不可忽視。R. Feinberg（1998，p.51）是紐約市立大學的教授兼參考館員，針對一家位於紐約市的超市，與二十位使用超市書店的大學生訪談，結果發現如果圖書館決定增加電子資訊，而減弱圖書館的圖書蒐藏，大學圖書館將失去其讀者的支持。他進一步指出，許多美國大學圖書館建築未加整修，而新的圖書館建築似乎並不舒適。圖書館的紙本圖書館藏在學校行政人員只重投資科技的前題下，似乎已成爲前夫（前妻）所生的孩子。

大專圖書館在下一世紀將是多元媒體的提供站，包括：紙本式圖書、報紙、漫畫、有線電視、VOD、CD、DVD 等各種媒體的提供站。爲達到此需求，大專圖書館除了提供教學、研究所需的資訊之外，對於資訊的提供也需兼顧生活化。例如：在圖書館應闢有一個較生活化的空間，設施較爲休閒，有軟沙發，布置成有家的感覺，裏面有電視可收看有線電視、可以看漫畫、可以看 VOD 或 DVD，可以聽 CD，各種設備一應俱全。主要是提供學生在學習之暇可以較輕鬆的休閒，並藉以取得各種媒體的資訊。

㈢大專圖書館是資訊使用教育站

大專圖書館將是全校師生資訊使用的教育站。對於資訊使用如遇到問題，由圖書館解答疑難。大專圖書館需主動提供資訊使用教育的課程，尤其針對新生，使其具備資訊蒐集的基本知識。大學圖書館員可以成爲資訊取得的工程師，教導讀者有能力過濾資訊與組成知識（吳明德，民 86，頁 12）。

根據 Rice-Lively 與 Racine（1997，p.36）兩位所做的研究顯示，使用者期望資訊專業（圖書館人員）能夠成爲翻譯者、導引者與教師的角色。由於網路資源的發展雖然多元化與查檢快速，但要正確查到所需的資訊，仍有賴圖書館員以往所充當的中介者的角色。因而，如要使讀者能夠具備使用網路資源的技能，仍舊有賴於大專圖書館所擔負的資訊使用教育站的功能發揮。

四、館際合作方面

㈠建立區域性合作體系

林慶弧（民 87）在圖書館白皮書中針對專科學校圖書館的行動綱領中已提出訂定「區域館際合作組織」辦法的建議。筆者認爲此建議甚佳，可擴大範圍至全國，將全國分爲大臺北地區、桃竹苗地區、臺中地區、嘉南地區、高雄地區、宜蘭地區、花東地區等七個區域。在各區域中將以大學校院圖書館爲主軸，涵蓋該區域內的各種類型圖書館加以整合，包括：專門圖書館、公共圖書館，建立館藏資源的連線查檢與館際合作。分述如下：

1.建立區域聯合目錄

聯合目錄是區域圖書館合作的基礎，基於良好的基礎，才能使得圖書館之間有效的合作，例如：區域性館藏合作、區域性館際互借都需仰賴區域聯合目錄的建立。聯合目錄的編製以網路版爲主，除了圖書的館藏之外，還需兼及期刊、光碟資料庫等館藏的聯合目錄。由於西文期刊與光碟資料庫訂閱的費用逐年調升，爲求避免同屬一個區域中的圖書館重複訂閱相同的期刊或資料庫，聯合目錄的建立是首要之務。

2.建立區域性館藏合作發展

前所述，圖書館的購書經費並未能增加，而圖書期刊等費用卻逐年調漲，導致圖書館可運用的經費相形之下已大幅縮減。爲使有限的經費能夠做最佳的運用，根本之計是發揮館際之間的館藏合作發展。例如：較少使用的外文期刊可由一所圖書館訂閱，圖書館不要重複訂閱期刊，較昂貴的期刊由某一所圖書館訂閱，以減少重複訂閱。此外，資料庫的訂閱費用十分昂貴，美國地區已發展出 Consortium 的模式，結合數所圖書館的力量，共同和資料庫廠商議價，以爭取較低的折扣，以妥善運用有限的經費與資源。

3.建立區域性館際互借

基於區域性館際聯合目錄的建立，圖書館之間簽訂合作的協定，可以彼此借閱對方的圖書。目前國內已有成功的例子，如：新竹地區的交大、清大、中央、元智等校的圖書館已有館際互借辦法，文山區的政大、世新大學、中國工商專校等校也有館際合作的辦法都是良好的區域性館際互借範例，值得在本省其他地區推廣。

㈡建立全國資訊服務體系

以全國七個區域中心爲基礎，將七個區域中心串連起來，再與國內其他資訊服務體系串連，如：國家圖書館、國科會科資中心等，即成爲全國性圖書館資訊服務體系。

肆、結語

進入到二十一世紀的大專圖書館，其原有的功能依舊未改變，仍將是爲大學、學院與專科學校的師生提供教學與研究所需的資源。紙本式館藏在可預見的未來，仍舊無法替代。改變的是資訊科技所帶來的便利，藉由資訊科技的發展，更快速的處理與傳遞資訊，使得資訊的使用不再有地理的限制。圖書館員仍將是大專圖書館發展成敗所繫，唯有與時俱進的館員才能發揮其應有的功能，爲大專學校蒐集多元化的資訊，加以妥善的組織，以提供使用。爲使館員能夠具備應有的技能，有賴於圖書館主管針對其需求提供學習的管道。處於此變動的時代，唯有跟隨著時代發展的脈動不斷調整，才得以立足於下個世紀。

參考書目

Feinberg, R. (1998) B & N: The new college library? *Library Journal*. 123(2):49-51.

Rice-Lively, M. & Racine, J. D. (1997) The role of academic librarians in the era of information technology. *Journal of Academic Library*. 23(1):31-41.

Small, M. (1997) Virtual university libraries: a report of ALIA's 1996study grant. *Australian Library Journal*. 46(4):409-419.

王梅玲（民 86）「大學圖書館技術服務的組織重整」，大學圖書館，1(2):29-52。

朱武智（民 88）「公立大學補助減少」，中時晚報，88 年 3 月 29 日，6 版。

吳明德（民 86）「大學圖書館員角色的省思」，大學圖書館，1(1):5-18。

吳明德（民 87）「我國大學圖書館發展目標及行動綱領」，圖書館白皮書，未刊稿。

吳政叡（民 86）「電子圖書館時代的大學圖書館」，大學圖書館，1(2):111-122。

林慶弧（民 87）「專科學校圖書館」，圖書館白皮書，未刊稿。

高文彬（民 86）「從企業再生工程談圖書館的人力資源發展」，大學圖書館，1(2):69-94。

廖秀滿（民 86）「英國大學圖書館 1985-1995 年間組織結構改變之調查研究」，國家圖書館館刊，1(民 86):31-56。

圖書資訊學被引分析

賴鼎銘
世新大學圖書資訊學系教授

壹、前言

一、研究動機

自從 1978 年奧瑞崗大學（University of Oregon）關掉圖書館學校以後，另有十四家美國的圖書館學研究所也陸續關門❶❷。這種現象引起不少有心人的注意，而種種關門的原因也被提出來討論！

最容易讓人想到的是財政的問題。南佛羅里達大學即因爲經歷了六位數字的預算減縮（總預算的百分之十三），而不得不重整學校的規模，因此才企圖關掉圖書館學研究所❸。另外，某些圖書館學研究所學生的逐年減少、學生人口的變化（本國籍愈來愈少，外國籍愈來愈多）、學費的不斷提高、資源的逐漸短缺都是原因❹。

但是懷特（Herbert S. White）認爲經費並不是主要的原因；因爲圖書館學研究所的花費並不多，將圖書館學研究所關掉也不見得能省多少錢。反而關閉後人員的資遣或重新配置、檔案的處理與儲存、面對未來申請者之質詢等的代價，可能會超出讓其繼續營運的成本。懷特指出，主要的原因還是在政治的動作；針對學校的財政困難，校長通常必須有所行動，不管是象徵性的反應還是實質的重組。而關掉圖書館學研究所就是這個動作的反應；對他們來說，關掉圖書館學研究所是反彈最小（誰會爲圖書館學研究所抱不平），而且對整個大學的影響也不大（對他們來說，圖書館學研究所是可有可無的）

---

❶ Marion Paris, "Why Library Schools Fail," *Library Journal* 115 (October 1, 1990): 38.

❷ Marion Paris, "Library School Closings: The Need for Action," *Library Quarterly* 61 (July 1991): 260.

❸ "State Budget Woes Threaten U. of South Fla. Library School," *American Libraries* 22 (November 1991): 926.

❹ Paris, 1990, 39-40.

的最佳作法。[5]

白理斯（Marion Paris）針對四個已關閉學校的研究也指出，政治因素確是一個很主要的原因。不過她所講的政治因素與懷特的稍有不同：依照她訪問這四個關掉圖書館學研究所的大學主管的反應，他們認爲圖書館學研究所的教授常將自己孤立起來，很少與大學的決策主管與其他科系進行交往與溝通，因此無法讓外人了解圖書館學研究所到底成就了什麼。而另外，圖書館學也常被其他學科視爲侵犯到他們的領域，如電腦科學、與資訊管理等，但圖書館學研究所的教授卻沒有積極地解釋，我們是如何與他們不同。[6]

上面的因素觸及政治因素的互動，馬鎭（Maurice P. Marchant）建議以政治的手段——公共關係來改善[7]。但更深化的原因則牽涉到圖書館員地位與圖書館學術的本質性問題，這就非公共關係的運作所能改善的！

第一種本質性的問題，在圖書館員的地位與經濟能力上。有些學院派的人認爲職業學校本來就不應該放在大學裡[8][9]，而容忍它存在只是因爲預期它對學校有些效益可以貢獻，例如醫學院、法學院、與管理學院通常在校友的募捐上極具貢獻。但是圖書館員與他們比起來，則明顯寒酸多了。而在研究經費的補助上，我們又不如工程與醫學的領域[10]。懷特即指出，法學院不會被關門，乃是因爲他們的系友在議堂者多，這是圖書館學校所沒有的優勢。而且，從後者的系友要求百萬美金的捐款也實在不可能[11]。

第二種本質性的問題牽涉到圖書館學研究的質與量的問題。例如白理斯的研究中指出，大學主管認爲圖書館學研究所研究的量與質皆嫌不足[12]。楊百翰關門的決定，也是評估人員認爲圖書館學與資訊科學缺乏學術的本質，他們認爲圖書館學的研究並無助於提升大學的學術形象[13]。而最大的諷刺則是，芝加哥大學圖書館學校的設立本來就是定

---

[5] Herbert S. White, "Accreditation and the Pursuit of Excellence," *Journal of Education for Librarianship* 23 (Spring 1983): 261.

[6] Paris, 1990, 40-42.

[7] Maurice P. Marchant, "The Closing of the Library School at Brigham Young University," *American Libraries* 23 (January 1992): 36.

[8] Marchant, 33.

[9] Paris, 1991, 261.

[10] Marchant, 33.

[11] Herbert S. White, "Politics, the World We Live in," *Library Quarterly* 61 (July 1991): 264.

[12] Paris, 1990, 42.

[13] Marchant, 33.

位在研究⓮，但仍難逃關門的噩運。

作為一個研究人員，當我們省視圖書資訊學研究的品質時，正是一個比較令人擔心的問題。我們只要比較社會學、心理學與圖書館學主要期刊的引用文，即可了解是我們引用其他學門的論文多？還是其他學門引用我門的研究多？這種引用文的分析，最能比較出各學科的「學術」貢獻！

這也是本研究所以產生的主要動機。圖書館學研究所自 1920 年代創始於芝加哥大學以來，研究一直是圖書資訊學界所強調與未曾停頓的工作。但研究的成果除了在幫助解決本行實務執行的問題外，對其它學科的參考價值，也應該是我們所不能或忘的。但在對其他學科的學術貢獻方面，圖書資訊學的研究到底扮演何種角色？本研究即是企圖從這個角度，了解圖書資訊學界歷年的研究，被其他相關學科引用的現況與程度。

二、研究目的及研究問題

基於上述的背景，本研究的主要目的在了解其他學科，引用圖書資訊學研究的情形。基於這個目的，本研究企圖了解下列相關的各種問題：

1. 圖書資訊學的期刊被其他學科引用的頻率如何？
2. 那一種主題的論文最常被引用？引用的頻率如何？
3. 引用圖書資訊學研究的學科有那些？

貳、文獻探討

引文分析就常被用來分析圖書資訊學的研究，但仍以分析圖書資訊學本身文獻的特性為多。例如 1985 年 Alvin M. Schrader 針對 Journal of the Education for Librarianship 1960-1984 年間的論文進行論文數量、長度、主題、作者數、引用資料的數量、及被引資料的特性分析⓯。1990 年 Richard Hart, Timothy Carstens, Michael LaCroix, K. Randall May 分析 1986 年圖書資訊學四十一種期刊 881 篇論文的各種特性⓰。1991 年 Lois Buttlar 分

⓮ April Bohannan, "Library Education: Struggling to Meet the Needs of the Profession," *Journal of Academic Librarianship* 17 (1991): 216.

⓯ Alvin M Schrader, "A Bibliometric Study of the *JEL*, 1960-1984," *Journal of Education for Library and Information Science* 25 (Spring 1985): 279-300.

⓰ Richard Hart, et. al., "Funded and Non-funded Research: Characteristics of Authorship and Patterns of Collaboration in the 1986 Library and Information Science Literature," *LISR* 12 (1990): 71-86.

析十六種圖書資訊學期刊論文的特性⓱。1991 年 John M. Budd 分析 ERIC 所收 262 篇學術圖書館論文，共 3708 份引文的特性⓲，都是這種類型。

另外二篇雖稍有不同，但仍可視為對圖書資訊學自身研究的分析。例如 1987 年 Patricia E. Feehan, W. Lee Gragg II, W. Michael Havener, Diane D. Kester 調查 1984 年 91 種圖書資訊學期刊出版的特色與趨勢。結果發現 2869 篇論文中研究性論文僅佔 23.6%（123 篇），而就這 123 篇來看，50% 以上仍是實用為主的研究，理論導向的探討僅佔 13% ⓳。Christine E.Thomson 於 1991 年以 Price 的研究前鋒指數、論文的引用文數量、及期刊論文佔引用文數量的比例來分析圖書資訊學的研究，結果發現資訊科學比圖書館學比較接近於硬科學的程度，整體而論則近於 Medium Science ⓴。

針對圖書資訊學與其他學科相關性的研究雖然也陸續出現，然而多半的研究都缺乏較深入的分析。例如 1990 年 Mary W. Lockett 與 Yves J. Khawam 1990 年針對 College and Research Libraries 及 Journal of Academic Librarianship 1984-1986 三年的論文，雖然主要是分析這二種期刊圖書資訊學引文資料的特性，但結果卻發現圖書資訊學引用本行論文的比例而言，CR&L 為 68%，JAL 則為 76% ㉑。1984 年 Leigh Estabrook 針對 ISI 所收 40 種圖書資訊學期刊的 16,936 篇論文進行分析，研究發現其中 1,327 篇（7.8%）係引自社會學的文獻。但研究指出，就這些引用社會學的論文中，卻甚少引用社會學大師的經典作品，反而以管理方面的主題引用較多㉒。

Jeffrey N. Gatten 1991 年的研究嘗試以「圖書館的社會面向」這個主題來發掘圖書資訊學與其他相關學科的關係。結果發現這個主題理當引用較多的社會學文獻才對，但卻發現圖書資訊學仍是以引用自身的文獻為主。作者指出這樣的發展限制了跨學科典範的

⓱ Lois Buttlar, "Analyzing the Library Periodical Literature: Content and Authorship," *College and Research Libraries* 52 (January 1991): 38-53.

⓲ John M. Budd, "The Literature of Academic Libraries: An Analysis," *College and Research Libraries* 52 (May 1991): 290-295.

⓳ Patricia Feehan, et al., "Library and Information Science Research: An Analysis of the 1984 Journal Literature," *LISR* 9 (1987): 173-185.

⓴ Christine E. Thompson, "Using Citation Analysis to Analyze Library and Information Science Journal Characteristics," *College and Research Libraries News* 52 (July/August 1991): 439-440.

㉑ Mary W. Lockett, and Yves J. Khawam, "Referencing Patterns in C & RL and JAL, 1984-1986: A Bibliometric Analysis," *LISR* 12 (1990): 281-289.

㉒ Leigh Estabrook, "Sociology and Library Research," *Library Trends* 32 (Spring 1984): 461-476.

發展，也因而影響科際整合的研究㉓。James K. Bracken 與 John Mark Tucker 1989 年針對圖書館利用教育的論文進行引用文的分析，就 187 篇論文的 2,882 份引用文中，引用圖書資訊學的佔 74%，引用圖書館學以外學科的則佔 26% ㉔。

就圖書資訊學研究被其他學門引用的關係而論，有二篇研究比較相關。其中 Clement Y. K. So 1988 年的研究，企圖透過傳播學本學科內與引用關係，及其它學科的引用關係的探討，以進行傳播學發展趨勢的了解。研究發現在十一個相關學科中，以整體的影響而論，仍以精神分析、心理學、與經濟學為核心，其中又以心理學為核心中的核心。而傳播學與圖書資訊學則是最不具影響力的二個學科，就引用的關係而論，研究也發現，人類學與圖書資訊學是二個最不常引用其他學科、更很少被引用。㉕

Terry Meyer 與 John Spencer 1996 年的研究，目的則是企圖了解那些相關學科引用圖書資訊學的研究。研究結果顯示 1972-1994 年間 SSCI 所收錄的 12,447 篇圖書資訊學的引文中，有 1,931 篇（13.4%）被其他學科所引用。其中引用最多的學們依序為電腦科學、社會學與醫學，而圖書資訊學最常被引用的期刊則為 Scientometrics, Journal of ASIS, Information Processing and Management, Journal of Documentation 等。㉖

然而 Clement Y. K. So 並沒有觸及那些圖書資訊學的期刊與論文被引的分析，Terry Meyer 與 John Spencer 雖然有被引期刊的分析，但卻缺被引論文主題的分析，這是其美中不足之處。我們實在有必要找出圖書資訊學被引的主題分佈，發掘圖書資訊學與其他學科關係的面向，為圖書資訊學尋找一個可以與其他相關學科進行科際整合的切入點。這樣才能對圖書資訊學學科地位的提升有所幫助。

參、研究方法與步驟

一、研究方法

為了了解圖書資訊學對其它學科的學術貢獻，本研究利用引用分析的方法，分析圖

㉓ Jeffrey N. Gatten, “Paradigm Restrictions on Interdisciplinary Research into Librarianship,” *College and Research Libraries* 52 (November 1991): 575-584.

㉔ James K. Bracken, and John Mark Tucker, “Characteristics of the Journal Literature of Bibliographic Instruction,” *College and Research Libraries* (Nov., 1989): 665-673.

㉕ Clement Y. K. So,“Citation Patterns of Core Communication Journals: An Assessment of the Developmental Status of Communication,” *Human Communication Research* 15 (Winter 1988): 236-255.

㉖ Terry Meyer, and John Spencer, “A Citation Analysis Study of Library Science: Who Cites Librarians?” *College and Research Libraries* 57 (January 1996): 23-33.

書資訊學幾種主要期刊被其它學科引用的現況。在本研究中，被用來分析的圖書資訊學的期刊包括下列幾種：

American Documentation

American Libraries

Annual Review of Information Science and Technology

Aslib Proceedings

Bulletin of the Medical Library Association

College and Research Libraries

Database

Drexel Library Quarterly

Information Processing and Management

Journal of Academic Librarianship

Journal of Documentation

Journal of Education for Library and Information Science

Journal of Information Science

Journal of Library History

Journal of the American Society for Information Science

Library Journal

Library Quarterly

Library Trends

Libri

Online

Online Review

RQ

Scientometrics

Special Libraries

二、研究步驟

上述期刊被引用的情況，於 1997 年 11 月 7 日在農業科學資料中心，透過 Institute for Scientific Information 的 Social Science Citation Index 查尋，其查尋的步驟如下：

1. 先將所有期刊 Expand，找出所要期刊的不同名稱縮寫

例如：expand cw = ann rev

2.將所有需要的期刊聯集（or）

3.刪掉 library or information Science 相關期刊

如 not sc = library or infor. sci.

sc = journal subject category

4.限定年代 1993-1997：本研究原來預定蒐尋 1972 至 1997 的引用資料，但因經費不足，只好以經費可及的範圍，限定在 1993-1997 年的引用資料。

5.將所餘之資料進行排序

rank sc = journal sub. category

肆、結果與分析

由表一，我們可以發現，就圖書資訊學期刊而論，以 Scientometrics 被引用的次數最多，共有 506 次。其次則是 Journal of the American Society for Information Science，共有 478 次。Information Processing and Management 則排名第三，被引用次數爲 446 次。Journal of Documentation 與 Journal of Information Science 則緊跟其後。

表一　圖書資訊學期刊被引次數分佈

排序	刊　　名	被引次數
1	Scientometrics	506
2	Journal of the American Society for Information Science	478
3	Information Processing and Management	446
4	Journal of Documentation	213
5	Journal of Information Science	152
6	Library Trends	69
7	Annual Review of Information Science and Technology	64
8	Library Journal	64
9	Library Quarterly	51
10	Bulletin of the Medical Library Association	49
11	College and Research Libraries	41
12	Journal of Academic Librarianship	32
13	RQ	28
14	American Documentation	23
15	Aslib Proceedings	21
16	Online	19
17	Special Libraries	11
18	Libri	10
19	Online Review	7
20	Database	6
21	Journal of Education for Library and Information Science	6
22	American Libraries	2
23	Drexel Library Quarterly	2
24	Journal of Library History	2
合　　計		2302

由表二，則可以發覺圖書資訊學最常被其它學科引用的主題爲資訊檢索，共有 621 次。其次則是計量研究中的科學計量學、引用研究與文獻計量學等。

表二　圖書資訊學最常被引用的主題

排序	主　　題	被引次數
1	Information retrieval	621
2	Scientometrics	241
3	Citation analysis	186
4	Bibliometric	91
5	Scientific communication	87
6	Information Science--theory	63
7	Indexing	41
8	Information need and uses	40
9	Expert system	34
10	Literature	18

表三顯示的則是被引頻率最高的十二個作者，但被引次數都不是很高，並沒有很明顯的集中趨勢。其中 W. Bruce Croft 與 G. Salton 由其被引的文獻來看，都屬資訊檢索方面的研究。H. Small 被引的文獻則是科學計量方面的研究。

表三　被引頻率最高的十二位作者

排序	作　　者	被引次數
1	W. Bruce Croft	48
2	G. Salton	46
3	H. Small	36
4	S. E. Robertson	30
5	A. Schubert	29
6	Abraham Bookstein	27
6	F. Narin	27
7	Tadeusz Radecki	25
8	N. J. Belkin	24
8	H. Chen	24
9	T. Braun	23
10	L. F. Lewis	19

就引用圖書資訊學的學科來分析，由表四可以看出引用圖書資訊學最多的學科以電腦相關的主題爲主，共有 196 次。其次則爲心理學、教育學、社會學等，但次數顯然少於電腦學科甚多。這樣的結果也呼應前述分析中，資訊檢索是被引用最多的主題的發現。

表四　那些學科引用圖書資訊學？

排序	主　　題	引用次數
1	Computer Science, Information Systems	196
2	Psychology	71
3	Education and Educational Research	65
4	Social Sciences, Interdisciplinary	44
5	Planning and Development	43
6	Management	42
7	Communication	40
8	Ergonomics	39
9	Multidisciplinary Sciences	34
10	Operations Research and Management Science	30
11	Business	28
12	Medicine	20
13	Engineering, Electrical and Electronic	18
14	Sociology	17
15	History and Philosophy of Science	16
16	Telecommunications	14
17	Engineering, Biomedical	11
18	Engineering, Industrial	11
19	Psychology, Social	10
20	Social Issues	10
21	Engineering	9
22	Nursing	9
23	Chemistry	8
24	Language and Linguistics	6
25	Law	6
26	Environmental Studies	5
27	Mathematics, Applied	5
28	Neurosciences	5
29	Statistics and Probability	5
30	Criminology and Penology	4
31	Geriatrics and Gerontology	4
32	Public Health	4
33	Women's Studies	4
34	Arts and Humanities, General	3
35	Astronomy and Astrophysics	3
36	Health Policy and Services	3
37	History of Social Sciences	3
38	Pharmacology and Pharmacy	3
39	Psychiatry	3
40	Public Administration	3
41	Public, Environmental and Occupational Health	3
42	Rehabilitation	3
43	Substance Abuse	3
	其他 38 個不同主題	52
總　　計		653

伍、結論

圖書館學研究所自 1920 年代創始於芝加哥大學以來，研究一直是圖書資訊學界所強調與未曾停頓的工作。但研究的成果除了在幫助解決本行實務執行的問題外，對其它學科的參考價值，也是我們所應該深入了解的。本研究即是企圖從這個角度，了解圖書資訊學界歷年的研究，被其他相關學科引用的情況。基於這個目的，本研究企圖了解下列相關的各種問題：

1.圖書資訊學的期刊被其他學科引用的頻率如何？

2.那一種主題的論文最常被引用？引用的頻率如何？

3.引用圖書資訊學研究的學科有那些？

為了回答上述的問題，ISI 的 SSCI 被用來檢索並分析圖書資訊學期刊被引用的情況。結果顯示，就圖書資訊學期刊而論，以 Scientometrics 被引用的次數最多，共有 506 次。其次則是 Journal of the American Society for Information Science，共有 478 次。Information Processing and Management 則排名第三，被引用次數為 446 次。Journal of Documentation 與 Journal of Information Science 則緊跟其後。

就圖書資訊學最常被其它學科引用的主題而論，以資訊檢索最多，共有 621 次。其次則是計量研究中的科學計量學、引用研究與文獻計量學等。而由最常被引的作者來看，被引次數都不是很高，並沒有很明顯的集中趨勢。其中 W. Bruce Croft 與 G. Salton 由其被引的文獻來看，都屬資訊檢索方面的研究。H. Small 被引的文獻則是科學計量方面的研究。

就引用圖書資訊學的學科來分析，引用圖書資訊學最多的學科以電腦相關的主題為主，共有 196 次。其次則為心理學、教育學、社會學等，但次數顯然少於電腦學科甚多。

從美國百科全書出版事業看臺灣百科全書出版事業

黃慕萱
臺灣大學圖書資訊學系教授

一、緣起

不加上這個緣起，減低這篇文章的學術性，我大概永遠無法把這篇稿子交出。當初賴鼎銘老師交給我這個題目「由美國百科全書事業看臺灣百科全書事業」，心中並不覺得有太大困難，心想只要找一些文章參考再加上自己的意見即可完成。但在尋找相關文章之時，發現有關這方面的文章著實不多，再加上深度思考此問題後，自己的看法又有一些改變，所以一直很難下筆。因此，我僅將這篇文章當作「拋磚引玉」之文，希望藉著這篇文章，讓大家共同思索、討論這個問題，我所能提供的意見和看法實未臻成熟。

大致而言，百科全書是一個國家或地區，甚至一種語言或文化學術力量的展現。換言之，百科全書的編輯出版，是衡量一個國家科學文化的水平和綜合出版能力的重要指標。筆者在校教授參考資源時，一直將百科全書視爲相當重要的參考資源，在比較中西百科全書時，經常有很深的感觸，美國百科全書的內容和數量，對照臺灣中文百科全書的貧乏，剛好形成一個強烈的對比。事實上，臺灣中文百科全書不僅數量不多，而且原創性不高，其中幾套較具規模的綜合百科全書，如大美百科全書、簡明大英百科全書及環華百科全書，皆是美版百科全書的譯本，而中國大百科全書，則是將大陸原版簡體字改爲繁體字。就實用層面而言，中文化的美版百科全書並不適用於臺灣，語言文化的差異導致讀者感興趣的款目（不管是人名、地名或事件）迥異。而大陸版的百科全書，文化上的隔閡也產生了觀點的不同，例如黃巾之亂或太平天國，中國大百科全書將其視爲起義事件，而臺灣的教科書則將其歸爲暴亂。這種因語言文化（美版中文百科全書）和意識型態（大陸版百科全書）的差異，在在顯示出國人自編臺灣綜合性百科全書的必要性。

英國人在用大英百科全書時，常覺得其過份美國化，同文同種的英美兩國尚且如此，更何況往來不是很頻繁的海峽兩岸。百科全書既是文化力量的水平，自然充滿強勢文化觀點，英國在其全盛時期編纂英國觀點的大英百科全書，其國力逐漸衰退後，大英百科全書即歸化美國，就是一個最好的例子。英國人一向以其文化自傲，但目前也一直沒有刻意去編製一套更英國化的百科全書，和其在文化上較爲弱勢及英美在觀點上的差距並不太大，應有很深的關連。反觀臺灣地區，其雖然和大陸文化有不可分割的關係，但由於意識型態的差異，對同樣的人物事件，在詮釋上可能完全不同，因此大陸版百科全書不能完全適用於臺灣。雖然何謂「臺灣文化」目前是爭議性頗高的議題，但其無法自隔於中華文化及兩岸觀點上的差異卻是不爭的事實。所以國人自編的華文百科全書，足以反應臺灣現階段的觀點和思維所詮釋的文化，爲這一段臺灣歷史留下最好的見證。

以臺灣的外匯存底和經濟實力，應有編纂國人自製百科全書的財力，但以其二千一百萬之人口數，圖書市場又顯得相當狹小。因此，除了企業界願意在初期賠本經營外，要像國外百科全書公司動輒擁有一二百位專業人士擔任編輯（editor，不包括撰稿之眾多學者專家），例如 Encyclopaedia Britannica 和 World Book 的全職編輯群都有 165 人至 175 人之多❶，以臺灣目前出版業的生態，實在是一件不大可能的事。其實，筆者相當贊成企業界回饋社會，因爲臺灣的企業界若眞有誠意落實文化紮根，也有足夠的財力編纂大部頭之綜合性百科全書，不過依目前企業界唯賺錢是問的心態，這條路似乎不大可行。因此，爲了記載這一段歷史，爲在臺灣的中國人之思維和觀點留下記錄，由政府機構出版編纂百科全書，應是一件較爲可行之方案。事實上，我國政府對看不到立即成效的文化事業，一向不肯積極投資，但筆者仍然強烈希望此種生態能有所變化，由國立編譯館帶頭編纂一套國人自製之百科全書。不過，由國立編譯館大手筆聘雇上百位編輯來編纂百科全書，似乎也有相當困難。然而，此屬於「不爲也，非不能也」的問題，只要肯做，還是最可行的方案。即使是大陸在編纂中國大百科全書，亦投入相當人力長達十五年之久，編纂任何足以傳承的百科全書，都是曠日費時之事，但這卻是絕對值得之文化投資。

二、前言

古今中外，百科全書向來被圖書館界視爲參考資料的核心。沈寶環教授曾提出百科

---

❶ William A. Katz and 6th ed. *Introduction to reference work* (New York : McGraw-Hill, Inc., 1992)：227.

全書至少具備五項功能：㈠會用百科全書，才會利用其他參考工具書；㈡解答一般性的參考問題；㈢解答參考問題，絕大多數從百科全書開始不會錯；㈣增加新的知識，百科全書可以用來充電；㈤百科全書具有瀏覽和休閒的功能。因此他認為，即使資訊時代來臨使得圖書館的參考工作發生空前變化，百科全書的重要性不僅沒有衰退，反而仍不斷地加強。❷再者，百科全書除了在學術知識有其價值外，對一國的社會文化更有其重大的內涵，正因為其所要涵蓋的是該文化所詮釋的人類所有知識，所以百科全書的編者或出版商，往往會左右該部百科全書所呈現的容貌與其代表的精神。因此，不管願不願意承認，臺灣地區已形成其特殊的文化體系，這個文化所詮釋的人類總體知識，目前尚未被整理與記錄。

事實上，過去已有許多文獻探討百科全書的源流、重要性以及發展趨勢，卻鮮少有人撰文關心百科全書出版事業的發展，尤其是「臺灣百科全書出版事業」一詞在國內更屬於少見的稀有名詞。由於長久以來，國內百科全書幾乎都是從國外引進，真正國產的百科全書屈指可數。然究竟因何造成這樣的現象？這樣的出版趨勢對我們有何影響？我們又將如何因應呢？本文將從百科全書的歷史面、出版趨勢以及文化性等方面，來分析美國百科全書業的發展，對臺灣百科全書業所面臨的處境與困難加以探討，並嘗試提出較為可能的解決方案。

三、百科全書的歷史與發展趨勢

㈠美國的百科全書

目前世界上著名的英文百科全書大多來自美國，即使是位居龍頭老大的大英百科全書公司（Encyclopaedia Britannica Inc.），其所出版之大英百科全書也早在 1902 年即「歸化」美國❸。此外，控制百科全書市場的四大公司也清一色為美國籍，由此可見美國百科全書出版事業的確在全球市場上佔有舉足輕重的地位。

然而，提到美國百科全書的歷史，就不得不探究整個西方百科全書的源流。根據大英百科全書精簡版（Compact Edition of the Oxford English Dictionary）所記錄關於百科全書（Encyclopedia）的字源解釋，可知「Encyclopedia」一字是由古希臘文「enkyklios paideia」

---

❷ 沈寶環，參考工作與參考資料（臺北市：臺灣學生，民國 82 年），頁 33-35。

❸ 同註❷，頁 62。

而來❹，意指完整的教育（all-round education）❺。所謂「完整的教育」就是指一切知識，所有學術支脈一併包含在內；而在當時，古希臘人認為完整的知識是公民教育中非常重要的一環，對成為一個「自由民」（freemen）來說更是不可或缺的❻。於是亞里斯多德便開始整理的工作，彙集所有可能取得的知識，彙編成書以便隨時參考❼，並將自己的論文及教材集結成冊，成為第一部已知的百科全書，故後人便尊稱亞里斯多德為「百科全書之父」❽。

到了羅馬時代，出現了各式不同的百科全書，其中最著名的一部是由 Pliny the Elder 編著，在西元 77 年初版的自然史（Historia Naturalis）❾。本書蒐羅 473 位學科專家的著作，將其分入 37 冊書共約 2500 章回中，內容包含地理學、心理學、動物學、植物學、醫學等。❿此套百科全書以拉丁文出版，至西元 1531 年，發行至 43 版，至 16 世紀仍為最具權威性的著作。

中古的西方世界雖曾一度被稱為「黑暗時代」，但期間仍有具學術素養的修道士及僧侶擔任知識整理的工作。這個時期的百科全書多半沿襲古代典籍的內容，或另外再新增資料而成。⓫

歷經了黑暗時代、文藝復興後，17 世紀的百科全書終於有了較大的轉變。Francis Bacon 所編的 Advancement of Learning，讓歐洲許多百科全書編纂者，從原來只是負責摘要各種資訊文獻的工作，轉變成整理所有學科領域的正確知識⓬，使得百科全書的學術參考價值更進一步。

然而即使每個時代都有其不同類型的百科全書，一般公認百科全書最偉大的發展時期仍在 18 世紀以後。1728 年，英國人 Ephraim Chambers 出版了一套二冊的百科全書

---

❹ Richard Krzys, "Encyclopedics: the origin and development of encyclopedia design," *Encyclopedia of Library and Information Science* 50（1992）: 159.

❺ Philip G. Altbach and Edith S. Hoshino, ed. *International Book Publishing: An Encyclopedia* (New York & London: Garland Publishing, Inc., 1995) : 296.

❻ 同註❺。

❼ 舒晨，「百科全書的故事」，中央日報（民國 81 年 1 月 3 日）。

❽ Louis Shores and Richard Krzys, "Reference Books," *Encyclopedia of Library and Information Science* 25 (1978) : 161.

❾ 同註❽。

❿ Kenneth F., *Kister, Kister's Best Encyclopedias* (Phoenix: Oryx press, 1994) : 5.

⓫ 同註❽。

⓬ 同註❽，p.162。

——Chambers Cyclopedia。雖然以現在的標準判斷該書或許應該被定義爲字辭典，但它卻是歷史上相當重要的一部百科全書，原因是：㈠率先利用參見和互見的方式，將有關款目連接起來；㈡具國際文化影響力，尤其是法國的百科全書更以其爲藍本編纂。到了1771年，許多參考工具書更將該年喻爲現代化百科全書的關鍵年，因爲那一年正是大英百科全書的創始年⓭。

受到大英百科全書的影響，19世紀初出現了許多其他國家所編製的百科全書，其中最著名的就是Encyclopedia Americana，該書是美國在1829年至1833年間，本土製作、出版的大型英文鉅作。在北美市場中屬於大部頭的百科全書⓮，而美國的百科全書出版事業也從此展開往後的黃金歲月。

從上述西方百科全書的發展簡史看來，我們可以了解爲何美國百科全書能擁有今日的規模與地位，實在是因其具有深厚的歷史淵源作爲基礎。在內容上，從原始單純的資料彙集到強調所有學科領域的正確知識；在編製方法上，從一般普通書籍的撰寫方式到具有參考書特色的字順排列及參見、互見輔助。這樣有系統、漸進的演變方式，促使百科全書的全貌不斷更新，而百科全書出版事業也因此日益茁壯。

㈡臺灣的百科全書

談到臺灣的百科全書史，亦須從中國整個百科全書的發展談起。關於中國百科全書的起源，大致上可歸爲三派說法：㈠認爲中國百科全書應該遠溯及爾雅；㈡認爲中國百科全書源於中國古代的類書;㈢認爲百科全書是西洋文化的產物,20世紀初西風東漸後，始開啓中國百科全書的發展。⓯

其中第一派與第二派看法較爲類似,因爾雅乃彙集各類事物,分別部居,以類相從，可算是一部小型類書；甚至有人認爲詩、賦、字書、爾雅爲類書之淵源，促進類書之產生⓰。除此之外，亦有不少探討百科全書發展歷史的外國文獻認爲類書就是中國的百科全書，只是究竟應以哪一本類書爲代表並無定論。有人提到唐代徐堅的初學記及杜佑的通典⓱；有人則認爲皇覽爲第一部中國的百科全書，而總數11,100冊的永樂大典爲中國

⓭ 同註❷，頁36。

⓮ 同註❿，p.7。

⓯ 謝寶煖，中文參考資源（臺北市：文華，民國85年），頁70。

⓰ 鄭恒雄，中文參考資料（臺北市：臺灣學生，民國71年），頁155-156。

⓱ 同註❹，p.162。

百科全書的鉅著⓲。

然而，類書究竟算不算是中國的百科全書呢？根據沈寶環教授對百科全書的定義：「百科全書是由涉及知識每一領域中若干學科的多篇提要文字，依某種秩序排列組合而成的一種參考工具書」⓳，我們可以知道百科全書不僅應具有完整的內容，更必須透過系統性的撰述，並方便讀者查檢所需資訊，然而類書並不完全符合這樣的定義。

鄭恆雄先生曾據黃鴻珠教授的「中西百科全書的比較研究」一文，將類書及百科全書的異同加以闡述。雖然兩者皆廣徵博引、取材豐富，但仍有下列幾點相異之處⓴：

1.產生：類書的起因乃爲帝王之嗜好、講求用典以及科舉考試；而西方百科全書則受學校影響，爲教學而產生，再演變爲參考之需要。

2.內容：類書摘自古書，擇要彙編；百科全書爲學科專家共同執筆，內容新穎。

3.功用：類書爲查尋歷代典籍所在資料的淵藪；百科全書則對事物明確詳述，使讀者易獲了解，便於學習。

4.體例：類書有以字韻分及以類別分兩種體例；百科全書則按字順排列或按內容區分類別。

5.書目與索引：類書雖有韻編及類編的方式近於今日之索引，然歷代類書彙集古籍資料頗多，本身常缺乏輔助尋檢的工具；百科全書書末常附有全書之總索引，可查本文之內容，此外各條目之後所附之參考書目，亦爲類書不及之處。

6.增修：我國歷代修纂類書，往往以前代類書爲本，增修爲另一本類書；而西洋百科全書則有全盤修訂、活頁式修訂及經常修訂三種方式，甚至出版年鑑或補篇作爲日後增修的依據。

由上述比較，不難發現中國的類書在發展歷史上的確與西方百科全書有極大的差異。直到20世紀初西風東漸之前，中國並未自行發展出像西方百科全書這樣包羅萬象、方便查檢、有助學術研究的參考書籍。至於臺灣的百科全書則要到本世紀七〇年代末——1978年4月4日兒童節，教育廳兒童讀物出版部推出《中華兒童百科全書》第一、二冊，始有萌芽。㉑

⓲ 同註❽，p.162。

⓳ 同註❷，頁39。

⓴ 同註⓰，頁223-225。

㉑ 張之傑，「臺灣百科全書事業之困境及其因應之道」，出版界 45期（民國84年10月），頁61。

三、百科全書之出版狀況

㈠美國百科全書的出版

在北美綜合百科全書市場上，最富盛名的三家百科全書出版商為大英百科全書公司（Encyclopaedia Britannica Inc.）、葛羅里公司（Grolier Inc.）以及世界圖書公司（World Book Inc.）。這三家公司所出版的紙本百科全書在北美約佔了 75% 的銷售量，加起來一年平均賣出 800,000 套百科全書，總收益約在 60 億至 70 億之間。以下便是這三家公司的概況㉒：

1.大英百科全書公司（Encyclopaedia Britannica Inc.）

以一套 32 冊的 New Encyclopaedia Britannica 為其基石。該套百科全書是世界最老、最大、最具聲望的綜合性英文百科全書。除此大部頭的百科全書外，大英百科全書公司亦出版專為少年及兒童設計的百科全書，如 Compton's Encyclopedia，Children's Britannica，和 Young Children's Encyclopedia 等。此外，該公司亦與許多外國公司合作出版百科全書，與臺灣中華書局合作的簡明大英百科全書就是其中一例。

2.葛羅里公司（Grolier Inc.）

葛羅里公司專門為成人及年長學生設計一套 30 冊的 Encyclopedia Americana。除 Encyclopedia Americana 外，葛羅里公司亦在 1980 年最新出版 Academic American Encyclopedia（AAE），更在 1985 年將 AAE 以光碟型式出版，帶領百科全書進入電子時代。

3.世界圖書公司（World Book Inc.）

一套 22 冊的 World Book Encyclopedia 是該公司的主力產品，亦是目前在北美賣得最好的百科全書。目前已有名為 The World Book Multimedia Encyclopedia（舊版名為 Information Finder）的光碟版，原來該項產品並沒有聲音及動畫，不過 1994 年的版本則加入了插圖作為輔助。此外，世界圖書公司亦出版專為青少年設計的百科全書（如 Childcraft），以及專科性質的百科全書。

除了上述幾家較大的出版商外，其他著名綜合性大部頭紙本百科全書的出版商還包括：P.F. Collier Inc.（出版 Collier's Encyclopedia）、Funk & Wagnalls（Funk & Wagnalls New Encyclopedia）以及 Standard Educational Corporation（New Standard Encyclopedia）。較著名之小部頭百科全書的出版商則包括：Columbia University Press（The Columbia

---

㉒ 同註⑩，p.10-12。

Encyclopedia；Concise Columbia Encyclopedia），Random House Inc.（The Random House Encyclopedia），Cambridge University Press（The Cambridge Encyclopedia），Prentice Hall（Webster New World Encyclopedia）以及 South-western Company（The Volume Library）。此外，尙有專門負責專科百科全書的出版商，如：Academic Press，Cambridge University Press，Facts on File，Carland Publishing，McGraw-Hill University Press，Oxford University Press 等。

美國百科全書的出版不僅分科專業，連讀者使用群亦有所區隔，各出版商有其不同的核心產品及市場重心。美國百科全書業之所以蓬勃發展，除了專業出版商的用心經營外，資訊科技的結合亦爲另一項催化劑。事實上，電子出版品是未來不可避免的趨勢，百科全書自然也不例外，尤其像美國這樣在國際上具有領導地位的國家，早在 1985 年便由葛羅里公司爲其 Academic American Encyclopedia 製作光碟版後，其他出版商也紛紛跳入這種電子出版的旋渦。先是大英百科全書公司的 Compton Encyclopedia 推出第一套多媒體光碟片；接著 Funk & Wagnalls Encyclopedia 也提供其內容給微軟公司做成電子百科全書——Encarta to InfoPedia；World Book Encyclopedia 也在 1989 年出版了多媒體光碟；同年，Encyclopedia Americana 和 Collier 等百科全書也陸續跟進㉓。

在百科全書一片電子化的呼聲後，繼光碟片而起的出版形式則是線上版（Online）的百科全書。目前美國幾部重要的百科全書幾乎都已發展網路版，使用者只要付費購買使用權限，即可隨時連線到出版商的網站上使用，不僅在訂購前能享有一段免費的試用期，多數線上版的系統亦提供多元的檢索方式，幫助使用者更快找到所需資訊。

㈡臺灣百科全書的出版

自從 1978 年教育廳兒童讀物出版部推出《中華兒童百科全書》以後，臺灣所出版的百科全書已有二十多種，其中只有四種是臺灣土產的㉔，其他多來自美國、義大利、中國大陸、英國，甚至是法國、日本等。這四部臺灣國產的百科全書分別是：1978 年教育廳（臺灣書店發行）出版的 14 冊中華兒童百科全書，1980 年中國文化大學出版之 10 冊中華百科全書，1982 年環華出版公司出版之 20 冊環華百科全書㉕。目前臺灣雖仍繼續出版爲數不少的百科全書，但臺灣的百科全書出版事業卻始終低靡不振，市場上並未見如

㉓ 王岫，「尋找百科全書的春天」，中央日報：讀書週刊 161 期（民國 84 年 10 月 11 日），21 版。

㉔ 嚴格說來，應該只有三種是臺灣土產的，因為環華百科全書大致是以 World Book Encyclopedia 為藍本翻譯而成。

㉕ 同註㉑。

美國百科全書般之大型綜合性的土產百科全書，倒是小型的專科百科全書有日漸發達的趨勢。《臺灣農家要覽》以及正在編纂《臺灣文化事典》就是其中的兩個例子。

《臺灣農家要覽》是由行政院資策會負責策劃編纂，是近年來臺灣出版有關農業方面相當重要的一部圖書，讀者從此書不僅可了解臺灣整體的農學概況，更可學習到許多實際的農學技術與經驗。全書共七大冊，內容分為農作、林業、漁業、畜牧及綜合五大類，參與撰寫工作之農學專家多達 385 位，共耗費兩年的時間完成，是目前臺灣最新最實用之農業百科全書㉖。

《臺灣文化事典》則是由師範大學所提出，為研究了解臺灣文化入門的綜合性百科全書編纂計劃。其架構先勾勒出知識性、資料性、可讀性之通俗化百科工具書樣貌，訂出文化學術、臺灣住民、地理及現代生活產業、考古、古臺灣史至戰後史、宗教與民間信仰、美術、音樂、建築等九大項，每項分科內容都由專長的學界人士擔任召集人，擬出每項所需的條目，總計達一千五百四十條，對未來臺灣的本土文化教育是相當有用的題材及參考資料。㉗

雖然以上的兩本百科全書為近年來本土意識高漲的產物，但我們不難發現這些百科全書的發起者都屬於官方或學術機構，在編纂、出版的過程中，我們仍然找不到臺灣出版商所扮演的角色及所處的地位。反觀在臺灣市場的外國出版社，則是紛紛以臺灣作為躍向華語世界及全世界的跳板，展現其旺盛的企圖心，有些授權翻譯社出版原文書；有些與本土出版社合資出版；有些甚至在臺設立分公司，獨資出版中文書。其中有已是百年老店的外國出版社，挾帶著雄厚的資金，對書籍本身、人才、行銷做更多的投資；而其企業體前瞻性、成本效益的彈性預算、員工福利等，亦是本土出版社以中小企業方式經營所望塵莫及。㉘在這樣的競爭環境下，本土出版商要維持一定的銷售利潤已屬不易，也就更無心經營像百科全書這樣耗時費力、投資報酬率低的文化事業。沈寶環教授曾提及大英百科全書公司已於 1992 年從中華書局買回該書中文版出版發行權，預計出版大英百科全書中文版 30 冊，即是由「立足臺灣，胸懷大陸，放眼全球中文市場」的雄心大志所促成。㉙平心而論，如果華語百科全書的市場眞的那麼小，大英百科全書也不會興資

㉖ 江宗明，「一部代表臺灣農業經驗的百科全書」，交流 26 期（民國 85 年 3 月），頁 45-48。

㉗ 陳文芬，「師大宣布編纂臺灣文化事典」，中國時報（民國 87 年 8 月 12 日），11 版。

㉘ 李玉娟，「前進臺灣：外商出版社在臺攻城掠地」，中央日報：讀書週刊 153 期（民國 84 年 8 月 16 日），21 版。

㉙ 沈寶環，參考工作與參考資料（臺北市：臺灣學生，民國 82 年），頁 47。

編纂，就如同微軟開發視窗軟體一樣，市場的著眼點在整個華語世界，這種投資不太可能在短時間內回報，但卻是非常值得投資。其實，這個觀點又讓臺灣百科全書出版事業陷入另一種困境，以華語世界爲考量，喪失了保存臺灣文化的意義，但若以臺灣觀點爲考量，市場價値又會大減。因此，如何改善臺灣百科全書出版事業目前的低靡狀態，爲其注入一劑強心針，實在是出版界、企業界、政府機構乃至學術單位都應共同關切的問題。

四、臺灣出版本土化百科全書之必要性

或許有些人會問，既然一套好的百科全書編製不易、費時費力，而翻譯外國百科全書既可壓低成本，同時也能收參考、研究之效，爲何我們還要自己編製、出版本土百科全書呢？

事實上，一套優良的百科全書不僅可作爲知識的來源與參考的工具，其內容應能反映當代潮流以及編製者的思想和意識型態。即使我們再三強調百科全書應維持其客觀性，其編製過程仍很難達到絕對的中立。雖然像百科全書這樣的鉅作不可能由一人獨力完成，其在製作過程中往往需要很多學科專家共同執筆，但因這些專家學者多半來自同一個國家、同一個民族，因此在認知上或觀念上很容易便會有類似的看法與偏見。因爲世界上的每個國家都有其獨特的歷史背景與發展過程，各國的民族意識以及文化風俗亦大不相同，所以由各國學者專家所編纂的百科全書就會受到該國文化的影響，成爲適合當地使用、閱讀的參考工具。故百科全書的編製，實際上包含了相當濃厚的文化意涵在其中。

即使是像臺灣與中國大陸這兩個同文同種的地方，其文化上亦有諸多不同，特別是兩岸對部份歷史事件的解釋更有極大的出入，因此我們並不能將大陸出版之中文百科全書當作本土性百科全書，更不能以大陸已出版百科全書爲由，作爲逃避編製臺灣百科全書的藉口。不管將來臺灣的國際地位如何，我們都必須爲這段時間的歷史留下見證。

正因爲百科全書的編輯、出版，是衡量一個國家科學文化水準和綜合出版能力的重要指標㉚，當海峽彼岸的中國大陸已經出版一套足以代表其國家文化的大型百科全書——中國大百科全書之時，常與其在國際事務上競爭的臺灣，更應不落人後，加快腳步趕緊編纂一套屬於自己的百科全書，以發揮百科全書保存文化、詮釋文化的重要功能。

㉚ 高巍，「多元發展的中國百科全書事業」，出版界 39 期（民國 83 年 3 月），頁 28。

五、臺灣百科全書出版事業之困境及因應之道

㈠面臨之困境

張之傑先生曾於其所撰之「臺灣百科全書事業之困境及其因應之道」一文中指出，臺灣百科全書事業未能飛黃騰達的主要原因有下列幾點：[31]

1.欠缺國（公）營專業出版機構

臺灣目前雖有近五千家的出版社，絕大多數都是小本經營，沒有能力投資成本較大的製作，更遑論編纂百科全書。至於一些規模較大的出版社，雖具有發展成辭書專業出版社的條件，但在激烈的競爭下，亦不願意畫地自限，以專業辭書出版社自居。因為百科全書的銷售量有限且銷售不易，故一般以利益為導向的出版社不會問津。

臺灣由於幅員狹小，不像歐美或日本等開發國家能以本國市場支持其自身的百科全書事業，故單憑市場機制恐無法促使百科全書事業開花結果。如果能以政府的力量，成立類似中國大百科出版社的公營單位或編纂小組，應該可以使情況有所改善。

2.外版百科全書引入

臺灣百科圖書市場狹小不言可喻，而目前大陸市場又不對臺灣開放，港、澳地區的需求又比臺灣更為有限，因此臺灣的出版業者只能困處臺灣一隅，在激烈的競爭中求生存。正因為市場有限、競爭激烈，臺灣的出版者只好儘可能以最低的成本提供最好品質的圖書，其捷徑之一便是購取國外或大陸版權。

然而就本文之前所論及之百科全書的文化意涵來看，外版的百科全書並不適合臺灣。因為百科全書具有濃厚的地區色彩，歐、美百科全書中的地名、人名或事件，對中國或臺灣讀者並非全然具有意義，而中國及臺灣的重要地名、人名或事件，亦無法在這些外版的百科全書中找到。中國大陸與臺灣之間尚存在著這些隔閡，何況這些來自文化差異更大的國家所出版之百科全書。此外，外版的百科全書在編製上習慣用字順排列（如：ABC），亦不符合臺灣讀者的使用習慣。

即使如此，來自歐美的百科全書多半插圖精緻、版式美觀、裝訂考究，所以對一般讀者而言，仍具有相當程度的吸引力。而僅能以臺灣為市場的臺灣百科全書無法像那些外版百科全書這樣大手筆，所以在製作水準上就更無法與以全世界為市場的歐美百科全書相提並論了。

3.著作權法的修訂

---

[31] 同註[21]，頁 62-64。

百科全書是一個國家或地區，甚至是一種語言或文化的學術力量展現。《大英百科全書》之所以領袖群倫，其中一個很大的因素是來自世界上兩大英語系國家的支持。與英美相比，臺灣未免顯得學術薄弱、人才不足，故編纂百科全書時往往必須仰賴國外百科全書的資料。

在臺灣自製的百科全書中，除了以中華文化爲主的《中華百科全書》外，其他三種都翻譯了大量外文百科全書內的資料及圖片。這在當時是合法的，因爲根據當時的著作權法，外國的著作幾乎不受保護；直到 1985 年我國著作權法修訂，才對資料內容與圖片的取得與出版有嚴格的規定。

此舉促使臺灣出版者更將編纂百科全書視爲畏途。因爲百科全書包羅萬象，往往需要地圖、解剖圖或結構圖作爲說明，但無論是請國際性圖片公司代爲搜尋，或是自行研究、繪製，都必須要花費相當高的成本。但以臺灣出版者的能力以及銷售市場來看，一般業者並無法負擔這樣的成本。

4.成本大幅提高

欲編纂一套高水準、高品質的百科全書，必須動員相當多的人力、物力，故其人事費、稿費、製作費用也比一般的普通書籍高得多。在臺灣百科全書開始萌芽的七〇年代，由於公教人員薪水不高，所以出版社可以容易找到各級教師參與百科全書的編纂工作。然而現代的出版商則很難延請到大學教授爲其撰稿（除非其對此感興趣），大部分的教授必須忙於自己平時的研究計劃，而一般中小學的老師亦不易有多餘時間爲出版社寫稿。

此外，近十餘年來因傳播事業發達以及著作權法的保障，使得圖片不僅取得不易，亦所費不貲。另外再加上文編、美編、印刷及裝訂成本，費用就更令人詫舌了。而以編製一套大型百科全書至少需耗費兩、三年的時間計算，期間需付出的成本無法立即得到收益，這對一般小型資本的出版商而言，更是不可能負擔得起的。

綜述以上幾點，臺灣百科全書業可說是處於內憂外患、腹背受敵的地位。一方面礙於資金及人才的限制，無法自立自強、放手一搏；另一方面則必須面對深具基礎之外國出版社的強大競爭優勢。臺灣出版商欲突破此困境，編製一套完全屬於臺灣本土的百科全書實在並不容易。

㈡因應之道

對於這樣的情形，張之傑先生亦提出一個解決之道，希望能爲臺灣的百科全書業開闢新的契機。[32]他建議臺灣出版界可利用臺灣的資金、技術與國際觀，針對大陸市場編纂高水準的青少年百科全書，再將版權售予大陸的出版社，以間接的方式進軍大陸市場，為臺灣的百科全書事業延續生機。因為大陸擁有市場廣大、人才眾多、酬勞低廉的優勢，而臺灣擁有資金充裕、技術精進、較具國際識見的條件，所以應可結合兩岸力量，共同開創雙營的局面。

張之傑先生提出與大陸合作的模式，是站在一種市場觀點，若站在保存文化的觀點，此模式可能值得商榷。張先生親自參與環華百科全書的編纂過程，對百科全書的市場及編纂均有其獨到的見解，非常值得佩服。張先生提出編製一套大型百科全書至少需耗費兩三年的時間，但以大英百科全書第 15 版為例，其耗時 15 年（10 年設計，5 年寫作編輯），4000 名學者參與撰稿，全盛時期公司聘雇 400 名編輯，耗時 250 萬小時，耗資三仟二佰萬美金（1974 年之三仟兩佰萬美金）[33]，即使是中國大百科全書亦歷時 15 年才編製完成，由此可知要編纂品質優良的百科全書，三、五年的投資可能是不夠的。因此，筆者認為政府機關亦必須身先士卒，為已沈寂數十年的臺灣百科全書業擔任打頭陣的角色。國立編譯館尤其應率先召集，結合政府、出版界及學術界三方面的力量，合力為臺灣百科全書催生。此外，企業界在賺錢之餘，也可回饋社會，成立類似「大英百科全書公司」或「世界圖書公司」之類的出版社，不求即時金錢上的回報，也有可能編出質量俱佳的臺灣百科全書。

六、結論

本文嘗試以西方百科全書之歷史發展、出版概況以及文化角度，闡釋出版臺灣百科全書之必要性。西方自從古希臘開始，就強調知識全體的重要性，百科全書的編製與教學、學習一直有很大的關係，學校及圖書館對參考工具的利用訓練，亦促使大眾了解百科全書的實用性，進而增加百科全書的普遍性以及百科全書業的銷售市場。事實上，百科全書目前已邁入電子化，電子化的百科全書（不管是光碟、線上或網路版），應該更能發揮百科全書在學校教育上的功能，尤其是在科學普及教育上。

反觀臺灣由於圖書館利用教育的效果不彰，而一般家庭又極少有購買全套百科全書的機會，使得國人更少機會接觸像百科全書這樣的知識寶庫。加上國內市場原本有限，

---

[32] 同註[31]，頁 65。

[33] 沈寶環，參考工作與參考資料（臺北市：臺灣學生，民國 82 年），頁 63。

百科全書的銷售管道就變得更為狹隘了。既然百科全書業不僅市場狹小，成本更高，也就使得臺灣的出版商會望之卻步了。

筆者一再強調，美國之百科全書之所以有今天，雖然與其歷史淵源有關，但和其行銷市場廣大更有關連。英語撰寫之百科全書，不僅行銷英語系國家，許多非英語系國家亦是買主，挾著語言上的強勢，輸出強勢文化所詮釋的觀點（因此很多人將其稱為「文化侵略」）。反觀臺灣文化，在國際上應屬於弱勢文化。試以鄰近的日本為例，其對臺灣文化的影響頗深，人口數約為一億兩千萬，文化上強勢不及美國，但其在文化上應較臺灣強勢，出版市場亦遠較臺灣為大。大致而言，日本有四套較具規模的百科全書，其中一套由政府機構所出版，其他三套則為私人機構興資編纂。其中官方的百科全書為文部省百科全書，由日本文部省（相當於臺灣之教育部）編纂，於 1983 年至 1986 年陸續出齊。另外三套私人出版社所出版之百科全書，其中ブソタニカ國際大百科事典，是以 The New Encyclopedia Britannica 為基礎，翻譯並加入日本及亞洲的資料而成，頗類似臺灣的美版中文百科全書。其餘兩套均為日本本土出版社所編纂，分別為平凡社所出之世界大百科事典與小學館所出之日本大百科事典，其中平凡社是以百科全書起家的出版社，1914 年即已創社，素有「百科事典的平凡社」之稱。㉞因此，在東方文化中，不管是大陸或日本，政府機構在編纂百科全書中，都扮演相當吃重的角色。

然而，百科全書最重要的存在價值還是在於其所代表的文化意義。雖說大企業界投資百科全書事業，是臺灣百科全書可能的一條生路，但畢竟沒有強制性。為了避免這樣的文化事業被市場經濟所犧牲，國立編譯館應該挺身而出，組成百科全書編輯委員會（或類似大陸之「工具書編輯委員會」）的專門組織，展開交流、培訓的工作，以豐富百科全書編輯理論、提高有關人員的素質㉟，早日出版臺灣本土的百科全書，保存在臺灣五十年來，這群中國人所創造出的文化、思考和價值觀。

筆者以為，五六十年來，臺灣島上二千一百多萬同胞已形成一種文化，這文化和中華文化不可分割，但其受日本和美國文化的影響亦很深，不管臺灣未來的命運如何，這段歷史之文化價值觀和意識型態所詮釋的觀點必須被記載，不管是由大企業家或由國立

㉞ 參考圖書研究ガイド，全國學校圖書館協議會，1988,7，p.108-119 辭書、事典全情報 45/89 日外アンシエーツ株式會社，1990,11，p.21-36。日本　參考圖書　解說總覽，財團法人日本圖書館協會，1980,1，p.49-53。小學館 homepage: Shogakukan Online　http://skygarden.shogakukan.co.jp，日立 Digital 平凡社 homepage: http://www.hdh.co.jp

㉟ 同註㉚，頁 28-29。

編譯館來編纂百科全書，是一種對歷史負責任的態度，也是一種文化保存的工作。

後記

在教授西文參考資料和參考資源後，更加體會沈老師學問的紮實和其背後的智慧，由於西文參考資料是沈寶環老師的招牌，百科全書又是沈老師講授西參中的精華，在恭逢沈老師八十大壽之際，特將此篇文章獻給沈老師，祝福老師永遠健康快樂。

資訊自由與圖書館服務

吳美美
臺灣師範大學社會教育學系副教授

一、前言

民國 88 年，西元 1999 年正是進入 2000 年的最後一年，政府在資訊自由政策方面，有許多令人欣喜的作爲，先是年初的出版法廢除，宣告一個新的資訊自由社會環境已經到來。同年 4 月「國際出版協會」(International Press Institute) 來臺舉行其第 48 屆年會，祝賀並肯定我國在出版自由方面的成就❶。同一年，立法院通過教育基本法，將教育權回歸地方。仍是同一年，行政院送政府資訊公開法、圖書館法等至立法院審議。乃至於網路管理相關法案方面，政府爲鼓勵網路環境的蓬勃發展，在法務部研議階段即先行決定採用自由放任的方案。一個新的資訊自由社會環境正在臺灣形成。

圖書館事業最適合在資訊自由的環境中發展。我國自民國肇建，先有內亂外患，而後又有海峽兩岸分治的政治現實，資訊自由一直是政府和民間的禁忌話題，圖書館和圖書館員雖然一直默默從事提供資訊的服務，但是並未如美國圖書館員大張旗鼓、立場鮮明，打著資訊自由、維護民眾知的權利的旗幟。在我國，不論是圖書館員專業倫理的宣示方面或是圖書館員養成教育方面，資訊自由一直是圖書館員陌生的詞彙。隨著經濟繁榮、政治氣氛逐漸開放、民眾教育程度提升，憲法所明文保障的「人民有言論的自由」在政府及民眾共同努力之下，逐漸落實。在本年（民國 88 年）五月二十一日送立法院審議中的圖書館法草案第七條即書有：「圖書館應提供其服務對象獲取公平、自由、適時及便利之圖書資訊權益。」圖書館資訊服務的專業終於有資訊自由的明文規定做爲法源基礎。

對於資訊自由這個原本並不十分熟稔的議題，圖書館界和圖書館員要如何將之具體

❶ 王瑩（民 88）。新聞自由的坎坷之路——第四權在臺灣。光華雜誌（88 年 5 月），頁 98-103。

實踐，仍需要許多的思辯和努力。尤其當社會是採取言論限制或是資訊限制的時候，社會的進步會受到阻礙，所以必須爭取資訊自由，圖書館員以捍衛資訊自由自居，以維護資訊自由做爲圖書館資訊服務的哲學基礎。但是當社會環境逐漸進入資訊開放、言論自由、資訊自由的時候，圖書館員的歷史任務就完成了嗎？還是新的資訊自由概念和新的專業思考正在形成？

本文討論民國以來資訊自由和資訊限制的歷史背景及其演進，描述近年來已通過立法和正在立法過程中的資訊自由相關法案，闡述圖書館和圖書館員如何了解和呼應資訊自由，而能將之應用於圖書館資訊服務，成爲資訊自由政策的擁護者和維護者。並以近期發生的社會案例，說明儘速通過資訊相關立法的重要，呼籲政府應要有更積極的國家資訊服務政策，消極方面能夠減少不需要的社會悲劇，積極方面能夠快快實現文化中國的理想。

二、資訊自由和民主程度的消長關係

我國自清末以降，有關資訊政策和相關法令的演進，約可分爲五個階段：前民主政治時期（清末至 1911）、民主政治初期（1911-1945）、前戒嚴時期（1945-1949）、戒嚴時期（1949-1987）、後戒嚴時期（1987 迄今）。這五個階段描述我國民主制度的艱辛歷程，得來不易。其中更可發現民主程度和資訊限制、資訊自由有明顯的的消長關係。民眾的資訊表達和資訊流通的規範由限制到開放，前者可稱爲資訊消極，後者可稱爲資訊積極❷，前面四個階段資訊的表達和流通都受到限制，屬於資訊消極時期；自民國 86 年以後，政府取消戒嚴法，後戒嚴時期以來的十餘年，社會的言論尺度開放，地方文化活動逐漸活絡，政府相關資訊法案也在迅速建制當中，可稱爲是資訊積極時代。

㈠前民主政治時期（清末至 1911）

清朝末年即因報紙大量印刷，資訊傳佈，而思對出版有所控制，最早可追溯至清光緒 24 年（1898）有「報律」一詞的出現❸。之後，清光緒 27 年（1901）頒行「大清律例增修統篡集成」，有「造妖書妖言」採嚴刑重罰制度，規定：「凡造讖緯妖書妖言，及傳用惑眾者，皆斬。若私有妖書，隱藏不送官者、杖一百，徒三年。」清光緒 32 年（1906）又頒行「大清印刷物專律」，規定所有有關印刷及新聞記載，均須在京師印刷總局註冊，

---

❷ 此兩名詞參見葉俊榮主持（民 85），政府資訊公開制度之研究。臺北市：行政院研考會，頁 20-21。

❸ 戈公振（1990 影印 1928 年商務印書館版）。中國報學史。上海：上海書店，頁 342。

凡未經註冊之印刷人，不論承印何種文書、圖畫均以犯法論❹。清光緒 33 年（1907）頒布「大清報律」，乃脫胎於日本報紙法，由清商部擬具草案，巡警部修改，當時所規定的禁律包括❺：⑴詆毀宮廷者；⑵淆亂政體者；⑶擾亂公安者；⑷敗壞風俗者。但當時各報館大都不遵守該法律，其中以外國人所設立的報社尤甚。清宣統 2 年（1910）曾修改「大清報律」，民國初年大陸各省尚有援用該法律以壓制輿論之情形❻。

㈡**民主政治初期**（1911-1945）

1912 年民國成立，國父　孫中山先生出任臨時大總統，頒布「中華民國臨時約法」，該約法第二章第六條第四款明定：「人民享有言論、著作、刊行及集會結社之自由」❼，規範人民有言論及出版自由，同時宣告言論自由、資訊自由乃爲民主制度之基礎，立下我國民主制度根本大法之典範。同時期也有「暫行報律」之擬訂，「暫行報律」爲「大清報律」等言論限制之延續，當時新聞界力持反對，孫先生爲尊重民意及臨時約法的精神，於頒行後五天宣佈廢止❽。民國 2 年憲法起草委員會又制定「中華民國憲法」，第三章第十條規定：「中華民國人民有言論、著作及刊行之自由，非依法律不受限制。」，但民國初年有洪憲及督軍團之禍，憲法屢議屢輟❾。

民主政治初期，由於民主的體制尚未完全確立，因人制事，資訊政策乃在資訊自由與資訊限制之中擺盪，譬如民國 3 年袁世凱公布「報紙條例」35 條，對於報紙取締甚嚴；同年又公布「出版法」23 條，其目的都在取消言論自由❿。「報紙條例」由黎元洪於民國 5 年廢除；「出版法」由段祺瑞於民國 15 年宣佈廢止⓫。民國 19 年政府公布施行「出版法」，嗣後曾有五度修訂⓬。至二次世界大戰結束之前，歷劫內戰外患，政府有關資訊政策法規的制定活動並不活絡。

㈢**前戒嚴時期——臺灣光復初期**（1945-1949）

民國 38 年政府迫遷來臺，但更早於民國 34 年 10 月臺灣省警備總部即在臺北成立

---

❹ 同註❹，頁 340-341。

❺ 司馬文武（民 68）。「出版法奮鬥史」。<u>大學雜誌</u> 124 期，頁 8。

❻ 同註❸，頁 349。

❼ 李瞻（民 76）。「修訂出版法之商榷」。<u>報學</u> 7(8) : 81。

❽ 同上註。

❾ 同註❸，頁 333。

❿ 胡道靜（1990 影印 1935 年上海通志館版）。<u>上海新聞事業之發展</u>。上海：上海書店，頁 41。

⓫ 同註❸，頁 333。

⓬ 同註❼，頁 81-82。

「前進指揮所」。又民國 35 年開始實施電影檢查制度。民國 36 年政府公布中華民國憲法，12 月 25 日正式施行，憲法第十一條明文規定「人民有言論、講學、著作及出版之自由。」⑬但是由於政治環境的局限，政府在民國 38 年 5 月 9 日公布動員戡亂時期臨時條款，凍結憲法所規範的各項言論及資訊自由。前戒嚴時期，臺灣既有脫離日據之國格自由、有行憲所規範之人身資訊自由之曙光乍現，卻又有戒嚴法限制言論和資訊自由等事件之相繼發生，眞可謂是一段資訊政策隱晦未明的時期。

㈣**戒嚴時期**（1949-1987）

民國 38 年 5 月 20 日政府遷臺，爲顧及臺海安全，宣佈實施戒嚴。戒嚴法第十一條各款中，規定戒嚴地域內最高司令官可停止集會結社及遊行請願；得取締言論、講學、新聞雜誌、圖畫、告白、標語暨其他出版物；禁止人民罷市、罷工、罷課及其他罷業；拆閱並扣留郵信電報；檢查入出境之船舶、車輛、航空機及其他通信交通工具和有嫌疑之旅客；檢查並扣留私有槍砲、彈藥、兵器、火具及其他危險物品；檢查可疑住宅；限制人民遷入或退出戒嚴地域；徵收民間可供軍用之糧食等⑭。衍生而出的法令包括：「臺灣省戒嚴期間新聞紙雜誌圖書管制辦法」、「檢查取締禁書報雜誌影劇歌曲實施辨法」、「臺灣省戒嚴時期無線電臺管制辨法」、「臺灣省戒嚴時期廣播收音機管制辨法」、「臺灣省戒嚴時期郵電檢查實施辦法」、「戡亂時期郵電抽查條例」等⑮，其中出版品的管理，由警備總司令部負責。

有關報禁方面，除了民國 38 年 8 月政府公布「臺灣省新聞雜誌資本限制辦法」，民國 39 年 3 月公布「臺灣省戒嚴期間新聞雜誌管制辦法」規定禁載事項之外，民國 40 年行政院再發布訓令，第七點規定：「臺灣省全省報紙、雜誌已達飽和點，……爲節約用紙起見，應從嚴限制登記。」是報禁最早見乎法令的規定⑯。民國 41 年政府公布施行修正之「出版法」第四章第二十八條規定：出版品所需紙張及其他印刷原料，主管官署得視實際需要情形，計畫供應⑰。第二年「臺灣省戒嚴期間新聞紙雜誌圖書管制辦法」進一步凍結各報用紙。同年 11 月內政部制訂「戰時出版品禁止或限制登載事項」九項，此

---

⑬ 尤英夫（民 80），「從憲法出版自由探討我國現行出版法制」。中國比較法學學會會報，第 12 輯，頁 41。

⑭ 馬心韻（民 77）。「解除戒嚴實施國家安全法」政策分析研究。臺北市：大新書局，頁 38-39。

⑮ 同上註，頁 39-42。

⑯ 同註❼，頁 87。

⑰ 同上註。

「九項禁例」引起輿論反彈，前後只公布施行了五天。此外，民國 44 年有「戰時新聞用紙節約辦法」，限制報紙篇幅及張數。民國 47 年總統公布實施修訂之「出版法」，主管官署對違法出版品有：「警告、罰鍰、禁止出售、散佈進口或扣押沒入、定期停止發行、撤銷登記等行政處分權。」⓲

戒嚴法於民國 76 年 7 月 15 日總統宣告解除實施，從民國 38 年實施戒嚴至民國 76 年解除戒嚴，總計 38 年。第二年，民國 77 年月 1 日政府接著宣佈報禁解除，臺灣地區自民國 40 年實施報禁，至民國 77 年解除，共計 37 年。爭取言論和資訊自由在臺灣近代的發展史上有其可歌可泣的一面，政府和民眾可以說是在維護國家主權、民眾生命安全和維護資訊自由言論的狹窄鋼索中力求平衡。好在戒嚴時期，經濟的發展和教育的普及，逐漸消除政治上的緊張情勢。

戒嚴時期也可分爲政治緊張時期和經濟發展兩個階段，大致可以民國 60 年退出聯合國爲分界點。之前的政治緊張時期（民國 38-60 年）和退出聯合國以後的經濟發展時期（民國 61-76 年）。葉俊榮（民 85）也將戒嚴時期分爲動員與復國時期（民國 39-59 年）和經濟發展時期（民國 60-76 年）⓳。動員復國時期或政治緊張時期注重生聚教訓，一方面控制資訊的傳佈，一方面重視教育的普及和人力素質的提升，如民國 57 年開始施行九年國民義務教育，教育水準提高對經濟發展也產生某種程度的影響。接著是經濟發展時期，民國 60 年我國退出聯合國，失去國際認同，政府痛定思痛，專心從事經濟建設。民國 68 年有國家十二大項建設，其中第十二大項爲文化建設，開始重視圖書館及文化中心等文化基礎建設。民國 70 年施行國家賠償法，政府逐步重視民眾生活的基本權益。

㈤後戒嚴時期（1987-）

民國 76 年及 77 年戒嚴法、報禁先後宣告解除之後，社會有如沈睡的公主，從睡夢中逐漸甦醒。政府開始積極修法及立法，期使營建回歸憲法所保障的人民有言論、著作、刊行及集會結社之自由環境。同時，民眾也普遍查覺到自己擁有「知的權利」。於此時期，有幾項值得注意的事件，其一，民國 80 年 5 月廢止臨時條款，終止動員戡亂時期；其二，民國 81 年 5 月行政院通過「檔案法」草案，送立法院審議；其三，民國 88 年 1 月立法院會通過廢止「出版法」；第四，「政府資訊公開法」、「圖書館法」都在立法

⓲ 同註❼，頁 82。

⓳ 同註❷，頁 17-18。

院排期中，爲資訊自由劃下里程碑，其各項發展值得圖書館界深切注意。以下繼續分析此一時期的各項相關立法活動及祈雨圖書館資訊服務的關係。

三、資訊自由相關法案和圖書館資訊服務的關係

㈠政府資訊公開法

行政院研考會於民國 74、77、85 年分別有「政府資訊公開制度」之相關研究⑳。民國 80 年政府舉行第四次全國科技會議，與會者有「研議制定政府資訊公開法及資訊保護法」之建議。民國 81 年行政院指示法務部研議「政府資訊公開法」。民國 82 年以後，有關制定「資訊公開法」的行動熱烈展開，包括民國 82 年 10 月 13 日法務部建請行政院制定政府資訊公開法；10 月 21 日黃爾璇版政府資訊公開草案提出；民國 83 年 3 月 14 日程建人版資訊公開法草案提出。民國 84 年 2 月訂定「行政機關電子資料流通實施要點」；3 月行政院院會通過行政程序法草案；7 月 7 日立法委員趙永清公布「公報法」草案，以及擬推動之公共資訊法案系列，都和政府資訊公開法有關。政府資訊公開法和國家機密法曾同時在立法院研議，最後決定分開立法。政府資訊公開法草案於民國 88 年 4 月 29 日由行政院送立法院審議中。此法案的主要目的有三：㈠實現「公開政府」之理念，使人民有充分資訊以監督政府施政；㈡保障人民「知的權利」；㈢促進資訊流通利用，增強國家競爭力㉑。

「政府資訊公開法」草案共有五章，22 條，立法要點包括：明立立法目的及與其他法律之適用關係、明定政府資訊公開之型態有主動公開及應人民請求而提供兩者、明定政府機關主動公開政府資訊之方式、明定政府資訊之強制公開及其方式、明定提供政府資訊之請求權人、明定政府機關受理人民請求提供政府資訊之期限及提供政府資訊之方式、明定人民對於政府機關駁回其請求不服時之救濟、以及明定政府資訊之限制公開或提供㉒。

行政院蕭萬長院長指出，「政府資訊公開法」爲一系列陽光法案的基本法，用意在強化人民知的權利，實現人民監督政府的民主理念。其中明定除了危害國家安全和整體

---

⑳ 翁岳生主持（民 74）。資訊立法之研究，臺北市：行政院研考會。趙榮耀、黃臺陽主持（民 77）。各國資訊發展政策之研究，臺北市：行政院研考會。葉俊榮主持（民 85）。政府資訊公開制度之研究。臺北市：行政院研考會。

㉑ 同註❷，頁 260。

㉒ http://www.moj.gov.tw/news/new3.html

經濟利益、有礙犯罪偵查、侵害營業或職業秘密者外，其他施政和政府資訊，都以主動公開爲原則。中國時報 88 年 5 月 2 日的社論也指出，隨著民主政治的發展，人民早已從保密防諜或政令宣導的「資訊消極時代」，進展到搜尋情報和加值利用資訊的「資訊積極時代」㉓。政府資訊公開的意義在宣示資訊對民主制度和經濟發展以及個人成長的重要意義。

在立法院審查政府資訊公開法的同時，立法院財政委員會也議決通過成立「調查金融檢查資料小組」，並制定五項利益迴避條款，規定擔任金融機董監事或重要經理人的立委、對金融機構持股超過百分之三的立委、加入調閱小組之後進出股市及到金融機構貸款的立委、對銀行貸款在過去一年內有逾放記錄的立委，以及違反立委行爲法第十九條到二十四條有關利益迴避條款的立委，都不得參加這個金檢資料調閱小組㉔。在資訊公開的同時，有許多互相對應的法案可以互相制衡正是民主社會的特質。

政府資訊公開法中，較值得注意的可能是資訊取得與付費的問題。政府資訊政策的擬訂應以減少「資訊貧」與「資訊富」的差距爲首要目標。這個目標和資訊付費的概念捍格不入。聯合報 88 年 6 月 1 日有讀者投書，討論政府資訊應予免費的問題。投書中說：「我國的政府資訊可從「政府便民服務電子窗口」取得，以「使用者付費」爲原則，以最該免費及公開的「政府採購資訊公告系統」來說，半年會費是三千六百元，不退費，祇能查詢五百次，擺明著愈少人用愈好。」㉕政府資訊要收取工本費，在網路上截取的資訊是否要付費？付費若超過普遍公民的能力，是否是另一種資訊限制（censorship）？

美國自從在 1966 年通過「資訊自由法」（Freedom of Information Act）以來，政府即不遺餘力投入於資訊整理和資訊公開的工作，在公共和大學圖書館中設立政府資訊寄存圖書館，強調政府資訊和公共圖書館的電子化，以促進民意和政府部門的意見溝通。政府資訊公開是民主制度的基礎建設，而政府在各級圖書館中設立建全的寄存圖書館制度，用稅收來支應資訊服務的工本費，或者才能落實民眾自由平等獲取政府資訊的美意。

㈡檔案法

檔案法與政府資訊公開法有密切的關係。沒有良好的政府檔案生產和檔案管理流程，政府資訊公開法也只能流於形式。檔案法之研訂可以追溯至民國 75 年的全國行政會

㉓ 中國時報，88.5.2，三版社論「健全資訊民主是提升競爭力的基礎」。

㉔ 青年日報，88.5.25，二版社論「善用金檢調閱權，確實監督營運」。

㉕ 聯合報，88.6.1，十五版民意論壇「政府資訊免費便民服務的窗口」。

議，其中第一中心議題「提高行政效率，加強爲民服務」中討論項目即有「建立國家檔案管理及檔案資料縮影片國家制度」，決議由行政院研考會、行攻院秘書處、法務部、人事行政局，進行可行性研究。而國史館於民國 76 年奉總統府通知成立起草小組，著手研定國家檔案法草案，蒐集、翻譯國外 12 個國家有關檔案管理法規資料，並根據該館既有的管理史料辦法與經驗，於民國 78 年完成「中華民國檔案法」草案。同年，送請行政院研議，案經行政院研究發展考核委員會邀請檔案、法律、圖書館等方面之學者專家及檔案管理卓具成效之機關代表組成專案小組，參考國史館所擬草案架構及美、英、日等國檔案管理法令，並徵詢國民大會、總統府、立法院、司法院、考試院、監察院及行政院所屬各部、會、行、處、局、署及省（市）政府意見後，完成檔案法草案，共分「總則」、「管理」、「應用」、「罰則」及「附則」五章，計 28 條㉖。民國 81 年 1 月行政院研考會將此草案正式提報行政院，5 月送交立法院審議。檔案法於民國 86 年 5 月由立法院一讀通過，主要內容重點包括：

一、明定檔案管理以統一規劃、集中管理爲原則，並規定檔案管理作業中有關檔案分類、保存年限、銷毀及移轉等事項，授權國家檔案館訂定辦法規範。

二、明定微縮或其他方式儲存之檔案，經該檔案之機關確者，視同原案。

三、規定得向各機關申請閱讀、抄錄或複製檔案之情事，並列舉各機關受理或拒絕申請之事由。

四、明定國家檔案除情形特殊外，至遲應於三十年內主動開放。

五、規定將檔案非法運往境外、不當銷毀、僞造或變更、不當閱覽或抄錄檔案者之處罰㉗。

檔案法至今未能儘速通過，是十分令人遺憾的，近日發生軍史館學生查資料不幸遇害的社會事件原本是不應該發生的，如果檔案法和圖書館法都通過，各類檔案館皆有專業館員照章開館運作，提供專業的資訊服務，這些社會悲劇不該發生也不會發生。

㈢圖書館法

中國圖書館學會在民國 55 年第十四屆年會即有研擬「圖書館法」之提議。經學會努力數十年，至今仍尚未能通過立法程序。其研擬及推動立法之過程，可謂蓽路襤褸，備極辛苦之歷程。民國 62 年中國圖書館學會第二十一屆年會再度提出研訂「圖書館法」之

㉖ 行政院研考會（1997）。檔案法草案制定過程資料彙編，臺北市：編者，頁 11,12,55,62。

㉗ http://rdec.gov.tw:10080/law/law111.htm

建議，並著手撰寫草稿。隔兩年，民國 64 年在年會提初稿，次年送教育部審議，顯然並無具體進展。民國 68 年中國圖書館學會又藉中國國民黨召開中常會之機會，提請政府重視圖書館建設及立法等事項。至民國 72 年有較具體之進展，當時行政院頒布「加強文化及育樂活動方案」，其中建議文建會和教育部共同謀求圖書館法的研擬，邀請王振鵠教授主持研擬。

民國 78 年中國圖書館學會召開「全國圖書館會議」，促請教育部成立「圖書館事業發展委員會」，規劃圖書館發展，研擬相關政策、標準等事項。民國 79 年學會組成專案小組修訂「圖書館法」。之後，再送教育部法規委員會審議。民國 82 年公聽會中決議重新修訂該草案，學會再次修訂。民國 83 年 6 月教育部終於通過圖書館法草案，同年送行政院審議。許久的努力，終於使「圖書館法」草案有機會走出教育部。但並未獲院通過，重新送回學會研修㉘。民國 84 年，學會修正後又送部。經部、會往返多次研修，於民國 86 年 2 月終獲教育部再次通過，第二次送行政院審議。同年四月，行政院覆函教育部修訂部分條文。及至民國 87 年 1 月，修訂工作由行政院主導。民國 88 年 5 月 14 日終獲行政院通過，於 21 日送立法院審議。自民國 55 年由學會提議開始至民國 88 年年由行政院同意送立法機關審議，共經歷 33 年。若以民國 62 年著手撰寫草稿算起，也共歷經 26 年。

圖書館法草案共計 20 條，其要點包括：明定該法制定之宗旨及與其他法令適用之順序、明定圖書館之定義及各級主管機關、明定各類圖書館之設立機關（構）、服務對象及設立宗旨、明定圖書館設立與營運基準及技術規範之訂定及訂定機關、明定圖書館之服務理念，受著作權法合理使用之保護及其提供服務規則之訂定、明定圖書館之業務項目、明定各級主管機關得設立委員會，以促進圖書館事業之發展、明定各類圖書館合作組之建立及圖書館資源共享之方式、明定圖書館得自行報廢館藏之比率、明定國家圖書館爲出版品之法定送存機關，規定出版品送存之義務人與相關事項、明定圖書館輔導體系之建立，業務之評鑑及獎勵或補助事項、明定違反本法之罰則及逾期未繳納罰鍰之處理方式、明定本法之施行日期㉙。值得注意的是圖書館法草案第七條和第十五條，分別說明圖書館爲資訊自由之具體實現的機構，而十五條則規定圖書館爲國家法定的出版品送存機關。對於保護、收集本國文獻、推廣資訊使用有重要意義。至於圖書館法草案中

㉘ Margaret Fung (1995).「Library Laws of the Republic of China on Taiwan.」資訊傳播與圖書館學 1(3):21-22。

㉙ 圖書館法草案，民 88 年 5 月。

對於圖書館經營最有關鍵的經費來源和人員專業未能進一步規範，則至爲可惜。

如前所述，政府的行政部門在近年較之過往有許多值得喝采的積極作爲，但是立法的冗長過程常令人不能樂觀。圖書館法、檔案法都是文化建設和終身學習社會的基礎建設，立法部門應要有深切體會，文化和教育是百年事業，並不遜於其他重要的國家建設，不能等閒視之。

㈣網路管理法

我國於民國 83 年 8 月成立跨部會「國家資訊通信基礎建設」（NII）專案推動小組，該小組主要工作項目包括：網路建設、網路應用推廣、電子化／網路化政府、推動 TANET 到中小學、推廣 Internet 商業、規劃並建置終生學習網、故宮文物上網、法規研修及民間諮詢委員會工作計畫等。民國 86 年再成立「NII 法制推動工作小組」，由經建會負責召集，財團法人資訊工業策進會科技法律中心擔任幕僚。此小組以加速網路應用、促進資訊流通、防制網路電腦犯罪、提供公平公開之環境及增進市場活力爲工作原則，先後確認各項優先研修之法規與主辦單位，包括：電腦處理個人資料保護法、政府資訊公開法、著作權法、電信法、有線電視法、民法、網址登記規範等，攸關網路上身分確之「數位簽章法」，亦由行政院研考會召集經濟部相關機關擬制定中，以上針對網路所衍生各項問題進行修法或制定新法，以期有效規範網路利用㉚。至於對於是否需要制定「網路管理法」專法，有正反兩面的主張，正方認爲由於網際網路行業之蓬勃發展，已造成許多前所未見的問題，亦非傳統法令所能規範，應制定一套網路管理之專法，以資規範網路資源之合理使用。反方則爲由於網際網路變化萬千，在國內只能算是起步階段，如太早制定「網路管理法」，可能會限制了國內網路之發展，屆時，負面作用可能會超過正面之效益。以目前的情形而論，傾向於自由開放，亦即認爲在國內網路發展仍屬萌芽之際，似宜待上述等修正或制定之法規執行，視社會之實際需要，評估我國所需之「網路管理法」之具體內涵，再予決定「網路管理法」專法之最佳時機㉛。

㉚ 「制定『網路管理法』專法之必要性及目前世界主要國家相關立法情形研究報告」（民 87）。法務部公報，第 212 期，頁 93、100。

㉛ 同上註，頁 101。

四、未來展望

Relyea 曾說「資訊自由」的定義是變動的㉜。此言不虛。他舉例說明早期的資訊自由是指新聞自由（press freedom）而後演進到民眾可自由獲取政府資訊。美國的資訊自由相關法案主要在 1960 年代同時通過立法，如「圖書館建設法案」（Library Construction Act）、「圖書館建設暨服務法案」（Library Construction and Service Act）、以及「資訊公開法」（Freedom of Information Act）分別在 1956、1964 及 1966 年通過，足可見資訊開放和圖書館建設息息相關。同樣的軌跡正在我國發生，譬如出版法廢除之後，政府資訊公開法和圖書館法也相繼在立法院審定當中。相關法案快速通過，使圖書館資訊服務標準化、正常化是值得期待的。

資訊的取得透過立法排除政治限制的因素之後，資訊自由的新挑戰是什麼呢？資訊科技產生的「科技限制」（technological censorship）和資訊經濟論將是考驗資訊自由的新挑戰。資訊使用的收費議題是否考慮資訊的使用是國家提升人力素質的重要方法，而以實施國民義務教育的精神作為資訊政策之依據；或是將資訊視同經濟衍生商品，強調似是而非的「使用者付費」論斤計價？民眾對於資訊的獲取，除了可能受到資訊付費的限制之外，最大的挑戰應是科技限制，資訊數位化、網路化，不具備資訊科技能力的人即難以獲取資訊。資訊自由的新挑戰，也就是圖書館服務的新挑戰。

圖書館經營的精神在具體化憲法所賦予人民有言論及資訊的自由、在營造資訊自由的環境、在維護讀者知的權利。在讀者方面，圖書館要努力爭取讀者閱讀的權利；在出版方面，圖書館界要關心並參與爭取出版自由；在圖書館本身選書方面，要採取多元自由的選書原則，讓讀者在多元閱讀中，形塑自己，昇華自己。同時為避免讀者受到資訊付費和資訊科技的枷鎖，而至無法獲得資訊自由，圖書館員仍要注意資訊政策的公共議題，注意推展資訊素養教育，使民眾都有平等的立足點來接受資訊，進行終身學習。而圖書館學會研擬其專業倫理時，也不能忽略資訊自由正是圖書館服務的哲學基礎。

由於資訊自由的概念，在我國的社會尚不普及，尤其圖書館員的共識更有待建立。舉例而言，我國的圖書館員都能明白圖書館是守門員（gatekeeper）的角色，但是對於「守門」的角色究竟是傳統的篩選過濾資料給予讀者，或是確保不漏過任何的資訊給讀者，兩者之間仍有不同的看法。換言之，圖書館員在維護資訊自由和維護資訊查檢兩者之間

㉜ Relyea, Harlod (1996). Freedom of Information Revisited. In. Hernon, P & McClure, C.(eds.) *Federal Information Policies in the 1990s : Views and Retrospectives*. Norwood, N. J. : Ablex.

仍有不一致的看法。個人曾以美國圖書館界結合網路前衛人士致力維護資訊自由，而致使 1996 年美國最高法院判決「資訊端莊法案」（Communicate Decency Act）無效爲例，在很多場合非正式訪查本地圖書館員的態度，通常得到贊成與反對者各半的結果。這個現象既令人欣喜也令人迷惑。從言論自由的觀點而言是很好的，表示我國的圖書館員思考多元，對於公共議題也能勇於表達個人的想法，然而看法如此歧異，要匯成整體的專業影響力，更需努力營建共識。言論自由或資訊自由的眞諦爲何，有待更多的討論和澄清。

美國圖書館協會捍衛資訊自由不遺餘力，雖然早期也曾在做一個介入者，還是做一個不干預的中性角色等兩派理念之間擺盪，亦即是要採取限制的立場，或是採取不干與的立場，各有仁智之見。然而 1990 年代以來，其政策逐漸明朗，先後成立「資訊自由委員會」（Intellectual Freedom Committee）、「資訊自由辦公室」（Office of Intellectual Freedom）、架設網站記錄追蹤查禁圖書的狀態。1996 年「資訊自由手冊」第五版出版，內容完整，深有參考價値，包括圖書館權利法案、維護閱讀自由、預防查檢的重要預備工作、資訊自由的全方位概念、資訊自由和法律，以及資訊自由的推展等六大部份。第一部份圖書館權利法案，分項說明權利法案十六個子題的內容和歷史，包括：⑴兒童和青少年取得錄音帶和其他非印刷品的權利；⑵取得電子資訊、服務和網路的權利；⑶不分性別取得圖書館資源和服務；⑷學校圖書館媒體計畫可取得的資源和服務；⑸有異議之資料；⑹館藏發展的演進；⑺阻礙資訊取得的經濟因素；⑻圖書館館藏評鑑；⑼展覽空間和佈告欄區；⑽圖書資料的淘汰；⑾弱勢團體使用圖書館的權利；⑿推廣服務；⒀會議室；⒁限制取得的圖書館資料；⒂分類的說明；⒃自由表達的權利。第二部份陳述維護閱讀自由，包括八項宣言及其歷史發展，各項宣言爲：⑴閱讀自由宣言；⑵圖書館借閱記錄保密宣言；⑶圖書館使用者個人閱覽資訊隱私權宣言；⑷政府資訊之使用；⑸保障身心障礙者取用圖書館資訊權利宣言；⑹發展開發圖書館資料服務設施指引；⑺發展圖書館使用者行爲和圖書館使用相關政策程序指引；⑻圖書館資源整理程序。第三部份爲預防查檢的重要預備工作，內容有：⑴查檢之前之說明；⑵資料選擇政策研擬；⑶控訴處理之程序；⑷讀者紀錄保密政策研訂；⑸公共關係：資訊自由之宣導；⑹查檢制度：動機和策略；⑺壓力團體：政策、宗教、及圖書館的查檢制度。第四部份講述資訊自由完整的概念，包括：⑴資訊自由：完整的概念；⑵公共圖書館和資訊自由；⑶學校圖書館媒體中心和資訊自由；⑷學術圖書館和資訊自由；⑸聯邦圖書館和資訊自由；⑹州立圖書館機構和資訊自由。第五部份討論資訊自由和法律，包括：學校圖書館檢查制度和法庭；柏克萊修正案：學生隱私權和父母知的權利；公共圖書館為民眾資訊取得的第一道防線。最右一部份為資訊自由的推展，包括：⑴美國圖書館協會可以做什麼來幫助館員抵制檢查制度；⑵成立政府資訊自由委員會；⑶建立資訊自由聯盟；⑷從事資訊自由的遊說工作；⑸和檢查者周旋㉝。

資訊開放的社會，有利於圖書館的經營；反過來說，民主社會的維繫，有賴於理智思考、見解獨立的國民。圖書館提供資訊自由的機會和環境給其所服務的社群，透過提供的多元閱讀素材，正可以培養自由思考、獨立思考、理性思考的國民，有理性思考的民眾，民主社會、開放自由的社會才能成立。為了這個原因，圖書館事業便有了深耕的價值。

五、結語

資訊自由（Intellectual Freedom）是一種社會宣示。社會宣示除去社會群體對個人資訊活動的監督和限制，以利個別的人有完整的資訊活動的自由，包括言論自由、意見的表達、文字的書寫、印刷或電子媒體的流通傳佈。社會一旦放棄對個人資訊活動的監督和限制，而讓資訊活動回歸到個人，這個社會便有了資訊自由。爭取傳統的資訊自由是在解除外界環境加諸於個人資訊活動的限制。當外界的桎梏消去，未來更積極的資訊自由是在使個人內在資訊活動的層次更為自由，這個內在的資訊自由要透過閱讀和思考，使理性昇華，達到內在的自由和諧。

三百年前，法國盧梭提倡天賦人權，但事實上，人權和自由曾被人為剝奪，天賦人權，乃是人們前仆後繼努力爭取來的。四百年前的英國洛克和三百年前的盧梭倡議自由，主要的訴求在消除外界大環境加諸於個人的不自由。洛克甚至視「自由」（freedom）為個人內在的極大自我約束。消去外在賦予不自由的枷鎖之後，本應回歸個人內在理性的建構，換言之，除去外在環境對個人所設定的言論限制、思想限制，透過內在的資訊活動，使個體發現自己、約束自己、進化自己，是二十一世紀新時代的主要思潮，也是人類生命進化的新考驗。圖書館和圖書館員可以裝備自己，在政府還在醞釀資訊自由相關法案的同時，透過圖書館的資訊服務將這些資訊自由的政策逐步落實。

本文敬致沈寶環老師。他一向思考及思想靈動獨到，善於啓發和鼓勵後學者，特以

㉝ Office for Intellectual Freedom of the American Library Association (1996). *Intellectual Freedom*. 5th ed., Chicago : American Library Association.

本文祝賀他的八十壽辰，東海南山。

誌謝：感謝行政院研考會周曉雯小姐、國家圖書館王明玲小姐、淡江大學資訊中心陳燦珠小姐協助收集提供相關文獻，淡江大學教資所研究生姜杏蓉小姐協助謄稿，特此一並誌謝。

附表：我國資訊自由限制政策和相關法案及內容簡表

階段	西曆	中曆	事件	摘要
前民主政治時期	1898	光緒 24 年		「報律」一詞出現
	1901	光緒 27 年	頒行「大清律例」「增修統纂集成」有「造妖書妖言」條列於刑律盜賊類	嚴刑重罰，例如：「凡造讖緯妖書妖言，及傳用惑眾者，皆斬。若私有妖書，隱藏不送官者、杖一百，徒三年。」
	1906	光緒 32 年	「大清印刷物專律」	規定所有關涉一切印刷及新聞記載均須在京師印刷總局註冊，凡未經註冊之印刷人，不論承印何種文書、圖畫均以犯法論
	1907	光緒 33 年	頒行「大清報律」	各報館延不遵行，外人所設之報館尤甚
	1910	宣統 2 年	修改「大清報律」	民國成立後，各省尚有援用此律以壓制輿論者
民主政治初期	1912	民國元年	中華民國南京臨時政府成立，公布「臨時約法」，擬訂「暫行報律」，當時新聞界力持反對，臨時大總統　孫中山先生親自下令撤廢	「臨時約法」第二章第六條第四項規定：「人民有言論、著作、刊行及集會結社之自由」「暫行報律」爲清廷「大清報律」等言論限制之延續
	1913	民國 2 年	憲法起草委員會制定「憲法」	第三章第十條規定：「中華民國人民有言論、著作及刊行之自由，非依法律不受限制。」，但中經洪憲及督軍團之禍，屢議屢輟，民 12 年改爲第十一條
	1914	民國 3 年 4 月 2 日	袁世凱公布「報紙條例」35 條	取締報紙甚嚴
	1914	民國 3 年 12 月 5 日	袁世凱公布「出版法」23 條	取消言論自由的約法，此爲袁氏壓制言論之手段
	1916	民國 5 年	黎元洪廢袁氏「報紙條例」	
	1926	民國 15 年 1 月 29 日	段祺瑞廢袁氏「出版法」	

	1930	民國 19 年 12 月 16 日	國民政府公布施行「出版法」	嗣後曾六度修正： 第一次修正：民 20-24 年 第二次修正：民 25-26 年 第三次修正：民 41 年，六項要點： ㈠發揚憲政政精神；㈡加強出版保障；㈢積極獎勵出版；㈣放寬記載限制；㈤簡化行政管理；㈥減輕處罰規定 第四次修正：民 47 年 第五次修正：民 62 年 第六次修正：民 86 年
前戒嚴時期：臺灣光復初期	1945	民國 34 年 10 月 5 日	臺灣省警備總部在臺北成立前進指揮所	
	1946	民國 35 年 7 月 1 日	實施電影檢查制度	
	1946	民國 35 年 12 月 25 日	制定中華民國憲法	
	1949	民國 38 年 5 月 9 日	公布動員戡亂時期臨時條款	
戒嚴時期	1949	民國 38 年 5 月 20 日	政府遷臺，實施戒嚴	戒嚴法第十一條各款中，規定戒嚴地域內最高司令官可停止集會結社及遊行請願；得取締言論、講學、新聞雜誌、圖畫、告白、標語暨其他出版物；禁止人民罷市、罷工、罷課及其他罷業；拆閱並扣留郵信電報；檢查入出境之船舶、車輛、航空機及其他通信交通工具和有嫌疑之旅客；檢查並扣留私有槍砲、彈藥、兵器、火具及其他危險物品；檢查可疑住宅；限制人民遷入或退出戒嚴地域；徵收民間可供軍用之糧食等，故衍生而出的法令包括：「臺灣省戒嚴時期間防止非法集會、結社、遊行、請願、罷課、罷工、罷市、罷業等規定實施辦法」、「臺灣省戒嚴期間新聞紙雜誌圖書管制辦法」、「檢查取締禁書報雜誌影劇歌曲實施辦法」、「管制匪報書刊入口辦法」等。 出版物有淆亂視聽足以影響民心士氣、挑撥政府與人民情感……等各種情形者，一律查禁 凡已列入違禁目錄之出版品，檢查小組得隨時予以查扣 出版品的管理由警備總司令部負責 戒嚴法於民國 76 年解除

	1949	民國 38 年 8 月	政府公布「臺灣省新聞雜誌資本限制辦法」	其後陸續發布了十餘種法令，「限紙」、「限張」、「限證」、「限印」，還有不成文的「限價」
	1950	民國 39 年 3 月	政府公布「臺灣省戒嚴期間新聞雜誌管制辦法」	規定禁載事項頗多，如：詆毀政府首長、所載違背三民主義、挑撥政府與人民情感、散佈失敗投機言論、洩漏未經軍事新聞發佈機關正式公布之軍事機密……等均可查禁
	1951	民國 40 年 6 月 10 日	行政院發布臺四十教字第三一四八號訓令	第七點規定：「臺灣省全省報紙、雜誌已達飽和點，爲節約用紙起見，今後新申請登記之報社雜誌通訊社，應從嚴限制登記。」此「限證政策」是有關報導最早見乎法令的明文規定。民國 77 年報禁解除。
	1952	民國 41 年 4 月 9 日	政府公布施行修正之「出版法」	第四章第二十八條規定：出版品所需紙張及其他印刷原料，主管官署得視實際需要情形，計畫供應之。
	1953	民國 42 年	「臺灣省戒嚴期間新聞紙雜誌圖書管制辦法」	凍結各報用紙
	1953	民國 42 年 11 月	內政部制訂「戰時出版品禁止或限制登載事項」九項	此「九項禁例」引起輿論反彈，前後只公布施行了五天
	1955	民國 44 年 4 月 21 日	「戰時新聞用紙節約辦法」	限制報紙篇幅及張數
	1958	民國 47 年 6 月 28 日	總統公布實施修訂之「出版法」	主管官署對違法出版品有：警告、罰鍰、禁止出售散佈進口或扣押沒入、定期停止發行、撤銷登記等行政處分權
	1987	民國 76 年 7 月 15 日	總統宣告解除臺灣地區戒嚴令	臺灣地區實施戒嚴共計 38 年（民 38-76 年）
	1988	民國 77 年 1 月 1 日	報禁解除	臺灣地區實施報禁共計 37 年（民 40-77 年）
後戒嚴時期	1996	民國 85 年	行政院研考會進行「政府資訊公開制度」之研究，但此草案仍未立法通過	實現「公開政府」之理念，使人民有充分資訊以監督施政 保障人民「知的權利」 促進資訊流通利用，增強競爭力
	1999	民國 88 年 1 月 12 日	立法院會通過廢止「出版法」	民國 19 年政府公布至民國 88 年廢止，共歷經 70 年
	1999	民國 88 年 4 月 29 日	行政院通過「政府資訊公開法」送立法院審議	

	1999	民國 88 年 5 月 21 日	行政院通過「圖書館法」送立法院審議	

資料來源：尤英夫（民 80），「從憲法出版自由探討我國現行出版法制」。中國比較法學學會會報，第 12 輯，頁 41。

戈公振（1990 影印 1928 年商務印書館版）。中國報學史。上海：上海書店，頁 333,340-342,349,359。

李瞻（民 76）。「修訂出版法之商榷」。報學 7:8，頁 81-82。

洪德旋（民 80）。「現行大眾傳播媒體法制——出版法、廣播電視法實務之檢討」。中國比較法學學報，第 12 輯，頁 15-39。

胡道靜（1990 影印 1935 年上海通志館版）。上海新聞事業之發展。上海：上海書店，頁 39,41。

馬心韻（民 77）。「解除戒嚴實施國家安全法」政策分析研究。臺北市：大新書局，頁 35,38-42。

陳國祥、祝萍（民 77）。臺灣報業演進四十年。臺北市：自立晚報。

葉俊榮主持（民 85）。政府資訊公開制度之研究。臺北市：行政院研考會，頁 22-28。

其他參考文獻

「Citizen Rights and Access to Electronic Information」

http://www.eff.org/pub/CAF/library/elec.rights1-4

「Intellectual Freedom and Censorship」

http://www.la-hq.org.uk/ifac.htm

「Intellectual Freedom Statement」

http://www.eff.org/pub/CAF/library/int-freedom.ala

「世界人權宣言=Universal Decalaration of Human Rights」

http://www.lins.fju.edu.tw/~mao/humanright.htm

「Intellectual Freedom and Librarianship」 *Encyclopedia of Library and Information Science* (1974) (vol. 12 , p. 169-185).

Rabina, Debbie L. (1999). FOIL and FOIA Compared：A Comparison Between the Freedom of Information Law in israel and the U.S. Freedom of Information Act. *Journal of Government Information* 26：2, p.89-108.

地方文獻電子化問題與實作

陳昭珍
國立臺灣師範大學社會教育學系副教授

一、何謂地方文獻

所謂地方文獻是指和地方歷史、地理、人文、產業等相關之資料。若就資料的載體型式而言，地方文獻之類型有圖書資訊、文物資訊，視聽與電子資訊等；其中圖書資訊包括：圖書、期刊、簡牘、寫卷、書冊、手稿、圖繪、報紙、檔案、書信、日記、研究調查報告等等。文物資訊包括：陶文、甲骨、金石文字、印文、磚文、鏡銘、甲骨卜辭、鐘鼎彝器、建築、手工藝等等。視聽與電子資訊包括：口述歷史或民謠的錄音資料、布袋戲、歌仔戲、皮影戲等的錄影資料、地方文物的展覽、演出光碟、網路上的相關網頁或電子報等。若依資料的內容分，地方文獻可分為：古物、古蹟、民俗及有關文物、自然文化景觀、文學、藝術、史料；而如果從數位化的觀點來看，則地方文獻可分為：有文字資料、圖片（包括地圖、照片）、聲音、視訊資料等等

二、數位化之目的

目前在臺灣從事地方文獻之收集、整理與保存的單位主要有學術界、政府單位（中央及地方政府，尤其是文化中心）、基金會、民間的文史工作室等方面的機構。根據我們的調查顯示，雖然各文化中心及相關文史工作室、基金會等大都尚未有建立地方文獻資料庫的計畫，但都認為將地方文獻數位化是必要的工作。❶我們認為，數位化不僅是將傳統媒體轉換成電子檔的工作，還具有下列之意義：

1.數位化可藉由網際網路，傳播即介紹地方歷史與特色

---

❶ 地方文獻數位化模式及相關標準研究小組，「地方文獻數位化模式及相關標準研究報告」，民八十八年六月。

2.凝聚地方情感、建立文化認同與價值體系。

3.可有效地保存地方相關資料。

4.可建立有價值的資料庫，成爲有益於教育、學習、研究的素材。

三、那些文獻應數位化

地方相關資訊非常多，數位化的成本又非常昂貴，到底那些東西應該數位化呢？我們認爲可以從幾個方面來說：

1.想要有計畫的建立某一現存檔案的資料庫：如現藏某名人的手稿、日記、書信等，由於這些資料是現成的，所以不必再花時間蒐集；

2.想要有計畫的建立某一主題的資料庫：如客家山歌資料庫，地方藝術家資料庫、地方古蹟資料庫、地方歷史資料庫、古老的風俗資料庫等，這些資料可能有部份是現成的，但爲了主題的完整性，及保留古老的風貌，可能要進行相關研究及地方遺老的采風工作。

3.就現存館藏中較有價值者建立資料庫。這種作法並無固定的方向，比較就保存的角度在做數位化工作。

四、地方文獻系統架構

由於網際網路及全球資訊網（WWW）的日益普及與成熟，使得資訊系統的發展由主機／終端機模式（host/terminal）、二層式的主從架構（two-tier client/server）演變成三層式（three-tier）主從架構。所謂三層式的系統，從使用者的角度而言，主要是透過通用的瀏覽器，如 IE 或 Netscape 來瀏覽（browsing）或查詢（searching）資訊。瀏覽與查尋是使用資訊的兩種方法，瀏覽及超連結是 Web 環境的特色，這部份目前大都以 HTML 語言來處理，查詢則須建立資料庫、透過 CGI 程式來查詢資料庫系統，並將查尋結果轉回 HTML 語言，顯式在 Web 上觀看。其架構如下圖所示：

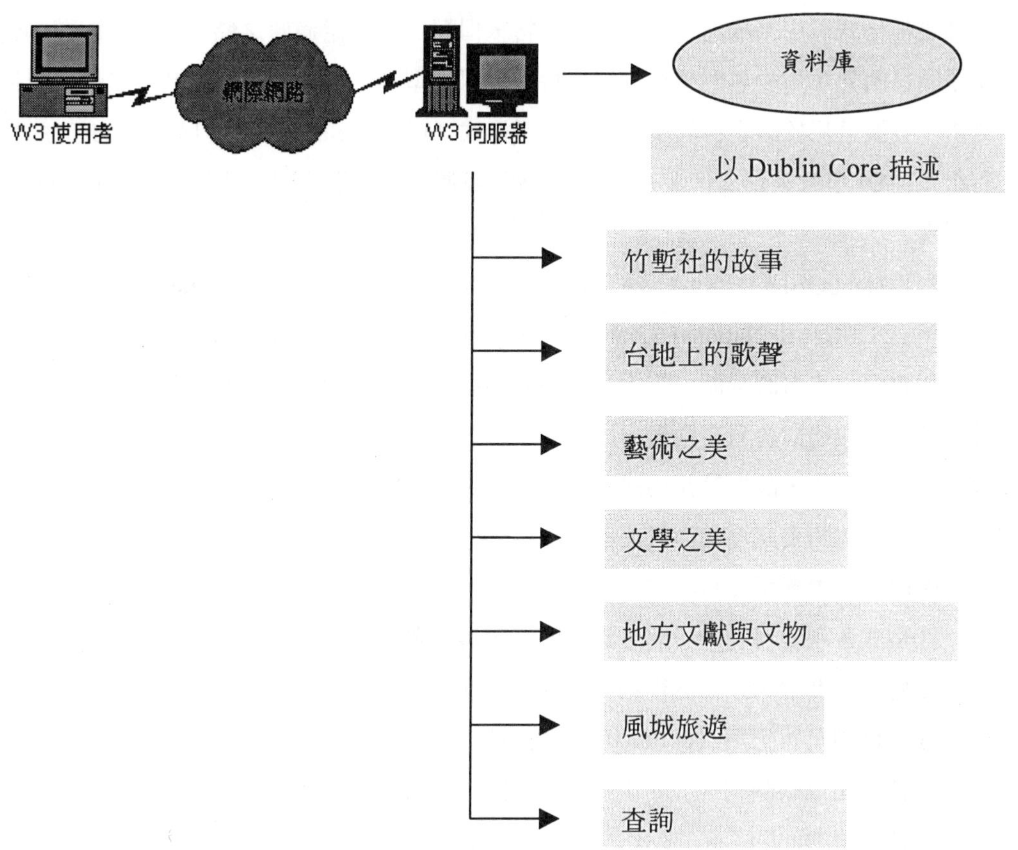

圖一：地方文獻數位化系統架構圖

若再深入細分，上述簡單的系統架構主要又可分爲網頁部份、書目資料庫部份、及數位化檔案部份。茲分別說明如下：

㈠網頁部份

網頁部份主要是用 HTML 撰寫，這個部份可就文化中要呈現的地方文獻來分類，如上圖中簡單的將新竹的資料分爲：竹塹社的故事、臺地上的歌聲、藝術之美、文學之美、地方文獻與文物、風城旅遊，及資料庫查尋部份。網頁上所需要連結的數位化檔案乃由數位化檔案連結出來的。

㈡書目資料庫部份（屬性資料部份）

爲有效的資訊查尋，必需要有以簡馭繁的方法，如圖書館以建立目錄作書目控制，並提供線上查尋服務。圖書館界用來描述書目資料的標準是編目規則與機讀編目格式，雖然這種格式可用來描述各種類型的資料，但難免有削足適履之憾。所以在網際網路及電子圖書館界，不少專門學科領域或特殊資料類型領域的人，紛紛就其資訊性質及使用需求，發展適用於該資料類型的屬性資料格式（或稱 metadata），目前 metadata 的格式有很多種❷，但考量到文化中心的人力問題，我們建議用最簡單也是最共通的 Dublin Core 來處理。

都柏林核心集（Dublin Core，簡稱 DC）是 1995 年 3 月由在 Online Computer Library Center（OCLC）和 National Center for Supercomputing Applications（NCSA）聯合贊助的研討會中，來自圖書館、電腦和網路方面五十二位學者、專家共同制定出來的資料描述格式，此次研討會只有兩天半的時間，為能在短暫的時間內，完成制定出一網路資源描述格式之目標，故對於此格式的制定，事先定出幾項規定：❸

⑴只描述對資訊蒐尋而言之必要項目

⑵限於文獻類型資料的描述

⑶格式各項資料易於了解，語法簡單，避免難於使用

⑷應具延展性，以便於容納其他既存之描述格式

⑸項目應具可選用（optional）、可重複（repeatable）、可限制（modifiable）等特性，如以限制詞（qualifiers）加以限制。

此外，將 Dublin Core 設計之目的設定為：❹

⑴提供一簡單、可交換的資料描述格式

⑵由作者或出版者提供描述資料

⑶跨領域查詢時語意必須互通（semantic interoperability）

1. Dublin Core 描述項目與結構

在上述原則下，研討會順利達成目標，制定出十三個資料項的 Dublin Core elements，這十三項資料內容如下：❺

Subject　　：作品之主題

---

❷ 陳昭珍，「虛擬圖書館書目控制與資訊組織問題之探討」，八十六年度國科會專題研究成果報告。

❸ Lorcan Dempsey and Stuart L. Weibel, "The Warwick Metadata Workshop: A Framework for the Development of Resource Description", available at http://hosted.ukoln.ac.uk/mirrored/lis-journals/dlib/july96/07weibel.html

❹ 同上註。

❺ 同上註。

Title　　　　：作品名稱

Author　　　　：主要作者

Publisher　　：出版者

Other Agent ：其他輔助作者，如編輯者、繪圖者

Date　　　　：出版日期

Object type ：作品形式，如小說、詩、字典

Form　　　　：作品格式，如 PostScript file 或 Windows executable file

Identifier　：識別號碼或符號

Relation　　：與其他物件之關係

Source　　　：作品出處

Language　　：作品語言

Coverage　　：作品之時間、空間

就功能而言，我們可將這十三項資料項依其功用可分成三類：

⑴檢索點項：含 Title, Subject, Author, OtherAgent, Identifier

⑵協助辨識項：含 Publisher, Date, Objecttype, Language, Form, Coverage

⑶與其他物件之關係：含 Relation, Source

後來在 1996 年的 CNI/OCLC Image Metadata Workshop 會議中，考慮到影像資料的描述需求，將上述 13 項描述資料之名稱稍做修改，同時又加了二項資料，使 DC 變成 15 項，詳細內容如下：❻

Title：作者或出版者所給的資源名稱

Author or Creator：對作品內容負主要責任之人或團體

Subject and Keyword：表達資源主題內容之關鍵字、片語、分類敘述等

Description：表達資源內容之文字，如摘要

Publisher 將資料以目前之形式呈現出來之負責單位，如出版社、公司

Other Contributors：除著錄於 Creator 者外，其他對作品內容有貢獻之人或團體

Date：資源以目前形式呈現之日期

Resource Type：資源類別、如 home page，novel，poem，working paper，technical report，

---

❻ Stuart L. Weibel and Eric J. Miller, “Image Description on the Internet:Summary of CNI/OCLC Image metadata Workshop,” http://www.oclc.org/research/publications/review96/image.htm

essay，dictionary 等等。

Format：資源之格式，如文字檔/HTML、ASCII、Postscript 等，或為執行檔、JPEG 等

Resource Indetifier：用來辨識資源的數字或字串

Source：該作品原衍自於何處

Language：資源之語言

Relation：此作品與其他作品之關係

Coverage：此作品所涵蓋的時間及空間

Rights management：此項目主要以動態方式連結到一伺服器上所註明的著作權宣告

2.我們對 Dublin Core 的作法

Dublin Core 只有十五個欄位，但可以用 qualifier 及 scheme 來擴充它，但我們在雛形系統中只使用最原始的 Dublin Core（Simple Dublin Core），這些欄位的內容及資料結構建議如下表所示：

表一：Dublin Core 欄位內容及記錄結構

欄位縮寫	中文名稱	英文名稱	可重覆	索引	內容說明
TY:	資料類型	Type	Y	Y	說明資源的類型，如資料為原件、
FO:	檔案格式	Format	Y	Y	影響到應該用那一種工具來存取、顯示或作業的資料屬性，如 MIME, VHS, JPEG…
TI:	題名	Title	Y	Y	資料的名稱
DE:	描述	Description	Y	Y	資料的描述，如摘要
SU:	主題	Subject	Y	Y	主題，該資料內容中相關的人、事、時、地、物
CR:	創作者	Creator	Y	Y	作者、創作者
CO:	貢獻者	Contributor	Y	Y	編輯者、翻譯者、贊助者
PU:	出版者	Publisher	Y	Y	出版者
DA:	創作年	Date	Y	Y	出版年、創作年
ID:	識別號	Identifier	Y	N	可識別該作品的號碼或文字
SO:	來源	Source	Y	Y	作品衍出處、來源
RE:	與其他作品的關係	Relation	Y	Y	用來描述層級或替代物與原件之關係，如作品是某作品的一部份、另一作品的某一版本，另一作品的某一格式
LA:	語言	Language	Y	Y	作品內容的語言而非編目語言或 title 的語言
CV:	範圍	Coverage	Y	Y	作品所涵蓋的時間或空間範圍
RI:	權限	Rights	Y	N	智慧財產權或使用權限之敘述

在我們的雛型系統中，我們採用漢珍公司的 TTS 系統來處理 Dublin Core，因爲這個系統可以由使用單位自訂欄位，較有彈性。實際的記錄內容請參見附件一。資料轉入後，其檢索畫面及檢索結果如下列兩個畫面所示。由於只是一個芻型系統，所以資料量不多，查尋「山歌」二字，共得到 6 筆書目資料，每筆書目資料後面，都有相關之數位化的的連結。可惜這套系統並未考慮資料交換的問題，所以我們也以最簡單的屬性——值的方式來建立詮釋資料。事實上，目前 Dublin Core 發展單位及 CIMI（Consortium Computer Interchange for Musuem Information）等正積極將 Dublin Core 以 XML（Extensible Markup Language）及 RDF 格式包裝成交換格式，簡單的 XML-Dublin Core 之著錄實例，請參可附件二。

圖二：地方文獻數位化雛型系統中的資料庫查尋畫面

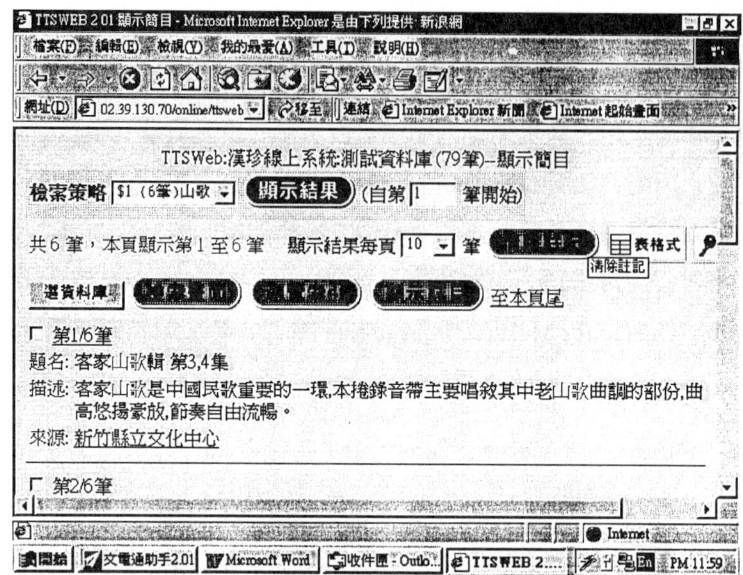

圖三：地方文獻數位化雛型系統中的資料庫查尋結果

我們在國科會的數位博物館專案——資訊組織與檢索規範計畫中，設計了一個多屬性資料格式（multimetadata）的輸入及轉換系統，稱爲 Metalogy。此系統主要的概念如圖四所示。在系統內部會有一個由權威單位所制定的完整欄位表，這個欄位表的核心欄位（或稱 core metadata）是 Dublin Core，其他欄位是我們參考各種專門領域的 metadata 及分析中文史料的特行，及使用者的需求所設計的欄位。使用單位可以由此欄位表，選擇其適用的欄位，不過核心欄位是每個單位都必需選擇的部份，以確保未來有共通的、基本的欄位可以交換。資料要交換時會用 XML 語法包裝，未來也考慮將資料以 RDF 的結構來組織，這應該是一個較有長遠發展的作法。❼

❼ 陳雪華、陳昭珍、陳光華，「數位圖書館/博物館中詮釋資料之理論與實作」。圖書館學刊，第十三期（民國 87 年 12 月）：頁 48。

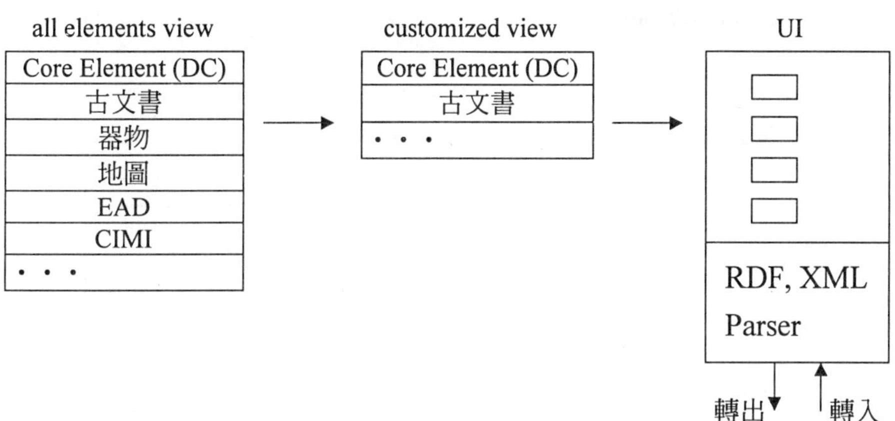

圖四：Metalogy 系統架構圖

該系統目前已完成部份的設計，可供使用單位做 metadata 的管理及詮釋資料的輸入，系統部份畫面如圖五、圖六所示：

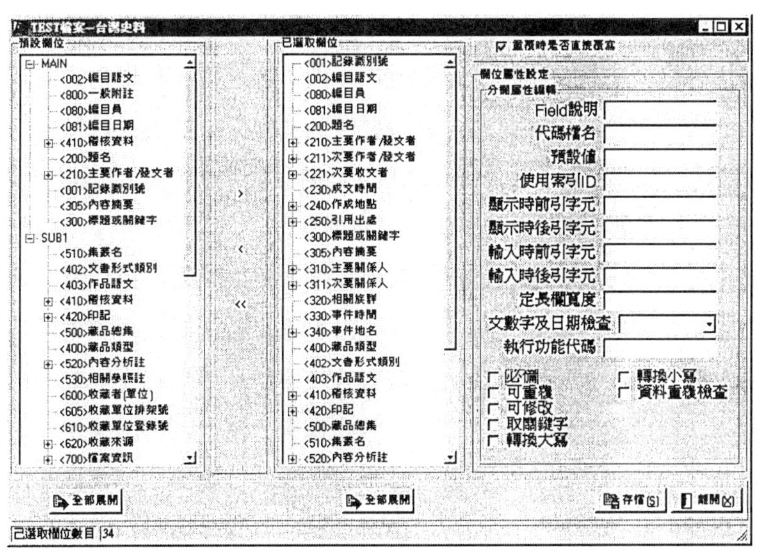

圖五：Metalogy 系統 metadata 管理畫面

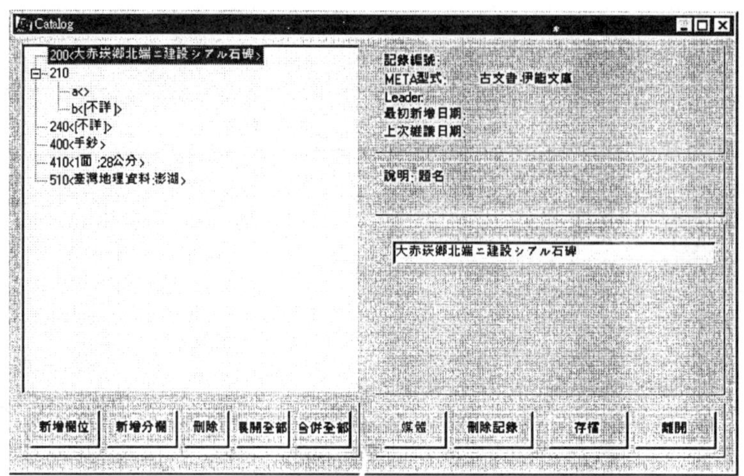

圖六：Metalogy 系統屬性資料輸入畫面

㈢原始資料數位化部份

地方文獻的類型雖可依資料類型分、依資料內容分、以資料來源分等各種角度來看，但就數位化而言，就是四種檔案格式：文字檔、影像檔、聲音檔、視訊檔。如果要數位化的資料是由電腦打字的文字檔，如地方志，則本身就是一數位化的文字檔，若要數位化的文字是過去的手稿或印刷資料，如果要做全文檢索，則需重新打字，如果不做全文檢索，則只須建立詮釋資料，並將原件掃瞄，此時該文字資料經掃瞄後，會存成影像檔。若為照片、圖片、地圖等資料，則只能掃瞄成影像檔。文化中心除了上述靜態的資料外，往往會採集地方歌謠，或請名人演講，而保存錄音帶或光碟，這些聲音的資料需使用相關的聲音處理軟體，製作成聲音檔。若為錄影帶等資料則需以視訊軟體製做成視訊檔。由於影像檔、聲音檔、視訊檔無法直接被有效的檢索，所以和文字檔一樣，都要另外製做詮釋資料（或稱書目資料），方能被有效的檢索。使用者經由檢索介面，找到他所要的書目資料後，若該書目資料中記載著該筆資料有數位檔案，再透過連結，叫出該數位檔，並使用相關的軟體，觀看或播放該數位資料。有關書目資料庫與數位化檔案的關係請參考圖七。

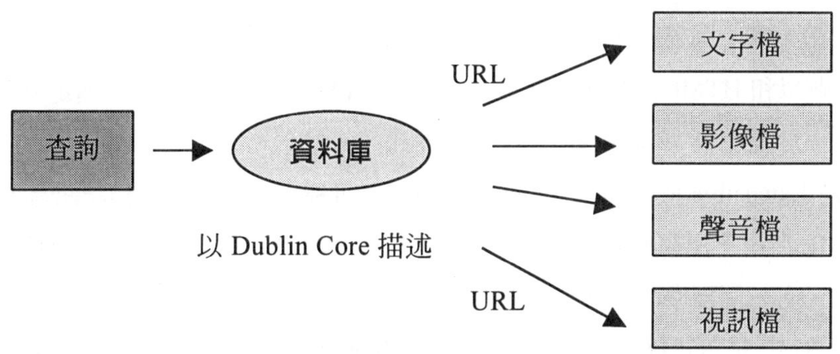

圖七：書目資料庫與各種數位化檔案關係圖

各種資料數位化時，必須考量到使用者的設備、使用的便利性、資訊檢索的需求、網路上資料的傳輸速度、資料的永久保存等問題。有關各種資料數位化的方法及標準，再詳細說明如下：

1. 文字資料

文字資料可分爲兩種，一種是可檢索的文字檔，另一種是將紙本的文字經過掃瞄複製成影像檔，若爲影像檔則和圖片資料所用的檔案格式一樣，於下節介紹。可檢索的文字檔因其處理平臺不同，會有不同的檔案格式，爲使資料能在不同平臺間交換，同時又能保留該文獻原有的結構標示訊息，因此最好是用獨立於任何軟硬體的檔案格式儲存。大部份的電子圖書館皆採用 SGML 格式，美國國會圖書館的 American Memory 亦然，並設計 American Memory DTD 做爲標示這類資料的標準，同時也將此格式轉爲 HTML 格式以便於在 WWW 瀏覽器上閱讀❽，此外，SGML 也是美國國防部的所採用的標準。SGML 是 Standard Generalized Markup Language（標準通用標誌語言）的簡稱，它是國際標準組織所接受的文件交換標準，即 ISO 8879:1986。SGML 是建立文件結構的語法規則，它並不直接規定文件結構爲何，以及應使用何種標記（tag），而只規定描述性標誌之原則與文法規則。

SGML 可讓我們用來定義各類型文件之文件類型定義（Document Type Definition，簡稱爲 DTD），指定文件的結構及描述標記，使得相同類型之文件的描述方式相同，而促成跨平臺傳輸。所以 SGML 文件具有：獨立性、交換性與長久可轉換性。SGML 雖然

---

❽ Cart Fleischhauer, " Digital Formats for Content Reproductions," http//memory.loc.gov/ammem/formats.html

是一國際標準，電子圖書館、大廠商等有長久保存資料需求者也大都採用，但其架構仍過於複雜，難以和 HTML 一樣，全面普及。可是 HTML 又太簡單，無法滿足網路上各種環境的需求，於是在 W3C 的推動下，XML 興起了。

XML 是 Extensible Markup Language 的縮寫，可稱爲「可延伸的標誌語言」，XML 也是從 SGML 所衍生出來的簡化格式，和 HTML 一樣，其目的都是希望在全球資訊網頁面的製作上，有一個標準而又切實可行的簡單標誌語言，不同的是，HTML 是單一的固定格式，而 XML 是可以擴充的靈活格式。它有別於 HTML 那種單一固定格式的語法，使用者可依據自己的需要來設計 tag，使我們產生的文件具有完整的結構，但又不失簡單的特性，及在 Web 環境中能互通的標準語言格式。比起 SGML，XML 要簡單和靈活好用很多，它把很多在 SGML 底層非常複雜的語法結構隱藏起來，但卻使整個結構非常靈活又容易擴充，因此使得要開發應用程式軟體來處理 XML 格式文件，成爲一件非常容易，而不是遙不可及的工作。

所以，XML 本身不是一個單一的標誌語言，它是一種元語言（meta-language），可以被用來定義任何一種新的標誌語言。像 HTML 之類的傳統性標誌語言，是用來定義某一類文件的格式，以便於展示或列印；而 XML 則是可以用來創造新類別文件的格式定義，也就是在 XML 之中創造出很多不同的標誌語言，用來定義各種不同的文件類別。在 Internet 上，可以找到很多現成的 SGML 用的 DTD 檔案，且有很多已經轉換成爲 XML 的 DTD 格式。

此外，目前 Adobe 公司的 PDF（Portable Document Format）格式也廣受電子期刊界使用，其未來發展也頗值得注意。不過 PDF 的精神和 SGML 不同，它不是在做資料的結構性標誌，兩者之功能可以相輔相成，並不衝突。在我們的雛形系統中，由於時間及所獲得之材料有限等因素，全文資料主要做 HTML 標誌，呈現在網頁上。

2.圖片資料

掃瞄的圖片在網路上使用，最大的困難是檔案太大，因此必需壓縮，但也必須考慮資料長久保存之需，而另以不壓縮的格式儲存。所以在 American Memory 計畫中，每一份圖片都製做成三種檔案格式，一種是要和書目資料一起出現的小圖檔（thumbnail），以 GIF 格式儲存，一種是讓使用者在網路上下載的壓縮檔，以 JPEG 標準壓縮成 JFIF 檔，另一種則是爲長久儲存之用的不壓縮檔，以 TIFF 的格式儲存。❾

---

❾ ibid.

3.聲音資料

網路環境中的聲音與動態影像資料雖然已有很多，但就傳輸速度而言，這兩種類型資料的檔案格式，還較不穩定、仍會有持續的發展。美國國會圖書館的每一份聲音資料都錄成兩種檔案格式，一種是 Microsoft 的 WAVE 檔，另一種是 Progressive Networks 公司發展的 RealAudio format（RA）檔。❿此外，由於技術的日漸成熟，MP3 已漸漸成爲新的聲音資料壓縮標準。

4.動態影像資料

動態影像的檔案格式包括：MPG 檔、AVI 檔、DL 檔、MOV 檔、GL 檔、FLI/FLC 檔等。其中 MPG 檔是 ISO 國際標準之下製作動態影像所制定的標準檔案格式。而這個格式爲動態影像專家協會（Moving Pictures Experts Group）所發展。AVI 檔則爲 Audio Video Interleaved 的縮寫，乃 Microsoft 爲支援 Window 中動態影像之播放而推出之格式。這種格式推出的目的在於讓無特殊配備之環境，能同步播出聲音與影像的訊息。由於檔案中可儲存聲音與影像資料，節省電腦存取的時間。另外 MOV 檔爲 Apple 公司在推出 Macintosh System 7.0 時，爲了提供 Apple 電腦動態影像之播放而推出之格式，該格式爲整合 Quick Time Movies 系統而使用之檔案。各種檔案格式中，MPEG 較受普遍採用，不過 MPEG 有好幾種標準：MPEG-1 的壓縮提供利於傳輸處理的動態影像以供一般光碟機播放。MPEG-2 的技術則針對 MPEG-1 畫質不良而加以改進，採用較低的壓縮以換取較佳的影像。傳輸率的問題也在 MPEG-2 標準中獲得改善。此外，另有 MPEG-3 的標準提供 HDTV 的設計標準，MPEG-4 則採用更高的壓縮標準以供網路通訊的傳輸之用。MPEG 壓縮的方式除了簡化單張靜止畫面的儲存空間外，更對於連續畫面間重覆的畫面予以簡化。

美國國會圖書館的視訊檔都製作成二種檔案格式，一種是 MPEG-1，另一種是 Apple Computer 公司的 QuickTime 格式。⓫

㈣整合檢索部份

對使用者而言，他所要使用的資料庫往往不會只有一種，譬如客家文化除了在新竹縣立文化中心可以找到一些外，桃園、苗栗、高雄、屏東等文化中心也應該會有，此時一個研究客家山歌的學者，若要做比較研究時，會需查尋各個相關資料庫。所以提供一

---

❿ ibid.

⓫ ibib.

個整合檢索的環境，是非常必要的，也是圖書館的責任。目前能提供分散式系統整合查尋的作法，主要是採用 Z39.50 標準⓬，其系統架構如圖八所示。由於 Z39.50 是一個國際性的標準，也廣被歐美國家在圖書館自動化系統、商業性資料庫及電子圖書館系統等採用，所以透過 Z39.50，不但可以做區域性的整合檢索，更是國際性的整合檢索的基礎。

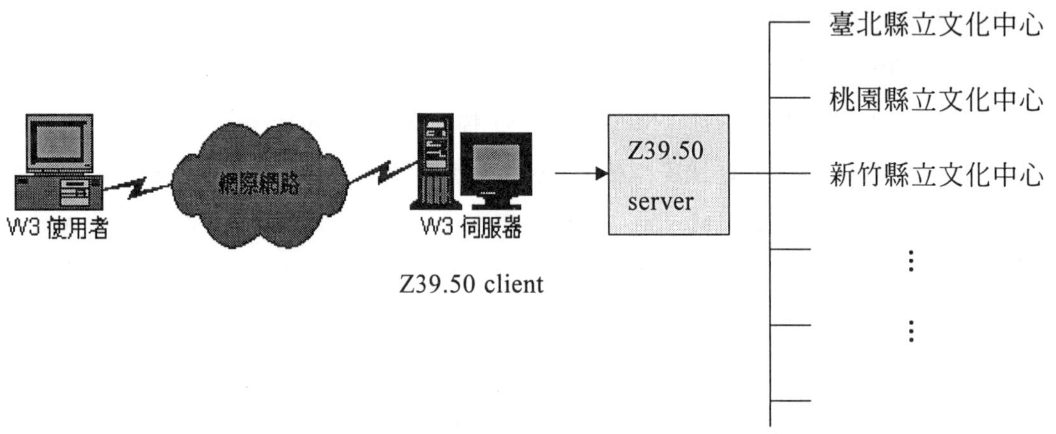

圖八：全國公共圖書館各類資料庫整合檢索示意圖

五、結語

網際網路已漸漸成為主要的出版及發行、傳播的工具，因此若要有效的保存及推廣地方文獻、展現地方特色，應藉助於網際網路相關環境與設備，將地方文獻加以數位化。但數位化若無長遠的規畫，每個單位各行其事，最後將造成資源無法分享或長久保存的結果，因此探討地方文獻電子化模式並制訂地方文獻數位化相關標準，作為整合地方文獻的基礎，的確有迫切的需要。

⓬ 陳昭珍，「電子圖書館的整合檢索」。圖書館學與資訊科學，24 卷 1 期（民 87 年 4 月）。

附件一

*****

TY：影像檔

FO：jpg

TI：丈單（竹塹社）

DE：立給丈單字（竹塹社）番業主廖傳祖立

SU：古文書

SU：丈單

SU：竹塹社

SU：廖傳祖

CR：廖傳祖

DA：同治 4 年

ID：chi001

SO：臺灣分館

RE：古文書之丈單

LA：中文

CV：竹塹社

RI：智慧財產權由館藏單位（臺灣分館）所有

*****

TY：影像資料

TY：聲音資料

TY：替代物

FO：VHS

TI：新竹市—竹塹米粉情

DE：利用兒童劇場及實際操作方式表現米粉的製作過程與新竹米粉的文化背景。

SU：蘇忠

SU：洪惠冠

SU：徐素霞

SU：鄧淑慧

SU：林錦清

SU：程士新

SU：米粉

SU：水粉

SU：新竹市

SU：客雅溪

SU：惠安

CR：臺視文化公司製作

CO：臺灣省政府文化處贊助

PU：臺灣省政府文化處

DA：民國 87 年

ID：chv003.avi

SO：臺灣省政府文化處

RE：臺灣文化節北區活動專輯的第四部份

LA：中文北京語

CV：87 年新竹市

RI：

*****

TY：影像資料

TY：聲音資料

TY：替代物

FO：VHS

TI：新竹縣—大隘風雲

DE：介紹新竹縣大隘三鄉北埔、寶山、峨眉地方，清代由官方、客、閩籍族群所共同開發之地，是族群融合的表現。尤其金廣福乃當時最大且具規模的民隘。實地導覽百年前之隘路遺跡，瞭解先民歷史。

SU：王維國

SU：楊鏡汀

SU：金廣福公館

SU：天水堂

SU：慈天宮

SU：五子之碑

SU：新竹縣

SU：北埔鄉

SU：客家文物

CR：臺視文化公司製作

CO：臺灣省政府文化處贊助

PU：臺灣省政府文化處

DA：民國 87 年

ID：chv002.avi

SO：臺灣省政府文化處

RE：臺灣文化節北區活動專輯的第三部份

LA：中文

LA：北京語

LA：客家語

CV：87 年新竹縣

RI：

附件二

```
<?xml version="1.0" ?>
<!DOCTYPE dublin-core-simple [

<!-- DC 1.0, RFC 2413 -->
<!ELEMENT dc-record (title*, creator*, subject*, description*, publisher*, contributor*,
      date*, type*, format*, identifier*, source*, language*, relation*, coverage*, rights*)>

<!ELEMENT title (#PCDATA) >
<!ELEMENT creator (#PCDATA) >
<!ELEMENT subject (#PCDATA) >
<!ELEMENT description (#PCDATA) >
```

```
<!ELEMENT publisher (#PCDATA) >
<!ELEMENT contributor (#PCDATA) >
<!ELEMENT date (#PCDATA) >
<!ELEMENT type (#PCDATA) >
<!ELEMENT format (#PCDATA) >
<!ELEMENT identifier (#PCDATA) >
<!ELEMENT source (#PCDATA) >
<!ELEMENT language (#PCDATA) >
<!ELEMENT relation (#PCDATA) >
<!ELEMENT coverage (#PCDATA) >
<!ELEMENT rights (#PCDATA) >
```


ITEM


```
<?xml version="1.0" ?>
<dc-record>
<type>image</type>
<type>physical object</type>
<type>original</type>
<type>item</type>
<type>cultural</type>
<title>No. 86 (Violet, black, violet)</title>
<description>Bob Law, No. 86 (Violet, black, violet) (1970), monochrome dark painting, 174
    x 175.3 cm (66 1/8 x 69 inches)</description>
<subject>visual works</subject>
<subject>paintings</subject>
<subject>Panza Collection</subject>
<subject>Law, Bob</subject>
<subject>minimalism</subject>
<creator>Law, Bob</creator>
<contributor>Panza di Biumo, Giuseppe</contributor>
```

```
<publisher>Guggenheim Museum, Solomon R.</publisher>
<date>1970</date>
<identifier>91.3737</identifier>
<relation>IsPartOf Panza Collection</relation>
<rights>Solomon R. Guggenheim Museum</rights>
<rights>Panza Collection, 1991</rights>
</dc-record>
```


COLLECTION THAT INCLUDES THE ITEM


```
<?xml version="1.0" ?>
<dc-record>
<type>text</type>
<type>image</type>
<type>sound</type>
<type>physical object</type>
<type>original</type>
<type>collection</type>
<type>cultural</type>
<title>Panza Collection</title>
<description>In 1990 the Solomon R. Guggenheim Museum acquired the important Giuseppe
    Panza di Biumo collection of more than seven hundred works of American Minimalist art
    from the 1960s and 1970s.</description>
<subject>installations</subject>
<subject>sculpture</subject>
<subject>visual works</subject>
<subject>Panza di Biumo, Giuseppe</subject>

<subject>Art and Language</subject>
<subject>Andre, Carl</subject>
<subject>Barry, Robert</subject>
```

<subject>Bell, Larry</subject>
<subject>Beuys, Joseph</subject>
<subject>Brewster, Michael</subject>
<subject>Brouwn, Stanley</subject>
<subject>Burgin, Victor</subject>
<subject>De Maria, Walter</subject>
<subject>Dibbets, Jan</subject>
<subject>Charlton, Alan</subject>
<subject>Darboven, Hanne</subject>
<subject>Flavin, Dan</subject>
<subject>Fulton, Hamish</subject>
<subject>Heighstein, Jene</subject>
<subject>Heubler, Douglas</subject>
<subject>Irwin, Robert</subject>
<subject>Joseph, Peter</subject>
<subject>Judd, Donald</subject>
<subject>Kosuth, Joseph</subject>
<subject>Law, Bob</subject>
<subject>LeWitt, Sol</subject>
<subject>Long, Richard</subject>
<subject>Mangold, Robert</subject>
<subject>Marden, Brice</subject>
<subject>Mochetti, Maurizio</subject>
<subject>Morris, Robert</subject>
<subject>Nauman, Bruce</subject>
<subject>Nonas, Richard</subject>
<subject>Nordman, Maria</subject>
<subject>On Kawara</subject>
<subject>Opalka, Roman</subject>
<subject>Orr, Eric</subject>

<subject>Ryman, Robert</subject>
<subject>Serra, Richard</subject>
<subject>Shapiro, Joel</subject>
<subject>Tavernari, Vittorio</subject>

<subject>Tivey, Hap</subject>
<subject>Tremlett, David</subject>
<subject>Turrell, James</subject>
<subject>Vogel, Susan Kaiser</subject>
<subject>Webster, Meg</subject>
<subject>Weiner, Lawrence</subject>
<subject>Wheeler, Doug</subject>
<subject>Wilson, Ian</subject>
<subject>collections</subject>
<subject>painting</subject>
<subject>photography</subject>
<subject>Abstract Expressionism</subject>
<subject>art, modern</subject>
<subject>environmental art</subject>
<subject>art and technology</subject>
<subject>conceptual art</subject>
<subject>Minimalism</subject>
<subject>Post-Painterly Abstraction</subject>
<subject>20th Century</subject>
<creator>Panza di Biumo, Giuseppe</creator>
<publisher>Guggenheim Museum, Solomon R.</publisher>
<date>1960/1970</date>
<identifier>Panza Collection</identifier>
<relation>IsPartOf Solomon R. Guggenheim Museum, New York, New York, USA</relation>
<rights>Solomon R. Guggenheim Museum</rights>

<rights>Panza Collection</rights>
</dc-record>

資料來源：http://www.cimi.org/documents/meta_bestprac_v031.html#DC

臺灣學術網路兩性使用者
網路倫理態度之差異性分析

莊道明
世新大學圖書資訊學系副教授

一、前言

臺灣地區自民國 84 年開放網際網路服務後，至今已達到二百萬人上網的記錄，而今年三百萬人上網目標預計也將提前達成。根據國內外數次網路的調查顯示，兩性上網人數有明顯的差距。雖然女性上網人數逐年成長，但仍不及男性上網的人數。由於網路對促進言論自由與民主具相當的影響力，因此兩性間參與網路的情況，勢必影響社會參與、權利分享、及言論自由等民主社會應有的權利義務關係。當今所謂的網際網路民主化即指網際網路不受使用者之性別、宗教、種族、階級、與黨派之不同的情況下，提供一個公平使用管道與使用權力的環境。在此發展趨勢下，兩性參與網路的現況，及兩性對資訊的需求與內容，網路使用行爲規範，均都値得深入探究。本文依據網路問卷統計結果，針對兩性對網路倫理態度的差異性予以比較探討，以進一步瞭解兩性網路使用者對網路未來發展的態度。

二、文獻分析

美國喬治亞技術學院的圖形視覺利用研究中心（Georgia Institute of Technology, Graphics, Visualization, and Usability Center）曾於 1994 年元月使用網路 Web 從事 WWW 網路使用概況的調查。該研究連續進行六個月，共蒐集 1500 個有效的樣本。第二較大規模的使用者研究，則由密西根大學的漢密士研究小組（University of Michigan, Hermes Team）於 1994 年 10 月就網路用戶對網路電子商品態度從事調查。該次調查共蒐集到 4,500 個以上的有效樣本。其後，該小組於 1995 年 4 月及 10 月進行第二次及第三次相同的調查，分別蒐集到 13,000 個及 23,300 個以上有效的樣本。根據以上四次的調查結果加以研究比較，皮克及柯翁（Pitkow & Kehoe, 1996）發現網路用戶的年齡，從早期集中於某個特定年齡層（約平均 32.7 歲），而有逐漸擴散的趨勢。顯示當前網路用戶之中，年輕或年長的使用者逐漸增多。此外，女性使用者比率也逐漸增加，由 5.1%（第一次調查）成長到 29.3%（第四次調查）。平均網路用戶的年收入所得約美金 63,000 元（第四次調查），屬於美國中上收入所得，顯示網路的使用者多數是社會高收入所得者。

勞屈及康格（Loch & Conger, 1996）使用理性行爲理論（Theory of Reasoned Action, 簡稱 TRA）調查網路用戶，在面對電腦隱私與資訊擁有權問題時，使用者倫理決策的態度與行爲。該研究以美國紐約、喬治亞（Georgia）及德州（Texas）等都會區大學商學院研究所學生爲主要調查對象。根據 175 份有效問卷統計研究發現，電腦使用者的態度及社會規範（Social Norms）對於解決電腦隱私與資訊擁有的資訊倫理問題有重要的影響力。其中男性與女性面對資訊倫理問題時，在動機形成過程中有明顯的差異存在。因網路的匿名及距離關係產生的人際關係的疏離感，是電腦使用行爲的一個新的重要變數。而電腦素養並不如原先預計的對資訊倫理具有重要的影響力。此研究建議對用戶人格特質方面，應從事更多的研究，以瞭解人格特質不同是否影響到資訊倫理問題的解決。

臺灣地區網際網路在政府政策的支持下，上網人數持續地增加。爲瞭解網路使用者之背景、目的、教育程度、經濟條件與網路購物等，資策會（江衍勳，民 84；資策會推廣服務處，民 85）分別於民國 84 年及 85 年進行二次網際網路應用現況調查。根據 84 年 11 月 846 份線上問卷的調查顯示，臺灣地區網際網路的使用者以 21-30 歲的年輕人佔約 60%，教育程度以大專程度爲主，比例也在 60% 以上。從此調查發現網際網路使用者的教育、經濟及社會條件都在中上水準以上。民國 85 年 8 月相同的調查統計發現，使用者的年齡雖仍以 21-30 歲爲主，但 21 歲以下的使用者有增加的趨勢。而使用者性別方面，男性使用者佔 87% 遠高於女性的 13%。女性使用者之中有 47% 於近半年內開始上網，女性上網有逐漸增加的趨勢。

Herring（1996）以兩個網路學術討論群 LINGUIST 及 MBU，觀察兩性學者參與學術討論的現況，發現女性無論在發表的數次或理論闡述的貢獻程度，都遠較男性來得低；此外網路用語的表達上，女性學者使用女性的用語（如表示支持、隱晦、發問、道歉等）次數明顯偏高；相對男性學者使用男性用語（包括強烈肯定、自我標榜、權威導向、挑戰他人等）次數較多。從討論群互動的過程中亦發現，兩性學者參與網路學術討論並不處於平等的狀態。網路討論群往往是被少數男性學者所壟斷，當女性學者參與討論時，經常受到有意或無意的冷漠或批判，導致女性學者在自覺不受歡迎的情況下，採取減少討論次數或以模糊的字眼表達意見。Ford 及 Miller（1996）對兩性使用網路的差異的比較發現，女性對網路認知上較沒有方向感，同時對網路較不著迷。

傳播學者 Ess（1994）認為電腦通訊媒介（Computer-mediated-communication，簡稱 CMC）因具有公平查尋資訊的特性，使能使用電腦通訊媒介的國民能獲得更多有用的資訊，增加對民主社會更多的參與能力與權利。因此，網際網路民主化應指網際網路的環境不應受到性別、宗教、種族、階級、與黨派等的限制，而提供公平的使用管道與使用的權力。換言之，在一個公平的網際網路環境下，網路使用者允許參與各種議題的討論與言論發表，允許對任何主張提出質疑，且每位使用者都有權利表達其態度、期望與需要，當使用者正當使用網路時，不應受到其他使用者來自內在或外在的威脅。（Herring, 1996, p.477）根據以上的觀點，兩性使用網路能力的強弱，勢必將影響網路民主的發展。從現今相關研究已發現，兩性參與網路程度的確是存在男強女弱的現況，這其中除男性較早涉入網路的研發與利用外，網路電腦技術之運用也是男性的專長，就此長期發展，屬於女性應有的網路內容與資訊的發展，勢必將會受到相當程度的漠視與忽略，對網路民主發展實為不利。因此，瞭解探討兩性的網路資訊需求與建立公平網路倫理規範，對於網路民主發展確實有其必要性與重要性。尤其網際網路未來朝向商業化發展之後，社會既存的貧富差距、男女平權、階級意識等，其差異更將擴大。如何使兩性能公平分享網路資源，建立兩性參與網路空間的均權環境，是網際網路發展過程之中，頗值得關注與研究的議題。

三、研究調查

本研究為調查當前臺灣學術網路使用者對網路規範的看法，採用網路電子問卷與紙本問卷同時進行調查。調查對象以臺灣學術網路使用者為主，樣本取自各校 BBS 站、網路論壇（Newsgroup）、全球 E-mail 網址查詢站 BigYellow ❶等註冊名單，採隨機抽樣共抽出 1000 個樣本，並透過網路的電子郵件（E-mail）系統發出調查邀請函，針對有效的 E-mail 網址及有意願的網路用戶發出調查問卷。問卷調查從 1997 年 6 月持續進行至 7 月底。共計回收問卷 557 件，扣除 11 份問卷填答未完整及 6 份填答不一致，共計回收 540

❶ BigYellow 網站收集全球個人、機構之電話號碼、電子郵件地址的最大網站之一。該網站的網址為(http://bigyellow.four11.com)。

件有效問卷，有效問卷回收率 54.1%。問卷內容分成五部份。第一部份是使用者基本資料，項目包括性別、年齡、教育程度及職業等四項；第二、三部份是網路使用時間與動機問題；第四部份是網路議題重要性問題，針對當前網路普及之後，所引發問題價值的判斷，共有二十項問題；第五部份則是網路使用規範的認同問題，共有四十項的問題。統計結果討論如下：

㈠兩性網路使用者人數統計

從全部有效統計樣本中，男性有 334 位佔全部樣本的 68%，女性 205 位佔全部樣本 32%，男性多於女性。以年齡層分別統計，顯示男性網路使用者以 21 至 25 歲最多，佔半數以上（55.1%），16 至 30 歲的男性網路使用者則佔使用者的 92.8%；女性網路使用者亦顯示出相同的特性，以 21-25 歲最高共有 87 位（佔 42.4%）尚未過半，16-30 歲的女性學術網路使用者共計 173 位，佔全部女性網路使用者的 84.4%。（見圖一）

圖一、網路兩性使用者分析圖

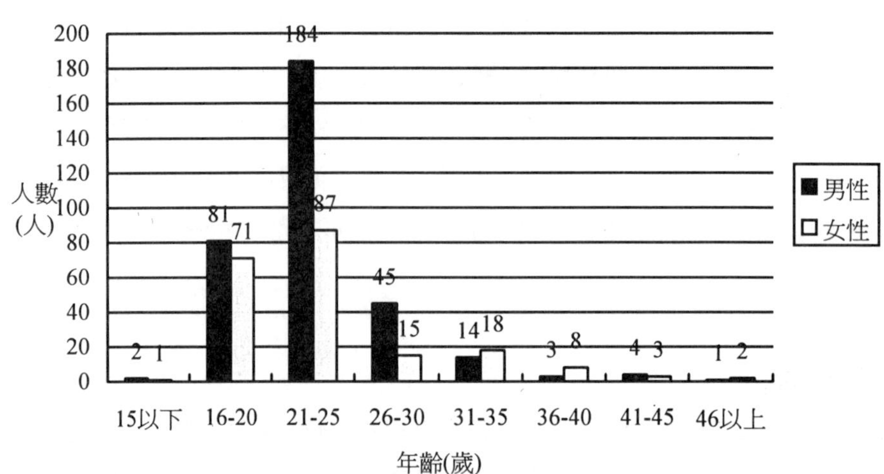

㈡學術網路兩性使用者上網歷史分析

根據學術網路兩性使用者上網歷史統計，男性網路使用者上網歷史約 32 個月（約 2 年 8 個月），最短上網歷史是 3 個月，最長有 20 年；女性網路使用者平均上網歷史約 21 個月（約 1 年 11 個月），上網歷史最短不到 1 個月，最長有 7 年。不同性別於上網歷史上有顯著差異性存在，男性明顯高於女性。（見表一）男性較女性較早進入網路世界，男性使用者亦是網路主要使用人口。

表一、網路使用者上網歷史性別統計分析表

性別	個數	上網歷史平均月數	標準差	最小值（月數）	最大值（月數）	F值	P值
男性	333	32.7	25.99	3	240	30.70	0.0001***
女性	199	21.3	16.50	0	84		

*表 p 值<0.05　**表 p 值<0.01　***表 p 值<0.001

㈢學術網路使用動機性別統計分析

依據學術網路使用者利用網路的動機分析顯示，在八項網路使用動機中，以「蒐集資料」最高（84.0%），其次是「獲取新知」（77.6%），再次依序爲「訊息傳遞」（68.3%）、「消磨時間」（53.4%）、「結交朋友」（48.4%）、「參加網路討論群」（28.4%）、「獲取免費電腦軟體」（27.6%）、「蒐尋電腦遊戲軟體」（16.3%）。在「其他」問項中，大都因作業需要或工作需要而上網。男性使用者在「蒐集資料」、「結交朋友」、「消磨時間」、「參加網路討論群」、「獲取免費電腦軟體」及「蒐尋電腦遊戲軟體」等使用動機上明顯高於女性，特別是「參加網路討論群」、「獲取免費電腦軟體」、「蒐尋電腦遊戲軟體」等三項使用動機有顯著的不同。（見表二）

表二、網路使用者使用動機性別統計分析表

使用動機項目	男性	女性	小計	百分比	$\chi 2$	P值
蒐集資料	290(64.0%)	163(36.0%)	453(100.0%)	84.0	5.068	0.024*
結交朋友	179(68.6%)	82(31.4%)	261(100.0%)	48.4	9.398	0.002**
訊息傳遞	236(64.1%)	132(35.9%)	368(100.0%)	68.3	2.304	0.129
消磨時間	192(66.7%)	96(33.3%)	288(100.0%)	53.4	5.797	0.016*
獲取新知	267(63.9%)	151(36.1%)	418(100.0%)	77.6	2.879	0.090
蒐尋電腦遊戲軟體	73(83.0%)	15(17.1%)	88(100.0%)	16.3	19.657	0.001***
參加網路討論群	111(72.6%)	42(27.5%)	153(100.0%)	28.4	10.152	0.001***
獲取免費電腦軟體	119(79.9%)	30(20.1%)	149(100.0%)	27.6	27.993	0.001***
其他	32(68.1%)	15(31.9%)	47(100.0%)	8.7	0.818	0.366

*表 p 值<0.05　**表 p 值<0.01　***表 p 值<0.001

㈣兩性使用者對網路議題價值分析

為瞭解網路使用者的網路價值觀，在網路問卷中以 20 個網路議題加以調查。根據統計結果發現，網路使用者認為「政府對網路言論的檢查」及「資訊網路跨國傳輸造成文化侵略的問題」兩項議題並不重要，但對網路安全與隱私等議題則相當重視。從兩性使用者的統計差異性比較發現，男性在對「網路上的言論自由」議題上比女性認為重要。女性對「色情資訊有效的規範」、「政府對網路言論的檢查」、「政府立法規範網路資訊的傳播」、「網路電腦病毒傳播的問題」、「資訊網路跨國傳輸造成文化侵略的問題」、「全民電腦網路利用教育的問題」、「有效防止電腦網路犯罪的問題」等議題的重要程度上，明顯高於男性網路使用者。顯見男性使用者重視網路的自由程度，而女性則較重視網路秩序與教育問題。

表三、網路使用者使用網路議題態度統計分析表

網路議題	不重要	普通	重要	總計	χ^2	P 值
網路資訊的正確性	11 (2.1%)	25 (4.6%)	504 (93.4%)	540 (100.0%)	9.678	0.046
個人隱私的保護	7 (1.3%)	13 (2.4%)	519 (96.3%)	539 (100.0)	5.439	0.245
個人電腦資料（包括帳號、密碼、基本資料等）的保護	4 (0.7%)	6 (1.1%)	530 (98.1%)	540 (100.0%)	1.469	0.689
網路著作權的保護	31 (5.7%)	82 (15.2%)	428 (79.2%)	541 (100.0%)	9.144	0.058
誠實的上網態度	22 (4.1%)	100 (18.6%)	416 (77.3%)	538 (100.0%)	1.339	0.855
網路上的言論自由	6 (1.1%)	89 (16.5%)	445 (82.4%)	540 (100.0%)	18.392	0.001**
網路資訊傳輸安全保護	6 (1.1%)	26 (4.8%)	508 (94.1%)	540 (100.0%)	6.931	0.140
色情資訊有效的規範（例如網路分級）	48 (8.9%)	108 (20.0%)	385 (71.2%)	541 (100.0%)	50.916	0.001**
個人對資訊解讀與表達的能力	13 (2.4%)	126 (23.4%)	400 (74.2%)	539 (100.0%)	5.107	0.277
網路資訊定期更新	10 (1.9%)	32 (5.9%)	497 (92.3%)	539 (100.0%)	4.419	0.352
政府對網路言論的檢查	176 (32.6%)	188 (34.8%)	176 (32.6%)	540 (100.0%)	24.718	0.001**
城鄉差距及網路資源分配不平均，造成資訊貧富差距的問題	19 (3.5%)	93 (17.3%)	427 (79.2%)	539 (100.0%)	7.653	0.105
政府立法規範網路資訊的傳播	78 (14.5%)	152 (28.3%)	308 (57.3%)	538 (100.0%)	25.364	0.001**

網路電腦病毒傳播的問題	11 (2.0%)	37 (6.8%)	493 (91.1%)	541 (100.0%)	15.323	0.004*
電腦網路使用倫理教育問題	17 (3.2%)	104 (19.4%)	415 (77.4%)	536 (100.0%)	4.607	0.330
政府電腦網路發展的政策	9 (1.6%)	37 (6.9%)	494 (91.5%)	540 (100.0%)	0.970	0.914
資訊網路跨國傳輸造成文化侵略的問題	122 (22.6%)	203 (37.6%)	215 (39.8%)	540 (100.0%)	24.685	0.001**
全民電腦網路利用教育的問題	16 (2.9%)	82 (15.2%)	442 (81.9%)	540 (100.0%)	15.923	0.003**
有效防止電腦網路犯罪的問題	5 (1.0%)	27 (5.0%)	503 (94.0%)	535 (100.0%)	9.573	0.048*
電腦網路收費問題	61 (11.4%)	201 (37.6%)	272 (51.0%)	534 (100.0%)	7.188	0.126

*表 p 值<0.05　**表 p 值<0.01　***表 p 值<0.001

㈤兩性使用者對網路使用規範分析

研究中爲進一步瞭解網路使用者對網路使用規範的認同，在網路問卷中以 40 項網路規範予以調查。根據統計結果發現，網路使用者對「色情圖片不應在網路上傳播」、「禁止發洩情緒性的言論」、「網路交談或發信時使用敬稱，如先生、小姐」、「政府應對網路的言論逐一過濾檢查」、「禁止利用網路宣傳宗教」、「政府應設立網路警察，以隨時監督網路言論與維持網路秩序」、「收到電子郵件後，均應予以回覆，以告知對方已收到郵件」、「在學術網路上應允許刊登商品之廣告」及「網路上的言論自由應受限制」等使用規範的認同表示反對外，對於與網路安全與隱私等規範相當重視。根據兩性對於這 40 項議題的差異性分析，男性對「政府應對網路的言論逐一過濾檢查」、「政府應透過立法制訂電腦網路法，對違法者依法予以懲處」及「政府應設立網路警察，以隨時監督網路言論與維持網路秩序」、「網路上的言論自由應受限制」反對態度較女性使用者爲高，且男性使用者贊成「在憲法明文保障言論自由下，政府干涉或檢查網路言論均屬違憲」的態度高於女性網路使用者。

相對而言，女性網路使用者對下列網路措施贊成的態度高於男性使用者，包括「色情圖片不應在網路上傳播」、「禁止人身攻擊的言論」、「禁止發洩情緒性的言論」、「禁止言不及意，以灌水爲目的的言論」、「禁止用字不雅的文章上網」、「禁止利用網路宣傳宗教」、「使用具有著作權的資訊時，應先告知對方且獲得同意後才使用」、「在公共場所（如圖書館、電腦教室等）不應該瀏覽色情圖片」、「個人不應破解他人設定的電腦密碼」、「收到電子郵件後，均應予以回覆，以告知對方已收到郵件」、「未經當事人同意，勿將他人信函傳送給第三者」、「應避免在公眾討論區，指名道姓討論私人事務」、「未經查證或可疑的網路消息，不應再經由網路傳播出去」及「禁止抄襲或剽竊網路上的文章作爲他用」等網路措施。（見表四） 由以上的統計分析，顯示男性網路使用者反對網路的自由受到約束；而女性對網路的規範與認同態度則明顯高於男性。

表四、網路使用者網路使用規範統計分析表

網路使用規範項目	不同意	沒意見	同意	總計	$\chi 2$	P 值
色情圖片不應在網路上傳播	147 (27.2%)	198 (36.7%)	195 (36.1%)	540 (100.0%)	89.166	0.001**
禁止人身攻擊的言論	47 (8.7%)	70 (12.9%)	424 (78.4%)	541 (100.0)	12.956	0.011*
禁止發洩情緒性的言論	159 (29.5%)	168 (31.2%)	212 (39.3%)	539 (100.0%)	15.549	0.004**
禁止言不及意，以灌水爲目的的言論	85 (15.4%)	157 (29.0%)	299 (55.3%)	541 (100.0%)	14.301	0.006**
禁止用字不雅的文章上網	59 (11.0%)	122 (22.6%)	359 (66.5%)	540 (100.0%)	13.682	0.008**
網路交談或發信時使用敬稱，如先生、小姐	110 (20.4%)	311 (57.7%)	118 (21.9%)	539 (100.0%)	4.696	0.320
結束網路交談時，應禮貌道聲再見	24 (4.4%)	165 (30.5%)	352 (65.0%)	541 (100.0%)	2.368	0.668
政府應對網路的言論逐一過濾檢查	403 (74.5%)	100 (18.5%)	36 (7.1%)	541 (100.0%)	33.172	0.001**
防止電腦病毒的傳播	9 (1.6%)	22 (4.1%)	510 (94.2%)	541 (100.0%)	8.207	0.084
對於帳號採取眞實姓名註冊	93 (17.2%)	131 (24.3%)	316 (58.6%)	540 (100.0%)	8.611	0.072
禁止電腦被他人不當入侵使用	3 (0.6%)	16 (3.0%)	522 (96.5%)	541 (100.0%)	4.716	0.318
公共資訊單位（如政府、博物館、圖書館等）應提供電腦設備讓大眾上網查詢資訊	3 (0.6%)	13 (2.4%)	524 (97.0%)	540 (100.0%)	1.408	0.843
對於鄉村或教育單位的網路通訊費用應該給予優待或減價	29 (5.4%)	70 (13.0%)	441 (81.7%)	540 (100.0%)	3.182	0.528
在學術網路上應禁止推銷商品之廣告	89 (16.5%)	174 (32.2%)	277 (51.2%)	540 (100.0%)	8.363	0.079
禁止利用網路宣傳宗教	144 (26.6%)	245 (45.4%)	151 (27.9%)	540 (100.0%)	20.427	0.001**
使用具有著作權的資訊時，應先告知對方且獲得同意後才使用	19 (3.6%)	82 (15.2%)	440 (81.3%)	541 (100.0%)	16.462	0.002**

政府應透過立法制訂電腦網路法，對違法者依法予以懲處	54 (10.0%)	113 (20.9%)	374 (69.2%)	541 (100.0%)	35.283	0.001**
從網路上下載資料到個人的硬碟，只要不從事商業用途或再傳播出去都屬合理使用範圍	21 (3.8%)	58 (10.7%)	462 (85.4%)	541 (100.0%)	9.090	0.059
政府應設立網路警察，以隨時監督網路言論與維持網路秩序	212 (39.2%)	171 (31.6%)	158 (29.2%)	541 (100.0%)	28.573	0.001**
網路上應不受任何限制享有言論自由	191 (35.4%)	94 (17.4%)	255 (47.2%)	540 (100.0%)	9.198	0.056
學校或所屬機構應制定書面的電腦網路使用規範	33 (6.2%)	134 (24.9%)	372 (69.0%)	539 (100.0%)	4.713	0.318
對於違反電腦網路使用規範，導致學校或機構資料損害者，應該予以懲處	20 (3.7%)	73 (13.5%)	446 (82.7%)	539 (100.0)	6.235	0.182
在公共場所(如圖書館、電腦教室等)不應該瀏覽色情圖片	18 (3.3%)	114 (21.1%)	409 (75.6%)	541 (100.0%)	14.147	0.007**
個人不應破解他人設定的電腦密碼	7 (1.3%)	54 (10.0%)	480 (88.7%)	541 (100.0%)	21.048	0.001**
不應使用他人帳號以使用電腦設備	34 (6.3%)	108 (20.0%)	399 (73.8%)	541 (100.0%)	6.744	0.150
個人的電子信箱帳號(E-Mail)不應借他人使用	55 (10.2%)	167 (30.9%)	319 (58.9%)	541 (100.0%)	3.360	0.500
勿將同一訊息或電子信件多次重覆傳送	46 (8.5%)	153 (28.3%)	341 (63.1%)	540 (100.0%)	7.725	0.102
收到電子郵件後，均應予以回覆，以告知對方已收到郵件	80 (14.8%)	221 (40.9%)	240 (44.4%)	541 (100.0%)	10.397	0.034*
未經當事人同意，勿將他人信函傳送給第三者。	22 (4.1%)	118 (21.8%)	401 (74.1%)	541 (100.0%)	14.461	0.006**
應避免在公眾討論區，指名道姓討論私人事務	11 (2.1%)	74 (13.7%)	456 (84.3%)	541 (100.0%)	14.782	0.005**
未經查證或可疑的網路消息，不應再經由網路傳播出去	16 (3.0%)	93 (17.2%)	431 (79.8%)	540 (100.0%)	13.833	0.008**
禁止抄襲或剽竊網路上的文章作爲他用	31 (5.7%)	104 (19.2%)	406 (75.0%)	541 (100.0%)	16.820	0.002**
在網路交談室對於剛進來的網友，應禮貌打招呼	12 (2.2%)	174 (32.3%)	353 (65.5%)	539 (100.0%)	1.272	0.866
在學術網路上應允許刊登商品之廣告	197 (36.5%)	204 (37.8%)	138 (25.6%)	539 (100.0%)	3.651	0.455
在憲法明文保障言論自由下，政府干涉或檢查網路言論均屬違憲	82 (15.2%)	157 (29.1%)	300 (55.7%)	539 (100.0%)	28.263	0.001**
從網路下載的資料，若有需要再利用或放在網站上成爲個人作品的一部分，應徵得原著作人同意後始得爲之	20 (3.7%)	85 (15.7%)	436 (80.6%)	541 (100.0%)	4.397	0.355
電腦網路上公共資訊(如政府、圖書館、博物館等資訊)應提供免費公眾使用	5 (0.9%)	24 (4.4%)	511 (94.6%)	540 (100.0%)	0.928	0.819

資訊網路收費高低將影響人民使用網路的基本權利	14 (2.6%)	29 (5.4%)	497 (92.1%)	540 (100.0%)	3.022	0.554
進入網路交談室，應禮貌打聲招呼	11 (2.0%)	151 (28.0%)	377 (69.9%)	539 (100.0%)	0.391	0.983
網路上的言論自由應受限制	245 (45.6%)	119 (22.1%)	174 (32.4%)	538 (100.0%)	16.565	0.002**

*表 p 值<0.05　**表 p 值<0.01　***表 p 值<0.001

四、結論與建議

根據本次的網路問卷調查顯示，男女兩性於網路世界中，無論在使用人數、上網歷史、使用動機、網路價值觀、或網路規範態度上，確實存在明顯的差異性。依據國內數次的網路調查顯示，男性仍是網路的主要使用人口，而女性使用人口雖無法與男性相當，但呈現逐年增加的趨勢。從上網歷史統計顯示，女性使用者上網歷史低於男性，男性比女性較早進入網路世界，亦成爲網路發展的主導趨勢。從網路使用動機的分析中，即可看出男性在使用網路各種功能上較女性廣泛，特別在參加討論群、獲取電腦軟體與電腦遊戲軟體的功用上，明顯比女性活躍。這也可印證國外學者（Herring, 1996）的研究結果，顯示男性不但主導網路討論群的議題，同時也主導網路功能的發展。

面對網路世界是男性主導的局面下，根據網路議題的分析，反應男性使用者對網路的自由看重程度超過女性使用者。相反地，女性使用者更看重網路的有序性、教育性與政府的管理功能。兩性不同的價值觀在網路使用規範問題中，反應更爲明顯。男性使用者對政府或任何有礙網路自由的措施，反對態度較女性強烈。而女性使用者對於有序性措施的支持程度遠大於男性。顯然在網路世界中，居於多數的男性使用者期待網路是一塊自由的發展樂園，希望在不受任何干預的情況下，允許使用者隨心所欲，自由發展網路功能與滿足需求。相對於少數的女性使用者而言，則認爲網路世界應存在一定的規範與秩序，諸如色情、暴力、粗魯的言論等均應加以限制。從兩性差異性比較，反應出女性對道德規範的支持與認同程度，較男性來得高。

本研究是以兩性探討臺灣地區網路使用態度的差異性分析，有待更深入的研究探討。建議國內諸多兩性研究室，能以兩性觀點從事更專題式或整合性的研究，期使在兩性網路研究議題上，能樹立國內獨特的研究水準。

參考書目

Doctor, R. D. (1992). "Social Equity and Information Technologies: Moving toward Information Democracy". *ARIST* 27 , 1-65.

Ess, C. (1994). "The political computer: hypertext, democracy, and Habermas", in Geroge Landow (ed.), *Hypertext and Literacy Theory*. Johns Hopkins University, Baltimore, MD.

Ford, N. and Miller, D. (1996). Gender differences in Internet perceptions and use. *Aslib Proceedings*, 48, 183-92.

Herring, S. C. (1996). Gender and democracy in computer-mediated communication. In R. Kling (Ed.), *Computerization and Controversy*. (pp.476-489). San Diego: Academic Press.

Hochschild, J. L. (1981). *What's Fair: American Beliefs about Distributive Justice*. Cambridge, MA: Harvard University.

Loch, K. D. & Conger, S. (1996). "Evaluating Ethical Decision Making and Computer Use", *Communication of ACM* 39:7, 74-83.

Pitkow, J. E. and Kehoe, C. M. (1996) "Emerging Trends in the WWW User Population", *Communication of ACM* 39:6, 106-8.

United States Advisory Council on the National Information Infrastructure (1996). *A Nation of Opportunity: Realizing the Promise of the Information Superhighway*. U.S.: US Government of Printing Office.

United States Advisory Council on the National Information Infrastructure (1996). *KickStart Initiative: Connecting American's Communities to the Information Superhighway*. U.S.: US Government of Printing Office.

江衍勳（民 85）。「從 85 年度 Internet 使用者調查結果看我國 Internet 應用現況」。資策會推廣服務處 [網頁] (http://www.psd.org.tw/inews/focus/user85/user85.htm) 民 88 年 4 月 7 日 。

柯舜智（民 82）。電子佈告欄使用者的媒介行爲與時間分配的關聯性研究。未出版碩士論文，政治大學新聞研究所，臺北市。

莊道明（民 86）。我國學術資訊網路使用及資訊倫理教育之研究。未出版博士論文，臺灣大學，臺北市。

資策會推廣服務處（民 86）。「我國 Internet 使用者應用趨勢調查」。資策會推廣服務處 [網頁] (http://www.psd.org.tw/inews/focus/isurvey/isurvey.htm) [民 88 年 4 月 8 日]。

一代宗師，兩岸傳承——讀《中國圖書館學教育之父——沈祖榮評傳》❶

傅雅秀
臺灣海洋大學共同科副教授

一、前言

從大學至研究所碩士班、博士班，唸了一些國外圖書資訊界先驅們的事蹟與理論，也窺探過英美圖書館學教育史，卻忽略了中國圖書館建設的許多傑士，亦未詳溯本國圖書教育史。對沈宗師祖榮先生認知有限，僅知是吾師沈寶環教授的尊翁，與韋棣華（Mary Elizabeth Wood）女士共同創辦武昌文華圖書館專科學校。沈老師向來謙遜，平日並未向學生宣揚沈宗師之豐功偉蹟，只是每年在中國圖書館學會大會上頒發「沈祖榮先生獎學金」，嘉惠學子。此外，又知教過我的藍乾章教授與周駿富教授均畢業於武昌文華專科學校。直至今年海峽彼岸，廣州中山大學程煥文教授出版《中國圖書館學教育之父——沈祖榮評傳》，拜讀之下，方對中國圖書館教育之起源有較深刻的瞭解，也對沈祖師爺有無限景仰。忝爲沈寶環教授學生，沾上與沈宗師有師承關係，倍覺驕傲光榮，在此寫下這部評傳的讀後省思。

二、評傳作者與內容

該評傳是迄今中國第一部專門研究近代圖書館歷史人物的著作，作者程煥文教授是大陸的青年才俊，執教於廣州中山大學，畢業於武漢大學圖書館情報學院，是大陸第一個以中國圖書館史爲研究方向的碩士研究生。取得碩士學位後赴美加州大學洛杉磯分校（UCLA）圖書館學與資訊科學研究所進修，又爲廣州中山大學歷史系博士候選人，同

---

❶ 程煥文著，臺北：臺灣學生書局，1997 年 8 月，430 頁。

時具備圖書資訊學與歷史學背景，歷經十餘載收集國內外史料，完成這部近五百頁，包括二十八萬五仟餘字與十九張珍貴圖片的傳記鉅著。全書共計兩篇二十一章，上篇評述沈宗師之生平事蹟，下篇評介沈宗師的學術思想。書後附有沈宗師之年譜、著述目錄和研究沈宗師之相關書目，對我國圖書館事業和圖書館學術研究具有重要的參考價值。作者治學嚴謹，旁徵博引，資料豐富，言之有據。史料的主要來源包括中英文圖書、期刊論文、報章、檔案、公函、家書和口實史料。年譜中凡史料闕如之年代，則只列年代，內容留作待補，此增加了該書之眞實可信度。單就沈宗師生辰一項，就有諸多考證，其歷史責任感和科學精神令人感佩。

過去我國圖書館界沒人能夠客觀、公正地對沈宗師進行歷史評價，程教授有感於圖書館界的學人對歷史研究的興趣淡薄，乃挺身而出，從沈宗師的生平事蹟和學術思想中評析，爲沈宗師作一公正的歷史定位，實在功不可沒。該書文筆流暢優美，雖非軟性讀物，但卻引人入勝，毫不枯燥。中國圖書館事業的先驅們躍然紙上，有一種強烈的親和力，儘管每一段歷史如此遙遠，但閱讀起來好似跟著先賢的足跡踏遍圖書館事業的史蹟。

三、沈宗師生平事蹟

沈宗師生於西元 1884 年，自幼在困苦的環境中力爭上游。一個人的成功，除靠天份與努力，還或多或少靠際遇。韋棣華女士可說是沈宗師生命中的貴人，兩人之遇合，共同創造了中國近現代圖書館歷史。沈宗師不愧是中國圖書館事業與圖書館教育之先河，一生中創造了不少個第一，茲略引述如下：

㈠ 1914 年赴美國紐約公共圖書館學校就讀，成爲中國圖書館史上留洋攻讀圖書館學的第一人，也是世界圖書館史上赴美攻讀圖書館學的第一人。1916 年獲得哥倫比亞大學學士學位，成爲中國歷史上獲得圖書館學學位的第一人。

㈡ 1920 年與韋棣華、胡慶生在武昌文華大學創辦了我國第一所圖書館學教育機關——文華圖書科，中國圖書館學教育正式興起。

㈢引進先進的圖書館觀念，促使人們轉變舊藏書樓意識，爲西洋圖書館學流入中國之先聲。

㈣ 1929 年教育部批准文華圖書科立案，更名爲私立武昌文華圖書館專科學校，成爲中國第一所獨立的圖書館學專科學校。

㈤借鑒歐美圖書館學教育模式，結合中國圖書館的情況，制定一套我國最完善的圖書館學課程體系。

㈥ 1929 年創辦《文華圖書科季刊》，刊稿以學生爲主，以教師爲輔，此種辦刊方式是一個古今中外圖書館界絕無僅有的創舉。

㈦ 1925 年成立中華圖書館協會，成爲關鍵領導人物，是公開倡導全國性圖書館組織的第一人。

㈧ 1929 年完成中國圖書館史上具有里程碑意義的壯舉，即作爲中國的唯一代表，經由西伯利亞前往羅馬，參加第一次國際圖書館與目錄學大會，並宣讀論文。隨身攜帶中國展品兩巨箱參展，媲美古代張騫和班固出西域宣揚文化。

㈨行數萬里考察歐洲八國圖書館事業，不僅是前無古人，也可能是後無來者。

㈩培育二十世紀中國圖書館史上絕無僅有的圖書館世家，幾乎全家爲「圖書館人」，尤其哲嗣沈寶環教授克紹箕裘，成爲臺灣圖書館界巨擘。

㈩㈠ 1940 年爲文華大學添設檔案管理科，開創我國檔案學正規教育。

㈩㈡開設暑期圖書館學講習會，爲中國近現代圖書館學短期教育之創始。

㈩㈢從事圖書館調查，開創我國私人調查圖書館事業之先河，且成爲中國圖書館史上調查圖書館事業次數最多、時間最長、範圍最廣的第一人。

㈩㈣編撰《仿杜威十進分類法》一書，是我國圖書館第一本工具書，給杜定友、王雲五和劉國鈞諸位先生在分類方面很大啓示。

㈩㈤發展有關「標題」的論文，並編纂《標題總錄》——中國第一部主題詞表，開創我國主題分類法的研究。

除上述創舉，沈宗師身爲校長，具有領導能力、組織才能、和募款的卓越才能，斡旋於政界要人之間，籌募捐款辦學，並爭取以美國退還庚子賠款的一部份用於中國圖書館事業，實可爲今日爲募款傷神的大學校長之楷模。此外，自己亦樂善好施，常常捐洋若干元。

沈宗師一生處於政局動盪不安的艱難歲月，晚年時局變遷，受到不公平待遇，實在情何以堪。文化大革命是中國的恥辱與悲哀，難能可貴的是優良的家庭倫理使得沈宗師的女兒、女婿們面對造反派的迫害，仍能不屈不撓，並未與「反動父親」劃清界限，而仍能照料雙親，度過艱難的六年。年譜上此六年的空白歲月，到底遭到紅衛兵怎般地折磨？是否被關入獄中？又何以在 1974 年，年逾九旬，生活上極需人侍奉的二老竟甘冒生命危險上山？看來似有難言之隱，作者不便明說。但程教授本著歷史良知，膽敢對文化大革命提出批判，已相當令人敬佩了。大德必壽，1977 年 2 月 1 日高壽的沈宗師與夫人同日仙逝於廬山，安息主懷，眞是前世修來的福報。遺憾而不可思議的是，沈培鳳女士和沈寶琴女士竟然也於同年追隨父母離去，如果眞有另一世界，想必沈宗師不致孤寂。

沈師寶環教授於 1948 年赴美攻讀圖書館學，雖不負所望，成爲臺灣圖書館事業的巨擘，但萬萬沒想到此去竟是與父母訣別，鐵幕隔絕，是中國人的痛苦與悲哀。半個世紀後，雖兩岸恢復相通，但子欲養而親不待矣！這使沈老師抱憾內疚，常常提到沒有機會供養父母一天。但此乃時代造成的悲劇，實在無可奈何。沈老師家學淵源，能繼承志業，返國獻身專業、推動學會活動、視學生如子女、實現開架式的理想、學術貢獻媲美沈宗師、在中國圖書館學會設置「沈祖榮先生獎學金」以獎勵後進，以上種種，沈宗師九泉有知，定倍感欣慰與榮傲。

四、沈宗師的學術思想

沈宗師一生共出版學術著作 8 部、校訂著作 4 部、發表中文學術論文 36 篇（大陸幅員廣闊，同一文稿有必要刊登在不同區域出版的刊物，而由於文章出處不同，作者有必要將其中被重覆轉載的著作均作一款目單獨著錄，因此以 45 篇計）、英文學術論文 10 篇、撰寫序文 10 篇。這些著作集中於解放前，而 60 大壽以後則編有《俄文圖書編目法》。當然也許尙有遺漏，身爲校長，日理萬機，從事行政工作之餘，尙能著作等身，尤其能以英文學術論文傳播中國的圖書館事業者屈指可數，實在令人欽佩。沈宗師退休後數年仍「潛心研究、筆不停耕」，曾撰寫數十萬言之著述，可惜當時學術受到政治迫害，並未公諸於世，且於文革後不幸散佚。

㈠圖書館學研究觀

沈宗師之著述雖集中於分類、編目和圖書館事業建設三個主題，但亦重視如何滿足民眾需求等讀者服務。他認爲「圖書館學是實用科學」，兼顧理論與實務，而沈寶環教授繼承其實事求是的哲學觀，亦認爲圖書館學是一種偏重行動的科學。不避瑣細題目，正突顯其專業。雖介紹新知識，強調學術無國界，唯有眞理，但並不盲目崇洋，不依樣畫葫蘆而思考中國應採用的制度。沈宗師認爲圖書館學是國際性的科學，最後應走向世界大同，在現今網路盛行的地球村，實是此理念之實踐。

沈宗師之研究方法重視實際調查，從不作無憑據的空洞論述，亦不僅作文獻探討，此點足令後學汗顏。其調查方法既有問卷調查，又有實地調查，可算是併用量化與質化的研究方法。

㈡圖書分類編目思想

沈宗師在技術服務方面的學養，顯示其受過良好的專業訓練。沈宗師參酌中西情形，於 1917 年編撰《仿杜威書目十類法》，影響深遠，貢獻良多。其編目思想，迄今仍然適用。沈宗師在 20 年代即重視主題檢索，從現今網路資源的檢索方法來看，實在具有遠見。慚愧的是，大陸直到 70 年代才出版《漢語主題詞表》，而臺灣在中文標題方面更待努力。

㈢圖書館的觀念

沈宗師的圖書館觀念在普及教育，認爲知識就是力量，培養有知識的民眾，才能救國。即使在戰時，亦積極地提供將士精神食糧，而非消極地認爲圖書館利用不是生死攸關的問題。沈宗師設法邀大學教授們參與圖書館利用活動，又組織學生服務團，設立巡迴文庫，將文華公書林推廣至社區。

知識是公共財富，沈宗師認爲圖書館事業建設必須堅持公有、公享的基本原則以及需加強圖書館的合作，此種觀念深具先見之明，正是今日網路資源共享、館際合作之理念。此外，制定標準之呼籲，亦是先知灼見。

㈣圖書館教育思想

沈宗師一生從事圖書館專業教育達四十年之久，堪稱圖書館界的萬世師表。他重視通才的培育，爲了增廣學生的知識面，提供全人教育，常聘請各領域的專家演講，並成立群育討論會，研討圖書館學以外或與圖書館學相關之其他學科問題，此教育理念正好與今日通識教育之提倡相互輝映。此外常帶領師生參觀文教機構或踏青郊遊，不僅爲經師，亦爲人師。

沈宗師認爲「圖書館員是一行專業，不是人人都可以勝任的，只有受過特別訓練的人才能肩此重任。」此語深得我心。反觀臺灣當權者對圖書館人才「均以爲無關輕重，其館長與管理各員，無論何人，皆可爲之。」令人氣結。

㈤圖書館精神

沈宗師因具有宗教信仰，因此有服務社會的精神，「智慧與服務」即是他親訂的校訓。沈宗師對圖書館員的生活體驗透徹，他認爲圖書館員的生活是艱難的、清苦的、使人灰心的，但卻不氣餒，反樹立堅定的圖書館事業信仰。這種堅毅的文華精神，影響圖書館人深遠。沈宗師認爲讀書可以救國，圖書館員雖不能執干戈以衛社稷，但卻能負責保存文化，此愛國精神令人敬仰。

五、結語

從研讀人物傳記可習得該學門的歷史與學理，中國人謙虛而不喜彰顯個人，不若外國人擅強調自己的重要性，此可由過去編目時，西文圖書以著者爲主要款目，而中文圖書以書名爲主要款目得知，因此中國人常忽略人物的研究。這部評傳雖是一部嚴肅的學術著作，不是一部傳記文學作品，但卻具有可讀性和吸引力，所有圖書館學學生和圖書館同道不可不讀。飲水思源，兩岸圖書館人同師承自沈宗師祖榮先生，本是同根生，也許政治理念不同，但沈宗師是我們共同的楷模，這部評傳促進了海峽兩岸文化交流，願沈宗師的圖書館精神永不枯朽，兩岸生輝。

（本文轉載自《中國書目季刊》第 31 卷第 4 期，第 111-116 頁，民 87 年 3 月。謹以本文恭賀沈老師八十大壽生日快樂，祝福老師和師母永遠健康快樂，充滿活力。希望老師在人生的道路上繼續指引我們，永遠是我們的恩師）

MARC 裡的傳統書目資料

毛慶禎
輔仁大學圖書資訊學系副教授

「資源共享」是圖書資訊界的生存法則之一，首先讓這個名詞出現在國內的專業刊物裡的，是恩師——沈寶環教授，謹以此文祝沈老師八秩壽辰。

《中文圖書機讀編目格式》問世十三年之後，國家標準才納入它，命名爲《機讀編目格式標準》❶。雖然時間有先後，內容有詳簡，不過它們的原則是一樣的，祇是國家標準並未能夠隨著《中國機讀編目格式》第四版的問世而同步修訂，有點可惜。

研訂機讀編目格式的目的爲便於電腦處理書目資料，藉以達成資訊交換及分享之要求❷。機讀編目格式的各項規定是爲了讓書目資料得以在電腦間互相流通，不是給人類用的，尤其不是給人看的，但是又必須經過人的處理才能夠讓電腦使用。

依硬體和軟體的不同，電腦系統各有其特定的格式，供其內部資料庫使用，編目員和讀者不必理會這個部份。因爲處理的觀點不同，傳統的書目資料，在機讀編目格式裡，呈現分散的狀態，又沒有適當的軟體協助編目員做轉換的工作，所以從事教學及原始編目工作者，常常對此感到困擾。

本文試圖將卡片目錄裡的資料，一一對應至機讀編目格式的相對欄位，並且對幾個有爭議的欄位，提出見解。

1986 年的時候，在某學術研討會上，曾聽到這段話：「本館已經採用《中國機讀編目格式》編目，所以不再需要任何編目規格。」當時，不以爲意，祇把它當笑話。誰知經過了十多年，專爲電子資料所設計的元資料（metadata）觀念，仍不脫機讀編目格式的掌握，或者說，機讀編目格式也是元資料的一個應用。

---

❶ 機讀編目格式標準 CNS 13226（經濟部中央標準局，1993/6/25 公佈），它的英文名稱為「China MARC Format」；國家圖書館出版的中國機讀編目格式，其英文名稱為「Chinese MARC Format」，不知道這兩個字有什麼特別的考量。

❷ purpose usmarc/unimarc 有關機讀編目格式的目的。

一、欄位式資料庫

機讀編目格式是國家主權的象徵，我們的機讀編目格式稱爲：《中國機讀編目格式》；將資料登錄欄位分爲九個段落，其中有五個欄位是必備的：001 系統控制號、100 一般性資料、101 作品語文、200 題名及著者敘述項、801 出處欄，在任何情況下，這個五個欄位的內容不得爲空集合，必須有資料。

第三版的“4__連接款目段”各欄，因「多已併入 5__相關題名段，其餘相關欄位，」也在別的段落登錄，所以把“4__連接款目段”整個刪除。❸

段落	欄號/名稱
0 _ _ 識 別 段	001 系統控制號
	005 最後異動時間
	009 他館系統控制號
	010 國際標準書號（ISBN）
	011 國際標準叢刊號（ISSN）
	017 技術報告標準號碼
	012-016, 018 保留予其他類似欄號 010-011 之國際標準號碼使用
	020 國家書目號
	021 送繳編號
	022 官書編號
	025 銷售號／庫存號
	023-024, 026-028 保留予其他類似欄號 020-022, 025 之編號使用
	040 叢刊代碼（CODEN）
	042 審查機構代碼
	050 國家圖書館（NCL）書目記錄編號
	071 出版者資料編號（適用於錄音資料與樂譜）

❸ 《中國機讀編目格式》（臺北：國家圖書館，1997），195 頁。如果，這種說法成立，欄位 225 和欄位 505 的內容完全相同，也衹要留一個就好了。每個系統都有自己的特殊設計，機讀編目格式是給所有的系統使用，所以，重複是在所難免；況且，今天的重複並不保證明天還是重複。

	090 全國圖書資訊網路系統（NBINet）控制號
	091-099 保留予其他類似欄號 009, 020 之系統控制號使用
1 _ _ 代碼資料段	100 一般性資料
	101 作品語文
	102 出版國別
	105 資料代碼欄：圖書、善本書
	106 資料代碼欄：文字資料形式特性
	110 資料代碼欄：連續性出版品
	115 資料代碼欄：投影資料、錄影資料、影片
	116 資料代碼欄：非投影性圖片
	120 資料代碼欄：地圖資料——一般性
	121 資料代碼欄：地圖資料形式特性
	122 資料代碼欄：作品涵蓋時間
	123 資料代碼欄：地圖資料——比例尺與座標
	124 資料代碼欄：地圖資料——特殊資料類型
	125 資料代碼欄：樂譜資料與非音樂性錄音資料
	126 資料代碼欄：錄音資料形式特性
	127 資料代碼欄：錄音資料播放或樂譜演奏之時間
	128 資料代碼欄：音樂演奏作品
	129 資料代碼欄：拓片
	130 資料代碼欄：縮影資料形式特性
	131 資料代碼欄：地圖資料——大地、網格、垂直測量
	135 資料代碼欄：電腦檔
2 _ _ 著錄段	200 題名及著者敘述項
	204 資料類型標示
	205 版本項
	206 資料特殊細節項：地圖資料——製圖細節

		207 資料特殊細節項：連續性出版品——卷期編次
		208 資料特殊細節項：樂譜形式
		209 資料特殊細節項：電腦檔
		210 出版項
		211 預定出版日期
		215 稽核項
		225 集叢項
3 _ _ 附註段		300 一般註
		327 內容註
		328 學位論文註
		330 摘要註
4 _ _ 連接款目段（刪除）		本段各欄已併入 5 _ _ 相關題名段
5 _ _ 相關題名段	劃一題名	500 劃一題名
		501 總集劃一題名
		503 劃一習用標目
	集叢	505 集叢
	不同題名	510 並列題名
		512 封面題名
		513 附加書名頁題名
		514 卷端題名
		515 逐頁題名
		516 書背題名
		517 其他題名
	補篇及合刊資料	521 補篇
		522 本篇
		523 合刊、合訂
	其他版本	524 同一媒體之其他版本
		525 不同媒體之其他版本
		526 譯作

		527 譯自
	連續性出版品更易前之資料	530 繼續
		531 衍自
		534 合併
		535 部份合併
		536 由____:____合併而成
	連續性出版品更易後之資料	540 改名
		541 部份衍成
		544 併入
		545 部份併入
		546 衍成
		547 與____:____合併成____
		548 恢復原題名
	其他相關題名	550 識別題名(適用於連續性出版品)
		551 簡略題名(適用於連續性出版品)
		552 舊題名(適用於連續性出版品)
		553 完整題名
		554 編目員附加題名
		555 編目員翻譯題名
6_ _ 主題分析段	主題標目	600 人名標題
		601 團體名稱標題
		605 劃一題名標題
		606 主題標題
		607 地名標題
		610 非控制主題詞彙
	主題分析	660 地區代碼
		661 年代代碼
		670 前後關係索引法 (PRECIS)
	分類	675 國際十進分類號 (UDC)
		676 杜威十進分類號 (DDC)

		677-679 保留予其他十進分類系統
		680 美國國會圖書館分類號 (LCC)
		681 中國圖書分類號 (CCL)
		682 農業資料中心分類號
		686 美國國立醫學圖書館分類號 (NLM)
		687 其他分類號
7 _ _ 著者及輔助檢索段		700 人名——主要著者
		702 人名——其他著者
		710 團體名稱——主要著者
		712 團體名稱——其他著者
		730 輔助檢索項(善本書)
		734 輔助檢索項(出版、製作地等)
		736 技術細節檢索項(電腦檔)
		750 人名(羅馬拼音/中譯作品之著者原名) — 主要著者
		752 人名(羅馬拼音/中譯作品之著者原名) — 其他著者
8 _ _ 各館使用段		760 團體名稱(羅馬拼音/中譯作品之著者原名) — 主要著者
		762 團體名稱(羅馬拼音/中譯作品之著者原名) — 其他著者
		780 輔助檢索項(善本書) — 羅馬拼音
		784 輔助檢索項(出版、製作地等) — 羅馬拼音
		786 技術細節檢索項(電腦檔) — 羅馬拼音
		801 出處欄
		802 國際叢刊資料系統中心 (ISDS Center)
		805 館藏記錄
		806 電子資源位址及取得方法

二、編目規則

編目規則本身不是標準，「記錄標示」的第 18 位元組，祇標示該筆記錄的著錄格式是否符合《國際標準書目著錄格式》（International Standard Bibliographic Description，ISBD）的要求。簡單說，臺灣流行的《中國編目規則》及《英美編目規則第二版》（Anglo-American Cataloguing Rules Second Edition），都是符合這個標準的編目規則。

在《中國機讀編目格式》裡，以下欄位的內容，必須依照上述的編目規則要求制定：

項目	細目	欄號	分欄
題目及著者敘述項	正題名	200 題名及著者敘述項	$a 正題名
			$h 編次
			$i 編次名稱
			$p 卷數
			$v 冊次號
	資料類型標示	204 資料類型標示	$a 資料類型標示
	並列題名	200 題名及著者敘述項	$d 並列題名
	副題名	200 題名及著者敘述項	$e 副題名及其他題名資料
	著者敘述	200 題名及著者敘述項	$f 第一著者敘述
			$g 第二及依次之著者敘述
版本項	版本敘述	205 版本項	$a 版本敘述
			$b 版本其他名稱敘述
			$d 並列版本敘述
	關係版本著者敘述	205 版本項	$f 版本之第一著者敘述
			$g 版本第二及依次之著者敘述
資料特殊細節項 連續性出版品 — 卷期項	編次	207 資料特殊細節項：連續性出版品 — 卷期編次	$a 卷期、年份編次

	地圖 — 製圖細節項	比例尺	206 資料特殊細節項：地圖資料 — 製圖細節	$a 製圖細節
		投影法		
		經緯度及晝夜平分點		
	樂譜 — 樂譜形式敘述項	樂譜形式敘述	208 資料特殊細節項：樂譜形式敘述	$a 樂譜形式敘述
				$d 並列樂譜形式敘述
	電腦檔 — 檔案特性	檔案特性	2098 資料特殊細節項：電腦檔	$a 檔案型態(記錄或程式敘述之數量)
	微縮資料			
出版項		出版地、經銷地等	210 出版項	$a 出版地、經銷地等
				$b 出版者、經銷者等住址
		出版者、經銷者等	210 出版項	$c 出版者、經銷者等名稱
		出版者、經銷者職責敘述	210 出版項	
		出版年、經銷年等	210 出版項	$d 出版、經銷等日期
		印製地、印製者、印製年	210 出版項	$e 印製地
				$f 印製者住址
				$g 印製者名稱
				$h 印製日期
稽核項		數量單位	215 稽核項	$a 數量 (面數，冊數或其他)
		插圖及其他稽核細節	215 稽核項	$b 插圖及其他稽核細節
		高廣、尺寸	215 稽核項	$d 高廣、尺寸
		附件	215 稽核項	$e 附件

集叢項	集叢正題名	225 集叢項	$a 集叢名
	集叢並列題名	225 集叢項	$d 並列集叢名
	集叢副題名	225 集叢項	$e 集叢副題名
	集叢著者敘述	225 集叢項	$f 著者敘述
	集叢之國際標準叢刊號碼	011 國際標準叢刊號	$a 號碼
	集叢號	225 集叢項	$v 集叢號
	附屬集叢	225 集叢項	$h 編次
			$i 編次名稱
附註項	性質、範圍、體裁	300 一般註	$a 附註
	使用語文、譯作、改寫	300 一般註	$a 附註
	正題名來源	300 一般註	$a 附註
	原名、異名、改名、缺名	300 一般註	$a 附註
	殘存卷數	300 一般註	$a 附註
	並列題名	300 一般註	$a 附註
	副題名	300 一般註	$a 附註
	著者敘述	300 一般註	$a 附註
	版本項	300 一般註	$a 附註
	資料特殊細節項	300 一般註	$a 附註
	出版項	300 一般註	$a 附註
	稽核項	300 一般註	$a 附註
	集叢項	300 一般註	$a 附註
	學位論文	328 學位論文註	$a 附註
	適用對象	300 一般註	$a 附註
	其他資料類型	300 一般註	$a 附註
	摘要	330 摘要註	$a 附註

	參考書目、索引、附錄	300 一般註	$a 附註
	內容	327 內容註	$a 內容註之各題(篇)名
			$f 內容註之各題(篇)名之第一著敘述
			$g 內容註之各題(篇)名之第二及依次之著者敘述
			$v 篇(冊)次號
	號碼	300 一般註	$a 附註
	合刊、合訂	300 一般註	$a 附註
	實際館藏記載	300 一般註	$a 附註
	複印、影抄	300 一般註	$a 附註
標準號碼及其他必要記載項	標準號碼	010 國際標準書號	$a 號碼
		011 國際標準叢刊號	$a 號碼
	識別題名	550 識別題名(適用於連續性出版品)	$a 識別題名
	獲得方式	010 國際標準書號	$d 發行性質/價格
		011 國際標準叢刊號	$d 發行性質/價格
	裝訂及其他區別字樣	010 國際標準書號	$b 裝訂及其他區別字樣
		011 國際標準叢刊號	$b 裝訂及其他區別字樣

三、主題編目

分類法及主題標目也是很重要的編目內容，大致上放在 6__ 主題分析段裡。

舊稱主要款目及附加款目的檢索項，可以登錄在三個欄位：

欄號	名稱	來源	
		中國編目規則	英美編目規則第二版
600	人名標題	第 22 章人名標目	22 Headings for Persons
601	團體名稱標題	第 23 章地名、第 24 章團體標目	23 Geographic Names 24 Headings for Corporate Bodies
605	劃一題名標題	第 25 章劃一題名	25 Uniform Titles

主題標目依其性質，可以分別登錄在二個欄位裡：

欄號	名稱	來源
606	主題標題	中文圖書標題表、美國國會圖書館標題表，等
607	地名標題	中文圖書標題表、美國國會圖書館標題表，等❹

不同的分類系統，應將其分類號放置在不同的欄位裡：

欄號	名稱
675	國際十進分類號（UDC）
676	杜威十進分類號（DDC）
680	美國國會圖書館分類號（LCC）
681	中國圖書分類號（CCL）
682	農業資料中心分類號
686	美國國立醫學圖書館分類號（NLM）

《中國佛教圖書分類法》等，不在表列之內的分類法，可以視其性質，登錄在 677-679 或 687。

---

❹ 607 這個欄位應該是個誤解，因為地名本身不能成為主題，衹有當成一般主題時，才會出現主題的。參照《UNIMARC Manual Bibliographic Format》2nd ed. (Munchen: K.G. Saur, 1994)。

四、館藏資料

《中國機讀編目格式》以欄位 805 館藏記錄，做爲記載登錄號、館藏地、部冊號、複本號等實際館藏資料的地方。這個欄位的內容，專門針對特定圖書館而設，對於其他圖書館沒有意義；所以，交換書目資料時，通常不必傳送它。根據國際圖書館聯盟的規定，欄位編號含有 9 的地方，專門保留給各圖書館自行處理，國際交換時不予處理，__9、_9_、9__這三類欄位，在 UNIMARC 裡，都沒有定義。

所以，爲了和 UNIMARC 相容，館藏資料應該放在這三類欄位之一，而不是現在的位置。

五、結論

爲了因應電子計算機以欄位處理資料的型態，英美兩國的國家圖書館在 1960 年代末期發明了機讀編目格式。原來已存在數千年的傳統書目資料，全部融入機讀編目格式裡，絲毫沒有遺漏。書目資料的儲存及呈現方式，因爲有了電子計算機而有不同的風貌，在元資料觀念的衝擊下，機讀編目格式是否納入元資料的版圖，或者堅持原來的方向，則有待進一步的研究。

由個人化新聞服務技術
展望圖書資訊服務新趨勢

卜小蝶
世新大學圖書資訊學系副教授

一、前言

網際網路的蓬勃發展無疑地開啓了資訊服務的新紀元，對於圖書資訊服務而言，任何一項網際網路的重要資訊技術都可能在未來創造出新的服務空間，但也可能是對傳統圖書資訊服務的一種挑戰。因此隨時瞭解與掌握資訊技術的發展，對需要提供資訊服務諸如圖書館、傳播媒體、教育事業、商務企業等都是相當重要的。爲此，本文將探討近來在網路上逐漸受到重視的個人化資訊服務（Personalized Information Service）技術❶，因爲這很可能是一項開啓圖書館資訊服務新天地、但也可能動搖傳統資訊服務的關鍵性技術。

個人化資訊服務強調資訊服務系統必須「因人而異」，以滿足使用者的資訊需求。因爲網路雖讓資訊能跨越時空自由流通，但浩瀚的資訊也形成很多人的焦慮所在。如何讓每個人在資訊大海中容易擷取有價值的資訊，一時間也成爲熱門的研究議題，而所謂個人化資訊服務的概念也因此受到重視。最近在網路上陸續出現的資訊服務，例如各類電子卡片所提供的個人化設計功能、針對不同使用者背景所提供的個人化廣告、提供學生依照個人志趣及學習進度的非同步教學課程等，加上一些成熟的應用系統，如強調個人資訊過濾技術的 Firefly 系統，具備個人化服務功能的 My Yahoo!，以及提供使用者重新組合個人想瀏覽的資訊內容新浪網 Sina 等。這些應用都顯示出個人化資訊服務的可行

❶ Jesse Berst , “Why Personalization is the Internet's Next Big Thing,” April 14, 1998. (http://www4.zdnet.com/anchordesk/story/story_1977.html)

性與無窮潛力。

其實個人化資訊服務一直是圖書館努力的方向之一，只是過去限於資訊服務技術不足與成本的限制，其成效並不彰顯。若圖書館也能充份運用這類個人化服務技術，這對以使用者爲導向（User-Oriented）的資訊服務模式的影響將是顯而易見的。例如若 OPAC 系統也能具備類似個人化服務能力❷，可針對不同背景的讀者，提供不同的圖書資訊檢索服務，則圖書館將可提供更主動且長期的服務項目，如圖書推薦或選粹服務等以吸引讀者。相反地，若圖書館遲遲不能提供類似的服務，則不僅讀者抱怨，很多讀者也可能轉而運用類似 Amazon 這類網路書店的個人化服務。

究竟那些因素在促使個人化資訊服務的迅速發展？由於深入探討的文獻並不多，一時未有定論。而在諸多的個人化資訊服務中，個人化新聞算是相當具有代表性的應用之一。網路電子新聞因爲具有即時、互動、易檢索、及多元化等特性，想像中的個人化新聞服務應該能掌握讀者的閱讀習慣、閱讀時間、及所喜愛版面等訊息，以提供不同讀者不同的新聞版面、題材、甚至內容。因此很早就有網路資訊服務單位允許讀者設定一些關鍵詞進行長期的主題檢索，並且隨時提供相關新聞。但是從技術發展觀點，對個人化新聞服務的進程影響較大主要包括資訊過濾技術、Push 式技術、以及以搜尋引擎提供的個人化新聞服務等。這些技術與服務對圖書館短期的影響將包括新聞資料庫檢索、剪報服務、及資料典藏等方面，而長期來看，更可能對圖書館資訊服務有全面性的影響。因此，以下我們將先針對上述這幾項新聞資訊服務及技術作介紹，之後探討在圖書館資訊服務的可能借鏡之處。

二、網路電子新聞服務的發展

傳統新聞依據媒體形式雖有廣播、電視、報紙等差異，但網路電子新聞卻可以集這些媒體特性於一身。網路電子新聞擁有動態（Dynamic）、超連結（Hyperlink）、多媒體化（Multimedia）、個人化（Personalization）、互動式（Interactive）、提供檢索（Retrieval）、環保（Environmental）等優點❸。這樣的新聞形式已經嚴重衝擊到報紙媒體。

根據 Electronic Publishing Group 統計指出，傳統報紙的流通數量自 1990 年起就一直

---

❷ 卜小蝶。「提供個人化服務的線上公用目錄檢索系統初探」。中國圖書館學會會報。59 期（民 86 年 12 月），頁 127-133。

❸ Lorrie Ackerman, "Is ENOF Enough? Design and Evaluation of an Electronic Newspaper of the Future," May 1993. (http://www.research.att.com/~lorrie/pubs/thesis-text)

在遞減❹，而網路電子報服務則持續成長，根據美國 Editor & Publisher Magazine 的統計指出，電子報由 1992 年的 20 多種、1996 年的 1,441 種、成長到 1997 年的 2,560 種❺。另外一些報告也指出，在 1961 年 30 歲以上的美國人有 73% 每天看傳統報紙，到了 1996 年則降到 61.5% ❻，同時美國 Kelsey Group 顧問集團也指出，報紙廣告收入從 1980 到 1994 間已由 27.1% 降到 22.6% ❼。這些數據都顯示閱報人數的比例明顯下降。另外根據 Forrester Consulting 顧問公司的研究指出，公元 2001 年，傳統報紙發行量甚至還會被網路電子媒體奪走 14% ❽。爲了維持足夠競爭優勢，一些傳統報業已經嘗試開發類似電子報的服務。舉例來說，美國有許多報社早已和五大商業網路服務公司（ISP），包括 AOL、Prodigy、CompuServ、Delphi Internet Service、Interchange Online Network 等合作，提供網路電子新聞服務。當然也有獨立發展的網路版電子報，如 San Jose Mercury News 就是其中之一。

值得注意的是這些網路電子新聞目前約有 10% 已經提供個人化服務❾。依照 Anthony Smith 的調查，由於傳統新聞需考慮大眾閱讀興趣，通常只有 10% 收集到的新聞有機會被刊出，而且其中也只有 10% 會被大眾所閱讀❿。倘若新聞服務得以個人化，則只要是有讀者感到興趣的新聞，都有機會被傳播，而且會被閱讀。MIT 的 Nicholas Negroponte 教授就曾說過：「今天的報紙已經過時，而且很快就會被電子式的個人化新聞（Ultra Personal）所取代」⓫。舉例來說，MIT 媒體實驗室早在 1981 年就已發展類似個人化新聞的 NewsPeek 系統，這個系統正是目前各大新聞媒體如美聯社所使用的新聞過濾軟體 FishWrap 的前身。這套電子報系統每天可根據個人的興趣自動從不同新聞來源擷取相關資料，並自動傳送給每個教職員，同時這些新聞資料也可不限地點或時間以螢

---

❹ Yuri Quintana, "Design of Internet-Based News Delivery Systems and Its Impact on Society," *INET '96* July 31, 1997. (http://moevax.edu.tw/inet96/a7/a7_1.htm)

❺ The Editor & Publisher Co. Online Newspapers Statistics. updated Nov. 21, 1997. (http://www.mediainfo.com/ephome/npaper/nphtm/stats.htm)

❻ 同註❹。

❼ Alfonso Molina, "Issues and Challenges in the Evolution of Multimedia: the Case of the Newspaper," *Futures* 29:3 (April 1997).

❽ Forrester Research, Inc. (http://www.forrester.com/)

❾ 同註❼。

❿ Anthony Smith. *Goodbye Gutenberg: The Newspaper Revolution of the 1980s*. New York: Oxford University Press, 1980.

⓫ MIT Media Lab, "News in the Future," (http://nif.www.media.mit.edu/)

幕或語音方式呈現或閱讀⓬。又如 NewsEdge 系統，它能夠隨時由各大新聞來源，如 PR Newswire、Knight-Ridder/Tribune Business News, Dow Jones News Service, Reuters Financial News 等擷取資料，並持續不斷透過網路、廣播、衛星等方式傳送給使用者⓭。

其實除了數位化的資訊可以個人化，即使傳統印刷型式也一樣可以，例如 Farmer Journal 有 80 萬名訂戶，但是出版社根據客戶特性每月就發行了 7 千至 1 萬種不同的版本，以符合每個訂戶的個別需求。這說明在商業領域中所謂由大量生產及服務導向轉以顧客爲導向（customization）的趨勢也同樣可能發生在新聞資訊服務上⓮。由上述例子不難看出，新聞服務已從電子化、網路化，有逐漸發展到個人化的趨勢。

個人化新聞服務的發展其實已有相當歷史，早期的人工式剪報服務基本上就屬於一種個人化服務。以電子方式發行的個人化新聞服務也有相當時日，包括從開始的專業新聞資料庫服務（如 Lexis/Nexis、Dow Jones News Retrieval）、到光碟版電子新聞的發行（如 New York Times），還有前述實例都是具體應用。但是對個人化新聞服務的進程影響較大的技術，主要包括資訊過濾技術、Push 式技術、以及以搜尋引擎提供的個人化新聞服務。

三、運用資訊過濾技術的個人化新聞服務

㈠資訊過濾的概念

在很多時候，資訊過濾如圖一所示是指網路資源檢索系統中收集與整理網路資源的部份。這樣的資訊過濾技術以人爲觀點來分析，最明顯的例子就是報社的編輯，編輯的工作除了撰稿及進行文字修飾外，最重要的是還是決定文稿是否適合讀者而是否加以收錄。

⓬ fishWrap: Personalized News System. (http://fishwrap.mit.edu/)

⓭ NewEdge (http://www.newsedge.com/)

⓮ B. Joseph Pine II. *Mass Customization: The New Frontier in Business Competition*. Boston, Mass. : Harvard Business School Press, 1993.

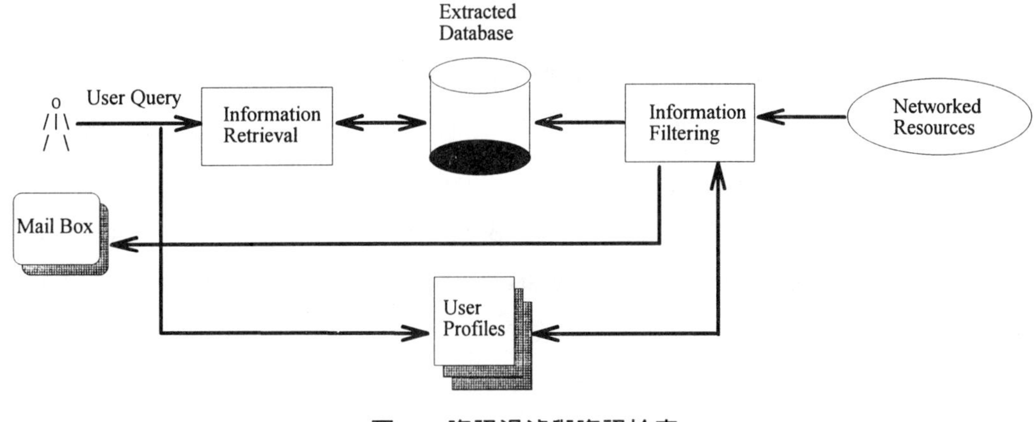

圖一　資訊過濾與資訊檢索

若系統能具備類似能力時，其所能進行的資訊服務將也就更加寬廣。因此資訊過濾技術強調的是讓資訊服務系統具備更主動（Active）、長期（Long-Term）、及個人化（Personalized）的資訊服務能力，藉以反應出傳統資訊服務系統中的被動（Passive）、短期（Short-Term）、及一般化（General）等資訊服務的缺失，而這之中又以個人化爲最主要的差異來源。因爲面對資訊檢索系統，除了不同使用者的需求會有個別差異外，而且相同的使用者又常會有相近的檢索需求，因此具備資訊過濾能力的資訊系統多會建立使用者個人興趣檔案（Profile），以針對不同使用者提供不同的服務內容，如同樣是檢索「多媒體電腦」的消息，初學者檢索的資料範圍可能來自第三波雜誌、大家學電腦等較一般性的電腦雜誌，而專業者就可能會參考較專業化如 Journal of Educational Multimedia and Hypermedia 的期刊（個人化）；而這樣的服務會持續的進行，凡是系統收錄到最新電腦雜誌都會再次處理（長期）；每當有符合的資訊被檢索出時，系統就會利用 E-mail 或傳眞方式主動通知使用者（主動）。這樣的資訊檢索技術與服務正說明下一代網路資源檢索系統將會有嶄新的功能。

㈡內容式資訊過濾技術

大多數資訊過濾系統都是利用所謂內容式資訊過濾（Content-based Information Filtering）技術⓯。內容式資訊過濾（又稱爲 Cognitive Filtering）主要是以要過濾的文件

⓯ Foltz, Peter W. et al. "Personalized Information Delivery: An Analysis of Information Filtering Methods," *Communications of the ACM*, 35(Dec. 1992): 51-60.

之內容（Content）爲對象加以分析比較⑯。而所使用的比較技術類似現行資訊檢索技術所使用的各種統計法爲基礎的文件相似度比較技術。一般允許使用者建立一 Profile，Profile 中主要是一些關鍵詞或者是更進一步的相關文件本文。資訊過濾系統會將每一新收集到的文件與此 Profile 加以比對，以判斷其相關性。這類技術最適合新聞服務使用，目前生產的商業系統也多是以此爲基礎，如 IBM 的 InfoSage、Crayon.net、Verity Topic、Fast Data Finder、Agentware i3、My NewsStand、KE Media、ZyFILTER 等皆是採用此類技術⑰。

㈢運用資訊過濾技術的個人化新聞服務

同樣地大部分的個人化新聞服務也都是採用內容式資訊過濾技術，以文件的內容（Content）做爲過濾對象並加以分析比較。一般允許使用者建立一 Profile，Profile 中主要是一些關鍵詞或者是更進一步的相關文件本文。資訊過濾系統會將每一新收集到的文件與此 Profile 加以比對，以判斷其相關性。最近 Internet 上的服務多要求使用者先連結至指定網站，填入個人相關資料及興趣主題，之後才透過 E-mail 方式定期傳送相關新聞。很多傳統新聞社提供這類服務但多半採收費型式，如 Wall Street Journal 的收費服務就包括提供讀者股市資訊，以及特定主題的財經分析報告等。但是 LA Times 有不同作法，除了回溯檢索索取全文需付費外，其餘服務目前都不收費。LA Times 利用 Hunter 系統所提供的資訊過濾技術，即允許讀者自訂關鍵詞以建立個人興趣檔，之後使用者即可隨時連線瀏覽與興趣檔中所訂主題相關的新聞，據稱已有 25 萬人註冊訂閱此項服務。

LA Times 在電子新聞市場算是相當積極，最近甚至提供英語、西班牙的自動新聞翻譯服務，這在電子新聞領域是相當前瞻性的作法。表一列舉一些提供個人化新聞服務的網站，很可惜目前國內並無類似服務，即使最大的中文電子報——中時電子報，都尚未提供個人化新聞服務。

---

⑯ Douglas W. Oard and Gary Marchionini. *A Conceptual Framework for Text Filtering*, May 1996. (technical report: EE-TR-96-25)

⑰ University of Maryland Information Filteirng Project. (http://www.enee.umd.edu/medlab/filter/filter_project.html)

表一　提供個人化新聞服務的網站舉例

網　站	網　址
AOL My News	http://www.aol.com/mynews/
Autonomy	http://www.autonomy.com/
Clickshare	http://ww.newshare.com/
CNN Custom News	http://customnews.cnn.com/cnews/pna_auth.welcome
CRAYON	http://crayon.net/
LA Times Custom News Service	http://www.latimes.com/
London Times	http://www.the-times.co.uk/
Newsedge NewsPage Direct	http://www.newspage.com/
NewsHound	http://www.newshound.com/
Quote.com	http://www.quote.com/
Relevant	http://www.ensemble.com/
San Jose Mercury News	http://www.sjmercury.com/
The Wall Street Journal	http://www.wsj.com/

㈣協力式資訊過濾（Collaborative Filtering）

前述內容式資訊過濾最大缺點是在作資訊過濾時不能對文件品質與內涵加以評定，另外對一些非文字性資源，如電影、音樂等多媒體資源，或者是如書目資料庫較缺乏完整訊息的資源而言，內容式資訊過濾的技術很難加以施行。因此取而代之的是有關協力式資訊過濾技術（又稱為 Social Filtering）的發展⑱。這類技術著重建立大量的使用者Profile，除了記錄每一個使用者在所設定主題的檢索結果外，還記錄使用者的個人背景、知識、與興趣等，之後針對使用者的查詢主題，利用 User Modeling 技術，將查詢者的 Profile 與現有系統中所有曾經出現者的 Profile 比對相似性與查詢相關性，最後再將有類似背景的使用者在類似查詢主題的檢索結果，給予加權提供使用者參考。這一類技術目前相當受到學術界重視，包括 Stanford 的 Netnews Filtering 計畫（SIFT）、CMU 的

---

⑱ Shardanand, Upendra and Pattie Maes. "Social Information Filtering: Algorithms for Automating 'Word of Mouth'," *ACM CHI '95.* <http://www.acm.org/sigchi/chi95/Electronic/documents/papers/us_bdy.htm>

Webwatcher 與 NewsWeeder 計畫、MIT 的 WebHunter 與 Webdoggie 計畫等都屬此類技術的應用⑲。不過這類技術必須仰賴大量高可信度的 User Profile，因此短期發展成商業化的技術一般認爲並不容易，目前也沒有網路新聞提供類似服務技術，不過對於前述有關個人化推薦（Personalized Recommendation），如電影、圖書、產品介紹等，或者希望對檢索資源的品質（Quality）、風格（Style）、觀點（Point of View）等有所分析的資訊檢索行爲，還是需要這類技術的不斷提昇。

四、Push 技術與個人化新聞服務

Push 技術的發展爲 Web 資訊服務環境開創更好的即時新聞空間。透過 Web 傳輸，讀者雖可經由電腦獲取文字、影像、聲音等訊息，但是必須時時上網閱讀，由於網站內容越來越多，以及網路效率差，爲了達到即時主動的多媒體資訊傳送，Push Technology 便應運而生。

Push 技術是指無須 Client 端要求便主動將資訊傳送到 Client 端的技術泛稱⑳。一些廣播媒體如電視、廣播電臺都可算是 Push 技術的應用。但是目前大家泛稱的 Push 技術主要還是指在 Web 環境的應用技術。先前 Web 的傳播方式如同 BBS 一樣都屬於 Pull Technology，也就是必須使用者主動到網站閱讀資訊，而非資訊自動上門來。

基本的 Push 功能包括主動通知相關網頁內容是否更新、主動提供讀者可能有興趣的訊息、以及廣告服務。具有 Push 功能的網站，稱爲 Active Channel，這類資訊服務網站可經由 E-Mail 或特殊軟體（如 Freeloader 軟體），將資訊或服務"推"給使用者，透過 Push 技術，使用者可自由選擇及隨時下載網站上某個特定資訊，而不須時常上網瀏覽層層網頁。目前擁有 Push Technology 功能的以 PointCast、Backweb、Netcaster、Internet Explorer 爲主流。其中 PointCast 的推出曾帶動 Push 技術的熱潮。PointCast 提供各種即時如體育、氣象等不同類型的資訊，讀者可利用其所提供的 Push 技術選擇想接收的新聞頻道或類型。

不過 Push 技術也有許多爲人詬病之處㉑，如容易造成網路擁塞、強迫讀者閱讀垃圾廣告等。因此有人稱呼 PointCast 爲 Web-based Advertising Software。但是對個人化新

---

⑲ Recommenders and Collaborative Filtering Systems. (http://www.sims.berkeley.edu/resources/collab/)

⑳ H. Berghel. "The New Push for Push Technology". *Networker* 2(1998): 28-36.

㉑ Mel Duvall. "Has 'Push' Technology Been Left in the Dust?" Jan. 26, 1998. (http://www.zdnet.com/content/inwo/0126/278540.html)

聞服務而言，Push 技術確實使得 Web 有很好的多媒體即時新聞發展潛力，也讓傳統電子新聞服務有了全新的想像空間。表二即是一些具備 Push 技術的系統舉例。

表二　具備 Push 技術的系統舉例

網　站	網　址
BackWeb	http://www.backweb.com/
Intermind Communicator	http://www.intermind.com/
Marimba Castanet	http://www.marimba.com/
MSNBC Personal News Alert	http://www.msnbc.com/tools/alert/alermain.asp
Netscape Netcaster	http://home.netscape.com/inf/comprod/products/communicator/netscaster_faq.html
Microsoft IE	http://www.microsoft.com/i.e./press/whitepaper/iwhite/white011.htm
PointCast	http://www.pointcast.com/
TIBCO	http://www.tibco.com/

五、搜尋引擎與多元化資訊服務

除了傳統新聞社外，許多新興網路搜尋引擎也開始提供個人化服務（表三）。這些搜尋引擎不僅提供各種新聞資源，更結合多元化服務。以 My Yahoo! 為例，其不僅提供個人化新聞服務，也提供了線上交談（Chat）、訊息留言板（Message Boards）、電子郵件、互動遊戲（Games）等加值服務。

表三　提供個人化服務的搜尋引擎舉例

網　站	網　址
Excite: My Excite Page	http://www.excite.com/
Lycos: Personal Guide Page	http://personal.lycos.com/
Yahoo: My Yahoo!	http://my.yahoo.com/
Infoseek: Personal Newswire	http://www.infoseek.com:80/doc/stddoc/Newswire

就個人化資訊服務而言，新聞只是其中一項來源，其提供使用者建立 Profile，允許

使用者設定分類習慣、決定收藏範圍（其實只是設定有興趣的範圍）、及設定檢索主題，等於規劃了一個個人使用的網路搜尋引擎，除長期提供新聞等主題服務外，也會主動告知最新異動等。Yahoo 希望藉此吸引使用者，也更加提高資訊的使用價值。

類似 Yahoo 的網路搜尋引擎基本上已經是一種多元傳播媒體。由於網路族在網路的活動多需經過搜尋引擎的指引與協助，搜尋引擎因此人氣旺盛，除了提供分類目錄，還可充當傳播媒體，甚至旅行社、銀行等角色等。對傳統新聞社而言，搜尋引擎提供的電子新聞服務，特別是個人化新聞，無疑是空前的挑戰，搜尋引擎因爲具備使用者 Profile，而且有大量使用紀錄，因此比傳統新聞社更能掌握社會脈動，以及個別讀者興趣。此外搜尋引擎可以提供的服務種類繁多，傳統新聞社很難競爭。不過幸好類似的搜尋引擎本身尚未能產生新聞，必須透過加盟服務，像 My Yahoo! 的服務由於不收費，因此其新聞來源還無法如傳統新聞社所提供的豐富深入。可是展望未來，當搜尋引擎與人們生活結合更加密切、服務更直接有效時，傳統新聞社將面臨應自己經營電子新聞服務、還是將新聞提供網路搜尋引擎代爲經銷的痛苦抉擇，無疑地，除了具有特色的新聞服務如 Lexis/Nexis、Dow Jones 等較不受影響，一些性質雷同的新聞社可能數量減少，且部分新聞服務收入或許需與搜尋引擎共享。

六、個人化新聞的困難與挑戰

個人化新聞對新聞資訊提供單位的影響無疑地是巨大的。個人化新聞開啓新聞單位提供小眾服務的機會。另外個人化新聞也讓新聞與個人廣告服務的結合有了新的空間。但是大眾媒體應有警覺，在現有四大媒體中，以網路最適合進行個人化新聞服務。不過新聞媒體也應該體認現有新聞服務的個人化，主要是在服務方式的改進，而非新聞內容個人化，同時個人化是功能輔助而非全盤取代。誠如 Atkin 所說：「人們閱讀報紙並不只是想找尋與個人有關的資訊，有時純粹是爲了娛樂或增加生活中聊天的素材」[22]，因此完全依照個人興趣製造的新聞未必能一直引起讀者興趣。

個人化服務的成效與資訊技術的突破一直息息相關。例如現有資訊過濾技術還是有很大改進空間，誠如前述，目前個人化新聞服務多半會先收集與個人有關的資料（如性別、年齡、興趣等），及需要個人化的資料（如新聞、產品資訊等），再以 E-mail、Push

---

[22] Charles Atkin, "Instrumental Utilities and Information-Seeking", In: P. Clarke (ed.), *New Models for Communication Research*. Beverley Hills: Sage, 1973.

等方式傳遞資料給個別使用者。所使用的技術以內容式資訊過濾爲主，一些較先進的技術如協力式資訊過濾或智慧型代理人等尚待開發。資訊過濾技術所討論的方向在很多方面和 Data Mining ㉓以及 Intelligent Agent ㉔都相當類似。目前看來，許多標榜 Data Mining 的研究還是屬於 low-touch but high-tech，少數發展成產品者其實又多屬數值性分析應用，與 Data Mining 的期望有所距離。至於目前稱得上爲 Intelligent Agent 的系統都比較是屬於個人助理形式的小型資訊服務系統，如電子郵件管理系統、行事曆管理系統、甚至智慧型個人股市交易系統等。當然，一些有關個人化資訊的標準也值得注意，如 W3C 協會所提出的 PIDL（Personalized Information Description Language）個人化資訊描述語言是相當值得觀察的技術改進方向之一㉕。

七、個人化新聞服務技術對圖書資訊服務的啟示

前述三類個人化新聞服務技術對圖書館都將會有一定影響。以資訊過濾技術而言，其對圖書資訊服務的影響較爲技術面，諸如 CCS、SDI 服務需不需要運用資訊過濾技術，OPAC 要不要參照改進，圖書館要不要提供利用協力式資訊過濾技術提供音樂 CD 等多媒體資訊服務。可以想見，如果圖書館資訊服務技術不能跟上搜尋引擎的腳步，讀者的流失是肯定的。

至於 Push 技術對圖書資訊服務的影響則可能不是那麼直接，但多少有些影響。圖書館因爲缺乏多媒體資訊，而且圖書資訊服務也比較沒有即時需求，因此 Push 技術直覺上不是那麼容易應用在圖書館裡，可是當讀者習慣類似 PointCast 的即時多媒體資訊服務時，讀者很清楚高品質資訊系統應具備那些功能，而當他們回過頭來看圖書館所提供的資訊服務時，一個沒有 Push 服務的資訊服務將很難令他們滿意或感激。

而網路搜尋引擎對圖書資訊服務的影響則必須正視。圖書館會不會有朝一日與傳統新聞社一樣需與搜尋引擎競爭。試想搜尋引擎可能在廣告資助下與圖書館同樣提供免費圖書資訊服務，搜尋引擎可以迅速累積大量資料庫，提供高品質檢索，或許還會與一些

㉓ Christopher Westphal and Teresa Blaxton. *Data Mining Solutions: Methods and Tools for Solving Real-World Problems*. New York: Wiley, 1998.

㉔ *Agent Technology: Foundations, Applications, and Markets*. ed. by Nicholas R. Jennings, Michael J. Wooldridge, Nick R. Jennings. Springer Verlag, 1998.

㉕ "PIDL - Personalized Information Description Language" W3C Note, Feb 9, 1999. (http://www.w3.org/TR/NOTE-PIDL)

著名圖書館合作。如此一來，圖書館的電子資訊服務與搜尋引擎的區隔何在？筆者以爲圖書館定位應該是公眾服務，而搜尋引擎自然是商業服務。圖書館可以有少數館員提供服務，搜尋引擎則幾乎會以自動化服務爲主。圖書館技術進步緩慢，搜尋引擎任何時候都可引進先進技術。圖書館大致都需長期保存資料，而搜尋引擎則可能只對大量即時資料有興趣。圖書館進行區域性服務，而搜尋引擎則以廣域服務爲主。果眞如此，圖書館是否應收錄搜尋引擎所不收集但有參考價值的資訊、是否應提供搜尋引擎不易提供的資訊服務，如回溯性資料檢索、地區性資料服務、深度主題性服務、以及提供需付費資料庫的檢索服務等。至於很容易從搜尋引擎獲取的資訊服務，圖書館是否可以不必重複進行，例如剪報服務是否宜改爲電子剪報、或利用搜尋引擎來整理電子新聞以進行剪報服務，以提高服務品質及效益。

八、結語

網際網路的蓬勃發展開啓了資訊服務的新紀元，隨時瞭解與掌握網際網路資訊技術的發展，對需要提供資訊服務諸如圖書館、傳播媒體、教育事業、商務企業等都是相當重要的。有鑑於此，本文以個人化新聞服務的發展做爲借鏡，探討在網路上逐漸受到重視的個人資訊服務技術，包括資訊過濾、Push 技術、搜尋引擎等，並探討個人化新聞服務對圖書館資訊服務的可能影響，以了解這些關鍵性技術是否能開啓資訊服務的新天地，或是動搖傳統資訊服務的理念與體系。

臺灣地區圖書資訊學教育現況

王梅玲
玄奘大學圖書資訊學系系主任

壹、前言

臺灣地區圖書館教育肇始於民國 43 年臺灣大學外國語文學系由奧崗女士（Marian Orgain）開授一門 1 年 6 個學分的「圖書館學」課程。其後，臺灣師範大學、臺灣大學、輔仁大學、淡江大學、政治大學、世新大學紛紛成立圖書館學相關系所。為因應資訊科技對於圖書館的影響，各圖書館學系，自 81 年開始大多改名為圖書資訊學系，其全稱為圖書館與資訊科學之意。

臺灣地區圖書資訊學教育經過了四十餘年的奮鬥與努力，至今已建立了 8 所學校：國立臺灣師範大學社會教育學系（簡稱師大）、國立臺灣大學圖書資訊學系（簡稱臺大）、私立中國文化大學史學研究所圖書文物組（簡稱文大）、私立輔仁大學圖書資訊學系（簡稱輔大）、私立淡江大學教育資料科學學系（簡稱淡大）、私立世新大學圖書資訊學系（簡稱世新）、國立政治大學圖書資訊學研究所（簡稱政大）、玄奘人文社會科學學院圖書資訊學系（簡稱玄奘），詳見表 1、「臺灣地區圖書資訊學系所基本資料表」。國立中興大學並將於 88 學年度於臺中市總校區成立圖書資訊學研究所。我國圖書資訊學正規教育在學程層級方面，也相當有建樹，從大學部、研究所碩士班、至博士班提供完整的教育體系。

在隔空教育方面，空中大學自民國 80 年起在人文學系開設圖書館學相關課程。在繼續教育方面，中國圖書館學會與各圖書資訊學系所及圖書館合作，根據圖書館與資訊服務單位之需求每年開設各類研習班，以提供在職圖書館人員再教育的機會。

回顧近十年間，臺灣地區圖書資訊學教育的重大發展可歸納為 8 大課題：(1)全國圖書館會議探討圖書館教育與任用問題、(2)圖書館學博士班開辦、(3)圖書館與資訊教育改進之研究、(4)中華圖書資訊學教育學會成立、(5)海峽兩岸圖書資訊學教育交流、(6)碩士班蓬勃發展、(7)圖書資訊學系所名稱改變與課程研究以及(8)空中大學開設圖書資訊學相關課程。

本文主要陳述臺灣地區圖書資訊學教育的發展現況，從大學部教育、研究所碩士教育、研究所博士教育三種不同的學程分別析述其教學目標及特色、入學資格、畢業要求、教師、學生、課程、行政支援及教學設備等現況。

貳、大學部教育❶

一、概述

臺灣地區圖書資訊學教育體系完整，涵蓋大學部、研究所碩士班、與博士班各種學程。大學部教育以培養圖書館與資訊服務基層人員爲目標，目前開設大學部學程的學校有 6 校：師大、臺大、輔大、淡大、世新與玄奘。師大成立於民國 44 年爲最早的學校，臺大成立於 50 年，是第一所設置於綜合大學的圖書館學系。其後，輔大於 59 年、淡大於 60 年繼之創系。世新之前身爲世界新聞專科學校，早年曾設立圖書資料科，後因學校改制而告停辦，84 年又重新成立圖書資訊學系，玄奘人文社會科學學院於 87 年成立，爲最年輕的學系。有關各校資料詳見表 1、臺灣地區圖書資訊學系所基本資料表。

---

❶ 本節資料主要參考及綜合下列資料而成：

教育部高等教育司編，《八十七學年度大學校院一覽表》（臺北市：該部，民國 87 年）。

中華圖書資訊學教育學會編，《中華民國圖書資訊學系所現況暨教育文獻書目》（臺北市：該會，民國 87 年）。

胡述兆、王梅玲，〈圖書資訊學教育：臺大與北大之比較〉，《中國圖書館學會會報》52 期（民國 83 年 6 月）：頁 15-37。

胡述兆、王梅玲，〈臺灣地區圖書館與資訊科學教育現況〉，《中國圖書館學會會報》58 期（民國 86 年 6 月）：頁 1-27。

蔡金燕，〈兩岸圖書館學教育之比較研究〉，私立中國文化大學史學研究所圖書文物組碩士論文，民國 82 年。

〈國內五所圖書館相關學系八十四學年度課程表〉，《中華圖書資訊學教育學會會訊》4 期（民國 84 年 6 月）：頁 5-17。

國立臺灣師範大學社會教育學系暨研究所編，《國立臺灣師範大學社會教育學系暨研究所概況》（臺北市：編者，民國 84 年）。

臺大圖書資訊系網站，<http://www.Lis.ntu.edu.tw//intro/intru/main1.html.>。

國立臺灣大學圖書館學系圖書館學研究所編，《國立臺灣大學圖書館學系圖書館學研究所簡介》（臺北市：編者，民國 80 年）。

國立臺灣大學圖書館學研究所編，《國立臺灣大學圖書館學研究所研究生手冊》（臺北市：編者，民國 86 年）。

〈國立臺灣大學文學院圖書館學研究所設置博士班計畫〉，民國 76 年。

表 1　臺灣地區圖書資訊學系所基本資料表

學校名稱	學校所在地	大學成立年	全校學生數	系所名稱	提供學程	系所分組	圖資系所現有教員數	圖資系所現有學生數
師大	臺北市	1946	7,225	社會教育學系圖書資訊學組（原名圖書館組，87 學年度改爲現名）	大學部/44 年成立	大學部分 3 組：社會工作組、新聞學組、圖書資訊學組	專任 6 人，兼任 4 人	大學部 61 人
臺大	臺北市	1928	24,000 餘	圖書資訊學系所（原名圖書館學系，86 年改爲現名）	大學部/50 年成立 碩士班/69 年成立 博士班/78 年成立		專任 10 人，兼任 8 人	大學部 208 人，碩士班 43 人，博士班 9 人
文大	臺北市	1962 1980 改制大學	20,000 餘	史學研究所圖書文物組	碩士班/53 年成立	史學研究所分斷代史組、近代史組、圖書文物組、美術史組	兼任 2 人	
輔大	臺北縣新莊市	1925	20,000 餘	圖書資訊學系所(原名圖書館學系，自 81 學年度改爲現名	大學部/59 年成立 夜間部/59 年成立 碩士班/83 年成立		專任 8 人，兼任 23 人	大學部日間部 254 人，夜間部 227 人,碩士班 38 人

輔仁大學圖書資訊學系，〈輔仁大學圖書資訊學研究所申請設立計劃書〉，民國 82 年。

輔仁大學圖書資訊學研究所，〈輔仁大學圖書資訊學研究所研究生手冊〉，民國 84 年。

淡江大學教育資料科學學系，〈淡江大學教育資料科學學系簡介〉，民國 84 年。

淡江大學教育資料科學研究所，〈淡江大學教育資料科學研究所簡介〉，民國 84 年。

淡江大學教育資料科學學系編，〈教資系所現況分析及未來展望〉，民國 87 年。

〈國立政治大學八十三學年度申請增設圖書資訊學研究所〉，民國 82 年。

國立政治大學，〈國立政治大學圖書資訊學研究所簡介〉，民國 86 年。

世界新聞傳播學院圖書資訊學系，〈世界新聞傳播學院圖書資訊學系創立賀詞暨簡介〉，民國 84 年。

玄奘人文社會學院圖書資訊學系編，〈玄奘人文社會學院圖書資訊學系簡介〉，民國 87 年。

〈國內五所圖書館相關學系八十四學年度課程表〉，《中華圖書資訊學教育學會會訊》4 期（民國 84 年 6 月）：頁 5-17。

88 年 2 月 28 日至 3 月 15 日間，第三次中華民國圖書館年鑑編輯小組進行〈臺灣地區圖書資訊學系所現況調查〉。

淡大	臺北縣淡水鎮	1950 1980改制大學	25,000餘	教育資料科學系所	大學部/60年成立 碩士班/80年成立	一、86學年度以前： 1.大學部分3組：圖書館組、視聽資料組、資訊科學組 2.研究所分2組：A組、圖書館學與資訊科學組；B組、教育科技組 二、86學年度以後：教育科技的部份單獨成立教育科技學系所，該系所不再分組	專任10人，兼任12人	大學部424人， 碩士班68人
世新	臺北市	1956 1997改制大學	7,000餘	圖書資訊學系	專科學校/53年成立至82年停辦 大學部/84年成立 三年制專科畢業生在職進修學程/87年成立		專任4人，兼任9人	大學部149人
政大	臺北市	1927	13,000餘	圖書資訊學研究所	碩士班/85年成立		專任3人，兼任9人	碩士班13人
玄奘	新竹市	1997	700餘	圖書資訊學系	大學部/87年成立		專任3人，兼任3人	

師範大學社會教育學系以培育社會教育工作專才爲目的，下分三組：社會工作組、圖書資訊學組及新聞學組，其圖書資訊學組注重圖書資料管理方法之研究。該校早期爲師範教育，以培養中學師資及研究高深學術爲宗旨，80年代由於教育部推行師範教育正常化政策，目前爲普通綜合大學，但圖書資訊學組非單獨學系，因此發展受限。

臺灣大學於民國50年，成立圖書館學系，爲第一所設立於綜合大學之圖書館學系，86年改名爲圖書資訊學系。輔仁大學於59年成立，爲一天主教大學，原名爲圖書館學系，設有日、夜間部。自81學年度，奉准改名爲圖書資訊學系。

淡江大學鑑於資訊科學與資訊服務日趨重要，資料檢索與傳播技術日益更新，乃於民國60年成立教育資料科學系。該系在名稱上雖有差異，但實質上卻屬於圖書館學之範疇，強調教育資料處理、視聽教育與資訊科學，並且提供教育相關的課程。該系自 75 年起，增設輔系及增開選修課程，採形式分組制，分為圖書館組、視聽資料組與資訊科學組，學生可就其興趣選修各組科目，也可跨組選修兩組以上之分組課程。86 學年度開始，教育科技學系獨立於教育資料科學系之外，該系不再分組，但教資系仍秉持圖書資訊與媒體科技之傳播應用導向，兼顧實務與理論之內涵。

世新大學自 87 學年度起新增三年制專科在職進修班學程，提供給原三年制專科畢業生在職進修以取得大學文憑，最低畢業要求學分為 60 學分，含必修課 36 學分，選修課 16 學分，以及通識課 8 學分，畢業授予文學士，畢業年限為 2 年。

玄奘人文社會科學學院於 87 學年度成立圖書資訊學系，其設系目標及特色為：⑴因應資訊科技服務之需求，培育圖書資料蒐集、管理與利用之全方位圖書資訊專才，以提升全民之資訊檢索與使用能力；⑵加強社會資訊服務之關懷，使資訊能方便的為社會上各階層的人士所使用；⑶配合新竹地區科學園區之地緣關係以培育區域性人才。該系規定學生修業年限為 4 年，畢業學分為 128 學分，必修科目包括通識課程與圖書資訊專業課程，通識課程又分為核心課程與學群課程，前者須修 14 學分，後者 28 學分，合計共須必修 42 學分；圖書資訊專業課程共須 70 學分，專業選修 16 學分，修業期滿授予文學士學位。

由於玄奘人文社會科學學院圖書資訊學系設立僅一年，尚在發展中；世新大學的「三年制專科在職進修班學程」亦非一般大學部教育，故二者不列入本文之內。本節臺灣地區圖書資訊學系大學部教育的探討主要以師大、臺大、輔大、淡大、世新 5 校為主，各校現況統計以 86 學年度資料為準，歷年統計以迄至 87 年 6 月止資料為準。

二、教學目標與特色

教學目標是各校課程與教學活動的最高指導方針。就大學部而言，臺灣圖書資訊學學校的教學目標多為培養學生具備圖書資訊學專業知識，與圖書館利用與服務的技能。師大則以培養社會行政人才，與各類型社會教育工作專才為主，圖書資訊學組主要培育圖書館專業人才，並以中學圖書館為主。詳見表 2、臺灣地區圖書資訊學系大學部教學目標一覽表。

各校多不分組，只有淡大於 86 學年度之前分 3 組：圖書館組、視聽資料組與資訊科學組；師大於社會教育學系下分 3 組：社會工作組、新聞學組與圖書資訊學組。各校教學研究主題多以圖書館學與資訊科學為主。師大圖書資訊學組教學著重於社會教育及學校圖書館。淡大則另增加視聽資料與教育科技特色。世新由於學校以傳播為主題，其課程兼具傳播、出版與媒體等特色。詳見表 1、臺灣地區圖書資訊學系所基本資料表。

表 2　臺灣地區圖書資訊學系大學部教學目標一覽表

學校名稱	大學部教學目標
師大	1.培養社會教育行政人才；2.養成各類社會教育工作專才；3.社會工作組培育社會服務及社會工作人才；4.圖書資訊學組與教育知能結合，著重於培育教學資源中心規劃及管理人才及具有教育學科背景之學校圖書館人員；5.新聞組培育新聞專業人才。
臺大	培育理論與實務並重之圖書館學與資訊科學專業人才，使能從事資訊之產生、組織、儲存、檢索、利用與傳播之研究與服務，積極推動圖書館學之研究與圖書館事業之發展，改善圖書館之服務品質。
輔大	1.培植圖書館與資訊服務單位工作人員；2.增強圖書館員之人文、社會及自然科學基礎，藉資提高學術研究之水準。
淡大	1.以培育資訊網路時代之資訊仲介者及導航者；2.並推展圖書館服務的功能與技術爲職志，以積極掌握「數位化圖書館」之趨勢；3.在落實傳統圖書館基礎訓練之外，更要求傳播與媒體科技之學習與應用，以建立教資系於圖書資訊學界之特色。
世新	1.培養全方位的資訊技術及服務專業人才，以因應資訊社會的發展；2.培養學生具有圖書資訊學知識且能運用現代化資訊科技。

三、入學資格

臺灣地區圖書資訊學系所大學部學生入學資格，主要係高中畢業生參加全國大學聯考依志願與分數錄取分發。

四、畢業要求

教育部要求大學畢業最低學分爲 128 學分，5 校中以臺大畢業要求學分最多，達 148 學分；其次，是淡大 138 學分；最少是輔大與世新，各 128 學分。必修學分數以臺大、輔大最多，各爲 110 學分，其次是師大，108 學分，最少是世新，95 學分。5 校均對畢業生授予學士，臺大、輔大、淡大、世新 4 校授予文學士，師大授予教育學士。大學畢業年限均爲 4 年，師大爲 5 年（含實習 1 年）。詳見表 3、臺灣地區圖書資訊學系大學部畢業要求一覽表。

表 3　臺灣地區圖書資訊學系大學部畢業要求一覽表

學校名稱	畢業學分數	必修學分數	授予學位	畢業年限
師大	最低畢業學分 128 學分	108 學分	教育學士	5 年（包括實習 1 年）
臺大	最低畢業學分 148 學分	110 學分	文學士	4 年
輔大	最低畢業學分 128 學分	110 學分	文學士	4 年
淡大	最低畢業學分 138 學分	98 學分	文學士	4 年
世新	最低畢業學分 128 學分	95 學分	文學士	4 年

五、教師

教師是學校教育中的靈魂人物，學生經由教師之傳授而獲得專門知識與技能。學校應依據教學目標，聘請足夠的專任教師以提供本學科基本課程，也需要覓求適當專家擔任兼任教師以補專任教師之不足。各校教師除支援大學部教學研究之外，也須支應研究所課程，很難區分大學部與研究所的師資，故一併計入。

臺灣 5 所圖書資訊學大學部專兼任教師共有 97 位教師，含 39 位專任、58 位兼任。目前各大學重視任教者資格，逐漸提升至博士學位水準，所以博士資格的教師需求日大。詳見表 4、臺灣地區圖書資訊學系大學部現有（87 年）專任教師員額一覽表；表 5、臺灣地區圖書資訊學系大學部現有（87 年）專任教師博士學位背景分析表；表 6、臺灣地區圖書資訊學系大學部現有（87 年）兼任教師員額一覽表。

在專任教師方面，以女性居多，24 位，男性 15 位。教師數以臺大與淡大教師較多，各有 10 位，但淡大教育資料科學系部分教師尚要兼任該校圖書館的行政工作。具博士學位之專任教師有 19 位，占全部專任教師之 49%，其背景來自多種領域：圖書資訊學科 11 人，其次爲電子計算機或資訊工程學科 4 人，教育或教學科技學科 3 人，管理學科 1 人。具博士學位專任教師以臺大最多 7 位，佔全系專任教師 70%。

在兼任教師方面，男女性平均，各 29 位。以輔大最多，25 位，係因含日夜間部之故，其次是淡大 12 位。具博士學位兼任教師有 18 位，占全部兼任教師之 31%。具博士兼任教師也以臺大最多，6 位，佔全系兼任教師 75%。

表 4　臺灣地區圖書資訊學系大學部現有（87 年）專任教師員額一覽表

學校名稱	男	女	合計	具博士學位教師	博士教師占全系專任教師比例	提供的學程
師大	1	5	6	3	50%	大學部
臺大	2	8	10	7	70%	大學部/碩士班/博士班
輔大 (含日、夜間部)	4	5	9	4	50%	大學部/碩士班
淡大	5	5	10	2	20%	大學部/碩士班
世新	3	1	4	3	75%	大學部
合計	15	24	39	19	49%	

表 5　臺灣地區圖書資訊學系大學部現有（87 年）專任教師博士學位背景分析表

學校名稱	圖書資訊	教育/教學科技	電子計算機/資訊工程	管理	小計
師大	2	1	0	0	3
臺大	4	1	1	1	7
輔大 (含日、夜間部)	1	1	2	0	4
淡大	2	0	0	0	2
世新	2	0	1	0	3
合計	11	3	4	1	19

表 6　臺灣地區圖書資訊學系大學部現有（87 年）兼任教師員額一覽表

學校名稱	男	女	合計	具博士學位教師	博士教師占全系兼任教師比例
師大	1	3	4	0	0
臺大	8	0	8	6	75%
輔大 (含日、夜間部)	12	13	25	5	20%
淡大	4	8	12	5	42%
世新	4	5	9	2	22%
合計	29	29	58	18	31%

六、學生

臺灣地區 5 所圖書資訊學學校現有大學部學生(以 86 學年度爲準),共有 1,323 人,其中男生 285 人佔 22%,女生 1,038 人佔 78%,與歐美圖書資訊學系所學生以女生爲主相似,無怪乎有人稱此爲女性的行業。各校以淡大學生 424 人居首位,其次是輔大日夜間部共 481 人,師大最少,僅 61 人。詳見表 7、臺灣地區圖書資訊學系大學部現有(87 年)學生數額一覽表(依性別),與表 8、臺灣地區圖書資訊學系所大學部現有(87 年)學生數額一覽表(依年級)。

畢業生方面,至 86 學年度(即至 87 年 6 月)爲止共有 8,015 位畢業學生,以淡大畢業生人數最多 2,880 人;世新尚無畢業生。全部男生 1,525 人佔 23%,女生 6,490 人佔 77%,詳表 9、臺灣地區圖書資訊學系所大學部歷屆畢業生數額一覽表。

表 7　臺灣地區圖書資訊學系所大學部現有(87 年)學生數額一覽表(依性別)

學校名稱	男生	女生	合計	備註
師大	11	50	61	限圖書資訊學組
臺大	26	182	208	
輔大(日)	54	200	254	
輔大(夜)	73	154	227	
淡大	79	345	424	
世新	42	107	149	
合計	285	1,038	1,323	

表 8　臺灣地區圖書資訊學系所大學部現有(87 年)學生數額一覽表(依年級)

學校名稱	一年級	二年級	三年級	四年級	合計
師大	22	11	15	13	61
臺大	50	48	51	59	208
輔大(日)	64	62	64	64	254
輔大(夜)	49	60	56	62	227
淡大	66	122	120	116	424
世新	58	45	46	0	149
合計	309	348	352	314	1,323

表 9 臺灣地區圖書資訊學系所大學部歷屆畢業生數額一覽表

學校名稱	畢業屆數（至 87 年 6 月止）	男生	女生	合計	備註
師大	40	108	339	447	限圖書資訊學組
臺大	37	215	1,494	1,709	
輔大(日)	25	275	1,350	1,625	
輔大(夜)	24	207	1,147	1,354	
淡大	23	720	2,160	2,880	
世新	0	0	0	0	尚無畢業生
合計	149	1,525	6,490	8,015	

七、課程

教育部爲尊重大學學術自由與建立各校特色，自 84 學年度取消部定必修科目之要求，由各學系自行訂定必修課程。大體而言，臺灣地區圖書資訊學系大學部課程結構包括：⑴各學院共同必修科目 20-28 學分；⑵系定必修科目 24-50 學分不等；⑶輔系外系副主修科目；⑷通識教育科目，詳見表 10、臺灣地區圖書資訊學系大學部課程結構一覽表。各學院共同必修科目包括：國文、英文、本國史、中國憲法與立國精神、體育、軍訓及通識課程等。在圖書資訊學專業課程方面，過去皆依循教育部所訂定的各學系必修課程爲共同部分，在取消部定必修科目要求之後，各學校逐漸鬆綁自行規劃必修課程，建立各校的特色。

教育部訂定圖書館學系必修科目始自民國 54 年起，係爲改進大專院校課程，配合現代高深學術之研究及發展高等教育，成立大學課程修訂委員會，修訂大學部院系之必修課程，規定文學院圖書館學系的必修課程，後經 66 年、72 年、79 年 3 次修訂。79 年修訂之「文學院圖書館學系、教育資料科學系必修課程」，共計 13 科 48 學分，含：圖書館學導論、資訊科學導論、中文參考資料、西文參考資料、圖書分類編目㈠㈡、電子計算機概論、目錄學、非書資料、圖書資料採訪、圖書館管理、圖書館實習與圖書館自動化。

這些必修課程也是圖書資訊學大學部之核心課程，代表本學科之基礎知識與技能，最爲重要。雖然教育部已取消部定必修課程，然而目前 5 校仍大致遵循 79 年部定必修課程方向。爲瞭解各校大學部提供的課程，分爲必修課程與選修課程二部分，詳見表 11、臺灣地區圖書資訊學系大學部必修課程一覽表；與表 12、臺灣地區圖書資訊學系大學部選修課程一覽表。其中師大社會教育學系圖書資訊學組另外要求的教育課程不列入分析；輔大則以日間部課程爲主。

在大學部必修課程方面，依主題大別爲 7 類：基礎與理論類、技術服務類、讀者服務類、行政與管理類、資訊科技與資訊檢索類、出版、媒體與傳播科技類、及其他類。至少有 3 校開設的共同課程有：圖書館學與資訊科學導論（或分爲圖書館學導論、資訊科學導論二課程）、電子計算機概論、普通心理學、圖書分類編目、圖書館自動化、圖書選擇與採訪（含出版與資料採訪）、館藏發展、非書資料（含非書資料管理）、參考資源（含中西文參考資料、參考資源與服務）、圖書館管理、資訊儲存與檢索（含資訊檢索）、網路資源（含網路資源與應用）、圖書館實習、研究方法與論文寫作、統計學（含圖書館統計學、社會統計學）。

在大學部選修課程方面，依據必修課程之 7 類主題分析，至少 3 校開設的共同課程有：英文圖書館學文獻選讀、圖書館史、專題研究（含圖書館專題）、資訊心理學、檔案管理、目錄學、圖書館與讀者服務（含人際關係與讀者服務）、社會學科文獻、企業資訊服務（含工商資訊、商情資訊系統）、資訊中心與服務、圖書館行銷、大學圖書館、公共圖書館、程式語言、資料儲存與檢索、網路資源與利用、兒童讀物（含兒童文學）、與青少年讀物等，詳見表 12、臺灣地區圖書資訊學系大學部選修課程一覽表。

表 10　臺灣地區圖書資訊學系大學部課程結構一覽表

學校名稱	課程結構
師大	畢業最低 128 學分 (1.大學共同必修 28 學分；2.教育學程 26 學分，爲外加課程；3.全系共同必修 15 學分；4.圖書資訊組必修 39 學分；5.社教系選修課程 32 學分；6.其他選修 14 學分，7.輔系 24-32 學分)。 (外加教育學程 26 學分，輔系 24-32 學分)
臺大	畢業最低 148 學分 (1.各學院共同必修科目 28 學分；2.校訂必修 8 學分；3.系訂必修科目 74 學分；4.系訂選修科目 82 學分；5.輔系或外系副主修科目 20 學分)。
輔大	畢業最低 128 學分 (日間部規定 1.各學院共同必修科目 28 學分；2.校訂必修 8 學分；3.系訂必修科目 74 學分；4.系訂選修科目 82 學分)。

淡大	畢業最低 138 學分 (1.必修 98 學分：學校共同必修 33 學分、系訂必修 65 學分；2.選修 40 學分：系開選修 36 學分、校開其他選修 4 學分)
世新	畢業最低 128 學分 (1.通識 8 學分；2.專業必修 87 學分；3.選修 41 學分)

表 11　臺灣地區圖書資訊學系大學部必修課程一覽表

課程名稱	師大	臺大	輔大	淡大	世新	小計
一、基礎與理論課程						
資訊科學導論		✓	✓	✓		3
電子計算機概論	✓	✓	✓			3
普通心理學（含心理學）	✓	✓	✓			3
圖書館學與資訊科學導論（包括圖書資訊學導論）	✓				✓	2
圖書館學導論			✓	✓		2
社會學	✓	✓				2
自然科學概論		✓	✓			2
目錄學		✓	✓			2
資訊概論				✓		1
圖書資訊學英文					✓	1
人文科學概論			✓			1
社會科學概論			✓			1
二、技術服務課程						
圖書分類編目（含分類編目學）	✓	✓	✓	✓	✓	5
非書資料（含非書資料管理）	✓	✓		✓	✓	4
圖書選擇與採訪（含出版與資料採訪）	✓			✓	✓	3
館藏發展		✓	✓		✓	3
分類編目學實習					✓	1
主題分析			✓			1
資訊組織			✓			1
三、讀者服務課程						
參考資源（含中西文參考資料、參考資源與服務）	✓	✓	✓	✓	✓	5
圖書館利用教育（含圖書資訊利用）	✓				✓	2
各學科文獻		✓			✓	2
讀者服務（含讀者服務與研究）			✓			1

四、行政與管理相關課程						
圖書館管理	✓	✓	✓	✓		4
各類型圖書館	✓	✓				2
五、資訊科技與資訊檢索相關課程						
圖書館自動化	✓	✓		✓	✓	4
資料儲存與檢索（含資訊檢索）	✓	✓			✓	3
網路資源（含網路資源與應用）		✓	✓	✓		3
程式設計（含電子計算機程式寫作）				✓	✓	2
多媒體技術與應用				✓	✓	2
索引與摘要				✓	✓	2
資料庫系統導論（含資料庫管理系統）			✓		✓	2
電腦文書處理					✓	1
中英文電腦輸入法				✓		1
UNIX 分析			✓			1
系統分析			✓			1
物件導向語言			✓			1
多媒體概論					✓	1
資料庫檢索			✓			1
資料結構			✓			1
電子計算機應用					✓	1
電腦網路概論			✓			1
六、出版、媒體與傳播科技相關課程						
科技傳播概論				✓	✓	2
傳播學概論	✓	✓				2
媒體概論			✓			1
傳播與社會					✓	1
新聞學					✓	1
七、其他課程						
圖書館實習（含圖書館實務）	✓	✓	✓	✓	✓	5
研究方法與論文寫作（含資料蒐集與報告寫作）	✓	✓			✓	3
統計學（含圖書館統計學、社會統計學）	✓	✓	✓			3
智慧財產					✓	1
圖書資訊學專題		✓				1
第二外國語		✓				1

表 12　臺灣地區圖書資訊學系大學部選修課程一覽表

課程名稱	師大	臺大	輔大	淡大	世新	小計
一、基礎與理論課程						
英文圖書館學文獻選讀（含圖書館學名著選讀）	✓	✓	✓			3
圖書館史	✓	✓		✓		3
專題研究（含圖書館專題）	✓	✓			✓	3
資訊心理學	✓	✓		✓		3
大陸圖書資訊學				✓		1
圖書學				✓		1
發展心理學（青少年心理學、青年心理學、成人心理學）	✓					1
心理學概論					✓	1
認知心理學			✓			1
學習心理學	✓					1
自然科學概論		✓				1
圖書館與成人教育	✓					1
二、技術服務課程						
檔案管理	✓	✓		✓	✓	4
目錄學	✓			✓	✓	3
政府出版品（含官書）				✓	✓	2
西洋目錄學		✓				1
中國目錄學				✓		1
視聽教育					✓	1
國會分類法				✓		1
期刊管理				✓		1
三、讀者服務課程						
圖書館與讀者服務（含人際關係與讀者服務）	✓	✓			✓	3
社會學科文獻（含社會科學資源）	✓	✓	✓			3
企業資訊服務（含工商資訊、商情資訊系統）		✓	✓		✓	3
資訊中心與服務			✓	✓	✓	3
科技文獻	✓	✓				2
科技資訊服務（含科技資訊系統）			✓		✓	2
人文資訊服務（含人文社會資訊系統）			✓		✓	2
醫學資訊服務			✓		✓	2

法律資訊服務			✓		✓	2
圖書館利用教育		✓				1
參考資訊服務			✓			1
參考諮詢技巧				✓		1
人文學科文獻	✓					1
自然與應用科學資源			✓			1
資料典藏與應用				✓		1
四、行政與管理相關課程						
圖書館行銷（含企劃、設計與行銷、公關行銷學）	✓	✓		✓	✓	4
大學圖書館	✓	✓	✓	✓		4
公共圖書館	✓	✓	✓	✓		4
管理學		✓			✓	2
中小學圖書館			✓	✓		2
專門圖書館	✓	✓				2
醫學圖書館		✓		✓		2
法律圖書館		✓		✓		2
圖書館管理學					✓	1
圖書資訊法規		✓				1
資訊科技與組織管理		✓				1
圖書館作業評估				✓		1
媒體中心管理				✓		1
管理資訊系統				✓		1
圖書館建築				✓		1
兒童圖書館		✓				1
工商圖書館				✓		1
學校圖書館		✓				1
五、資訊科技與資訊檢索相關課程						
程式語言（含程式語言原理）	✓	✓	✓			3
資料儲存與檢索（含線上檢索、資訊檢索	✓		✓	✓		3
網路資源徵集與利用（含網路資源與利用、網路資源檢索與利用）	✓		✓		✓	3
作業系統		✓	✓			2
系統分析（含系統分析與系統管理）	✓	✓				2
索引與摘要	✓	✓				2
離散數學			✓	✓		2
多媒體技術與應用（含多媒體製作、多媒體編導技術）	✓				✓	2

資料庫系統導論（含資料庫管理）	✓		✓			2
電腦網路概論（含網路概論）			✓	✓		2
圖書館資訊系統（含圖書館自動化）			✓	✓		2
電腦文書處理		✓				1
資料結構		✓				1
自動分類與索引		✓				1
資訊科技與圖書館	✓					1
個人電腦與圖書館	✓					1
演算法			✓			1
電腦輔助多媒體			✓			1
資訊管理與利用	✓					1
個人資訊管理	✓					1
資料庫結構				✓		1
資訊尋求行爲			✓			1
電腦繪圖與動畫				✓		1
網路專題				✓		1
通訊技術與圖書館				✓		1
多媒體資料庫系統				✓		1
數位影像處理				✓		1
六、出版、媒體與傳播科技相關課程						
視聽資料製作		✓				1
傳播社會學	✓					1
刊物編輯	✓					1
出版與書業				✓		1
印刷、出版與圖書館	✓					1
媒體資源服務			✓			1
七、其他課程						
兒童讀物（含兒童文學）	✓	✓		✓	✓	4
青少年讀物	✓	✓		✓		3
講故事（故事講演術）		✓			✓	2
圖書館學研究法（研究與表達）	✓		✓			2
應用統計學（含統計學）				✓	✓	2
兒童名著選讀		✓				1
兒童圖書資料		✓				1
報告撰寫指導	✓					1
研究方法與寫作格式				✓		1
智慧財產權專題				✓		1
書店經營學					✓	1

八、行政支援與教學設備

5 校的行政支援與教學設備與該校提供的學程種類與層級有密切關係。行政支援包括圖書資料費、儀器設備費、業務費與其他經費等。5 校中師大提供的是社會教育學系全系 3 組共同的行政經費。由於各校提供的學程種類不一，且行政經費各子項經費編列基礎不同，無從比較。總體而言，5 校行政經費從 300,000 元至 2,858,943 元不等，詳見表 13、臺灣地區圖書資訊學系現有（87 年）行政經費一覽表。

在教學設備方面，從圖書資料館藏、視聽設備、資訊設備、以及編目設備各項分析。在圖書資料館藏項中，以臺大圖書資訊學系最為豐富，不僅全校圖書資料館藏居冠，近 20 餘萬冊之外，也是系所圖書館室館藏最豐的學校。5 校均有資訊設備，足見各校對資訊科技教育的重視。除世新外，其他 4 校均有視聽設備；編目設備除輔大與世新之外，臺大、師大、淡大均具備。詳見表 14、臺灣地區圖書資訊學系教學設備一覽表。

表 13　臺灣地區圖書資訊學系現有(87 年)行政經費一覽表

學校名稱	圖書資料費	儀器設備費	業務費	其他經費	合計	提供的學程
師大	合共 1,748,000 (61%)		1,110,943 (39%)	0	2,858,943	社會教育學系 3 組共同行政經費
臺大	614,863 (38.3%)	430,353 (26.8%)	561,142 (34.9%)	0	1,606,358	大學部/碩士班/博士班
輔大	661,153 (38.97%)	520,000 (30.65%)	515,580 (30.38%)	0	1,696,733	大學部(日間部)/碩士班
淡大	0	300,000	0	0	300,000	大學部/碩士班
世新	合共 1,436,500 (59%)		60,000 (3%)	933,900 (38%)	2,430,400	大學部

表 14 臺灣地區圖書資訊學系教學設備一覽表

學校名稱	圖書資料館藏	視聽／多媒體設備	資訊設備	編目設備	提供的學程
師大	有專業實習圖書室，館藏圖書 1,000 冊，期刊 30 種，視聽資料 20 件，合計 1,050 冊/件。 全校圖書館藏圖書資料 1,030,494 冊；期刊 9,951 種；視聽資料 1,010,725 冊/件	三槍投影機、幻燈機、投影機、教學提示機、編輯錄放系統、視訊迴路選擇器、多媒體電腦系統攝影棚、剪輯室	全系 55 部電腦，並接網路	Dynix 圖書館編目自動化系統、書目光碟等	大學部社教系全系教學設備
臺大	1.有專業實習圖書室，館藏圖書 17,000 餘冊，期刊 280 種，視聽資料 51 種，合計 17,331 冊/件。 2.全校圖書 1,844,037 冊，期刊 23,673 種，視聽資料 92,439 件，共 1,945,276 冊/件。	三槍投影機、幻燈機、投影機、錄放影機、攝影機、擴音機、字幕機、電視機、混音機、影像處理器等	25 部電腦，有電腦資訊室 1 間，印表機、圖書館自動化系統、掃瞄機、單槍投影機、並接網路	有編目室，含標題表、分類表、電腦等	大學部/碩士班/博士班
輔大	有專業實習圖書室，館藏圖書 586 冊，期刊 50 種，視聽資料 6 冊/件，合計 592 冊/件 全校圖書館館藏，圖書 703,965 冊，期刊 3,254 種，視聽資料 44,007 冊/件，合計 747,972 冊/件	三槍投影機、幻燈機、投影機、錄放影機、攝影機、擴音機、字幕機、電視機、混音機、照相機、音響、投影片製作機等	有電腦室、資訊檢索室、電腦 41 部、電腦伺服器、	無	大學部/碩士班
淡大	無實習圖書室 全校圖書館藏圖書資料 663,145 冊；期刊 3,713 種；視聽資料 66,420 件	有暗房、沖洗室及錄音室 有多媒體教室	有電腦 30 臺，學術網路工作站，光碟檢索工作站，VCD 影像製作系統等	圖書館淘汰無用之圖書及期刊	大學部/碩士班
世新	1.無實習圖書室 2.全校圖書館藏圖書資料 254,497 冊；期刊 2,230 種；視聽資料 17,437 件	無	有資訊檢索教室，電腦 60 臺，光碟資料庫及資訊檢索軟體	無	大學部

參、研究所碩士教育❷

一、概述

臺灣地區開設圖書資訊學研究所碩士班共有 4 校：臺灣大學、淡江大學、輔仁大學與政治大學。其他相關碩士學程尚有師範大學社會教育研究所碩士班與文化大學史學研究所圖書文物組。臺灣大學於民國 69 年開辦，為我國最早的圖書館學碩士班。政治大學於 85 年成立圖書資訊學碩士班，為最新的研究所。從學校名稱來看，已採用圖書資訊學者：有臺灣大學、輔仁大學與政治大學；淡江大學稱為教育資料科學研究所，有關 6 所圖書資訊學研究所碩士班，詳見表 8-1、臺灣地區圖書資訊學系所基本資料表。

臺灣師範大學於民國 74 年成立社會教育研究所，其基本目標是培養社會教育與文化建設之行政人員，專業人才與研究人員，並培養社會教育方面的專業師資。其教育內容以社會教育及成人教育的理論探討為主，並側重研究方法的訓練，下分二組：社會教育行政組與成人及繼續教育組。

中國文化大學史學研究所於 57 年起設置圖書文物組，以培養史學之研究與教育人才為宗旨，該所分 4 組：斷代史組、近代史組、圖書文物組（原名圖書博物組）、美術史組。圖書文物組除首屆錄取 1 名外，其後每年招考研究生 1 至 4 名，研究 2 至 4 年，授予碩士學位。

臺灣大學於民國 60 年學校教務會議通過設置圖書館學研究所的計劃書，延至 69 年始經教育部核可，正式成立圖書館學研究所碩士班，亦為我國第一個圖書館學碩士學程。其後，幾所大學陸續開辦研究所。80 年淡江大學成立教育資料科學研究所，目的是培養圖書館學、資訊科學、以及教育科技的專業研究、教學與行政人員。83 年輔仁大學成立圖書資訊學研究所碩士班，旨在培育圖書館、文化中心、資訊服務等機構的管理人才，研討圖書館學與資訊科學理論，融合國內、外相關學說以建立中國的圖書資訊學。

政治大學經教育部核准通過設立圖書資訊學研究所，於 85 年招收新生，旨在配合國家建設計劃，充實文化措施，培育圖書館、文化中心、資訊中心、博物館、檔案館等機構所需專門學科背景之圖書資訊、博物館及檔案管理專業人才。該所將提供圖書館學、資訊科學與相關科目之整合性課程，以彌補目前相關研究所課程之不足，而落實圖書資訊、博物館及檔案館行政管理與服務理論及實務之教學。每年招收具有學科基礎、受過通才教育及語言訓練之大學畢業生。該所將整合圖書資訊學、博物館學與檔案管理於一爐。

❷ 同上註。

文大與師大碩士班並非圖書資訊學專門研究所，其僅將圖書資訊學列爲該所的部分或分組，故不列入本文探討，本節碩士教育僅涵蓋臺大、輔大、淡大與政大 4 校。以下分從教學目標與特色、入學資格、畢業要求、學生、教師、課程、以及行政支援與教學設備等項陳述。各校現況統計以 86 學年度之資料爲準，歷年統計以迄至 87 年 6 月止之資料爲準。

二、教學目標與特色

在碩士班教學目標方面，臺大主要教養圖書館與資訊服務界的中堅人才，提高圖書資訊學研究水準，及培育圖書館與資訊學科相關科目之師資。輔大的教學目標則以培養資訊仲介者，資訊處理者，資訊經理者，資訊顧問，與圖書館資訊界管理人才爲主。淡大主要探討新的資訊、傳播科技在圖書館資訊服務，以及教育訓練上之應用，該校碩士班分 A、B 兩組。A 組爲圖書館學與資訊科學組，是以圖書館學理論爲基礎，配合資訊科技相關課程的訓練，期能培養具有整體性與前瞻性理念及豐富專業知識與能力的現代化圖書館資訊服務人員；B 組爲教育科技組，是以教育及傳播學理爲基礎，探討電子傳播科技與媒體在教育及訓練上的運用，期能培養教學設計或規劃專業人員。自 86 學年度起，教育科技培育的部分單獨成立教育科技學系所。政大主要培育專門學科圖書館、資訊中心、博物館、檔案管理機構之師資、高級行政人員和資訊管理人才，詳見表 15、臺灣地區圖書資訊學研究所碩士班教學目標一覽表。

表 15　臺灣地區圖書資訊學研究所碩士班教學目標一覽表

學校名稱	教學目標
臺大	1.提高圖書館學研究之水準；2.培育圖書館學有關科目所需師資；3.造就圖書館中堅人才；4.藉高深研究活動來建立和推廣圖書館學之學術性與獨特性。
輔大	1.研討圖書館學理，及圖書館學與資訊科學的關係；2.融合古今中外學說，建立中國的圖書資訊學；3.培養資訊仲介者，資訊處理者，資訊經理者，資訊處理者；4.培養圖書資訊界管理人才。
淡大	1.探討新的資訊、傳播科技在圖書館資訊服務，以及教育訓練上之運用；2. A.組爲圖書館學與資訊科學組，以圖書館學學理爲基礎，配合資訊科技相關課程的訓練，期能培養具有整體前瞻理念及豐富專業知識與能力的現代化圖書館資訊服務人員；3. B 組爲教育科技組，以教育及傳播學理爲基礎，探討電子傳播科技媒體在教育及訓練上的運用，期能培養現代化的教學設計或訓練規劃專業人員。
政大	1.招收已具有專門學科基礎，受過通才教育及語言訓練之大專畢業生，授予圖書資訊學、博物館及檔案管理等專業教育；2.教授圖書資訊學、博物館學及檔案管理學之高深理論與實務；3.培育專門學科圖書館、資訊中心、博物館、與檔案管理機構之師資、高級行政人員和資訊管理人才。

三、入學資格

臺灣地區 4 所圖書資訊學研究所碩士班入學資格分爲招生考試與甄選考試兩途。

在招生考試方面，4 校報考資格相同均有 2 種，一爲需要具備公私立大學或獨立學院或經教育部認可之國外大學或獨立學院任何學系畢業得有學士學位者；一爲具有同等學歷資格者。3 校採分組招生，臺大分 4 組，輔大與淡大均分 2 組，政大未分組。以筆試方式進行，共同科目 2 科，包括：中文、英文；專業科目 2 至 3 科，各組考試科目不同，詳見表 16、臺灣地區圖書資訊學研究所碩士班招生考試資格一覽表。

在甄選考試方面，4 校申請資格要求略有不同，臺大要求須爲大學部圖書資訊學系以外之畢業生；其他 3 校要求爲大學畢業生或應屆畢業生。臺大一校未分組，其他 3 校均採分組甄選。4 校要求繳交資料主要爲畢業證書、成績單、自傳、讀書/研究計畫、與推薦函等。考試方面，以筆試、書面審查、口試爲主，但各校採用權重不一，且口試科目略有不同。詳見表 17、臺灣地區圖書資訊學研究所碩士班甄選考試資格一覽表。

表 16　臺灣地區圖書資訊學研究所碩士班招生考試資格一覽表

學校名稱	報考資格	分組招考	考試方式
臺大	1.公立或已立案之私立大學或獨立學院或經教育部認可之國外大學或獨立學院任何學系畢業得有學士學位者；2.具有同等學歷資格者	分 4 組招考 甲組，限圖書館學相關科系畢業生；乙組，限文學院圖書館學系以外其他各系或相關科系畢業生；丙組，限法、商學院各系畢業生；丁組，限理醫工農學院各系畢業生	筆試方式進行，考試科目包括共同科目 2 科：國文、英文；與專業科目：圖書館學概論與其他各組指定之 2 專業科目
輔大	同上	分 2 組招考： 甲組，招收本科系學生 乙組，招收非本科系學生	以筆試方式進行，考試科目包括共同科目 2 科：國文、英文；與專業科目 2 科：甲組，圖書資訊讀者服務、圖書資訊技術服務、計算機概論；乙組，圖書館學導論、資訊科學導論、計算機概論

淡大	同上	86 年以前分 2 組招考：A 組，圖書館學與資訊科學組 B 組，教育科技組	以筆試方式進行，考試科目包括共同科目 2 科：國文、英文；與專業科目 3 科：A 組，資訊科學導論(含圖書館學導論)，分類與編目，參考資料；B 組，資訊科學導論，視聽教育，視聽教材製作
政大	同上	未分組	一、筆試(占 80%) 1.共同科目：國文、英文 2.專業科目：(1)電子計算機概論；(2)圖書館學、博物館學、檔案管理學 3 科選 1；(3)中國通史、中國文學史等 16 科任選 1 科 二、口試(占 20%)

表 17　臺灣地區圖書資訊學研究所碩士班甄選考試資格一覽表

學校名稱	申請資格	分組招考	繳交資料	考試方式
臺大	1.本國大學或獨立學院大學部圖書資訊學系以外之畢業（含應屆）生，在校學業成績總名次列全班（組）人數前百分之五十者	未分組	1.報名表 1 份； 2.報考證明書 1 份； 3.畢業證書或學生證； 4.歷年成績單 1 份； 5.回郵信封 3 個； 6.自傳 1 式 5 份； 7.教授推薦函 2 封； 8.其他個人能力經歷及有利審查之資料	1.筆試占 30% 2.書面資料審查占 50% 3.口試 20%

輔大	1.大學畢業或應屆畢業生；2.應屆畢業生在大學部前三年學業成績總平均在全班前百分之二十以內；3.經兩位就讀學系的專業科目教師，或單位主管推薦	分2組招考：甲組，招收本科系學生 乙組，招收非本科系學生	1.報名表1份； 2.成績單總表正本1份； 3.自傳與讀書計畫1份； 4.應屆畢業生附學業成績總平均排名證明本1份； 5.推薦函2份； 6.其他有助於審查之文件	1.初審：資料審查； 2.複審：初審成績優良者，以口試爲主，接受審查
淡大	同上	分2組招考： A組，圖書館學與資訊科學組 B組,教育科技組		以筆試方式進行，考試科目包括共同科目二科：國文、英文；與專業科目三科：A組，資訊科學導論（含圖書館學導論），分類與編目，參考資料；B組，資訊科學導論，視聽教育，視聽教材製作
政大	1.大學畢業或應屆畢業生；2.應屆畢業生在大學部前三年學業成績總平均在全班前百分之二十以內；3.非應屆畢業生需在圖書館、博物館、檔案館工作二年以上，其成績若無法提供大學學業成績平均排名，由該所另行審查	分3組招考：圖書資訊學、博物館學、檔案管理學等3組，各組擇優錄取	1.報名表1份； 2.研究計畫5份； 3.成績單總表正本1份； 4.自傳1式5份； 5.應屆畢業生附學業成績總平均排名證明本1份； 6.非應屆畢業生附工作單位主管推薦函	1.筆試占40% 2.書面資料審查占30%（研究計畫佔80%，在校成績佔20%） 3.口試佔30%

四、畢業要求

4 校以輔大、政大畢業學分數要求最多，輔大 32 學分（含論文學分數），政大 28 學分（未含論文 4 學分）；其次是淡大 26 學分，臺大最少 24 學分；臺大、政大與淡大 A 組均要求第二外國語文；此外，4 校均要求畢業考試與碩士論文一篇；均授予文碩士學位；畢業年限多為 2-4 年，詳見表 18、臺灣地區圖書資訊學研究所碩士班畢業要求一覽表。

表 18　臺灣地區圖書資訊學研究所碩士班畢業要求一覽表

學校名稱	畢業學分數	第二外國語文	資格考試	論文	授予學位	畢業年限
臺大	24 學分 (1. 10 學分必修，2. 14 學分選修，3.大學部非圖書館學畢業研究生補修專業基礎課程 17 學分)	X	X	X (論文須經口試通過)	文碩士	1-4 年
輔大	32 學分(含論文 4 學分) (1.共同必修課程 16 學分，2.選修課程 12 學分，3.大學部非圖書館學畢業研究生補修專業基礎課程 8 學分)		X	X (論文須經口試通過)	文碩士	2-4 年
淡大	26 學分 (11-12 學分必修，14-15 學分選修)	X (A 組必)	X	X (論文須經口試通過)	文碩士	2-4 年
政大	28 學分 (1. 12-16學分必修；2. 10-18學分進修；3.統計學0學分；4.論文4學分不計；5.大學部非圖書館學畢業研究生補修專業基礎課程)	X	X	X (論文須經口試通過)	文碩士	2-4 年

五、教師

臺大、輔大、淡大圖書資訊學系均提供大學部兼碩士班，二學程之師資無法分計，故本節教師仍以全系所探計。臺灣地區目前 4 所圖書資訊學碩士班專兼任教師共 84 位教師，其中 31 位專任，53 位兼任。具博士學位兼任教師有 22 位，占全部兼任教師之 42%。詳見表 19、臺灣地區圖書資訊學研究所碩士班現有（87 年）專任教師員額一覽表、表 20、臺灣地區圖書資訊科學研究所碩士班現有（87 年）專任教師博士學位背景分析表、表 21、臺灣地區圖書資訊科學研究所碩士班現有（87 年）兼任教師員額一覽表。

在專任教師方面，以女性居多 19 位，男性 12 位。4 校以臺大與淡大教師員額較多，各有 10 位，具博士學位專任教師有 15 位，占全部專任教師之 48%，其背景來自多種領域：圖書資訊學科 9 人，其次爲電子計算機或資訊工程學科 3 人，教育或教學科技學科 2 人，管理學科 1 人。具博士專任教師以臺大最多 7 位，佔全系專任教師 70%。

在兼任教師方面，以男性居多 30 位，女性 23 位。4 校以輔大最多 23 位（係大學部含日夜間部），其次是淡大 12 位。具博士兼任教師以政大最多，7 位，佔全系兼任教師 78%。

表 19　臺灣地區圖書資訊科學研究所碩士班現有(87 年)專任教師員額一覽表

學校名稱	男	女	合計	具博士學位教師	博士教師占全系專任教師比例	提供的學程
臺大	2	8	10	7	70%	大學部/碩士班/博士班
輔大	4	4	8	4	50%	大學部/碩士班
淡大	5	5	10	2	20%	大學部/碩士班
政大	1	2	3	2	67%	碩士班
合計	12	19	31	15	48%	

表 20　臺灣地區圖書資訊科學研究所碩士班現有(87 年)專任教師博士學位背景分析表

學校名稱	圖書資訊	教育/教學科技	電子計算機/資訊工程	管理	小計
臺大	4	1	1	1	7
輔大	1	1	2	0	4
淡大	2	0	0	0	2
政大	2	0	0	0	2
合計	9	2	3	1	15

表 21　臺灣地區圖書資訊科學研究所碩士班現有(87 年)兼任教師員額一覽表

學校名稱	男	女	合計	具博士學位教師	博士教師占全系兼任教師比例
臺大	8	0	8	6	75%
輔大(含日、夜間部)	11	12	23	3	13%
淡大	5	7	12	3	25%
政大	5	4	9	7	78%
合計	29	23	52	19	42%

六、學生

4 所圖書資訊學研究所碩士班在校學生共有 162 人，其中男生 44 人佔 27%，女生 118 人佔 73%，亦是以女生居多。各校以淡大學生 68 人居首位，其次是臺大 43 人，政大最少，13 人。詳見表 22、臺灣地區圖書資訊學研究所碩士班現有（87 年）學生數額一覽表（依性別），表 23、臺灣地區圖書資訊學研究所碩士班現有（87 年）學生數額一覽表（依年級）。

4 所圖書資訊學研究所碩士班畢業生共有 266 人，其中男生 70 人，佔 26%，女生 196 人，佔 74%，亦是以女生居多。各校以臺大 138 人居首位，其次是淡大 93 人，政大最少，2 人。詳見表 24、臺灣地區圖書資訊學研究所碩士班歷屆畢業生數額一覽表。

表 22　臺灣地區圖書資訊學研究所碩士班現有(87 年)在校學生數額一覽表(依性別)

學校名稱	男生	女生	合計
臺大	7	36	43
輔大	16	22	38
淡大	17	51	68
政大	4	9	13
合計	44	118	162

表 23　臺灣地區圖書資訊學研究所碩士班現有(87 年)在校學生數額一覽表(依年級)

學校名稱	一年級	二年級	三年級及以上	合計
臺大	15	12	16	43
輔大	15	16	7	38
淡大	15	17	36	68
政大	8	5	0	13
合計	53	50	59	162

表 24　臺灣地區圖書資訊科學研究所碩士班歷屆畢業生數額一覽表

學校名稱	畢業屆數 (至 87 年 6 月止)	男生	女生	合計
臺大	16	25	113	138
輔大	3	12	21	33
淡大	6	32	61	93
政大	1	1	1	2
合計		70	196	266

七、課程

4 校中以臺大、輔大與政大對於大學部非圖書館學科系之學生均要求先修課程，以儘速獲得本科核心知識，爲進級研修奠下基礎。臺大非圖書館學系畢業之研究生先修課程包括圖書分類編目，參考資源與服務，圖書資料徵集與圖書館行政。輔大要求必修技術服務研究 4 學分，與讀者服務研究 4 學分。政大要求補修資訊組織與主題分析、館藏發展專題與參考資源與服務 3 門課。

各校課程分爲必修課程與選修課程二類。在必修課程方面，4 校必修課程略有不同，臺大要求 16 學分，包括：碩士論文、研究方法、技術服務研討、讀者服務研討、圖書館行政研討、資訊科學研討、實習與第 2 外國語文。輔大要求 16 學分，含：碩士論文、圖書資訊學研究方法、圖書館實務研究、圖書資訊統計學與個別研究。淡大要求 13 學分，含：碩士論文、研究方法、圖書館學與資訊科學研究課題、教育資料統計、第二外國語。政大要求 3 組共同必修碩士論文、研究方法；圖書資訊學組必修：圖書資訊學研究、讀者服務研究、技術服務研究與圖書館管理研究。檔案學組必修：檔案學研究、檔案鑑定研究、檔案編目研究、檔案館管理專題與文書學研究。博物館學組必修：博物館學研究、博物館管理研究、中國藝術史研究與西洋藝術史研究。詳見表 25、臺灣地區圖書資訊學研究所碩士班必修課程一覽表。

在選修課程方面，4 校課程相當分歧，大別爲基礎與理論、目錄學類；技術服務類；讀者服務類；行政與與管理類；資訊科技與資訊檢索類；出版、媒體與傳播科技類；檔案學類；博物館學類及其他共 9 類。4 校差野甚大，2 校共有課程歸納爲：比較圖書館學、書目計量學、技術服務研討、非書資料（含非書資料管理）、圖書館資源分享、圖書館行銷、工商資訊研究、生命科學資訊專題、圖書館作業評估、服務管理、管理資訊系統、中文電腦專題、資訊儲存與檢索、資料庫管理系統、電子計算機資料結構、電腦網路與通訊、圖書館數據通信專題研究、資訊尋求行爲、資訊政策、網路資源管理研究、論文寫作及圖書館統計等。詳見表 26、臺灣地區圖書資訊學研究所碩士班選修課程一覽表。

各校課程仍以圖書館學與資訊科學爲主，就各校課程特色而言，臺大開設課程較趨綜合性與平衡性；輔大爲培養資訊專家、資訊仲介者與資訊處理者，開授許多電腦、網路通訊、資訊管理的課程；淡大仍以視聽教育、教育科技與教育媒體爲主要特色；政大另以博物館學與檔案學形成其特色。

表 25　臺灣地區圖書資訊學研究所碩士班必修課程一覽表

課程名稱	臺大	輔大	淡大	政大	小計
一、基礎與理論課程					
圖書資訊學研究（含圖書館學與資訊科學研究課題、圖書館實務研討）		✓	✓	✓	3
資訊學研討	✓				1
圖書館史及資訊科學史專題			✓		1
二、技術服務課程					
技術服務研討（含技術服務研究、專題）	✓		✓	✓	3
分類編目專題			✓		1
三、讀者服務課程					
讀者服務研討（含讀者服務研究、專題）	✓		✓	✓	3
四、行政與管理相關課程					
圖書館行政研討（含圖書館管理專題）	✓		✓	✓	3
五、資訊科技與資訊檢索相關課程					
電子文件處理專題			✓		1

資訊政策			✓		1
資料儲存與檢索（含資訊檢索）			✓		1
圖書館自動化			✓		1
六、出版、媒體與傳播科技相關課程					
電子出版			✓		1
出版與資訊研究專題			✓		1
七、檔案學相關課程					
檔案選擇與鑑定研究				✓	1
檔案編目研究				✓	1
檔案館管理專題				✓	1
八、博物館學相關課程					
博物館管理研究				✓	1
中國藝術史研究				✓	1
西洋藝術史研究				✓	1
九、其他課程					
碩士論文	✓	✓	✓	✓	4
研究方法	✓	✓	✓	✓	4
統計學（含教育資料統計）		✓	✓		2
第二外國語			✓		1
個別研究		✓			1
十、非圖書館學系畢業生必修課程					
讀者服務研究	✓	✓		✓	3
技術服務研究	✓	✓		✓	3
圖書分類與編目（含資訊組織與主題分析）	✓			✓	2
圖書資料徵集（含館藏發展專題）	✓			✓	2
參考資源與服務	✓			✓	2
圖書館行政	✓				1

表 26　臺灣地區圖書資訊學研究所碩士班選修課程一覽表

課程名稱	臺大	輔大	淡大	政大	小計
一、基礎與理論、目錄學課程					
比較圖書館學			✓	✓	2
書目計量學	✓		✓		2
文獻學研究				✓	1
當代圖書館問題	✓				1
圖書館哲學	✓				1

現代目錄學	✓				1
圖書館學文獻導讀			✓		1
圖書館與資訊科學理論			✓		1
圖書館史研究		✓			1
圖書館倫理研究		✓			1
圖書館與社會變遷		✓			1
圖書資訊法學		✓			1
資訊科學專題研究		✓			1
二、技術服務課程					
技術服務探討（含技術服務專題研究）	✓	✓			2
非書資料（含非書資料管理）	✓		✓		2
視聽資料研究	✓				1
媒體中心管理	✓				1
分類理論研討	✓				1
編目問題研討	✓				1
館藏規劃	✓				1
古書整校	✓				1
圖書館資料保存與維護			✓		1
古書編目	✓				1
三、讀者服務課程					
圖書館資源分享	✓		✓		2
圖書館行銷（含圖書資訊服務的推廣與行銷）	✓	✓			2
工商資訊研究（含工商資訊服務專題）		✓		✓	2
生命科學資訊專題研究		✓		✓	2
大學圖書館研討	✓				1
公共圖書館研討	✓				1
文化中心管理	✓				1
兒童圖書館研討	✓				1
兒童讀物研討	✓				1
中國古典參考工具書	✓				1
中國傳記文獻	✓				1
社會科學文獻	✓				1
人文科學文獻	✓				1
科技文獻	✓				1
四、行政與管理相關課程					
圖書館作業評估	✓		✓		2
服務管理（含圖書館管理專題）	✓	✓			2

管理理論			✓		1
五、資訊科技與資訊檢索相關課程					
電腦網路與通訊	✓		✓	✓	3
管理資訊系統	✓			✓	2
中文電腦專題	✓			✓	2
資料儲存與檢索（含資訊檢索）	✓	✓			2
資料庫管理系統	✓			✓	2
電子計算機資料結構	✓		✓		2
圖書館數據通信專題研究	✓			✓	2
資訊尋求行爲	✓			✓	2
資訊政策	✓			✓	2
網路資源管理研究（含網路資源）	✓			✓	2
智慧財產權專題研究	✓				1
圖書資訊標準	✓				1
CAI 課程原理與設計	✓				1
中文電腦檢字	✓				1
索引典結構	✓				1
光碟資料庫系統	✓				1
圖書館與資訊社會	✓				1
資訊管理	✓				1
資訊管理系統			✓		1
作業研究	✓				1
電腦中心管理	✓				1
索引與摘要	✓				1
線上資訊檢索	✓				1
電子計算機專題	✓				1
自動分類與索引	✓				1
學術網路與圖書館			✓		1
圖書館系統分析			✓		1
線上目錄			✓		1
圖書館資訊系統專題（含圖書館自動化）	✓				1
資訊自由化專題		✓			1
資訊心理學		✓			1
元資料系統設計		✓			1
元資料導論		✓			1
數位化圖書館導論		✓			1
模糊邏輯導論		✓			1
多媒體資訊檢索		✓			1

自動文獻處理		✓			1
資訊心理學		✓			1
CAI/多媒體與讀者專題		✓			1
資訊系統發展與評估		✓			1
開放系統應用協定		✓			1
六、出版、媒體與傳播科技相關課程					
印刷與出版研討	✓				1
中國印刷史研究	✓				1
中國版本學研究	✓				1
傳播原理			✓		1
資訊傳播學		✓			1
電子傳播科技			✓		1
版本學與校讎學			✓		1
教學理論		✓			1
資訊與認知		✓			1
七、檔案學相關課程					
文書學研究				✓	1
政府出版品管理專題				✓	1
檔案自動化專題				✓	1
檔案參考服務研究				✓	1
檔案管理學研究			✓		1
八、博物館學相關課程					
古器物研究				✓	1
博物館教育				✓	1
中國科技史研究				✓	1
九、其他課程					
論文寫作	✓	✓		✓	3
圖書館統計	✓			✓	2
工作實務				✓	1
書報討論				✓	1
資訊蒐集指導與研究		✓			1
圖書館建築	✓				1
質性研究	✓				1

八、行政支援與教學設備

行政支援主要包括圖書資料費、儀器設備費、業務費與其他經費等。由於多數學校有大學部及研究所，行政經費很難依學程分開，故本處以全系所合計。臺大、輔大、淡大均有大學部與碩士班，臺大還有博士班，政大僅碩士班。由於 4 校涵蓋的學程種類與層級不一，無從比較，各校行政經費從 300,000 元至 1,696,733 元不等，大抵約在 160 萬元左右，詳見表 27、臺灣地區圖書資訊學研究所碩士班現有（87 年）行政經費一覽表。

教學設備包括圖書資料館藏、視聽設備、資訊設備、以及編目設備等。在圖書資料館藏項中，以臺大圖書資訊學系最爲豐富，不僅全校圖書資料館藏居冠，近 200 萬冊之外，也是惟一擁有系所圖書館室的學校。資訊設備 4 校均有，足見各校對資訊科技教育的重視。視聽設備 4 校均有，淡大尙有沖洗室、錄音室及視聽室。編目設備各校均有，但臺大設有專門編目室。詳見表 28、臺灣地區圖書資訊學研究所碩士班教學設備一覽表。

表 27　臺灣地區圖書資訊學研究所碩士班現有(87 年)行政經費一覽表

學校名稱	圖書資料費	儀器設備費	業務費	其他經費	合計	提供的學程
臺大	614,863 (38.3%)	430,353 (26.8%)	561,142 (34.9%)	0	1,606,358	大學部/碩士班/博士班
輔大	661,153 (38.97%)	520,000 (30.65%)	515,580 (30.38%)	0	1,696,733	大學部/碩士班
淡大	0	300,000	0	0	300,000	大學部/碩士班
政大	1,109,000 (70%)	164,000 (10%)	314,000 (20%)	0	1,587,000 (100%)	碩士班

表 28　臺灣地區圖書資訊學研究所碩士班教學設備一覽表

學校名稱	圖書資料館藏	視聽設備	資訊設備	編目設備	提供的學程
臺大	1. 有專業實習圖書室，館藏圖書17,000餘冊，期刊280種，視聽資料51種，合計17,331冊/件。 2. 全校圖書1,844,037 冊，期刊 23,673 種，視	三槍投影機、幻燈機、投影機、錄放影機、攝影機、擴音機、字幕機、電視機、混音機、影像處理器等	25 部電腦，有電腦資訊室 1 間，印表機、圖書館自動化系統、掃瞄機、單槍投影機、並接網路	有編目室，含標題表、分類表、電腦等	大學部/碩士班/博士班

	聽資料 92,439 件，共 1,945,276 冊/件。				
輔大	有專業實習圖書室，館藏圖書 586 冊，期刊 50 種，視聽資料 6 冊/件，合計 592 冊/件 全校圖書館館藏，圖書 703,965 冊，期刊 3,254 種，視聽資料 44,007 冊/件，合計 747,972 冊/件	三槍投影機、幻燈機、投影機、錄放影機、攝影機、擴音機、字幕機、電視機、混音機、照相機、音響、投影片製作機等	有電腦室、資訊檢索室、電腦 41 部、電腦伺服器、	無	大學部/碩士班
淡大	無實習圖書室 全校圖書館藏圖書資料 663,145 冊；期刊 3,713 種；視聽資料 66,420 件	1. 有暗房、沖洗室及錄音室 2. 有多媒體教室	有電腦 30 臺，學術網路工作站，光碟檢索工作站，VCD 影像製作系統等	圖書館淘汰用之圖書及期刊	大學部/碩士班
政大	1. 有專業實習圖書室，圖書 300 冊，期刊 40 種，視聽資料 10 冊/件，合計 1000 冊/件 2. 全校圖書館館藏，圖書 1,485,168 冊，期刊 8,460 種，視聽資料 873,526 冊/件，合計 2,367,154 冊/件	三槍投影機、幻燈機、投影機、錄放影機、攝影機、擴音機、電視機、照相機、音響等	20 部電腦、有伺服器與網路系統	編目光碟系統	碩士班

肆、研究所博士教育❸

一、概述

在臺灣地區，臺大是目前唯一設有博士班的圖書資訊學研究所。民國 75 年，臺大圖書館學研究所爲培養圖書資訊學師資及圖書館與資訊服務高級管理人才，開始籌設我國第一個博士班，77 年奉教育部核准成立，並於 78 年招生，招收具有碩士學位，與 2 年圖書館專業經驗者進修研究。博士班學生修業期限 2 至 6 年，修畢 30 學分（含論文 12 學分），通過學科及論文考試，即授予博士學位。臺大開設的博士班是我國第一個圖書資訊學博士教育學程。以下分從教學目標、入學資格、畢業要求、學生與課程等項陳述臺大圖書資訊學博士班。由於教師、行政經費與教學設備資料已於大學部教育中探討，不再贅述。

二、教學目標

臺灣大學圖書資訊學研究所博士班的設立目的，主要在培育圖書館界與資訊單位的領導人才，圖書資訊學學校的師資，以及圖書資訊學的高級研究人才。其主要教學目標如下：⑴爲配合國家資訊工業發展及文化建設政策，培育圖書館與資訊服務的領導人才；⑵爲國內圖書館學系、培育優秀的教學研究人才；⑶爲大專院校圖書館及其他資訊單位培育主要行政人才；⑷爲圖書館學與資訊科學培育科際整合的高級研究人才。

三、入學資格

臺大圖書資訊學研究所設有博士班之入學資格包括：⑴國內外大學院校之相關研究所畢業獲有碩士學位者；⑵兩年以上之圖書館專業經驗；⑶大學本科中、英文成績平均 70 分以上；⑷大學畢業總成績平均 75 分以上；⑸研究所碩士班畢業總成績平均 80 分以上；國外碩士學位者 GPA 達 3.33 以上。具備上述條件始得參加入學考試，考試包括筆試與口試，筆試科目有 3：圖書館學與資訊科學、圖書館讀者服務與圖書館技術服務。筆試任何一科在 50 分以下者即不予錄取。

四、畢業要求

臺大圖書資訊學研究所博士班對於畢業學分要求爲 30 學分，含選修課程 9 門 18 學分與碩士論文 12 學分。尚有第二外國語文的要求，可以自外國語文、高級統計課程、高階電腦程式語言或資料庫管理相關課程選修一學年。資格考試從 5 科（含圖書館學、資訊科學、技術服務、讀者服務與目錄學）選 4 科筆試。資格考試通過後，可申請論文計

---

❸ 同上註。

劃書審查，經論文計劃書委員會口試通過後，開始撰寫論文。論文初稿完成，送交論文委員會審查，經口試通過後獲得哲學博士學位，畢業年限 2 至 6 年。

五、學生

臺大圖書資訊學研究所博士班，現有學生 9 人，其中男生 2 人，女生 7 人，仍以女生居多。該系已成立 10 屆，共有 4 位畢業生，3 位女生，1 位男生。其畢業生分別在大學圖書資訊學系所、或大學通識教育科任教，或在學術圖書館擔任研究工作。有關博士生依年級分析資料，詳見表 29、臺大圖書資訊學研究所現有（87 年）博士班在校學生數額一覽表（依年級），及表 30、臺大圖書資訊學研究所歷屆博士班學生數額一覽表。

表 29　臺大圖書資訊學研究所現有(87 年)博士班在校學生數額一覽表(依年級)

一年級	二年級	三年級及以上	合計
2	1	6	9

表 30　臺大圖書資訊學研究所歷屆博士班學生數額一覽表

屆數	學生數
1	1
2	2
3	1
4	2
5	2
6	2
7	1
8	1
9	2
10	2

六、課程

臺大圖書資訊學研究所博士班課程要求須修畢 30 學分，除必修博士論文（12 學分）外，其餘爲選修課程，涵蓋圖書館學與資訊科學範疇，並酌開目錄學與印刷相關課程。臺大博士班選修課程依類分爲圖書館學、資訊科學、目錄學、以及其他 4 類，在圖書館學類、資訊科學類、與目錄學類 3 類課程方面相當均衡，詳見表 31、臺灣地區圖書資訊學研究所博士班課程一覽表。

表 31　臺灣地區圖書資訊學研究所博士班課程一覽表

課程名稱	必/選
一、必修課程	
博士論文	必
二、圖書館學課程	
圖書館學教育研討	選
國家圖書館研討	選
比較圖書館學研討	選
圖書館管理專題	選
視聽教育專題研究	選
視聽教育理論	選
大眾傳播與圖書館服務	選
分類理論研討	選
編目問題研討	選
圖書館哲學	選
圖書館建築	選
圖書館研究趨勢	選
智慧財產權專題研究	選
三、資訊科學相關課程	
資訊科學專題研究	選
資訊學研討	選
中文電腦專題	選
圖書館與資訊社會	選
資訊管理研討	選
作業研究	選
資訊政策	選
圖書館資訊系統專題	選
四、目錄學相關課程	
印刷與出版研討	選
中國印刷史研究	選
書目計量學	選
中國版本學專題	選

中國書目文獻研討	選
中國目錄學專題研究	選
中國叢書學研究	選
元明版本研究	選
五、其他課程	
論文寫作	選
研究方法	選
個別研究	選

柒、結論

臺灣地區圖書資訊學教育近十一年來發展的主要特色可歸納如下：

1. 臺灣地區圖書資訊學教育蓬勃發展，與歐美圖書資訊學系所不斷關閉之現象適成反比，在國內不見衰退反更興盛。民國 76 年至 87 年間，從原來的 6 所圖書資訊學系所：師範大學、臺灣大學、文化大學、輔仁大學、淡江大學、世新大學外，再添政治大學及玄奘大學 2 校，歷經萌芽階段、發展時期，而形成了今日 8 校的規模。
2. 臺灣地區圖書資訊學教育體系已發展完備，涵蓋了大學部（6 校）、研究所碩士班（4 校）、與博士班（1 校）三種層級學程，從基礎級的圖書資訊學教育突破，成長至進階級與高深級。
3. 各圖書館學校紛紛改名爲圖書資訊學系所，意爲圖書館與資訊科學系，爲圖書館學與資訊科學的整合。係爲迎接資訊時代的來臨及資訊科技的進展，而在各系所的名稱與內涵上作調整與改革。
4. 教育部訂定的圖書館學系與教育資料科學系必修課程在這十一年間對於臺灣地區圖書資訊學大學部的課程發展有相當的影響。
5. 中華圖書資訊學教育學會的成立，代表著圖書資訊學教育的發展更加成熟，反映出其對這個領域研究的重視、致力於圖書資訊學學制與課程的設計、推動學用合一及專才專用制度、促進學校間的溝通、以及與圖書館界的互動調整，並開拓對海峽兩岸與國際間圖書資訊學教育的交流與合作。
6. 由於資訊科技的進步大幅改變圖書館與資訊服務的工作型態與內涵，使得工作人員倍感在職教育的重要。臺灣地區近十一年的圖書資訊學繼續教育仍以中國圖書館學會開辦研習班爲主要形式，其研習班級種類與參加人數逐年增加，研習主題也不斷改變與擴增。

7.各圖書資訊學系所正逐漸形成各自的特色：

(1)臺灣大學具有大學部、碩士班、及博士班，教育學程完整，師資水準亦較整齊，具備博士學位的教師人數最多。博士班對於學生入學要求嚴謹，除具備碩士資格與優異成績外，尚要求 2 年以上的圖書館與資訊服務實務經驗，使得培育的博士生兼具理論與實務的能力。

(2)輔仁大學是唯一兼設日間部與夜間部的學校，大學部課程以圖書館學與資訊科學為主，也開設若干媒體課程。夜間部學生除在夜間修習課程，多在日間至圖書館與資訊服務相關單位工作，充份獲得理論與實務相互印證的機會，形成該校另一特色。

(3)淡江大學除了圖書館學、資訊科學外，尚有視聽教育、教育科技、與教育媒體課程為其特色。其大學部分 3 組：圖書館學組、資訊科學組、與視聽教育組，主要培養圖書館、資訊服務、與視聽教育機構等基層人員。研究所分 2 組，圖書資訊學組與教育科技組，以培育圖書資訊學，教育科技與視聽教育的管理人才。

(4)師範大學社會教育系圖書資訊學組主要培養社會教育與圖書館人才，尤其側重學校圖書館，此為該校特色。該組非獨立學系，受到該系社會教育主題影響，為其特點，但也限制其在圖書資訊學領域的發展。

(5)世新大學圖書資訊學系之前身是世界新聞專科學校圖書資料科，屬於專科學校的型態，主要培育專科級的基層人員，後來停辦。該校改制學院後新成立之圖書資訊學系，除了以圖書館學與資訊科學為發展主體，並規劃整合該校傳播學、社會學、與媒體之特點融入圖書館學與資訊科學的內涵中，建立獨特風格，別樹一格。

(6)政治大學圖書資訊學研究所是國內第一所以研究所學程創辦的圖書資訊學學校，其規劃目的希望招生具有專門學科基礎，受過通才教育及語言訓練之大專畢業生，授予圖書資訊學、博物館學及檔案管理專業教育，以培育專門學科圖書館、資訊中心、博物館、檔案管理機構之人才。因此，其研究所獨特學程，加之融合圖書館資訊學、博物館學、檔案管理學於一爐成為該所之特色。

(7)文化大學史學研究所圖書文物組除有圖書館學外，尚以史學、目錄學、文物保存為其特色，玄奘大學圖書資訊學系成立僅一年，尚在發展中，其特色有待觀察。

當前臺灣地區圖書資訊學教育受到資訊時代的轉型，以及資訊科技進步的衝擊，正面臨著下列新的挑戰與困難：如圖書資訊學教育缺乏認可標準與評鑑制度以維持圖書資訊學教育的品質與畢業生就業市場的連結；如圖書館學在現代資訊社會中尚未找到最適當的定位，圖書館學與資訊科學之關係有待釐清與整合，並且需要一套整合性圖書資訊學課程的設計；如各圖書資訊學系所仍須建立特色與市場區隔、以及整體性規劃，以避免課程重疊，並善用教育資源，使各校師資、課程、設備資源達到最佳運用；如教育部訂定的必修課程已不符時代需求，各校仍須訂定共同核心課程；如圖書館員繼續教育應建立起多元化管道，以滿足全國各類型圖書館與資訊服務人員的需求；如學校圖書館與鄉鎮圖書館仍缺乏專業人員，宜設法提供適當的進修管道，以利其取得專業資格；如圖書資訊學教育應加強與圖書館及資訊服務界的對話與互動，使圖書資訊學教育與館員人力資源的運用緊密結合。

歷經十一年來的發展，臺灣地區圖書資訊學教育已展現出更成熟、完備與多元的面貌，面臨 21 世紀即將到來之際，除了在現有的基礎加深增廣之外，上述的困境與問題也值得深思並亟謀解決。

流通自動化對大學圖書館建築設計的影響：試論讀者出入口的數目及圖書館在校園中的形象

陳格理
東海大學建築系副教授

沈寶環教授是東海大學圖書館的首任館長，在國內首倡開架制度，對圖書館的閱覽服務和圖書館建築影響至鉅。沈教授一向提攜學子後進，本人雖非習圖書館學，但在研究圖書館建築時常受沈教授的指導和鼓勵，獲益良多。值沈教授八秩嵩壽，特呈研究心得以示敬意與賀忱。

壹、緒言

外受資訊爆發與科技進步的衝擊，內受服務需求與內容不斷變化的影響，自動化已是近卅年來影響圖書館發展的最重要因素了。自動化的發展會直接影響圖書館在資訊索取、技術服務和行政管理三方面的工作成效。換言之，自動化設施的引進和運用改變了圖書館對讀者服務的型態內容和效果。從圖書館建築的角度來看，不論在觀念上或實務方面，迄今仍難看出圖書館的自動化對圖書館的建築發展究竟有哪些較具體的影響。

在自動化的影響之下，圖書館的讀者（使用者）和館藏與館舍之間是否會有什麼實質的改變？在虛擬圖書館的夢想愈來愈接近於眞實時，圖書館的建築會有什麼改變，在在都是引人注意的話題。因此，認眞地檢視自動化的發展對圖書館在硬體方面，特別是在建築規劃與設計的觀念和做法上有什麼影響是十分必要的。

因此之故，本人嘗試著自目前圖書館已有的自動化設施中，探討它們對圖書館在空間形式與服務工作上的一項改變：圖書館是否可以有多個（一個以上）出入口來服務讀者。對這裡所謂「出入口」一詞有以下幾點說明：

1.它不是在建築法規上規定供緊急狀況時逃生避難用的太平門（梯）的出入口。

2.它不是供館員或書籍資料進出的服務性出入口。

3.它不是指進入圖書館大樓（建築物）的出入口。

4.它是讀者（使用者）進入圖書館館員服務範圍的出入口。它不一定和圖書館的主要出入口（大門）設在同一樓層。

本文的目的在於藉著對圖書館讀者出入口數目的增加性，探討未來大學圖書館從充分的利用和整合各種自動化的服務設施，爲圖書館的服務與形象提供一個改變的機會；進而影響到圖書館在校園中的建築規畫工作。

貳、自動化的意義和內容

廣義的圖書館自動化，常以舉凡運用機械設備取代人工來處理圖書館的業務爲代表；而狹義的說明，則專指運用電腦來處理圖書館的作業及提供服務（張鼎鍾，1987：3）。由於電腦在處理資料上有容量大及速度快的特性，使得圖書館的作業和業務達到經濟化、快速和正確化的的效果。換言之，即以增加生產量、減少人力、增進控制、減低錯誤、增加速度和效率來達成提高服務品質與效率的理想，進而滿足圖書館在經營和服務上發揮服務效能和提昇管理效率的目標（同上註，頁 5）。

參、流通自動化的服務

自動化在圖書館管理系統中的技術服務部份有著重要的地位，即利用電腦作爲推行各種業務的工具，以講求服務效率爲目標；出納檯的流通管制便是其中重要的工作項目之一，因此除了編目作業外，圖書館通常選擇流通作業做爲進行自動化的首要項目（林光美，1994：14）。當電腦在資訊檢索方面有著較醒目的服務成效時，其在流通工作方面的成效，便較少爲人們所注意。

對圖書館流通服務工作影響最大的二個因素是「開架式閱覽」和「流通自動化」。在昔日閉架式的閱覽環境中，出納檯幾乎可算是圖書館對讀者服務的最重要窗口，那裡的工作量特別繁重。開架式閱覽使讀者可親自接觸到書籍，而減少了由館員代爲找書的麻煩，使出納檯的工作量減少了很多。流通自動化則更減化了出納檯的工作項目和內容，使得出納檯的服務更有效率。在流通自動化之後，出納檯的工作數量並沒有減少，只是藉由自動化設備（如電腦和條碼）簡化了工作內容，這種簡化的結果對人力運用方面的影響甚大。據估計，一所大學圖書館如採行線上系統時，單就流通管制方面，就可以節省二分之一的人力（黃世雄，1985：53）。

流通自動化的結果，使得讀者不必忙著填寫卡片，而以更便捷的方式完成借書手續。館員亦可用電腦查出書籍借閱狀況及借書人的相關資料，又快又完整。自動化的結果使得流通服務出現以下的改變：

㈠出納檯不再是人力密集的工作區。同樣的時間和人力，在出納檯上，館員可以處理好幾倍的借（還）書量。換言之，在出納檯內的工作人員只需要少數的幾個人就夠了。

㈡專業人員的減少。在借還書的服務方面，由於電腦簡化並取代了大部份重要的記錄性工作，使得借還書服務變成一種簡單且不需要依賴專門知識與能力的工作。換言之，出納檯的借還書工作幾乎都可以由非專業的人員（如輔助人員、工讀生）來擔任，使得流通組中專業館員的人數得以減少。

㈢館外的網路服務。利用電腦的網路連線，出納檯上原有的一些服務，如預約書籍、查詢資料和續借等均可在館外完成，使讀者不必爲此親自到圖書館來，亦減少出納檯上不少的工作量。

㈣出納櫃檯的區分化。由於自動化設備的協助使得借還書的手續變得簡單快捷，且可由非專業性的服務人員來負責。但是在流通工作上仍有一些工作，如諮詢或書籍賠損等的洽商，仍需要由專業人員來處理，加上服務檯的型式應有差異。因此，流通組的服務區域應予以劃分，從而更方便地服務讀者。

㈤出納檯檯面的調整。自動化的流通設備改變了傳統檯面空間的使用狀況。桌上原有的卡片盒消失了，取而代之的是佔更多空間的機器設備，如電腦終端機、鍵盤、印表機、傳眞機、和消磁機；加上其他相關的文具及書寫空間，使得原有的出納檯面更不敷使用，由此更突顯出流通自動化對工作環境與服務設施的影響。

根據以上的說明，在自動化的影響下，圖書館的流通服務具有下面兩項特質：

㈠出納工作單純化。這不只影響著工作人員的職能與效率表現，也影響著工作環境的形式和內涵。

㈡服務工作區分化。不同的服務工作可在不同的地點中進行，如此可減少干擾並增高工作效率。

然而，在流通服務上高效率的表現，也容易忽略對讀者的需求做更廣泛而深入的思考（陳亞寧，1994：96）。

肆、對大學圖書館在形式上與實質上的影響

自動化對大學圖書館在流通服務以及建築形式上的影響，會反映在圖書館可增加讀者的出入口，和圖書館在校園中的相關位置與形象。換言之，大學圖書館在因應和整合自動化服務功能的影響下，對外的實質關係和形式也會有一些變化。

一、過去的觀念和做法

㈠從圖書館的服務功能和方式來看，下列幾項因素是造成過去圖書館必須強調讀者單一出入口的主要原因：

1. 閉架式書庫的管理觀念。在閉架式書庫的年代，所有館藏的借還手續皆須由流通組的出納檯來管理。當圖書館由閉架式改為開架式後，出納檯的形式與位置也沒有什麼改變，它仍然保持著當初對全館在管理與形式上的權威性。
2. 複雜的借還書手續。在流通自動化以前，即使是在開架式書庫出現之後，讀者在出納檯前的借書手續仍然甚為繁複。對讀者而言，填寫書卡不但費時且又佔用檯面，而館員在整理或查閱卡片方面亦甚煩勞。手續的繁重亦容易加深人們對此一工作的重視，而這亦代表著它是館內對讀者最重要的服務項目。
3. 書籍的安全管理。以往圖書館會在主要的出口處設置一個管制檯，用以檢查同學們帶出館的館藏（書籍）是否經過借出的手續，以維護館藏的安全性。此一管制檯通常是由流通組來負責，這也就造成出納檯和出入口之間的關係：出納檯和管制檯必須靠得近。

由於延續了出納檯傳統的服務功能與形式，使得出納檯在空間的定位上始終難以改變，這也就直接影響到它的發展性。

㈡從校園發展史中，可以瞭解過去大學圖書館在形式上的要求與束縛。

1. 位置與空間關係。西方的大學源於中古時期的修道院，而圖書館（室）便是修院中實質性的重心（精神性的重心是教堂）。近代將大學校園視如一個城市，各分為不同功能的區域，區域間關係的中心便是圖書館。在形式上，它猶如西方早期城市中的教堂，它和其他公共空間，如廣場、市場、公共建築物的關係十分清楚。因此，有學者把大學圖書館比喻為學校的心臟，一則說明它的重要性，一則也明示它在校園中應有的位置。在此理念下，大學圖書館一直都被安排在校園的中心部份，不但以此彰顯它的地位，也說明了它和校園中其他建築物（或空間）的關係。校園中其他建築物的地位或歷史性，往往也可從它們與圖書館的實質關係（距離遠近或方位關係）來認定。

2.面向（朝向）與型式。大學圖書館在校園中的位置會影響到它的朝向與立面造型。在傳統的西方大學校園中，常會利用軸線或軸向來安排重要建築物（或空間）的關係與位置，有形的軸線往往會表現在校園內的主要道路或重要景點上，圖書館因而常被安排在軸線的中點、交叉點或端點上。當圖書館被安排在這個有形或無形的軸線上時，不可避免的會使圖書館發生面向（立面）的問題，其中包括了正立面（facade）的設計和館前空間（如廣場）的安排，由正立面的形象而引發了對整館造型的要求，是否大學圖書館在建築造型上，應具有某種特質或表現，以應和它在校園中的身份、地位與使命，便成為一個值得探究的問題。

這些條件和因素影響到大學圖書館在校園中的位置、形象及與周遭空間或建築物的關係。長久以來，這些想法和做法多少都影響到大學圖書館，特別是總圖書館在校園中的發展。

二、由於一些內在的變化及新因素的出現，使得改變的趨勢浮現出來。這些因素如下：

㈠藉著科技的協助改變了圖書館的服務成效，進而提昇了服務的品質。

1.利用電腦儲存和處理資料。館藏與使用者的資料都儲存在電腦中，條碼的利用，簡化了對書籍與人員的辨識和書籍的借還手續，使流通出納檯的工作負荷減輕，櫃檯面得以調整，工作人員可有效地減少而趨於非專業化。

2.網路的使用減少出納檯工作量。讀者可以不必親自到圖書館，藉著校園網路的服務性，直接向流通組進行書籍資料的查詢、續借和預約。如此一來不但減少出納檯前的擁擠與館員的工作負擔，亦為讀者節省了很多的時間。

3.磁帶安全系統。當館藏資料的安全性藉由金屬磁帶的偵測系統來負責時，館內原設在底層出口處的檢查檯就被取消了。此一自動化的安全措施幾乎改變了圖書資料的檢查制度，同時它也影響到對圖書館出入口在位置與數量上的認知。

4.管理與服務的一體性。由於科技進步的結果，開始促使館員注意到自動化對圖書館在讀者服務和技術服務上的個別效益，應同時遍及於管理工作方面。

㈡校園建築「空間定位」觀念的淡漠。

1.校園區位化觀念的淡漠。將大學校園視如都市發展的理念越來越受到質疑，未曾經都市設計般的安排，古老的大學校園幾百年來依然良好的運作和發展。大學或專科學校，由於在土地規模、師生人數，教育性質與發展條件上的差異，並非皆須以都市設計的理念來設計校園。換言之，今日已有一些頗具規模的大學在校園區劃上不依都市設計的觀念，將校園區分成教學區、生活區和休閒區，而有淡化它們之間差異的趨勢。在此情形下，圖書館在校園中的位置便不再如往昔一樣被定位在校園中各區域的中間，或校園中軸線上的位置。它亦不再是以朝向或形象爲代表的建築物。相反的，圖書館已被要求成爲更具有親和力、吸引力和服務性的知識殿堂；圖書館在校園中的位置，端視學校如何定義圖書館的意義和功能。

2. 網路化的服務淡漠了學生對圖書館的方位感。當學生或其他使用者可以從網路上利用圖書館的服務與館藏時，他們不會注意到圖書館在校園中的位置。網路化的服務帶給使用者一個很強烈的訊息：使用者可以從不同的地點或方向接觸和接受圖書館所提供的服務。換言之，在服務上，圖書館已沒有出入口位置或朝向上的意義，這種服務性是讀者喜歡和企盼的。因此，在眞實的環境中，讀者也會希望圖書館的服務是以讀者的方便性爲主，而不是強制使用者必須要接受那種唯一的、不夠親切的，且不合乎需求的服務方式。

伍、優點

結合圖書館中的資料安全系統和自動化流通系統是實現圖書館出入口多重化的主要因素。當圖書館設置了一個以上的讀者出入口時，對整館而言會有以下幾項正面的影響：

㈠服務性

1. 增設出入口後，可直接有效的紓解總出入口（正門）的人潮，使大廳和出入口處不再呈現擁擠感，間接的也會減少人們在出入時所帶來的聲響和干擾。

2. 使用者（讀者）在館外可從不同的方向，利用不同的路徑出入館內，增加了來館的便捷性和館舍的親和力。

3. 在非完全開放的時間，使用者可利用次要的出入口進出館舍，以便使用某些特殊的服務設施或空間。

㈡空間性

1. 多重出入口可能出現在不同的樓層。有的是因應館外地勢的高低差，有的則是在某一層樓利用走廊或天橋和它棟建築物（如教室）相通，如此更能直接的吸引同學們來圖書館。

2. 多重出入口將使圖書館和周遭的建築物或服務設施（如停車場或餐廳）產生密切的關係，並使周遭的環境設施不致對圖書館造成阻隔與封閉現象。

3.多重出入口的產生，使得圖書館不再會憑藉著主要出入口的形象或方向來塑造在形式上的權威性。它在校園中的地位與形象，卻會因較佳的方便性與親和力而不斷的提升。

4.多重出入口對未來增建的館舍會有一些的幫助。一方面它可成爲連接增建部份的出入通道，另一方面它會對增建部份的形式、朝向或空間安排有某種程度的影響。此外，它亦會促使在增建部份另闢出入口來服務及吸引使用者。

陸、類似案例

一直很難在大學校園中發現新建的圖書館，特別是總圖書館，有一個以上供讀者平日出入的門戶。倒是在一些圖書館的增建案例中，找到這樣的做法。

1.美國密西根大學的總圖書館（研究圖書館，Hatcher Library）建於 19 世紀末，爲 5 層樓高的古典式建築。因空間不敷使用而於 1970 年代在後側加建一棟 12 層樓高的書庫和研究室，並和舊館相通。增建部份對外另設有出入口，因樓層高差不同，新出入口和總館的出入口並不相通。新增的出入口面向校區的另一側，出入口內並有電梯通達各層。除特定假日外，此出入口日夜開放。

2.美國亞歷桑那州立大學建於 1966 年的舊總圖書館（Hayden Library）爲地上 5 層地下 1 層的建築物，因空間不敷使用而於 1989 年在對街的地面下興建地下 3 層面積共 9 萬 7 千平方呎的新圖書館。新館除了和舊館有地下通道相聯外，亦另有獨立的地面出入口。

3.北京大學協和醫院的圖書館爲解決使用者（醫院醫師和醫學院學生）自不同方向進入圖書館的問題，而在圖書館的底層和 2 樓分別設置出入口，以解決使用者的出入需要。

柒、理念的建立與傳達

大學圖書館流通自動化的結果會不會影響到圖書館未來在讀者出入口設置上的改變，完全得視此一理念是否得到專家和館員們的重視與支持。換言之，此一理念之發展與影響得視館員們的作爲而定。一般而言，此一理念與館員的關係有以下三方面：

一、研究性。自動化設施是館方爲提昇服務效率和品質而引進館舍中，它們的功能之一是在減輕館員的工作負擔及更方便地完成其服務工作。就此而言，自動化設施應是館員在工作上得力的好幫手，館方（員）對這些自動化設施應該有相當程度的了解。這種認識不應僅限於對該項設施在功能、價值或操作上的了解，更應以認眞的態度去探索和思考自動化設施對圖書館整體在管理與服務上的影響性；特別是各種自動化設施（工具）間的關係。這種工作具有研究的本質和精神，而其成果必然會是推動和提昇圖書館服務成效的最有利依據。

二、認知性。圖書館的自動化設施是科技發展的結果，而非圖書館本身在科技方面的創見或發展。換言之，圖書館在自動化方面的發展是跟著新科技在進步，館方（員）較難影響到相關科技發展的內容與方向。因此，館方（員）正可趁此機會思考一個現代化的大學圖書館應如何利用科技成果，來強化對讀者更人性化、更親切的服務、更直接的滿足使用者的需求和管理者的企盼。科技化愈深，人性化的需求愈應受到重視。如何結合這二方面的特性、需求與發展，正是館方（員）與圖書館學界在推動與研究圖書館的自動化時，不可或缺的一種體認與努力。

三、推廣性。圖書館學界與業界對自動化發展的了解固然很重要，更重要的是將對自動化設施在發展上的了解和期盼展現出來。當然首先應該肯定這種理念的價值與可行性，然後才是思考如何將這種理想予以實現。自動化設施整體發展的成效是應該落實在對實質環境的改善而呈現在服務工作的表現上。對實質環境的改造，重要的是，必須將館方（員）的理念藉由建築設計者的工作加以表達出來。圖書館的建築設計者對圖書館的空間和設施已有相當程度的了解和運用能力，但是，他們對圖書館自動化的發展卻所知有限。他們多是根據館方對自動化的要求來安排各種相關的設施與空間，而不對設施的運作與管理負什麼責任。因此，要想使設計者在自動化設施的安排上有較好的處理方式，便必須讓設計者了解它們之間的關係以及館方對它們的期盼。換言之，在這方面圖書館界必須教育設計者什麼是自動化設施的發展性，以便能妥善的安排這些設施。

館員或圖書館專家應從「服務」的功能和目的上，讓設計者了解圖書館何以能發展出一個以上供讀者進出的出入口，其教育方式可有下列二種：

㈠藉著圖書館的建築規劃書，在文字上明白的告訴設計者這種理念的特質、功能與需要性，讓設計者在設計時愼重的思考和處理這方面的問題，使這個構想得以適切的實現。

㈡利用相關的案例或規範讓設計者了解這種發展的可能性。相關資訊的傳播與溝通，會使設計者更關注到圖書館內各種現代化設施對設計內容和使用行爲的影響。

教育設計者的工作必須由館員的專家一起來做。這種工作的成果不但會明顯地影響圖書館在自動化方面的成長，更使設計者注意到館員和專家們對自動化發展的了解與服務表現的期望，及他（她）們對圖書館實質環境的理想。

捌、結論

自動化和資訊化已是圖書館在發展與服務方面最重要的工作項目，它們對圖書館的影響難以估計。只是我們缺乏對圖書館中各種自動化設施的運用與發展上做整體性的考量，缺乏這方面的努力，使得科技設施的服務性未能做進一步的整合發揮。

自動化流通設施結合了電腦系統和機讀條碼的特性，改變了以往借還書的繁雜手續，減輕了工作內容和時間。在實質方面，它不但因此改變了出納檯的空間需要，更因網路的聯繫而使出納檯的服務可以不必侷限於一處。換言之，出納檯可以很容易地配合服務的需要因地而設。

圖書安全系統是利用書內磁帶的感應原理來管理書籍的安全性。此系統不但造成館舍在出口處不需要專人負責看管，且使出入口的位置可依使用（或服務）上的需要而設定，讓讀者可以更爲方便的出入館舍。

如果能夠將館內的自動化流通系統和圖書安全系統結合在一起，則很容易展現出自動化設施的另一種影響性，也就是圖書館可爲讀者提供正門（出入口）以外的其他出入口。在此出入口處裝設圖書安全系統則可保護書籍資料的安全，附近如設有自動化流通設備則更可爲借還書同學提供方便的出入服務，而不必一定要到底層的出納檯去辦手續。除此之外，它可以改變圖書館在校園中的形象和與周遭環境的關係，而更富於親切感。

二十一世紀的大學圖書館會是什麼樣子，如今是愈來愈難預測。但在電子化、資訊化和自動化發展的影響下，圖書館會反過來更重視人性化的特質，如何結合各種新穎科技設備的特色來提昇對讀者的服務工作和館舍的親切感，並改變校園中圖書館既有的形象，更是一個重要的挑戰。在這個工作上，館員和專家必須先對館舍內自動化設施的整體發展有清楚的認識，然後將此理念傳達給設計者，一起將自動化的服務性理想提昇到更高的層次。

參考書目

王振鵠，「我國圖書館的自動化作業之現況及展望」，國立中央圖書館館刊，15 卷 1/2 期（民國 71 年），頁 1-5。

李德竹，「我國學術研究圖書館館員對圖書館作業自動化認識與態度」，圖書館學刊，5期（民國76年11月），頁13-36。

林光美，「自動化對大學圖書館的衝擊」，公私立大學院校圖書館館長聯席會議論文集，清華大學，（民國83年11月），頁8-23。

陳亞寧，「我國圖書館自動化的迷思」，中國圖書館學會會報，52期，（民國83年6月），頁97。

黃世雄，現代圖書館系統綜論，（民國74年）學生書局，臺北市。

張鼎鍾，圖書館自動化導論，（民國76年）學生書局，臺北市。

鄭麗敏，「流通自動化」，圖書館自動化研習會演講專輯，臺中市立文化中心（民國78年），頁6。

V. Anders, C. Cook, and R. Pitts, "A Glimpse into a Crystal Ball: Academic Libraries in the Year 2000," *Wilson Library Bulletin,* (Oct. 1992):36-42.

L. Brawner, "Designing Library Building for the 21st Century," *The Journal of Library Administration*, 11(2)(1989):221-232.

J. Clememer and D. Smith, "Trends and Issues," in *Libraries for the Future: Planning Buildings that Work*, ed. R. Martin (1992):1-13.

E. Cohen and A. Cohen, *Automation, Space Management, and Productivity: A guide for Libraries*, (N. Y. : R.R. Bowker Co., 1981).

A. Daufherty, "University Library Building," in *The Academic Library in Transition*. ed. B. Lynch (N. Y., Neal-Schuman, 1989):282-304

J. Drabenstoot.. ed., "Designing Library Facilities for a High-Tech Future," *Library Hi Tech*, 20 (Winter 1987):103-111.

M. Drake, "Libraries, Technology and Quality," *Advances in Library administration and Organization*, vol. 2 (1987):37-48.

R. Fuhrott, "The Impact of Technology on Library Buildings," *Advances in Library Administration and Organization*, vol. 4 (1985):135-157.

M. Gorman, "The Academic Library in the Year 2001: Dream or Nightmare or Something in Between?" *The Journal of Academic Librarianship*, 17(1) (1991): 4-9.

Hudson, "Planning for Change: Building a Library for the Twenty-first Century," *Illinois Libraries*, 74(6) (Dec. 1992):496-505.

J. Hyatt and A. Santiago, *University Library in Transition* (Washington, D.C., 1987).

D. Kapp , "Designing Academic Libraries: Balancing Constancy and Change." *Library Hi Tech*, 20 (Winter 1987):82-85.

D. Kaser, "The Role of the Building: In the Delivery of Library Service," in *Access to Scholarly Information: Issues and Strategies*, ed. S. Lee (Ann Arbor, MI: The Pierian Press, 1985):13-24.

D. Kaser, "Current Issues in Building Planning," *College & Research Libraries*, 50 (1989):299-304.

J. Kucker, "Adapting Libraries to Current and Future Needs," *Library Hi Tech*, 20 (Winter 1987):85-87.

N. Martheson, "The Idea of the Library in the Twenty-first Century," *Bulletin of Medical Library Association*, 83 (1)(Jan.1995):1-7.

M. Martin, "Some Thoughts on the Future Academic Library," *Advances in Library Administration and Organization*, vol. 12, (1994):85-108.

R. Martin, ed. *Libraries for the Future: Planning Buildings that Work*, (Chicago, Il: ALA).

D. Michaels, "Technology's Impact on Library Interior Planning," *Library Hi Tech*, 20 (Winter 1987): 59-63.

M. Nehring, "A Journey into the Future of Library Services in the 21th Century" *Colorado Libraries*, 19(1) (Spring 1993):31-32.

A. Woodsarth et al., "The Model Research Library Planning in the Future," *The Journal of Academic Librarianship*, 15 (July 1989):132-138.

規劃圖書館自動化系統的人性因素管理

林呈潢
政治大學圖書館系統資訊組組長

一、前言

電影「桃色機密」（Disclosure）中的「虛擬實境」（Virtual Reality）把電腦科技發展帶上銀幕，「悍衛機密」、「網路上身」相繼上映後，更具體而微的把未來電腦世界發展的樣貌，呈現在我們的日常生活之中，於是有人憂心忡忡的懷疑，電腦網路究竟將會對我們的工作產生何種改變？機器有朝一日會不會取代人類？如此大幅度的改變難免會讓人忐忑不安，讓人產生疑慮。

每當新科技對人們喜歡或習以為常的事物造成威脅或改變時，總有人產生疑慮、總有人拒絕改變、總有人發誓絕不隨波逐流，比如汽車被視為噪音的入侵者；口袋型計算機被排斥，因為對數學造成學習的威脅；❶但經過一段時日，當這些科技產品在人們生活中開始領有一席之地，提供方便與省力，所以人們就開始接受它，成為我們日常生活中所「喜歡或習以為常的事物」，如此循環不絕，總是循著從抗拒到接納的軌跡。事實上，這些疑慮也自有道理，高科技真可能使某些行業或產業逐漸消失，但是新的產業和新的行業又會欣欣向榮。

我們且回頭看看圖書館自動化的發展，圖書館自動化的目的除了提高圖書館的作業效率、效益外，最主要的目的在提供讀者良好的服務品質❷，換言之，「自動化的目的並不僅改善圖書館的作業效能，以及減輕館員工作量，更重要的是能對讀者提供什

---

❶ 比爾・蓋茲（Bill Gates）、納桑・米佛德（Nathan Myhrvold）、彼得・雷諾生（Peter Rinearson）合著；王美音譯，擁抱未來（*The Road Ahead*）（臺北市：遠流，民 85），頁 12。

❷ Wright, H. Curtis, "Shera as a bridge between Librarianship and Information Science," *The Journal of Library History* 20(2) (Spring, 1985), 143-144.

麼？」❸；姑且不論今天圖書館資訊系統是否仍然欠缺「人本」思想❹、館員是否仍然「忽略讀者需求」❺，重要的是必須思及圖書館自動化影響所及的除了技術因素外，還包括館員、工作人員以及讀者的因素，人性因素的影響一點不容忽視；斯瑞爾（Schraml）認爲成功的圖書館自動化系統設計與設置一定要考慮到人、系統工作者和使用者的心理需求❻。本文即以規劃圖書館資訊系統時所需考慮的人性因素爲綱，探討規劃及完成圖書資訊系統時所帶給「人」的衝擊和對策。

二、圖書館自動化的衝擊

提及任何自動化系統即意味著圖書館的作業將有所改變，這種改變或許不受圖書館員的歡迎，甚至不願去了解需要改變的原因。21 世紀的圖書館會不會如預期的變成一個「數位化圖書館」？韋伯（T.D. Webb）肯定的說 21 世紀的圖書館事業將不會如各方預期的，全面由印刷媒體轉爲電子媒體，更不用說會變成一個無紙處理的資訊社會。相反的，未來圖書館的資訊將以各種印刷、非印刷的形式呈現，並且將其館藏區分爲不同的電子化、電腦化、多媒體以及印刷型式，換句話說，未來將是各類型資料並存的圖書館；事實上，根據資料內容及資料的使用，以最適當的形式保存館藏的作法，和 20 世紀末期圖書館藉由回溯轉檔計劃保存館藏書目紀錄的方式有些類似。❼

回溯轉換，是將傳統卡片目錄轉變成自動化書目資料的一種過程，是圖書館自動化中一項無可避免的艱巨工作，國內各大型圖書館近幾年來投入了不少的時間和人力資源在書目的回溯工作上；書目回溯的時間、人力的費用迫使許多擁有大量館藏或預算有限的圖書館將目錄分成兩個部份：老舊的圖書仍用傳統卡片目錄，新的資料採用電腦化的線上目錄（on-line catalog），換言之，老舊的資料成了一種「凍結」的目錄，目錄雖然仍舊存在，但無新的目錄增加。

韋伯預測的 21 世紀的圖書館，就像回溯轉換的圖書館目錄，圖書資料將以最適當

---

❸ 陳亞寧，「我國圖書館自動化的迷思」中國圖書館學會會報 52（民 83 年 6 月），頁 97。

❹ 曾慧佳，「以人為本的資訊服務」，中國圖書館學會出版委員會編，電子圖書館與資訊網路研討會會議論文集（臺北市：中國圖書館學會，民 83 年 12 月），IV-1。

❺ 同註❸，頁 96-97。

❻ 李德竹，「我國學術研究圖書館館員對圖書館作業自動化認識與態度」圖書館學刊 5 期（民 76 年 11 月），頁 17。

❼ Webb, T.D. "The Frozen Library: a Model for Twenty-first Century Libraries," *The Electronic Library* 13(1) (Feb. 1995), 21.

的形式保存在圖書館，提供讀者使用。即使隨著人們逐漸習慣無紙資訊的處理，紙張的使用必然會減少，但書本必將永遠存在。❽

我們常自詡是面向 21 世紀的圖書館員，有幸處於一個即將面臨的轉型中，未來的圖書館將被賦予一個新而且重要的角色；但也何其不幸，我們是位在一個即將面臨的轉型中，技術的進步和讀者的需求，都促使我們被迫不斷的改變去適應環境的變遷；舉個例子，圖書館人員已經警覺到電腦線上目錄絕不是圖書館最後的目標，如同賓果（Binko）所言❾，圖書館認爲讀者最想使用的是卡片目錄，目錄確實重要，卻非眞正的需求，讀者眞正想要的資料不是圖書館中無法取得的印刷形式資料，讀者想要得到的是資料本身；圖書館提供線上目錄、遠距查詢世界各地圖書館的目錄，充其量只是強化了讀者對這些資料的需求，無助於讀者對資料的滿足。

這個例子只在說明，圖書館技術的改變是一直不停的，改變的動力，除了技術的進步外，也隱含著人的需求。在人類演進的過程中，存在所謂「階段性平衡」（punctuated equilibrium）的概念，任何一種演進都非遵循著一種漸進的、持續的途徑；相反的，其中有一連串長期穩定的階段，但這些穩定的階段，最後都會被突然發生的改變所打斷，使得人類向另一個方向前進；這些改變，事實上，是人類爲了促使生存條件改變的需要所做的適應。❿圖書館也必須同樣的適應環境的變遷，但必須強調的是，適應並非指不斷改變或永久不變，指的是階段性的成長。如何把握變的時機，如何管理變的深度，是規劃圖書館資訊系統不可避免的課題。

三、技術改變和人性反應

文獻上有許多探討高科技產品引進圖書館後，對讀者和館員所造成的衝擊；戴爾（Hilary Dyer）把人和其週遭環境的互動分成心理層面和生理環境探討⓫，以圖書館自動化系統而言，自動化環境存在著許多和館員個人情境衝突的因素，舉例說，作業系統的改變造成壓力（不論是從人工到自動化或從一種自動化系統到另一種自動化系統），壓力的多寡視個人對新環境的適應性而定；需要去學習和牢記更多的作業程序……，這些心理的反應相當複雜，也因人而異，戴爾從自動化對人體健康、安全、照明、傢具、

---

❽ 同上註，頁 22。

❾ 同註❼，頁 23。

❿ 同註❼，頁 22。

⓫ Hilary Dyer, *Human Aspects of Library Automation* (Hants, England: Gower, 1990), 3.

工作場所等方面探討自動化對人的衝擊和調整。

對大多數的人而言，最關切的問題莫過於「我能否適應新環境」，不論男女都擔心他們的工作將被淘汰，他們將無法適應新的工作方式，史密斯（Kitty Smith）指出，當一個組織內部和外部結構改變時，會有一些副作用，採用自動化設備或上網路會讓人覺得無法掌握工作狀況，及對自己在組織內的表現和角色喪失信心，進而產生疏離感。⓬雖然自動化可能解決一些以前無法解決的問題，但也代表一種機械化、嚴格、和有壓力、可遙控、不易瞭解的工作環境。懷恩（Sara Fine）發現人類對技術帶來的衝擊既不是怕失業也不是怕系統太貴，而是怕因技術使人際關係變得更複雜。⓭史密斯也警告每個人都有不同的方法使用高科技來滿足各自不同需求，因此自動化對每個個人不論在生產力（productivity），或肢體上、情緒上、甚至社交上都有不同程度的影響，有的人會覺得頭痛、背痛或眼睛疲勞等外顯的症狀，有些人可能還會有心力交瘁，並且會覺得無力感、焦慮、對人不信任、缺乏信心與人產生隔閡等症狀。⓮戴爾（Hilary Dyer）也將人們對改變所產生抗拒行爲的原因分析說明⓯，如對改變的不確定和未知（Uncertainty or unknown）狀況的擔心，擔心失敗或落伍、擔心經濟層面的不穩定（如收入或失業）、擔心人際關係的改變、擔心對電腦的不適應、擔心增加管理的監督（management surveillance）等；爲避免上述情形產生，史密斯建議在規劃自動化系統的時候，應考慮系統對人的影響，透過團隊工作的設計，讓工作人員互相依賴，以創造一個互助合作的工作環境，避免因高科技帶來人與人之間產生疏離感的問題。⓰

人們對環境改變所表現出來的抗拒行爲，從管理的角度來說，如果管理得當，可以得到正面的效果；圖書館自動化是一項複雜又需要管理的任務，在規劃時除了技術的考量外，更需要在館員甚至讀者之間創造一個積極的溝通環境，來促使每一個人對自動化的信心、了解自動化的時程、明白自動化的功能和限制、並給予館員和讀者適當的訓練。

⓬ 同註❹。

⓭ Smith, Kitty, "Toward the New Millennium: the Human Side of Library Automation (revisited)," *Information Technology and Library* 12(2) (June 1993), 213.

⓮ Smith, Kitty, "Toward the New Millennium: the Human Side of Library Automation (revisited)," *Information Technology and Library* 12(2) (June 1993), 210.
曾慧佳，「以人為本的資訊服務」，中國圖書館學會出版委員會編，電子圖書館與資訊網路研討會會議論文集（臺北市：中國圖書館學會，民 83 年 12 月），IV-1，頁 6。

⓯ 同註⓫，頁 200-203。

⓰ 同註❹，頁 7。

換言之，一個圖書館自動化系統從規劃到完成的決策過程，應保持和各階層「人員」（包括館員以及讀者）之間的良好溝通。溝通可以促進個人對組織（圖書館）的認同，形成組織的文化，這種組織文化代表著一個組織內成員的共同哲學、理念、價值觀、態度、以及規範（norm）和氣氛或感覺（feeling or climate）。⓱直接影響圖書館自動化系統規劃及實施的成敗。

規劃圖書館自動系統時所需考慮的人性因素頗多，除了上述所提及的心理因素外，其他如空間的規劃、環境的規劃甚至電腦周邊設備，如桌椅、終端機等安全及健康問題都會影響館員甚至讀者的情緒反應，如何控制這些因素，使其變成圖書館可用的資源，是系統規劃管理人員所應顧及。本文僅從溝通與訓練二方面說明人性因素變數的管理。

四、溝通在圖書館內之管道

一個圖書館若以有機體來形容，圖書館內的成員與單位部門就是他的細胞與器官，而溝通乃為血液的循環；輸送血液的管道分為動脈、靜脈與微血管等，相同的，組織內的溝通也循著不同的管道而形成不同的取向。一般學者將組織溝通的方式分成下列四種：⓲

1.垂直取向的溝通，也就是上級與部屬之間的溝通，此種溝通又分為「上對下」（Downward）、「下對上」（Upward）的溝通模式，為使溝通順暢有效，賈普林（Fredic M. Jablin）建議：⓳

⑴簡化溝通流程。

⑵先建立初步共識再進行溝通。

⑶勿忽略價值觀與信念的交集。

⑷可同時陳述各種選擇方案，惟須突顯可能是最理想的方案，以節省不必要的思考時間。

⑸隨時評估部屬接收訊息的情況，作為調整溝通訊息內容與傳遞方式的參考。

⑹部屬對上級的溝通應盡可能提出重點摘要與具體建議。

⓱ 嚴祖弘，蔡國文，「組織文化認同之差異對服務品質之影響」第一屆服務業管理研討會論文集（一）（臺北市：國立政治大學企管系，民84年3月17日），頁1。

⓲ L.W. Rue and L. Byars, *Communication in Organizations* (Homewood, IL.: Irwin, 1980), 5-67. 蔡數培，人群關係與組織管理（臺北市：五南圖書公司，民83年12月），頁20。

⓳ 蔡數培，人群關係與組織管理（臺北市：五南圖書公司，民83年12月），頁21-22。

2.水平取向（Lateral）及交叉取向（Diagonal）的溝通

這二種溝通是組織內爲求取協調與支援的溝通模式，一個組織內的溝通此兩種溝通模式最爲常見⑳，這兩種取向的溝通有四個主要目的：㉑

⑴針對工作任務進行協調,謀求最適合的分工組合。

⑵找出問題點，以集思廣義的方式加以解決。

⑶分享相關資訊，以充份掌握現實情況。

⑷擴大彼此對事物的認同面，以化解衝突。

3.傳言（Grapevine）的溝通方式

傳言是一個組織內成員以及部門之間非正式的口耳相傳之溝通，是組織內獲取資訊最頻繁的來源，一般而言，此種溝通的方式，具有幾個特點：

⑴是組織內將產生變化的早期預警訊號，可供決策參考。

⑵是創造組織文化的媒介，對組織的定位與發展方向可深入的體會。

⑶是培養組織成員共識的催化力。

組織內的傳言，如能善用，可加強組織內整體的溝通管道，但需防止變成對組織有害的謠言。

以上是一個組織內的幾種溝通方式，圖書館是非營利性的組織，也是服務性組織，在規劃圖書館資訊系統時，如能善用各種有效的溝通方式，可保證系統的成功；在執行上，不論採用何種溝通模式，都可考慮下列的方式：㉒

1.以印刷或網路的文件溝通（如內部通訊刊物）。

2.舉辦演講會，敦請學者專家或有經驗的圖書館員現身說法。

3.參觀訪問其他圖書館的自動化系統，使館員瞭解自動化帶給館員的衝擊，不純然是壓力，同時也能提高工作效率，增進服務的品質。

4.召開部門人員會議，工作人員的會議是溝通的一個很好方式，會議除了是單向溝通的功能外，主管人員也可以雙向溝通的方式徵求館員的意見，解除館員心理的疑惑。

5.組成自動化規劃小組，圖書館自動化系統的規劃是一種群策群力的工作，圖書館員的參與不只集思廣義，也是館內溝通的一種正式管道。因此規劃之初要愼選人員，組

---

⑳ Larry E. Penley and Brian Hawkins, "Studying Interpersonal Communication in Organizations," *Academy of Management Journal* (June 1985), 309-326.

㉑ 同註⑲，頁 23。

㉒ 同註⑪，頁 208-209。

成自動化規劃小組，小組成員應能具代表性，除了反應各子系統功能，也能反應各單位成員的意見，俾獲致更好的溝通結果；當然，溝通的先決條件是小組成員要能有公平、公正與公開的處事原則，否則各持本位價値觀，相互不讓，反而會失去溝通的意義。

6.參與式管理，參與式管理應用的範圍廣泛，事實上，自動化規劃小組本身即是一種參與式的管理；只是參與式管理的範圍遠比自動化規劃小組的參與要來得廣泛。盧卡司（Lucas）曾歸納參與式管理的優點，如能自我成長、能實際的滿足並接受改變、參與的結果更能實行改變、能獲得更多革新的知識、能對「改變」獲得更好的解決方案等㉓；賽依斯（Sykes）的研究則發現資淺的館員並不熱衷參與式管理，因爲他們對自動化的認識不足㉔；國內圖書館界，早年不論館長或館員對自動化的認識也多普遍不足，館長們也多認爲「最缺乏組成自動化規劃小組的人才」㉕；但隨著時間的改變，一般而言，國內大型圖書館，尤其學術研究圖書館（包括大學圖書館）資淺館員在自動化的素養上並不亞於資深館員，參與式的管理方式在國內圖書館規劃自動化工作上有其可行性。

總之，在溝通管理上，管理規劃階層應朝下列方面努力：㉖

1.讓參與的人員在開始時，即能知道爲什麼要自動化？自動化的程序是什麼？以及自動化如何實施。

2.規劃小組應該包括所有階層人員，特別是事務性人員和輔助性專業人員（clerical and paraprofessional staff）以及心存懷疑者。

3.爲館員安排系統展示或安排參觀。

4.規劃處理的速度不宜太快，保留充份的時間對政策回饋之用，同時在可能時，盡量授予館員選擇的可能性。

5.對系統規劃宜預留調整的彈性，對因作業造成工作空間或者例行性工作可能中斷的情況要細心處理。

6.要把自動化的進度、決策、和特訂的訓練計劃隨時完整的讓館員了解。

7.改進系統以後，告訴館員自動化可以減少許多雜事。

人員的溝通方面，除館員的溝通外，讀者的溝通也是一件重要的事；以大學圖書館

㉓ H. C. Lucas, *Towards Creative System Design* (Columbia: Columbia University Press, 1974)。

㉔ 同註⓫，頁 210。

㉕ 同註❻，頁 32-33。

㉖ 同註⓫，頁 210-211。

爲例，不論是從人工作業轉換成自動化作業或從第一代系統轉爲第二代（甚至第三、四代）系統，和讀者之間的溝通是無可避免，而且勢在必行，畢竟，讀者是系統最終的使用者，讀者對系統的反應直接代表著系統的成敗。前面所述的各種溝通方式，在圖書館與讀者之間依然可行，事實上，一個正常的圖書館公共關係也就是建立在良好的溝通工作之上。

五、圖書館自動化系統的安裝

周密的規劃和考慮可以減低系統安裝及實施的困擾，但無可避免的，偶而也會有些小插曲，影響正常的程序，舉個例，如廠商對設備的安裝延遲、設備不穩定或品質暇疵太多等等，所以在安裝系統時，應有下列考量：

1.挫折的規劃（Planning for setbacks），當廠商因故無法及時交貨，或者所交貨品缺點太多、穩定性不足等都可能產生，畢竟軟硬體的測試對圖書館是一段陣痛期也是長期的工作，所以都必須有足夠的替代方案繼續執行自動化的安裝工作；同時，對館員和讀者必須以誠信的態度詳細說明原由。

2.要有中斷正常工作的計劃，任何自動化的發展都會影響到圖書館正常的運作，極便是採購一個小型的系統也在所難免，這些包括，館員討論系統規格、工作環境的改變、新傢俱的設置、人員的訓練、系統的測試等，所有這些工作都會影響館員的正常業務，所以在規劃階段，館員要有中斷正常工作的心理準備。

至於系統轉換（從人工到自動化或從舊系統轉新系統）的程序，一般有下列四種方式：㉗

1.在一個預定日期，一個系統一次完整取代原有舊系統，此種方式的優點是經費最省，又能最快看到成效；此種方式適合單純和較少涉及其他單位的系統，缺點是「沒有安全防護」（Safety net），一旦有任何錯誤，工作人員沒有任何調整的時間。採用此種方式，需要極爲有力的後援設備。

2.階段式進行，比如先安裝編目系統，待穩定後再安裝流通系統，此種方式，一旦出了差錯，館員心理有時間調整；此種方式，安裝系統時間較長，系統的成效必須俟所有階段完成後才能看出端倪。目前國內各大系統安裝時常採用此種方式。

3.平行進行，也就是在採用新系統的同時，讓舊系統（或人工作業）併行一段時間，

㉗ 同註⑪，頁 215-216。

目的在避免因系統的不穩定帶來無可彌補的遺憾，但此種方式，耗時耗力，需要更多的人力、經費和空間。

4.先導計劃的方式，安裝系統前，先以一個小規模的分館做爲系統的測試，如臺大文學院先總館採用 INNOPAC 系統一般，此種方式，也同樣無法立即看出自動化系統的成效。

以上四種方式選擇時，應將所選定系統的特性、圖書館的類型以及安裝的過程有無時間的限制做爲選擇適當方法的考慮因素。

六、圖書館自動化系統的人員訓練

教育和訓練可以視爲一種廣義的溝通方式，此種溝通主要目的在讓人員進一步了解改變對人的影響，以及教導他們如何去掌握這個變化。人員的訓練必須在規劃階段即有周密的計劃，同時人員訓練的學程應依照經費和時間的因素、人員的能力、電腦化的規模以及圖書館服務的規模而定，以下是一些共同性的訓練問題：

㈠被訓練人員

管理階層首先要處理的是決定誰必須接受訓練？誰要接受何種訓練？除了每天必須使用電腦的人員以外，偶爾使用電腦和不需使用電腦的館員都必須施以自動化系統的訓練，不同的是，不同的人員，應接受不同的訓練課程。

㈡訓練人員

系統代理商提供的訓練課各式各樣，最好能在採購合約中予以規範，一般系統廠商在提供人員訓練時都有名額及次數的限制，如 INNOPAC 喜強調所謂「種子式」的訓練，由系統公司訓練系統人員，再由系統人員對館員施以訓練。此種訓練並無可厚非，但訓練人選的挑選就極需愼重行事。良好的訓練師可以減少人員的疑慮、降低工作人員面對改變的焦慮。

㈢訓練場所

訓練場所以圖書館內利用圖書館設備最爲理想，以增加館員對工作環境及設備的熟悉。

㈣訓練的時間

訓練的時間包括訓練的適宜時間以及訓練時間的長短；一般而言，自動化的訓練不宜太早實施，最好是在正式使用前不久的階段完成訓練，以便訓練後即進入正式上線作業；至於訓練間的長短應以訓練的內容、訓練的方法以及圖書館的人力資源做不同的調整。

㈤訓練內容

訓練內容是否應人人相同，頗有爭議㉘，基本上，大多數的使用者需要了解：

1.系統能替他們做什麼

2.如何使用系統

3.如何使用設備

4.如何整合電腦工作進入他們現在的工作

5.如果出錯，如何自救

依此原則安排訓練課程，可以解決工作人員面對新工作和新設備的焦慮與不安。

㈥訓練方式

一般而言，訓練的方式有下列幾種：

1.演講的方式

2.課堂開課的方式

3.利用視聽媒體教學

4.系統展示或參觀

5.電腦輔助學習（CAI）

每一種訓練方式各有其優缺點，和適用的訓練內容。

除了館員的訓練之外，另一個不容疏忽的細節是讀者的訓練。即使有人倡言「良好的圖書館自動化系統不需要訓練」，但是再好的自動化系統雖可由系統學得如何使用，如果要深入了解系統的功能，又非學習無法竟其功。

對讀者的訓練方式，一般圖書館常用的方式不外：

1.團體講授。

2.編製使用指南。

3.個別輔導使用。

每一種方式都有其優點與限制，圖書館可以綜合運用；比如，學校可以在新生入學時，以課堂講授的方式實施，再輔以編妥的使用指南，以方便讀者產生問題時做為參考及解答的文件。

讀者使用自動化系統的訓練，一如圖書館傳統的利用教育。在資訊和人們生活關係

㉘　同註⑪，頁 221-222。

愈來愈密切的時候，圖書館在資訊提供的角色也就愈形重要。

七、結論

館員電腦的素養和系統的成敗有密切關係，尤其對人工作業和自動化作業的區別，必須有清楚的認知，才不致於把電腦當做是打字機的替代品；此外，館員對自動化共識的建立，有助於圖書館自動化系統的推展，併減少可能遭遇之阻力，而訓練是提昇館員電腦素養的途徑，如何使館員了解系統功能、使館員了解圖書館的作法和自動化的進度；更進一步，使館員願意接受訓練，則端賴管理階層的耐心和智慧以及良好的溝通技巧，圖書館館自動化對人性的衝突也才能減到最低。

整合型醫學資訊管理系統之探討

張慧銖
臺灣大學附設醫學院圖書館主任

壹、前言

整合型學術資訊管理系統（Integrated Academic Information Management Systems，簡稱 IAIMS）❶最早是在 1982 年由美國國家醫學圖書館（National Library of Medicine，簡稱 NLM）贊助美國醫學院協會（Association of American Medical Colleges，簡稱 AAMC），從事一項如何提高醫學中心相關人員有效利用醫學資源，以改善醫學中心之營運與服務的研究計畫，該協會於研究報告中建議，由圖書館來主導、規劃與發展整合性的系統雛型，以充分地利用醫學資源與醫學知識。此項建議獲得美國國家醫學圖書館的支持，並於次年（1983）提供經費補助，向全國各醫學中心徵求計畫書。爲配合各單位的不同需求，該項計畫共分爲三個階段進行補助：一是規劃階段（planning phases），提供 250,000 美元，爲期二年的補助；二是雛型測試階段（model development and testing），提供 1,200,000 美元，爲期三年的補助；三是系統建置階段（full-scale implementation），提供每年 750,000 美元，持續五年的補助。直至 1991 年全美共有 17 個醫學中心獲得補助規劃不同的 IAIMS 發展階段❷），有些計畫至今仍在持續進行，並獲致相當良好的成效。

筆者因服務於國內醫學中心圖書館，有鑑於國內醫學中心❸之資訊系統分散，使用

❶ IAIMS 原指醫學中心之整合型學術資訊系統，後因大型醫院亦有此需求，為能將其囊括，因而改名為 Integrated Advanced Information Management Systems，其簡稱不變。由此可見其計畫內容相當具有時效性。本文為求名實相符，將 IAIMS 統稱為『整合型醫學資訊管理系統』。

❷ Donald A. B. Lindberg, Richard T. West, and Milton Corn.,"IAIMS: an overview from the National Library of Medicine," *Bulletin of the Medical Library Association* 80:3(1992), p.244-6.

❸ 在國外「醫學中心」指的是包含醫學院及醫院的組合，即既有基礎研究亦有臨床服務的校區。但在國內因衛生署在實施醫院分級時已採用醫學中心、地區醫院及區域醫院等，使得醫學中心之名稱在國內彷彿僅指大型醫院，極易造成誤解。本文所指之醫學中心係採國外通用之意含。

者除必須進出不同平臺外，尚須學習不同系統之檢索技巧，十分耗時費力。而對於資料的安全與使用權等相關議題，亦於日常工作中多有接觸，因此對於八〇年代至今，美國醫學中心在面臨相同問題時的解決方案相當感興趣，於是蒐集相關文獻加以探討，希望從他人的經驗中能瞭解整個問題的癥結，進而對國內醫學中心未來在思考規劃及建置整合型醫學資訊管理系統時，能有若干助益。

由於 IAIMS 系統之規劃需針對建置機構的系統目標及現有的資訊環境加以考慮，故各個機構所發展出來的資訊系統之功能可能會有不同，本文將對美國各個實施 IAIMS 計畫的醫學中心之個案加以分析，並提供一個規劃模式供國內參考。

貳、醫學中心之資訊環境及需求

八〇年代的資訊環境多半爲區域網路，其通訊媒介大都利用電話撥接方式或藉由電纜線來傳遞，通訊速率慢且缺乏一致的通訊標準。在當時大型電腦爲一般機構採購的機種，由於個人電腦的功能不夠強大、應用上也不普遍，因此資訊分享幾乎是不可能的事。舉例來說，書目型資料庫（如：Medline）必須透過電話撥接方可使用，而不同的廠商發展出不同的使用者操作介面，且爲一付費性質的服務。若與今日便利的遠端檢索環境相比，實不可同日而語。

所謂的電腦化在當時偏重在病歷管理，而支援臨床決策的系統（clinical decision-support system）雖然已經被提出，但並未受到注意，再加上網路環境並不成熟，只有少數教職員可以使用辦公室設備連結至工作站。而電子郵件服務雖已開放，但因爲使用介面並不成熟，只有少數人才具有帳號之申請資格，故使用上仍不普及。至於學生使用 PC 的情況，則多用在文書處理方面，當時的資訊系統並不支援教職員生透過網路檢索或擷取遠端資訊。綜言之，在當時有關資訊使用政策、資訊技術等問題，都還未能獲致清楚的界定與應用。

今日資訊科技的進步使得醫療及研究行爲、教學傳佈方式發生重大變革。電腦設備、通訊及相關科技技術的快速發展直接影響生物醫學領域中資訊的取得及管理方式。如：功能強大的分析程式運用在分子醫學（molecular biology）、光碟技術豐富了教學媒體資源、人工智慧運用於臨床上的輔助診斷等。由於生物醫學、生命健康科學等相關領域之資訊爆炸且資訊媒體多元化，使用者難以掌握完整的資訊來源，同時因爲資源不能有效分享導致浪費，也因此有可能造成重複研究或資訊不能整合的問題。此外，快速激增的資訊使得醫療決策活動更形複雜，因此建置一個結合各種不同的電腦系統、不同資料庫之資訊管理系統以支援醫療決策，已然成爲生物醫學領域的工作者應付未來資訊需求的一種趨勢。

由於學術醫學中心（Academic Medical Center）需肩負整合臨床活動、管理、研究及教學等四大資訊需求。基於在最適當時間內，以最佳的投資報酬狀況，提供給使用者最高滿意度的資訊環境而建置所謂的知識網路（Knowledge Network），提供跨越時、地障礙之資訊，讓使用者可以隨時隨地便利地擷取、傳遞及轉換資訊的時代已經來臨。在面對讀者直接獲取資料及全球性廣泛蒐尋資訊的需求下，使得整合性系統應運而生。

根據 Matheson Report 報告指出：資訊幾乎已成爲完成研究的必要條件，而科技正是擷取與傳佈資訊的重要關鍵。❹相類似的報告，如：AAHC Study Group 所發佈的報告中，也指出了學術醫學中心爲達到支援教學及研究、提昇醫護品質及行政管理效能等目的，必須有效率且快速地蒐尋及擷取資訊。❺因此，爲解決資源分散、資訊型態多元的問題，並有效幫助資源分享理念的實現、達成整合研究成果，進而提昇醫療照護品質的目的，整合型資訊管理系統的建立，可謂未來資訊環境的必然趨勢。根據經驗，系統設計師發現，如果蒐尋（retrieve）資訊的代價超過其立即可得的利益時，人們傾向於放棄該份資訊❻。而基於支援教學與研究之目的，必須開發更有效能的資訊系統，以符合研究人員之資訊需求。以往因資訊政策不一，導致資料儲存格式、通訊協定及硬體規格不一致，使得資訊系統間並不相容。爲整合資訊環境，美國國家醫學圖書館和美國醫學院協會才合作著手規劃整合型醫學資訊管理系統，其目的就是在使服務機構能逐步邁向數位化時代。❼

參、建置 IAIMS 系統對機構生態的影響

建置 IAIMS 系統對於機構原有的生態會產生相當大的影響，舉凡組織內部的變更與調適、網路環境的建設、實際應用層面的考量，以及組織獲益的分析等，茲將內容分別敘述如下：

---

❹ Sherrilynne S. Fuller, "Creating the future: IAIMS planning premises at the University of Washington," *Bulletin of the Medical Library Association* 80:3(1992), p.288.

❺ 同前註。

❻ Sherrilynne Fuller et al., "Managing Information in the Academic Medical Center: Building an Integrated Information Environment, " Academic Medicine 70:10(1995), p.887.

❼ 同前註。

一、組織內部的變更與調適

㈠部門的裁併或新增

IAIMS 不僅是通訊協定、網路線、機器及軟體的組合，更是一個機構整體資訊系統的重組，其中涉及了機構內各部門、校區、附設醫院（或建教合作醫院）、使用者之間的相互關係，而冀望能規劃出符合使用者資訊需求、減少資源重複、獲得最高投資報酬之資訊系統。尤其在面臨政府經費補助減縮及資訊技術進展太快的情況下，從事組織結構之重組，實非易事。

在推動 IAIMS 計畫時，由於計畫本身非常龐大，而且系統規劃涉及了組織原有單位之職責歸屬，所以可能會導致若干部門合併或新增。但無論圖書館在整個醫學中心的組織架構中所處地位為何，支援研究、教學及臨床照護工作仍是圖書館的主要職責。以下就各個醫學中心在建置 IAIMS 系統時所做的機構調整作一簡單說明❽：

1. 整合圖書館、機構通訊部門（telecommunication division）、醫學資源中心（medical informatics center）、電算中心（computer center）為一個專職單位。如：Oregon Health Sciences University.。
2. 原有的資訊服務單位，如：圖書館、計算機中心等仍獨立存在，但指派高階人員負責統籌管理，以便支援使用者之服務工作。如：University of Maryland.。
3. 成立若干新的工作單位以支援 IAIMS 之規劃、新的服務功能之產生與維護，以及教育訓練工作。擴充圖書館原有的角色功能，以串連醫院資源中心及圖書館資訊服務功能。如：Columbia University 及其合作醫院 Presbyterian Hospital.。
4. 由圖書館（或稱資訊服務中心）兼併醫學資訊研究單位（informatics research group）另成一個單位，負責規劃 IAIMS 相關事宜。

根據以往的經驗，雖然圖書館或資源服務中心負有支援校區教職員生之研究、教學活動之任務，但通常並沒有機會參與校區之行政管理決策，尤其是對於校方或院方所面臨的資訊管理問題，並不能直接參與政策的制定。如今數位化時代來臨，在面對深度資訊服務需求的同時，整合各資訊系統之功能似乎已成為必然的趨勢，為因應此一變化所造成的組織結構調整，提供給圖書館或資料中心一個直接參與機構決策規劃及資訊政策擬定的機會。不論是否有專責單位來規劃整合工作，重點是各個負責資源服務單位（圖書館、計算機中心、媒體中心等）必須更緊密的合作，以幫助高層完成組織相關決策的

---

❽ 同註❻，p.889-90。

制定。以下即針對因應 IAIMS 計畫之建置，在組織內部結構中所可能衍生的計畫領導權之分配問題作一說明❾：

1.圖書館的應用發展規劃：含圖書館原有的職屬功能，及擴增的應用發展規劃。

2.資訊系統規劃：負責網路系統、自然語言處理、詞彙控制、醫學資源決策及圖書資訊學規劃事宜。

3.管理系統規劃：負責校區行政管理系統之建置及維護。

4.硬體規劃：負責串連使用者與健康醫學資源間之網路管理事宜。

5.安檢規劃：負責資料的安全管理。

㈡人力及教育訓練

由於系統功能是全面性的，一旦採用 IAIMS 系統後，將會改變某些工作形態、工作性質及人力的配置。因此，對於機構中工作人員的心理建設及適當的在職訓練也應視為計畫推動的一部份。

㈢技術層面的支援

提供軟硬體規劃上的協助，如：對於軟硬體之建置工程提供建議、協助網路系統規劃及維護、開設各種使用者教育訓練課程等。

㈣圖書館員的教育角色更為彰顯

館員必須擔負指導讀者各種資料庫資源的檢索技巧，以及使用網路資源蒐尋工具幫助使用者順利的獲取所需。此外，隨著系統的整合，使用者所處的資訊環境應更能支援其在研究、教學、臨床診斷及學習等各類活動的需要。而這也意味著館員在因應系統功能的擴增下，必須加重分擔使用者教育訓練的工作❿，如：文書處理軟體、電子試算表應用軟體、多媒體編輯工具軟體、統計應用軟體及醫學中心個別開發之應用工具之使用操作等。亦即館員的角色將更趨近於主動的輔助使用者利用資訊。⓫

二、網路環境

穩固的技術架構是整合型資訊系統的基礎。在硬體方面，高速的網路傳遞是首要條

❾ 此部份主要參考 Nancy K. Roderer, “IAIMS at Columbia-Presbyterian Medical Center: Accomplishment and Challenges,” *Bulletin of the Medical Library Association*, 80:3(1992), p.253-4.，並加上筆者拙見。

❿ Naomi C. Broering & Helen E. Bagdoyan, “The Impact of IAIMS at Georgetown: Strategies and Outcomes,” *Bulletin of the Medical Library Association* 80:3(1992), p.271-2.

⓫ Giuse N. B. and others, eds., “Integrating health sciences librarians into biomedicine,” *Bulletin of the Medical Library Association* 84:4(1996), p.534-40.

件；軟體方面，豐富的資料庫及彈性的資訊系統使用介面則是規劃重點。惟有軟硬體搭配適當，才能建構出完善的資訊環境。

為便捷地利用資訊，須有廣佈的網路媒介才能串接起全球資源，而由於媒體的多元化，使得對網路傳輸的品質要求更高。以目前較為普遍的傳輸媒介有：光纖、電纜線、雙絞線及微波技術等。網路的架構須視機構之中、長期目標來規劃。以現有的資訊需求來看，使用者利用網路來傳收資訊的頻率很高，且要求能同步傳送其他多媒體資料（如：聲音、影像），因此，高速寬頻網路應是建置 IAIMS 系統的基礎。且由於資訊系統功能的擴增可能會使原有工作站的規劃不符所需，或因為使用的權限有所不同，而必須對工作站的功能重新定義。亦即，工作站必須具備高等計算能力及影像處理能力，使研究成果可以完整呈現。同時也必須考慮到設備的可攜能力（portability），使研究人員經常使用的軟體工具可以應用到不同的電腦系統，俾能保證順利轉移至功能更強大的電腦平臺上運作。

基本上，整個 IAIMS 資訊系統可視為一組幫助使用群獲取、分享及整合資訊的工具。⓬系統底層為分散式、超文件系統架構，據此系統提供給使用者電子紀錄、編輯文件資料（不限媒體型式）的功能，是組織研究者之資訊及活動的有力方式。在架構上採用開放性系統，使其可以具有隨著科技進步而擴充的彈性，並能支援不同電腦環境之使用者。而系統層面則包括：資料的儲存、資料異動管理、各項應用程式及使用者介面等。總之，IAIMS 計畫的推動，除了原有的網路硬體架構可能會隨之昇級調整外，也將使機構對工作站的規格制定更形複雜化。

三、應用層面

由於生命科學資訊需求的快速成長及轉變，促使 IAIMS 系統必須能提供易於擷取資源的系統環境予使用者。但以一單位之力要負責維護各個類型的生物醫學資源，幾乎是不可能的事，而且顯而易見的，其代價會非常高昂。所以 IAIMS 規劃時必須符合機構需求，方能決定建置知識庫的優先順序。

以目前應用的實況，大致的發展方向都是朝向整合書目性、資源性、研究型及臨床資料庫為一，形成一醫療支援決策系統，以滿足廣大的資訊需求。根據其應用層面及資料類型可區分如下：

⓬ G. Anthony Gorry, "IAIMS Development at Baylor College of Medicine," *Bulletin of the Medical Library Association* 80:3(1992), p.249.

1.書目型資料庫系統

主要有圖書館館藏查檢系統（含紙本型式及非書資料）及論文資料庫等。

2.事實型資料庫系統

主要是依據各醫學中心之研究主題或專長學科所自行開發或特別購置之資訊系統。如：藥物諮詢系統、癌症諮詢系統、機構出版訊息、各種醫學統計資料等。

3.全文資料庫系統

如：期刊全文資料庫、重要教科書全文資料、參考工具書全文資料等。

4.臨床資訊系統

如：實驗研究成果、臨床報告。

5.輔助診斷系統

如：分子序列資料庫、基因資料庫、圖儀追蹤（chart tracking）、相關的診斷分析軟體等。

6.病歷系統

包含病人就醫紀錄、治療追蹤、使用藥物敏感情況等。

7.管理系統

如：人事行政管理、手術時程安排系統、病床管理系統。

8.通訊系統

應用的層面包括：利用 Electronic News 傳佈使用者興趣主題資源、E-mail 提供通訊管道。

根據個案分析的結果，在採用 IAIMS 系統後，各醫學中心對於資料的檢索次數都有遞增的趨勢，這可能是由於整個網路環境昇級，工作站普遍設立所帶來的資訊檢索途徑增加的邊際效益，也可能是整合型資訊介面對讀者而言更具親和力的影響。基本上，由於 IAIMS 整合並擴增了原有系統的功能，所以在使用層面上並不是 1+1=2 的數學式子。舉例來說，一個醫療行為可能包括了資料的蒐集分析、病例個案的研究、病人本身治療過程的追蹤、使用藥物諮詢、醫院病床的確認登記、手術時程的安排等。在整合型資訊系統中，這些事都可透過系統來負責規劃並提供參考諮詢，不僅可以妥善安排資源（如：病床、人員調派等）的利用，並可節省人工調單及安排病床的時間。也因為病歷資料網路化，對於臨床會診、醫療經驗的交流等也都提供了迥異於傳統的管道。

四、組織獲益

建置 IAIMS 系統後當然對於組織而言會有相當程度的獲益，基本上可以從下列幾方面來分析：

㈠整合研究成果

由 AT&T 的經驗可知，一條電話線僅能有少許的功能，惟有串接成全球性的電話網才能眞正達成通訊的目的。同樣的道理，完善的資訊環境也必須具有統一的使用介面、跨越不同平臺、檢索並擷取不同媒體資訊的能力，才能滿足各種類型使用者的資訊需求。

以使用者觀點來看，能夠跨平臺、使用一致的介面（seamless access）來查詢各種資源即是整合型資訊系統。在這樣的系統環境之下，資源的實際儲存位置可以是遍及全球的，而資料的型態則可以是資料庫（全文、數據或書目型資料）、病歷資料、實驗結果、教學材料、電子郵件、獎助論文等，而資料媒介應能跨越媒體的限制。

以往的資訊系統，使用者必須具備相當的技巧，如：登錄（log-in/out）程序、查詢策略、適應不同使用介面等，而今日的資訊系統目標則是跨系統、跨資料庫的檢索（使用者不自覺是在使用不同的系統），能超越時空、硬體平臺及軟體應用的限制，讓使用者可以專注於資訊的使用而非資訊蒐尋。機構的目標則在追求資訊的流通，其目的是使組織內部的實驗及研究成果、病歷紀錄、醫學資料庫及各種分析工具可以完全整合與分享，以避免重複研究並有助於合作研究發展。

㈡提昇教學品質

透過工作站提供教育課程、進行小組教學、提供學生自我學習的管道，以因應未來的醫療需求。換言之，透過 IAIMS 整合系統，學生可以獲取基礎醫學文獻、應用教學軟體、書目查詢，協助其解決臨床上的各類問題；使用資訊系統及輔助診斷系統，以完成所負責的病患照護任務。也因工作站具備數位影像處理能力，藉由數位影像及圖片之分析與傳佈，將有助於學生臨床經驗之取得。

㈢提昇醫療照護品質

整合型系統可串連病歷資料、藥物諮詢系統、資料庫系統及各臨床實驗室，以支援診斷決策、追蹤及監測醫療效果，甚至進一步透過系統代爲安排病床配置及手術時程，使得醫療品質獲得實際的提昇。

㈣提昇使用高科技的接受度

IAIMS 對於使用者之衝擊，主要在其提供了一個高速管道，以便利使用者獲取所需資訊，並改變使用者的資訊行爲。在無形中電腦科技的使用逐漸與其日常參與的活動相結合，並增進其資訊擷取及檢索的能力。亦即資訊科技成爲終身學習的重要工具，同時

也能提高教員參與電腦輔助教學軟體設計的意願。⓭

肆、遭遇的困境及挑戰

IAIMS 計畫雖能爲組織創造新的遠景，同時也會令組織獲益，但在實際推動時，也有若干必須面臨的困難，茲分述如下：

一、經費問題

由於建構整個 IAIMS 軟硬體設施必須要投入的資金相當龐大，而有些醫學中心本身現有的硬體設備及經費資源即已分配不均，另一方面在面臨組織重整時所需之預算確實難以估計，因此財務問題往往成爲 IAIMS 計畫成功與否的重要關鍵。

二、資料安全管理

由於不同的資料庫其安全管理之考量並不一致，故系統整合後是否能保障資料的安全與完整？將是必需面臨的嚴重考驗。資料一經網路化，就很難避免病毒及網路駭客入侵的潛在危機。而有些資料庫，如：病歷資料，記錄了病患的治療過程、追蹤及藥物適用狀況，不僅屬於個人穩私也攸關生命，對於資料安全的要求會高於其他資料來源（如：書目型資庫）。此外，有關資料的使用權限，如：哪一類使用者可以使用哪一種系統資料？其對資料使用的範圍爲何？是否具備資料維護或更新之權力？資料備份的時效如何？諸如此類的問題在系統規劃時都應一併考量。而關於資料使用安全也涉及機構的資訊政策，在資訊開放與不開放之間，除了考驗系統設計師的系統規劃能力之外，也考驗著資訊管理人的經營理念。

三、工作平臺

未來的資訊環境是難以預測的，所以強求校方、院方採取一致的作業系統，在實務上並不可行。惟目前一般的工作平臺較傾向於使用 UNIX 作業系統，基於圖形化使用介面易爲使用者接受，也因此偏向在視窗環境上設計應用軟體。然而字元型態的資料仍有需要，因此，在未來幾年中資訊環境異質的狀況仍會存在。⓮

四、資源評估

使用者對系統所提供的資源回饋訊息，是選擇 IAIMS 資源及開發應用軟體的主要依據，在早期系統規劃之際，即應考量不同使用者的資訊需求，作爲系統建置的準則，而

⓭ 同註❿，p.272。

⓮ 同註❾，p.259。

待系統建置完成及開始啓用後，更必須持續蒐集使用者所反應之意見，以便訂定未來系統資源之決策。然而問題在於：如何大量取得使用者之意見資料？何種數據（如：使用次數或使用時間等）可用以準確評估使用狀況？何種統計數據應持續記錄，以幫助系統作使用調查？而除了使用調查外，是否有別的考量因素可用以評估資料的價值？在資訊爆炸的時代，圖書館員教育的職責逐漸彰顯，而開發新的評估工具及方式，也是我們所應努力的方向。

五、標準化的使用介面及應用軟體

由於使用者需用不同媒體型式的資料，使得使用者介面的設計面臨了兩難的困境。一方面是來自於使用者希望可以使用一致的系統介面的壓力，以減少其檢索資訊的負擔；另一方面則是以單一機構之力，實難以獨立完成各類資料庫介面之整合。因為不同媒體資料庫需求的軟硬體可能不同，且很多現有可資利用的商業資料庫因由不同的廠商開發，使得檢索介面各不相同，如何在兩者之間尋找可行方案？可說是極大的挑戰。

六、系統工具之整合

規劃 IAIMS 時，其遠程目標不僅在追求一次資訊蒐尋（one-stop information shopping）⓯的理想，同時也希望使用者擷取到所需的資訊後，可以進一步進行資訊利用，如：編輯或傳遞等。故 IAIMS 計畫必須提供各種應用軟體（如：文書處理軟體、電子試算表等），使資訊使用者可以在工作站上擷取、運用、產生、傳遞及輸出資訊。但截至目前為止，尚須克服軟硬體串接及開放使用等相關問題。

伍、規劃模式

在談規劃整合型系統時，有幾個問題是我們必須先去思考的：1.什麼是使用者現有及未來的潛在需求？若要滿足使用者的需求 IAIMS 系統必須完成何種建置工作？2.系統必須如何整合？要整合到什麼地步才能發揮最佳效能？3.系統整合的最佳途徑為何？由於整合型資訊系統的規劃涉及組織架構的調整、目標任務的釐清及現有資源的評估等，茲就個案中 IAIMS 系統的規劃流程加以整理說明如下：

一、從其他個案中獲取規劃經驗

IAIMS 系統的規劃實際上是依據組織的需求而決定計畫目標，由於醫學中心的組織目標相當近似，因此參考其他醫學中心的規劃案，將有助於系統建置的評估工作。尤其

⓯ 同註❾，p.253。

是系統功能、預算的評估，經由個案的分析，機構可據以評估 IAIMS 計畫所可能帶來的效益及所需的預算費用，以便決定適合自身的 IAIMS 計畫範圍。

二、評估機構中現有的資源及資訊環境

㈠工作站規劃

工作站提供學生、醫療人員、教員、研究員連結至知識網的節點，而各個工作站之功能會隨著不同使用者的資訊需求而異。除了區分不同使用者的需求外，依使用對象來規劃工作站也有助於經費之最佳利用。因此可針對使用者需求來規劃軟硬體規格，期能以較少的花費而達到最佳效能。以下列出建議規格，各資訊中心可依實際的需求來決定工作站是否需要設備分級、分級的層次及等級的配置規格⓰：

1.醫療人員使用的工作站

針對醫護人員的資訊需求，專供醫療人員使用之工作站應提供使用病護系統（patient system）的權限，並可串連各個臨床實驗室，亦可透過工作站線上調閱及維護所負責案例之病歷紀錄。

2.學生使用的工作站

透過工作站提供教育課程、進行小組教學、提供學生自我學習的管道，以因應未來的醫療需求。因此工作站必須具備媒體處理及視訊會議的能力。

3.研究室使用的工作站

必須具備串連整個校區網路對內、對外的聯繫管道，便於整合基礎醫學、臨床醫學資料庫及實驗室研究成果，並可應用分子序列比對或基因比對等各種分析軟體，以支援研究工作。

4.教員使用的工作站

具備數位影像處理能力，可以讀取、編輯從網路上載入的各種媒體資料，支援使用者以超文件、超媒體的形式轉製成個人的興趣資料庫或各種教學材料。

㈡網路環境

評估組織現有的網路規格、工作站數量及設備，根據系統的目標功能來決定現有的網路設備（如：傳輸速率、工作平臺、通訊標準等）及是否需要昇級？以配合 IAIMS 系統功能的有效運作。

㈢人員

⓰ 同註❿，p.266-7。

在規劃 IAIMS 系統時，人員的素質也是考量的重點，機構必須考慮到現有的人員是否有足夠的專業素養及員額，以便能應付接踵而來的資訊問題。而這些問題包括了系統績效的評估、使用者教育訓練等。

三、成立 IAIMS 計畫專案小組

由於 IAIMS 計畫之目的在整合各個使用層級的資訊需求，而這些使用者包括了組織的管理階層、研究人員、醫護人員、教員、各級學生，可說是使用層次非常複雜，所以計畫的執行與推動必須置於組織的高階地位，並成立 IAIMS 計畫專案小組，以全面性的考量各個使用者、業務相關部門的整體需要。而規劃的工作主要可以分為下列幾個層次：

1.行政支援⓱

除了計畫專案小組之外，另需成立一個長期性的監督委員會，負責與 IAIMS 計畫推動小組聯繫、溝通以便使管理階層能夠理解由整合系統所帶來的優點並予以適當的支援；定期檢視及監督 IAIMS 計畫的進展時程；提供 IAIMS 規劃小組相關資訊，以期計畫成果可以支援組織目標之達成；結合機構內外部資源，以利 IAIMS 計畫之進行；提供財政支援之收受管道。

2.專案管理⓲

由各個使用層次所選出的代表組成 IAIMS 規劃暨推動專案小組，並指定或推選一個授權決策者，以處理計畫預算事宜、監督計畫執行成效、定期召開工作會議討論並決議相關執行策略。使計畫的推動可以依步驟進展，避免延宕。

3.分層負責

計畫分層負責可將人員作適當的配置，使計畫推動更有效率，同時也便於計畫之監督。而主要的工作分層有二大項目：一、技術支援：包括電腦及網路系統的規劃及維護、相關應用程式設計、資料庫之建置及採購。二、教育訓練工作：包括系統的操作使用指導、線上輔助功能規劃、紙本式系統使用介紹之編輯、規劃服務部門以提供語音及個別諮詢，幫助使用者解決其在軟硬體上所遭遇到的各項問題、規劃刊物或小冊子的出版事項，以提供系統使用指引。

四、整合使用者、行政管理階層及館員之意見

IAIMS 之系統目的乃在將原有的個別組織之資訊系統功能予以整合、擴增，以期提

⓱ 同註❿，p.264-5。

⓲ 同註❿，p.265。

昇組織績效。因此在規劃 IAIMS 系統時，必須考量各使用群的資訊需求及管理階層的行政理念。由於館員在使用新科技方面，在整個醫學中心來說算是領導群（如：圖書館在七○年代即率先引進資料庫查尋系統），而且圖書館在提供資訊服務方面已深有經驗，在使用者調查方面也較其他單位更能掌握使用者的資訊需求，故館員在 IAIMS 規劃過程中應可提供相關經驗以協助系統設計。另一方面，由於規劃工作需結合教職員、管理階層、醫療人員、研究人員之需求，館員中立者的角色正適以協調各方意見。

五、確立系統目的

IAIMS 計畫的成功與否，主要在評量計畫成果能否能與機構的任務及目標相結合，而這也正說明了何以不同的醫學中心其 IAIMS 系統規劃之方針及決策會有不同。⓳由於各個不同的醫學中心所偏重的任務目標及服務對象、服務深度與要求各異，因此在規劃上會視其組織任務不同而做一些變更。一般而言，醫學中心的目標任務不外是支援教學研究及提供醫療照護所需之資訊。故 IAIMS 之規劃應以滿足此一大前提爲基本目標。由於計畫成果之評鑑，主要是使用者能否直接獲取資訊利益，因此，詳細描述機構目標，將有助於系統目的的釐清。也就是說必須根據組織目標，提出爲達到該目標的各種假設，並評估系統支援各種假設目標完成的能力。舉例來說：爲達到提昇醫護品質，假設我們可以整合病歷紀錄、各項臨床實驗結果及相關資料庫，使醫護人員可以一次獲取完整的醫護資訊，將有助於醫療人員對於疾病診斷及各種新療法之引進，達到提昇醫療品質的目的。又假設我們評估的結果，認定提供給使用者便利的資訊網路環境，讓使用者可以隨時隨地的檢索並取得資訊將可支援研究發展，而根據基本的假設，決定網路的需求架構及資訊整合的程度。當然，上述只是可能被提出的假設狀況，筆者所要強調的是，系統設計應有其階段性及目的性，此乃基於系統完成後可達到的資訊效益及投入的成本兩者應予並行考量。

六、計算投資成本

整個 IAIMS 系統是整合校園及其附設醫院（或建教合作醫院）之系統功能而成，故經費的支付應由原先各主要職責單位共同分攤。如：圖書館應負擔 IAIMS 之資料庫訂購費用及圖書館負責業務的各項相關檢索費用；計算機中心負擔網路架設及維護費用等；校方及院方共同負擔工作站等硬體擴增費用。但實際狀況仍需依據機構的決策而定，也

⓳ Frisse M, "IAIMS:planning for change," *Journal of the American Medical Informatics Association* 4 (2 Suppl, 1997), p.S13-9.

可以採專案經費處理。惟計畫的執行是長期的建置工程，並非系統開始啓用即代表計畫的終止，而更可能是計畫的延伸，特別是在系統的護維、使用績效的評估及計畫的修正或補強等方面，對於一個整合型資訊系統而言，仍是一項龐大的經費支出。

應用統計資料，如：設備投資單位成本、資訊檢索單位成本、使用者背景分析、資訊蒐尋型態、系統使用時間、檢索次數等、決定資料庫的購置與否、資源分享的程度等，以便衡量投資與符合資訊需求間的取決點，並求取較接近眞實的預算成本。

由於各個醫學中心現有的資訊環境、服務對象不同，在投資計算方面，可能因各個機構偏重的組織目標不同而有不同的計算方式。而除了硬體（工作站、網路架構）、軟體（資料庫、系統應用軟體）增置的投資計算外，也必須考慮到日後的硬體維護、軟體開發及昇級的支出。原則上，IAIMS 計畫之成效評估是依其能完成的系統目標，即支援達成組織目標之能力而定，除了原有組織的預設目的外，很多邊際效益也必須一併計算，如：節省醫療時程、提昇醫療品質及醫療形象、資訊的使用頻率增加、機構各部門間的聯繫獲得提昇等。雖然這些效益可能不易評估，或不易在短期內即有顯著成果。總之，投資與效益評估越精細就越能幫助機構制定決策。

陸、結論

過去十五年來，資訊服務的內涵不斷地在擴充，如何管理與應用資訊成為資訊服務中心所關注的焦點。我們可將 IAIMS 系統進展劃分為三個階段：第一階段主要在釐清圖書館在資訊管理中所扮演的角色；第二階段則在確立 IAIMS 系統的本質並規劃初步的系統功能；第三階段則是展開 IAIMS 系統的建置工作⑳。

由於 IAIMS 系統規劃實際上是整個組織架構的重整與機能調整，所以對圖書館或提供資訊服務的部門之原有工作環境、工作性質都會產生影響。根據 John Ash 所做的問卷分析，有關整合型資訊系統對資訊服務人員所產生的影響有二：⑴工作性質發生變化；⑵工作技能與一般圖書館員的需求不同。針對工作性質的變異來說，主要變因來自於機構整合的程度。一般在實行 IAIMS 計畫後，與機構中其他部門的溝通和互動的機會較往常為多。同時在與使用者的溝通上，也增加了互動的機會，特別是在讀者教育與訓練方面較未施行 IAIMS 計畫前，有更重的負擔。此外資訊服務人員也認為 IAIMS 計畫有助於

---

⑳ Nancy M. Lorenzi, "Introduction: integrated academic information management systems (IAIMS)," *Bulletin of the Medical Library Association*, 80:3(1992), p.241.

減輕例行性業務，不過顯著的成效可能還須要經過一段時日的運作，才得以正確評估。相對的 IAIMS 計畫的推動也產生了一些新的業務㉑。

至於館員工作需求方面，在 IAIMS 計畫中館員對相關的資訊技術，如：資料庫檢索能力、應用軟體工具使用能力、網路通訊能力等有較高的需求，此外，對於使用者教育訓練的技巧也很注重。㉒另一方面，傳統上要求的圖書館技能，如：使用書目工具、學科背景、資料保存、資料流通等重要性的評價較低。亦即館員使用科技的能力已有逐漸成爲圖書館邁向數位化時代時所必須考慮的重點因素。

電腦通訊的進步有助於拓展資訊傳佈的通道、方便取得各項資料來源，以支援決策制定的理念慢慢得以實現。試想，在醫學中心裡，透過整合型資訊系統，醫療研究人員可隨時隨地的連接資料庫系統、病歷系統、醫學諮詢系統獲取立即的資訊服務。也可以透過網路與其他實驗室、醫療單位、行政管理單位作聯繫，達到分享與整合資訊的目的。甚至於進一步利用工作站上所提供的各種應用軟體作資訊的編輯及傳遞。相信此種資訊環境的建立，對於教學、研究與醫療服務工作之效率與效能必然有大幅度地提升。

美國聯邦政府頒訂高效電腦通訊法案（High Performance Computing and Communications，簡稱 HPCC），用以提昇網路品質，使其具有快速傳輸大量資料的能力，而這也正提供了 IAIMS 系統建置的契機㉓。誠如 NLM 的正、副館長 Dr. Corn 及 Dr. Lindberg 所言，“IAIMS” 已然成爲醫學的專有名詞之一，它可說是醫學的基礎建設，他們建議各醫學中心應該將所有的人納入其中，就如同將所有的人納入電話系統中一般，然後就可以靜觀美好的事情發生，其中有些是可預期的，有些則在意料之外！㉔

反觀我國現況，整合型資訊管理系統的理念尚未深植於各醫學中心的管理階層，我們由美國 IAIMS 計畫之個案分析可以看出，強大的行政支援與有力的領導是促使計畫成功的首要因素。因此在大環境上，如何促使政府加快訂定相關資訊政策及推動資訊基礎

㉑ John Ash, “The impact of IAIMS on the work of information experts,” *Bulletin of the Medical Library Association* 80:4(1995), p.455-9.

㉒ Jean L. sidwell, “Addressing the health information needs of rural Missouri health care providers: an IAIMS assistant experience,” *Medical Reference Services Quarterly* 17:1(spring 1998), p. 39-48.

㉓ 同註❷，p.246。

㉔ Milton Corn and Donald A. B. Lindberg, “IAIMS today, IAIMS tomorrow,” *Academic Medicine* 72:3(March 1997), p. 198-99.

建設的腳步，可說是相當重要的遠程目標。但從小的層面來看，如何將整合型資訊管理系統的優點及成功的案例充分告知醫學中心之管理階層，甚至是衛生署等政府機構之相關人員，應該是立即解決目前醫學中心之醫護人員所面臨因系統分散、資訊取得不易等因難之可行方向。

圖書館整理古籍的回顧與前瞻——以北京圖書館、國家圖書館及國會圖書館爲例

顧力仁
國家圖書館編輯

一、前言

「古籍」係中國古代書籍的簡稱，主要指書寫或印刷於 1911 年以前、反映中國古代文化、具有古典裝訂型式的書籍。❶古籍或稱「舊籍」，所謂舊籍是指民國初年以前所刊印的書籍，包括清末的石印或排印的中國古籍及民初雕印的書籍，也就是俗稱的線裝書，但摒除民國初年以來的影印本線裝書籍。❷至於古籍的「種數」，長久以來眾說紛紜，大陸學者倪波歸納若干結論，推測總數約在七萬至十萬種，其根據主要是從「二十種藝文志引得」、「四庫全書」著錄及存目、「中國叢書綜錄」、「中國地方志綜錄」及「中國地方志聯合目錄」、「販書偶記」及「續販書偶記」的清代著作、「中國古籍善本書目」等來源而得。❸清末以來私人藏書家逐漸式微，各公私圖書館遂成爲中國古籍最主要的典藏機構；此外，19 世紀以來漢學研究廣爲國際重視，海外各重要圖書資料單位紛紛購藏中文善本古籍，古籍隨之散佈各處，也擴增了中國文化的影響。

在中國歷史上，圖書館的發展非常悠久，可上溯到漢代的官府藏書，漢代以降，歷朝官府對藏書的整理和編目都頗有成效。在編目方面，所編的目錄包括「別錄」、「七略」、「崇文總目」、「文獻通考·經籍考」、「文淵閣書目」、「內閣藏書目錄」、「四庫全書總目提要」等；此外，還有各正史藝文志。在藏書的整理方面，官藏機構在

❶ 全國文獻工作標準化技術委員會，古籍著錄規則（北京市：國家標準局，1987），頁 1。

❷ 昌彼得，「臺灣地區中國舊籍存藏現況」，古籍鑑定與維護研習會專集編輯委員會編，古籍鑑定與維護研習會專集（臺北市：中國圖書館學會，民國 74 年），頁 8。

❸ 倪波，「論古籍整理」，圖書館學與資訊科學 21 卷 1 期（民 84 年 4 月），頁 2-3。

政府主持編纂的著作中，也扮演了重要的角色，其成品如宋代的「太平御覽」、「太平廣記」、「文苑英華」、「冊府元龜」，明代的「永樂大典」、清代的「古今圖書集成」、「四庫全書」等。

近代圖書館不僅重視館藏的收集保存，更重視藏品的整理、利用與開發，以發揮圖書館提供研究資料、協助學術研究的職分，中國古籍匯收民族文化的精華，存藏單位對古籍的整理是責無旁貸的工作。本文選擇北京圖書館、國家圖書館以及美國國會圖書館等三所收藏中國古籍甚有代表性的圖書館，分別介紹其對所收藏古籍的整理沿革，並予歸納，以謀今後圖書館古籍整理工作的方向。

二、收存情形及整理概要

以下介紹北京圖書館、國家圖書館以及美國國會圖書館等三所圖書館對古籍的收存情形及相關整理工作。北平圖書館是中國近代第一所代表國家的圖書館，北京圖書館承其餘緒，館藏古籍善本居世界第一（按：北京圖書館已於 1998 年改稱「中國國家圖書館」，但舊稱較為海內外所熟知，故本文仍用舊稱。）；國家圖書館的前身是中央圖書館，抗戰期間盡收江南著名藏書家所藏的善本；國會圖書館是北美中文書藏最早，也是西方收藏中文圖書最豐的圖書館，這三所圖書館對中國古籍善本的蒐集、保存以及整理頗具代表性。

㈠北京圖書館

北京圖書館的前身係清京師圖書館，故承繼宋元明歷朝皇家藏書，館藏可追溯到 700 多年前，所藏善本既精且富。京師圖書館創建於清宣統元年（1910），其善本古籍係由清文津閣「四庫全書」、翰林院所存經八國聯軍劫餘的「永樂大典」及內閣大庫的宋元舊刻等為基礎，逐步建立起來，此外還包括修「清一統志」所收各地地方志、清初「賦役全書」及敦煌出土的古本寫經。目前北京圖書館所收古籍文獻包括：善本古籍 28,506 種，普通線裝書 79,282 種，金石文獻包括甲骨、拓片、璽印、銅陶磚瓦、畫冊、照片及各種專藏共 120,504 種、240,369 冊。❹館藏方志及家譜甚具特色，方志藏書 7,800 種，相當完備，家譜共 3,156 種，僅次於上海圖書館，也頗珍貴。

---

❹　李曙東，「北京圖書館文獻資源的調查與分析」，中國圖書館學報 1991 年，頁 30-40。

該館對於古籍的整理及利用包括以下數項：❺

1.編制書目索引

重要的包括：以清繆荃孫「清學部圖書館善本書目」爲基礎，陸續編纂「京師圖書館善本簡明書目」、「北平圖書館善本書目」、「北平圖書館善本書目乙編」、「北平圖書館善本書目乙編續目」。1959 年增訂出版「北京圖書館善本書目」，著錄二萬餘種善本，考訂詳細，全面反映該館所藏善本。北京圖書館所藏普通古籍多達十多萬種，約佔大陸所藏百分之八十，編有「北京圖書館普通古籍總目」，分類採劉國鈞「中文普通線裝書分類表」，該總目是大陸第一部採用國家標準「古籍著錄標準」著錄的書本式古籍書目。❻該館所藏地方志及輿圖另編有館藏方志目錄、輿圖目錄。專科目錄編有論語集目、孟子集目。❼另根據館藏清人文集編「清代文集篇目索引」，收錄清人文集四百餘種，所收文章分爲學術文、傳記文及雜文三種。又編有「中國年譜總錄」，包括一千八百位譜主的三千多種年譜，收錄齊備。

2.出版印行館藏

該館曾影印出版「宋會要輯稿」二百冊、國立北平圖書館善本叢書第一集十二種。又印行「北京圖書館古籍珍本叢刊」，收錄古籍四百七十三種，近八千卷，分裝一百二十冊，另附提要，內容包括各朝代刻本及抄稿本，另編印「文淵閣四庫全書補遺—據文津閣四庫全書補」，收錄歷代詩文四千餘篇，爲同書的文淵閣本所未見，可補其缺。

3.其他整理工作

梁啓超曾主持進行「中國圖書大辭典」的編纂工作，完成簿錄、叢帖、詞部三種，但只有簿錄印行。謝國楨編「晚明史籍考」、「清初史料四種」、「清開國史料考」。另館藏永樂大典的整理主要包括現存卷目、輯佚書目的調查，提要的撰寫，輯佚等。❽趙萬里即根據館藏殘本「永樂大典」輯出佚書百種，另趙士煒輯出「中興館閣書目輯考」、「宋國史藝文志輯本」等兩種，收入古佚書錄叢輯內。此外並進行四庫全書的整理，排印出版「辦理四庫全書檔案」，該館藏有文津閣本四庫全書，爲謀影印行世，曾進行過

---

❺ 北京圖書館編，「北京圖書館編、印的出版物選目：1912 年－1982 年」，北圖通訊 1982 年 3 期（1982 年 9 月），頁 84-94，21。

❻ 李萬健，「北京圖書館近十年的書目編纂與出版」，文獻 1991 年 4 期，頁 260-270。

❼ 北京圖書館編，「本館略史」，北京圖書館月刊 1 卷 1 期（民 17 年 5 月），頁 4。

❽ 永樂大典專號，北平北海圖書館月刊 2 卷 3、4 號合刊（民 18 年 3、4 月）。

清點工作，又鑑於集部所收各書都無篇目，所以編製別集類諸書篇目。❾

㈡國家圖書館

國家圖書館原名國立中央圖書館，成立於民國 22 年，所收古籍文獻承續歷代累藏，數量頗豐，其種類包括：善本舊籍 12,351 部，125,916 冊，其中約有敦煌寫經 153 卷、宋本 175 部、金本 6 部、元本 271 部、明本逾 6,000 部、鈔本近 3,000 部、稿本和批校本各 500 部左右；普通線裝舊籍 9,109 部、111,839 冊；居延漢簡 30 枚；金石拓片 6,344 種，11,772 幅；土地契券 19 件；傳統年畫 1,134 種，1,991 幅；版片印模 63 件；微捲（片）28,958 捲（片）。國家圖書館所藏古籍文獻之特色包括：網羅昔日著名藏書家精品，同一名家著述，藏有若干不同版本，複本多，一書相同版本常藏有數部，明代文集和史料豐富，所藏金石拓片頗具史料價值，另名賢墨蹟、手札及古籍鈐印有助書法藝術的賞鑑。❿

該館對所藏古籍的整理工作包括：

1.編製書目索引

如：「國立中央圖書館善本書目」、「國立中央圖書館普通本線裝書目」、「臺灣公藏善本書目書名索引」及「人名索引」、「臺灣公藏普通本線裝書目書名索引」及「人名索引」、「臺灣公藏方志聯合目錄」等皆屬於聯合目錄的性質。另書影圖錄包括「國立中央圖書館宋本圖錄」及「金元本圖錄」，索引有「明人傳記資料索引」，另專題書目有「中國歷代藝文總志」。

2.印行複製館藏

選輯明代史事有關的善本為「玄覽堂叢書」，目前已出版三輯。其他歷年選印的善本包括：「四庫全書珍本初輯」、「明代藝術家文集彙刊」及「續集」、「明代版畫選初輯」等，另有兩種輿圖，分別是「臺灣古地圖」及「黃河圖」。館藏縮攝複製包括善本圖書 13,105 部、約 14,200 卷、650 萬頁，歷代墓誌銘縮微片 2,675 片，彩色微縮已完成善本書中之金石昆蟲草木狀、十竹齋畫譜、金剛經等多種，另普通本線裝書已在陸續進行。

3.考編古籍

---

❾ 北京圖書館編，文淵閣四庫全書補遺——據文津閣四庫全書補（北京：北京圖書館出版社，1997 年），前言頁 3。

❿ 盧錦堂，「國立中央圖書館古籍蒐藏與整理」，《國立中央圖書館館刊》新 26 卷 1 期（民 82 年 4 月），頁 157。

該館進行多年「古籍整編計劃」，以整理館藏善本爲主，工作成果包括：出版「善本叢刊」七種、編印「標點善本題跋輯錄」、「國立中央圖書館善本序跋集錄」、「四庫經籍提要索引」、「國家圖書館善本書志初稿」、「梁啓超知交手札」等。

㈢國會圖書館

國會圖書館收藏中文古籍甚早，清同治年間即接受清廷贈書，開中美圖書交換之始，另在民國年間由美國農業部派員到中國蒐購有關農業、類書、叢書、地圖及方志等古籍，奠定該館中文古籍的基礎。國會圖書館所藏以善本、方志、家譜爲其特色，據「國會圖書館藏中國善本書錄」所收善本共 1,775 部，其中宋刻本 11 部、金元刻本 15 部、明刻本 1,439 部、清刻本 69 部、套印本 72 部、活字本 7 部、抄稿本 125 部、朝鮮日本各式版本 28 部、敦煌寫經若干。⓫所藏方志以河北、山東、江蘇、四川、山西各省爲多。另收家譜約有四百餘種。此外，尚有「永樂大典」殘本 41 冊，約占目前全世界收存的十分之一。

該館古籍的整理工作主要爲書目的編製，曾編印以下兩種書目，分別是：

1.國會圖書館藏中國善本書錄

王重民編、袁同禮修訂，王重民曾任職北平圖書館，中日戰爭時滯留國外，應國會圖書館之邀鑑定中國古籍善本，編就「美國國會圖書館藏中文善本書錄」稿本，其後由前北平圖書館館長袁同禮先生校訂。該書著錄善本 1,775 部，依經、史、子、集四部分類，每書著錄款目包括：書名、卷數、作者、版本、版匡、行款、序跋、藏印及冊數，間附考訂，包括作者生平、內容介紹、殘缺情形及題跋。

2.國會圖書館藏中國方志目錄

朱士嘉編，朱士嘉爲著名的中國地方史專家，該目錄共收方志 2,939 種，其中宋代 23 種、元代 9 種、明代 68 種、清代 2,376 種、民國 463 種。編者對若干方志編修經過、記載斷限、內容增損及重要特殊篇目（如：上元江寧兩縣志，卷二大事記、）卷十祠祀、卷十二書目金石、卷十八咸豐三年（1853）以來兵事。）皆有記載，方便找尋資料，進行專題研究。

三、綜合歸納與檢討

綜合以上所述，這三所圖書館對館藏古籍的整理主要包括編製書目索引、彙印珍本、

⓫ 王重民輯錄、袁同禮重校，國會圖書館藏中國善本書錄（Washington, D.C.: U.S.Library of Congress, 1957；臺北文海出版社民 61 年複製本）, Forword.

編印其他學術作品等，其成效分述如下：

㈠書目索引的編制是本職工作，受到重視

北京圖書館的善本書目歷經五次增訂出版，編者包括繆荃孫、趙萬里等；國家圖書館善本書目也經過三次增訂，編者包括屈萬里、昌彼得等；國會圖書館善本書目係由王重民所編，袁同禮修訂；善本書目的編制牽涉到考訂，並非易事，由以上各善本書目的編製過程，可見其受重視的程度。方志是重要的地方史料，編製方志目錄不但可以反映館藏，更提供重要的學術研究線索，所以也受到相當的重視，北京圖書館曾陸續編過六種有關方志的目錄（國立北平圖書館方志目錄、國立北平圖書館方志目錄二編、北平圖書館方志目錄三編、續補館藏方志目錄、國立北平圖書館西南各省方志目錄、方志藝文志匯目）；另國家圖書館編過兩次臺灣地區公藏方志聯合目錄；朱士嘉所編的國會圖書館藏中國方志目錄，更將重要特殊篇目揭示出來，尤其便利提供進一步研究的線索。

善本書目因篇幅有限，著錄僅包括書名、卷數、撰者、版刻資料及版本，較詳者也不過增加行款、題跋，而善本書志則可以多方面揭示善本的內容，國會圖書館藏中文善本書錄已具有書志的雛形，「國家圖書館善本書志初稿」已出版經、史、子、集等部，對版式行款的描述特加精詳。任職北京圖書館的李致忠撰有「宋版書敘錄」，收錄該館所藏宋代善本 60 部，各書勾玄提要，詳述版本淵源，並予考訂。

㈡珍本彙印，縮攝複製，以流傳館藏

在彙印珍本方面，北京圖書館曾出版善本叢書第一集共十二種，內容爲明代邊政及域外史料。國家圖書館曾編「玄覽堂叢書」已出版初集及續集，收書共 76 種，內容以明代史料爲主。北京圖書館所編古籍珍本叢刊選書重實用，收書四百餘種，規模最大，被視爲「四部叢刊」初、二、三編的再續。在館藏縮攝複製方面，北平圖書館在中日戰爭前，曾精選善本書移運上海，後暫置美國國會圖書館，以避戰亂，國會圖書館在代管期間，經北平圖書館的同意，攝製微捲，該批善本書包括 150 種宋本、100 種元本、2,700 種明本、其餘爲清本，學術價值甚高，此項縮攝複製善本古籍工作規模頗大，共計古籍 2,700 種、20,500 冊、2,500,000 頁、使用 1,072 捲底片（接近 100 英尺）[12]。該套微捲後來又複製若干套，分別爲各重要漢學研究單位所購存，擴大中國古籍的流傳。國家圖書館陸續將館藏善本圖書拍攝微捲，並廣爲海內外圖書館及個人全部或部分購藏；另北

---

[12] Hu, James S., "Chinese Fang-chih, Ts'ung-shu and Rare Books in the Library of Congress" 中國圖書館學會會報 48 期（民 80 年 12 月），頁 295-307。

京圖書館所藏善本也發行微捲。

北京圖書館早在民國初年即與商務印書館合作進行古籍的影印與整理，該館時稱北平圖書館，與商務印書館簽訂印書免費契約，爲流傳藏書，提倡學術，特許商務印書館免費印行該館所收的書籍卷軸。⓭

㈢其他學術作品，不僅提供館藏古籍的線索，還提供古籍豐富的內容

例如北京圖書館對永樂大典的整理，從殘本中輯出許多詩文、方志及筆記，增加許多可貴的文史研究資料。謝國禎所編「晚明史籍考」，所收史籍不限於北平圖書館，根據撰者所述「凡歷藏書之家十數處，費時閱四年」，「茲編凡關於史事之題敘及遺文瑣事有關掌故者，擇要鈔存；其篇目、小序有關史事者，亦行著錄，俾知史事之大凡，以供學者之研究。」⓮北京圖書館另曾利用方志中的有關資料整理出「祖國兩千年鐵礦開採與鍛鍊」及「中國古今銅礦錄」兩種資料彙編。

四、結論

圖書館是一個不斷變動的有機體，無論是在藏品的蒐集、保存、整理及利用各方面都要隨著時空變遷而改進，以提供更有效而完整的服務，所以圖書館應不斷的檢討過去對古籍的整理方式，以精進未來的服務，以下提供兩點作爲改進的目標：

㈠整理工作要與時俱進，並且利用資訊科技作為媒介

首先，在書目建檔上，關心中國古籍發展的同道屢有編製古籍聯合目錄的倡議，希望藉此整合古籍資源，以謀求此一學術研究資料的有效合作與發展。其後美國研究圖書館協會（Research Libraries Group，簡稱 RLG）率先以電腦編製「中文善本書國際聯合目錄」，目前臺灣也在進行本區內善本古籍聯合目錄的建檔計畫，大陸也就籌建中國古籍書目數據庫倡研多年，可見海內外已逐步形成古籍合作編目的共識。國家圖書館所藏善本已建檔完成十分之九，北京圖書館的書目建檔有待進行，據聞國會圖書館在與研究圖書館洽商中。若將來這三所收藏中國善本豐富的圖書館能將建檔書目以系統連結成聯合目錄，必有益於對中國善本的檢索及研究。

其次，在館藏古籍數位化及製作影像光碟上，北京圖書館曾將館藏善本微捲的影像

⓭ 李致忠，「北圖的古籍典藏與古籍整理」，肩朴集（北京：北京圖書館出版社，1998），頁 528-534。

⓮ 謝國禎，晚明史籍考（北平：國立北平圖書館，民 22 年；臺北藝文印書館民 57 年複製本），頁 36-37 凡例。

掃瞄數位化，再經過清除雜質等步驟，壓縮儲存在光碟上，並連結書目資料，以便使用者同時檢索書目影像，也提供善本古籍的永久保存。⓯國家圖書館已將 17 種明代文集掃描爲影像系統，各文集的書名、撰者、篇目、題跋者、版刻資料及版本等項目都可進行全文檢索。⓰在此基礎上，未來應繼續研擬館藏古籍的數位化及網路化。

㈡重視整理計畫的整合及整理人才的培育

圖書館整理古籍牽涉到多方面的學科領域，包括圖書館學、資訊科學、語言文字歷史文化等學科，藉著圖書館學可瞭解圖書館所扮演的角色以及使用者的需求，資訊科學可以提供便利而符合時代趨勢的整理方式；此外，圖書館所藏古籍的內容包羅萬象，以文史哲爲主要部分，而所使用的語言又有時代差距，除了要具備專門學科的背景之外，同時要能掌握語言文字及歷史文化等基本漢語知識。舉例而言，過去的幾項作品，如：謝國禎所編「晚明史籍考」、王重民所編「清代文集篇目分類索引」、朱士嘉所編的「國會圖書館藏中國方志目錄」、國家圖書館所編「明人傳記資料索引」都充分利用館藏，配合學術需求，並掌握個別學科的知能。

大陸地區早在五十年代即重視「古籍整理」，並在國務院下專設古籍整理出版規劃小組，制訂計劃，全盤規劃，同時建立以「高等院校」爲主的全國性古籍整理研究體系，工作重點以規劃研究項目、培育研究人才爲主，成效卓著。

臺灣雖未成立專責整理單位，迄今也未設立研究整理古籍的研究所，但若干圖書資訊系所開設相關的課程，另淡江大學有「文獻學研究室」，東吳大學新設「中國圖書文獻學程」，未來若能將收藏古籍的圖書館、相關教學研究單位以及出版機構結合起來，彼此配合，以規劃整理工作，不但可以避免重複，更可培育這方面的專才。

目前傳統圖書館正逐步轉型爲電子圖書館（或稱數位圖書館），電子圖書館的建構強調「館藏特色」，存收古籍善本的圖書館無不將此當作館藏建設的重點，也成爲未來在網路上發展「電子圖書館」的重要內涵。再者，古籍以新的面貌呈現，更便於普及利用，除了可以充分彰顯作爲研究材料的價値外，圖書館也可藉此發揮其傳承民族文化，提供學術服務的功能，値得繼續研究與開發。

⓯ 周升恆，「北京圖書館善本光盤存儲檢索系統的幾點考慮」，中國中文信息學會、國家古籍整理出版規劃小組辦公室、北京語言學會等編，海峽兩岸中國古籍整理研究現代化技術研討會論文集（北京市：中國中文信息學會，國家古籍整理出版規劃小組辦公室，1993 年），頁 179-183。

⓰ http://www.ncl.edu.tw/flyweb/ncl-book/index.htm

近二十年來我國圖書館相關法規之探討

彭　慰
國家圖書館資訊組主任

一、前言

我國是個以法治國，依法行政的國家。在民主時代，講求法治。社會上的各行各業無不有相關法律的制定及行政命令的訂定，無論是政府機關的組織法或組織規程都是該機關存在的法源依據。其餘如標準或辦法等行政命令，則是營運或辦事的基本準則。

政府自民國 67 年起推行文化建設，在各縣市普設文化中心，以圖書館爲主體；省市政府教育廳局並以一鄉鎮（區）一圖書館爲目標，加強基層社會教育建設。各級教育發展計畫中也將各校圖書館的發展納入計畫，增撥經費逐年加以充實。圖書館事業因此有了嶄新的面貌，其績效超越了過去三十年的成就❶。

民國 78 年 2 月國立中央圖書館與中國圖書館學會合作舉辦「全國圖書館會議」，對圖書館所應努力的方向與亟需改善的問題提出建議，作爲發展的參考❷。教育部因而於民國 78 年 12 月成立「教育部圖書館事業委員會」，邀請圖書館專家學者、教育行政主管及圖書館界代表等共同來規劃全國圖書館事業興革事宜❸，其首要任務即爲關於圖書館法規與標準之研訂事項❹。

因此，各級主管圖書館事業機關即開始較積極地研訂圖書館相關法規或修訂其過去不合時宜之處。本文擬探討近二十年來我國圖書館相關法規之制定與修正情形，並建議

❶ 〈教育部毛部長發刊詞：謀求圖書館事業整體合作，為全民教育提供最佳服務〉，《教育部圖書館事業委員會會訊季刊》1 期（民國 80 年 1 月）：第 1 版。

❷ 王振鵠，〈回顧與前瞻：圖書館事業近年來的重要發展〉，《中國圖書館學會會報》49 期（民國 81 年 12 月）：頁 2。

❸ 同註❶。

❹ 同註❷，頁 3。

有關單位能儘速制定及修正一些圖書館相關法規，俾爲我國圖書館事業發展奠立良好的基礎。

二、近二十年制定或修正的圖書館相關法規概況

本文所探討的圖書館相關法規，係指民國 67 年以來，與圖書館設立及營運相關且遵照中央法規標準法的規定所制定的法律或行政命令，包括經立法院通過，總統公布的法律，如「國家圖書館組織條例」等，以及各機關發布的命令，定名爲規程、規則、細則、辦法、綱要、標準、準則者，如「臺北市立圖書館組織規程」、「高級中學圖書館設備標準」等。其餘由行政機關訂定以函分行有關機關查照的規定，如注意事項或要點等行政內規，則擇要兼論之。

文化建設是政府繼十大建設之後所推動的一項國家建設計畫。該計畫分別在各縣市興建一處文化中心，以圖書館爲主，並包括文物陳列室、音樂演奏廳等設施，希達成增長國民智能，調適國民精神生活，弘揚中華文化之目的，在中央則有遷建國立中央圖書館，興建國家音樂廳、國家戲劇院、自然科學博物館、科學工藝博物館、海洋博物館等計畫。臺北市則擬興建市立圖書館及各行政區圖書分館，而高雄市則興建中正文化中心，並在每一行政區建立一所圖書分館。我國的公共圖書館事業因而發展迅速❺。

因此，近二十年來我國所制定或修正的圖書館相關法規，大多係組織法規，且與文化建設有關，例如：「國家圖書館組織條例」❻、「國立中央圖書館臺灣分館組織條例」❼、「臺灣省立臺中圖書館組織規程」❽、「臺北市立圖書館組織規程」❾、「高雄市立圖書館組織規程」❿、「臺灣省政府圖書館組織規程」⓫、「臺灣省各縣（市）

---

❺ 同註❷，頁 2。

❻ 「國家圖書館組織條例」，中華民國八十五年一月三十一日總統華總字第八五〇〇〇二三五三〇號令修正名稱、全文十四條（原名稱：國立中央圖書館組織條例），刊《總統府公報》第六〇七七號。

❼ 「國立中央圖書館臺灣分館組織條例」，中華民國七十四年十月二十三日總統華總（一）義字第五三二五號令制定公布，刊《總統府公報》第四五二〇號。

❽ 「臺灣省立臺中圖書館組織規程」，中華民國八十六年十月二十三日臺灣省政府（八六）府人一字第一六八五七〇號令修正，刊《臺灣省政府公報》八十六年冬字第十七期。

❾ 「臺北市立圖書館組織規程」，中華民國八十二年六月十日臺北市政府（八二）府法三字第八二〇四一六五九號令修正條文暨編制表，刊《臺北市政府公報》八十二年夏字第四十九期。

❿ 「高雄市立圖書館組織規程」，中華民國八十七年八月二十四日高雄市政府（八七）高市府人一字第二七六一七號令修正第一條條文，刊《高雄市政府公報》八十五年冬字第二十四期。

立圖書館組織規程」⓬、「臺灣省各鄉鎮縣轄市立圖書館組織規程」⓭。至於「國家圖書館辦理出版品國際交換辦法」⓮、「全國出版品國際標準書號及預行編目辦法」⓯、「書目網路合作辦法」⓰、「臺灣地區公私立公共圖書館輔導辦法」⓱則非組織法規。其餘爲依法訂定的圖書館設備標準，例如：「高級中學圖書館設備標準」⓲、「國民中學圖書資料設備標準」⓳及「國民小學圖書設備標準」⓴，其性質雖非組織法規，但卻或多或少的規範人員及經費相關事項。另有一些行政內規，如「公共圖書館營運管理要點」㉑，原擬訂定公共圖書館標準，因無法源依據，故改以營運要點發布㉒。

⓫ 「臺灣省政府圖書館組織規程」，中華民國七十九年六月十五日臺灣省政府（七九）府人一字第一五〇八二八號令修正，刊《臺灣省政府公報》七十九年夏字第六十三期；中華民國八十二年五月二十八日臺灣省政府（八二）府人一字第二八四五一號令修正第六條條文。

⓬ 「臺灣省各縣（市）立圖書館組織規程」，中華民國七十八年十一月二十七日臺灣省政府（七八）府人一字第一二九四六五號令修正第四、六、七條條文，刊《臺灣省政府公報》七十八年冬字第四十五期。

⓭ 「臺灣省各鄉鎮縣轄市立圖書館組織規程」，中華民國六十九年四月三日臺灣省政府（六九）府人一字第二八六六五號令修正。

⓮ 「國家圖書館辦理出版品國際交換辦法」，中華民國八十七年三月十八日教育部臺（八七）參字第八七〇一三二一七號令修正名稱及全文七條（原名稱：國立中央圖書館辦理出版品國際交換事項辦法），刊《教育部公報》第二七九期。

⓯ 「全國出版品國際標準書號及預行編目辦法」，中華民國八十八年一月二十日教育部臺（八八）參字第八八〇〇四四六〇號令訂定全文七條，刊《行政院公報》第五卷第三期。

⓰ 「書目網路合作辦法」，中華民國八十八年一月二十日教育部臺（八八）參字第八八〇〇四四六二號令訂定全文九條，刊《行政院公報》第五卷第三期。

⓱ 「臺灣地區公私立公共圖書館輔導辦法」，中華民國八十二年八月十六日國立中央圖書館臺灣分館（八二）圖推字第一一七四號令公布全文九條，刊《高雄市政府公報》八十二年冬字第五期。

⓲ 「高級中學圖書館設備標準」，中華民國八十四年九月二十五日教育部臺（八四）中字第〇四六九五三號令修正公布，在《圖書館運作相關法規輯錄》，臺北市高中圖書館工作人員研習會參考資料（臺北市：華江高中，民國 88 年），頁 31-51。

⓳ 「國民中學圖書資料設備標準」，中華民國七十六年十月十六日教育部臺（七六）國字第四九三一二號令修訂，在教育部國民教育司編，《國民中學設備標準》（臺北市：正中書局，民國 76 年），頁 85-106。

⓴ 「國民小學圖書設備標準」，中華民國七十年一月三十一日教育部臺（七〇）國字第三二八七號令修訂，在教育部國民教育司編，《國民小學設備標準》（臺北市：正中書局，民國 76 年），頁 91-130。又在國立中央圖書館編，《第二次中華民國圖書館年鑑》（臺北市：該館，民國 77 年），頁 462-468。

㉑ 「公共圖書館營運管理要點」，中華民國八十年七月二日教育部臺（八〇）社字第三三八九六號令訂定公告，刊《教育部公報》第二〇〇期。

㉒ 「第八次委員會議」，《教育部圖書館事業委員會會訊季刊》3 期（民國 80 年 7 月），4 版。

三、圖書館相關法規簡介

茲依法律位階分別依行政一體及各法規制定或最新修正時間爲序，簡要說明近二十年來圖書館相關法規及行政內規的重點。

㈠法律

1.國家圖書館組織條例

民國 29 年 10 月 16 日國民政府制定公布「國立中央圖書館組織條例」，民國 34 年首次修正，直至民國 85 年 1 月 31 日才再度修正名稱及全文，明定國家圖書館的任務、內部組織、員額職等、人員進用、顧問與諮詢委員之遴聘及辦事細則之訂定等，全文共十四條。

2.國立中央圖書館臺灣分館組織條例

於民國 74 年 10 月 23 日首度立法，明定國立中央圖書館臺灣分館的任務、內部組織、員額職等、人員進用、委員會之設置、該館對臺灣地區公私立圖書館之輔導辦法及辦事細則之訂定等，全文共十二條。

㈡行政命令

1.國家圖書館辦理出版品國際交換辦法

原名稱爲「國立中央圖書館辦理出版品國際交換事項辦法」，民國 61 年由教育部訂定發布，民國 87 年 2 月 18 日修正名稱及全文。明定國家圖書館辦理出版品國際交換之法源依據、供國際交換出版品之來源、寄遞方式及處理程序等，全文共計七條。

2.全國出版品國際標準書號及預行編目辦法

民國 88 年 1 月 20 日教育部訂定發布，明定法源依據、國際標準書號與預行編目制度之適用範圍及申請辦理程序、出版者之義務、書號中心應負之管理權責與任務等，全文共計七條。

3.書目網路合作辦法

民國 88 年 1 月 20 日教育部訂定發布，明定法源依據、立法宗旨、書目網路營運方式及組織、合作館參與方式及權利與義務、書目網路建檔標準規範、系統營運及資料庫建立與維護方式、國內外合作交流等㉓，全文共計九條。

4.各省市公立圖書館規程

㉓ 林淑芬，「『國家圖書館書目網路合作辦法』暨其要點之訂定」，《國家圖書館館訊》88 年 2 期（民國 88 年 5 月），頁 15-16。

民國 41 年行政院核准發布，民國 43 年及 58 年教育部修正發布，因各省市公立圖書館皆已個別訂定組織規程，至民國 87 年 6 月 17 日由教育部明令廢止。明定各省、市公立圖書館之設館宗旨、設立變更與停辦程序、內部組織、館長與人員之資格與職掌、分館與巡迴文庫等設立、館內會議與委員會之設置、輔導方式、經費運用、圖書館設備標準及辦事細則之訂定等，全文共計二十條。

5.臺灣地區公私立公共圖書館輔導辦法

民國 82 年 8 月 16 日國立中央圖書館臺灣分館訂定發布，明定法源依據、臺灣地區公私立公共圖書館之輔導責任區、輔導內容要項與方式、訪視評鑑及補助等，全文共計九條。

6.臺灣省立臺中圖書館組織規程

民國 61 年臺灣省政府明令發布，民國 82 年及 86 年修正，明定設館宗旨、館內組織、各次級單位業務職掌、員額編制表及辦事細則之訂定等，全文共計十一條。

7.臺灣省各縣（市）立圖書館組織規程

民國 40 年臺灣省政府明令公布，歷經民國 41 年、43 年、57 年、66 年、78 年多次修正，明定臺灣省各縣（市）立圖書館設館宗旨、人員組織、分館之設立、員額編制表及辦事細則之訂定等，全文共計八條。

8.臺灣省各鄉鎮縣轄市立圖書館組織規程

民國 58 年臺灣省政府明令發布，歷經民國 59 年、60 年、66 年、68 年及 69 年修正，明定臺灣省各鄉鎮縣轄市立圖書館之設立、人員職掌及設置標準、員額編制表及辦事細則之訂定等，全文共計七條。

9.臺灣省政府圖書館組織規程

民國 60 年臺灣省政府明令發布，歷經民國 62 年、68 年、79 年、82 年多次修正，明定該館設立宗旨、內部組織與人員職掌、員額編制表及辦事細則之訂定等，全文共計九條。

10.臺北市立圖書館組織規程

民國 58 年臺北市政府明令發布，歷經民國 59 年、63 年、65 年、66 年、68 年、71 年、75 年、77 年、81 年、82 年多次修正，明定該館設立法源依據，內部組織與人員職掌、分館設立、員額編制表及辦事細則之訂定等，全文共計十二條。

11.高雄市立圖書館組織規程

民國 68 年高雄市政府明令發布，歷經民國 72 年、78 年、82 年、83 年、85 年、87

多次修正，明定該館設立法源依據、內部組織與人員職掌、分館設置、館內會議、員額編制表及辦事細則之訂定等，全文共計十一條。

12.高級中學圖書館設備標準

民國 62 年教育部釐訂高級中學圖書館與視聽教育設備標準㉔；民國 74 年教育部依據高級中學規程第二十五條修訂公布「高級中學設備標準」㉕，其中圖書設備標準亦併同修正；民國 84 年教育部先行修正發布「高級中學圖書館設備標準」，明定原則、設備（包括圖書資料及館舍設計）、經營管理（包括工作目標、經營理念、館藏發展、資料整理、讀者服務、人員及經費），並將有關圖書期刊及設備用具列入附件參考資料。

13.國民中學圖書資料設備標準

民國 59 年教育部頒布實施國民中學圖書與視聽教育暫行設備標準㉖；民國 76 年 10 月 16 日教育部明令公布國民中學設備標準㉗，其中圖書資料設備標準明定原則、設備（包括圖書雜誌及設備）、說明（包括圖書資料、館舍、家具用品），並將有關圖書期刊及設備用具列入附件參考資料。

14.國民小學圖書設備標準

民國 54 年教育部訂頒國民學校圖書設備標準；民國 70 年 1 月 31 日教育部修訂公布國民小學設備標準㉘，其中圖書設備標準明定原則、設備（包括圖書資料、館舍、器具設備、人員編制與組織）、說明（包括圖書資料、館舍、器具、附則），並將有關圖書期刊及設備用具列入附件參考資料。

㈢行政內規

1.教育部圖書館事業委員會實施要點㉙

民國 78 年教育部訂定函頒，歷經民國 79 年、82 年、87 年修正，明定該委員會任務、組成、委員聘任與任期、召集人、會議、幹事、酬勞支給、專題研究等，共計十一點。

㉔ 劉繼漢，《怎樣辦理中學圖書館》（臺北市：文史哲出版社，民國 70 年），頁 163。

㉕ 教育部中等教育司編，《高級中學設備標準》（臺北市：正中書局，民國 74 年）。

㉖ 同註㉔。

㉗ 教育部國民教育司編著，《國民中學設備標準》（臺北市：正中書局，民國 76 年）。

㉘ 教育部國民教育司編，《國民小學設備標準》，修訂一版（臺北市：正中書局，民國 70 年）。

㉙ 「教育部圖書館事業委員會實施要點」，民國七十八年十一月教育部訂定，民國八十七年四月七日教育部臺（八七）社（三）第八七〇三四四九五號函，刊《教育部公報》第二八一期。

2.公共圖書館營運管理要點㉚

民國 80 年 7 月 2 日教育部明令發布「公共圖書館營運管理要點」，並函知省市政府教育廳局等有關單位查照辦理，明定該要點訂定宗旨、組織、人員與經費、圖書資料、建築與設備、服務、管理等項，包括各級公共圖書館設置之最低標準、各級公共圖書館之層級關係、圖書館專業人員之地位及員額比例等要項，共計七項四十四點。

3.臺灣省圖書館業務發展會議實施要點㉛

民國 74 年 3 月 9 日臺灣省政府訂定，教育廳函頒，明定該要點訂定宗旨、召集與承辦單位、出列席單位與人員、會議研究內容、經費來源等，共計六點。

4.臺灣省各縣建立鄉鎮圖書館設計要點㉜

民國 74 年 11 月臺灣省立臺中圖書館訂定，於前言中說明該要點訂定目標、依據，該要點分爲鄉鎮縣轄市圖書館之業務設計原則及圖書館之實體設計原則二大部分，前者包括總則、組織與人員、經費預算、館藏設計及服務內容之設計等五項，後者包括總則、建地選擇、空間之規劃與配置、建築面積計算標準、環境設計及傢具設計備等，共計六項。

5.臺灣省各級圖書館輔導要點㉝

民國 77 年 7 月 13 日臺灣省政府教育廳函頒，明定該要點目標、依據、省立臺中圖書館與縣市立文化中心或縣市立圖書館輔導對象與輔導內容及輔導小組之組成，共計六點。

6.大學校院圖書館自動化系統整合暫行規範㉞

㉚ 「教育部發布公共圖書館營運管理要點」，《教育部圖書館事業委員會會訊季刊》3 期（民國 80 年 7 月），1-3 版。

㉛ 「臺灣省圖書館業務發展會議實施要點」，民國七十四年三月九日臺灣省政府教育廳（七四）教五字第○二○六五號函，刊《臺灣省政府公報》七十四年春字第五十八期。
參見臺灣省立臺中圖書館編，《圖書館業務章則輯要》，修訂六版（臺中市：該館，民國 83 年），頁 35-36。

㉜ 沈寶環主編，《鄉鎮圖書館的理論與實務》（臺北市：臺灣書店，民國 78 年），頁 289-299。

㉝ 「臺灣省各級圖書館輔導要點」，民國七十七年七月十三日臺灣省政府教育廳（七七）府教五字第一五二四九九號函，刊《臺灣省政府公報》七十七年秋字第二十期。
參見臺灣省立臺中圖書館編，《圖書館業務章則輯要》，修訂六版（臺中市：該館，民國 83 年），頁 48-50。

㉞ 胡歐蘭，〈四十年來的圖書館自動化作業〉，《中國圖書館學會四十年：民國四十二年～八十二年》（臺北市：中國圖書館學會，民國 84 年），頁 69。

民國 80 年 6 月教育部公告，該規範係提供各校購置圖書館硬軟體系統之參考，包括建檔與書目交換格式、中文字集字碼、網路通訊協定等作業標準及考慮因素、合作等，共計六項。

7.中小型圖書館自動化系統整合暫行規範㉟

民國 83 年 4 月 21 日教育部公告，該規範係提供中小型圖書館購置其軟硬體自動化系統時之參考，包括適用範圍、建檔與書目交換格式、中文字集字碼、網路通訊協定等作業標準、考慮因素、合作等，共計六項。

8.臺灣省公共圖書館自動化及資訊網路規劃要點㊱

民國 85 年 7 月 2 日臺灣省教育廳函核定㊲，由臺灣省公共圖書館自動化及網路諮詢輔導委員會擬訂，分爲臺灣省公共圖書館資訊網路建立之目標、自動化及網路架構、作業標準、各文化中心規劃及辦理程序等，共計四點。

四、問題與建議

㈠問題

綜而言之，近二十年來各級政府主管機關對於圖書館相關法規之制定或修正，已有不少，但仍嫌不足。圖書館法及各類圖書館營運基準是最急迫需要的法規。我國各類圖書館除高中有圖書館設備標準，國民中小學有圖書資料設備標準；公共圖書館原訂有公共圖書館標準草案，因無法源依據改爲「公共圖書館營運管理要點」；國家圖書館、專門圖書館、大專圖書館方面皆無尚未訂定正式相關營運基準。

依據行政院送請立法院審議之圖書館法草案第五條「圖書館之設立及營運基準，由中央主管機關定之」，將圖書館界習稱之圖書館標準改爲圖書館營運基準，草案之說明謂：「一、爲使圖書館能發揮其功能，服務品質具一定水準，爰就其設立及營運事項訂定相關基準，並明定由中央主管機關定之，始有一致之規範。二、『營運基準』爲圖書館設立及服務之基本要項，其內容包括圖書資料、館舍設備、人員配置及服務要項等方

㉟ 同前註，頁 70。

㊱ 「臺灣省公共圖書館自動化及資訊網路規劃要點」，《八十六年度圖書館自動化北二區觀摩研討會手冊》（桃園市：桃園縣立文化中心，民國 86 年），頁 40-45。
參見<http://www.plt.edu.tw/inf_team/plan/project1.html>。

㊲ 鄭恒雄，〈臺灣省公共圖書館資訊網路建立管窺〉，《全國圖書資訊網路通訊》6 卷 1/2 期（民國 86 年 5 月）：頁 6。

面之最低基準，並可作爲圖書館業務發展及評鑑之具體指標。又各國行之有年，且對提升圖書館之服務品質有其必要。」

爲達資源共享，圖書館間應藉館際合作各種方式，各展所長，互通有無，才能利用有限資源，提供無限服務。館際互借及電子文獻傳遞服務是協助讀者使用館外資源的利器。但要館際互借必須要有辦法，規範借貸雙方的權利與義務。因此訂定一全國性館際互借規則有其必要。

茲分別就圖書館法、圖書館營運基準及全國圖書館館際互借規則等項說明之。

1.圖書館法

中國圖書館學會於民國 64 年即初步擬妥圖書館法草案㊳，經多年蒐集各方意見，多方溝通，多次修訂，於民國 76 年 9 月 21 日正式函教育部陳報圖書館法草案㊴。其後教育部多次函請中國圖書館學會協助研議修訂圖書館法草案，終於在民國 88 年 4 月 9 日函報行政院審議；同年 5 月 13 日經行政院第二六二八次院會審議通過，全文共計二十條，於同月 21 日函請立法院審議㊵。茲將該草案條文列爲本文附錄，備供參考。

立法院旋定於 6 月 17 日請教育部長於教育及文化、法制委員會聯席會議就立法旨意補充說明，惜因出席立法委員未達法定人數而流會。圖書館法草案經過圖書館界多年來多人的努力，終於邁出一大步，得在立法院待審，希望能早日成立法程序。

2.圖書館營運基準

⑴大專校院圖書館

大專圖書館標準之訂定，可謂歷經波折難有進展。教育部圖書館事業委員會於成立之初即委請學者專家進行「大學暨獨立學院、專科學校圖書館標準研究計畫」，重新研議標準，以取代民國 68 年中國圖書館學會所訂定而未經政府明令公布的「大學暨獨立學院圖書館標準」、「專科學校圖書館標準」期使多年來大專院校圖書館在組織、人力、經費、設備各項支援條件不足之情形能獲得改善㊶。

民國 80 年 5 月 27 日教育部圖書館事業委員會八十年第二次臨時會議討論通過「大

㊳ 《中國圖書館學會會務通訊》2 期（民國 64 年 7 月），頁 2。

㊴ 《中國圖書館學會會務通訊》60 期（民國 77 年 1 月），頁 12-15。

㊵ 立法院第四屆第一會期第十五次會議議案關係文書，院總第七八六號，政府提案第六五九九號（民國 88 年 6 月 5 日印發）。

㊶ 「教育部圖書館事業委員會討論通過大專院校圖書館標準草案」，《教育部圖書館事業委員會會訊季刊》3 期（民國 80 年 7 月），6 版。

學校院圖書館標準草案」及「專科學校圖書館標準草案」㊷。原由教育部高等教育司及技術及職業教育司循規定行政程序簽辦有關發布事宜，後以缺乏法源依據，又因民國 83 年大學法修正公布，強調大學自主精神，教育部圖書館事業委員會在民國 83 年 11 月 21 日第十九次會議決議建請高教司及技職司將大學專科院校圖書館標準草案變更爲營運管理要點，並請原研擬小組配合圖書館法調整後，依行政程序核定後實施㊸。因而又請學者專家依據原擬之大專圖書館標準草案，重新研擬。完成「大學圖書館營運要點草案」㊹及「專科學校圖書館營運管理要點草案」㊺，並提相關會議討論㊻。

中國圖書館學會曾促請教育部發布大專圖書館營運要點㊼，但因行政程序繁複，且大學校長並不支持，而遲未發布大學圖書館營運要點。而技職司則採觀望高教司之態度，擬比照辦理之。中國圖書館學會大學校院圖書館委員會及專科學校圖書館委員會均相當積極協助研擬修訂「大學圖書館營運要點草案」㊽及「專科學校圖書館營運要點草案」㊾。專科學校圖書館委員會並建議將「專科學校圖書館營運要點」（草案）更名爲「技職校院圖書館評鑑標準」㊿。

中國圖書館學會於民國 87 年 12 月 12 日第四十五屆第二次大會議決請大學圖書館及專科學校圖書館二委員會再審愼擬定，提交學會常務理事會通過後，再行公布51。

㊷ 同前註。

㊸ 「教育部圖書館事業委員會召開第十九次會議」，《教育部圖書館事業委員會會訊季刊》16 期（民國 84 年 1 月），1 版。

㊹ 《中國圖書館學會第四十五屆第二次會員大會資料》（臺北市：中國圖書館學會，民國 87 年），頁 82-88。

㊺ 同前註，頁 74-81。

㊻ 「『專科學校圖書館營運管理要點』草案研討座談」，在教育部技術及職業教育司主辦，《八十三學年度技術學院暨專科學校圖書館業務研討會實錄》（臺北市：教育部技術及職業教育司，民國 84 年），頁 54-70。

㊼ 「第二十三次委員會議紀錄」，《教育部圖書館事業委員會會訊季刊》24 期（民國 86 年 10 月），1 版。

㊽ 「第四十五屆大學校院圖書館委員會第二次會議」，《中國圖書館學會會訊》111 期（民國 87 年 12 月），頁 29。

㊾ 「第四十五屆專科學校圖書館委員會第一次會議」，《中國圖書館學會會訊》111 期（民國 87 年 12 月），頁 31。

㊿ 同前註。

51 「中國圖書館學會第四十五屆第二次會員大會提案討論決議」，《中國圖書館學會會訊》111 期（民國 87 年 12 月），頁 25。

⑵中小學圖書館

高級中學以下之學校圖書館已有教育部分別訂定之圖書設備標準，其中高級中學圖書館設備標準已規範有關營運事項，但國民中小學則未規定。因法源依據所限，僅能名爲圖書（館）設備標準。國民中小學之圖書設備標準修訂公布已超過十年以上，實應儘速再度修訂，增列有關圖書館營運基本事項，並設法改名爲圖書館營運基準，使名實相符。

⑶專門圖書館

專門圖書館係各政府機關（構）或法人、團體、個人因業務需要或特殊目的而設，或依所屬機關（構）組織法規所設，或單獨訂定相關辦法，或無法可遵循。因主管機關繁多，難以整合，僅中國圖書館學會於民國 76 年曾委請該會醫學圖書館委員會草擬「醫院圖書館標準」及「醫院圖書館評鑑表」[52]。

要想訂定通則性的專門圖書館標準，洵非易事，可能只有寄望中國圖書館學會專門圖書館委員會，由其結合性質相近的專門圖書館分別草擬各類專門圖書館營運基準。

⑷國家暨公共圖書館

國家圖書館目前僅有組織條列、辦事細則兩項基本法規，另有一些行政規章，並無營運基準可資遵循，多年前曾研擬國立圖書館設備標準草案，但時日已久，不合時宜，有必要再重新研訂之。

公共圖書館雖已有「公共圖書館營運管理要點」，但在名稱上亦宜統一爲營運基準；在內容上則宜略加修正，以合乎時代需要。

3.全國圖書館館際互借規則

教育部圖書館事業委員會於民國 84 年 12 月 26 日第二十一次會議中決議請社教司以專題研究方式委請中國圖書館學會訂定「全國性互借規則」[53]。經一年多的研擬，於民國 86 年 10 月完成「『全國圖書館館際互借規則』擬訂之研究」專題研究報告，其中提出「全國圖書館館際互借規則（草案）」及「圖書館館際互借辦法（草案）」[54]。

---

[52] 張慧銖，〈四十年來的醫學圖書館〉，《中國圖書館學會四十年：民國四十二年～八十二年》（臺北市：中國圖書館學會，民國 84 年），頁 134。

[53] 「第二十一次委員會議紀錄」，《教育部圖書館事業委員會會訊季刊》19 期（民國 85 年 1 月），1 版。

[54] 彭慰，「全國圖書館館際互借規則（草案）研擬過程紀要」，《中國圖書館學會會訊》108 期（民國 87 年 3 月），頁 2。

教育部圖書館事業委員會於第民國 86 年 12 月 10 日第二十四次會議中，特請中國圖書館學會提出「全國圖書館館際互借規則」研究報告，由王振鵠教授代表報告。會中並修正通過「全國圖書館館際互借規則（草案）」及「圖書館館際互借辦法（草案）」，請社教司循教育部法制作業程序辦理[55]；但教育部迄未公布全國圖書館館際互借規則。

為加強圖書館之合作，促進全國圖書館館際間之資料交流，以滿足研究人士及一般民眾對圖書資訊日益增長之需求，實在需要訂定「全國圖書館館際互借規則」。在我國如不藉政府立法實在很難突破一些制度上的問題。

㈡建議

法規的研訂需要結合業者及學者專家的意見，才切實可行。我國在中國圖書館學會多年的努力之下，大力推動圖書館法立法及各類圖書館營運基準的研訂，已奠定良好的基礎；然萬事俱備只欠東風，缺乏臨門一腳——即政府的支持。

固然，徒法不足以自行，但無法可依，卻是更根本的問題。我國雖已定有圖書館相關組織法規及中等以下學校圖書設備標準，但有些立法年代已久，亦需跟隨時空變遷而修正，如國民中小學圖書資料設備標準皆已超過十年未修正；大專圖書館則迄未有圖書館營運基準可資參考。

全國圖書館互借規則亦亟需政府訂定，各館際合作組織或圖書館之間可據以訂定館際互借辦法，落實館際互借，而達資源共享。

在此謹呼籲有關當局能重視圖書館法規制定的問題，早日完成圖書館法立法並訂定或修正圖書館相關法規。圖書館界的同道能盡力配合研擬相關法規草案，供當局或立法者參考。中國圖書館學會將繼續扮演重要的角色，惟有結合圖書館界業者及學者專家的意見才能完成眾所企盼且合乎需要的圖書館相關法規草案。

五、附記

欣聞沈師即將歡度八秩壽誕，回想大約十年前，因沈師抬愛，得以參與圖書館法草案之研修、公共圖書館標準草案之研擬及「建立圖書館合作服務制度促進資源共享政策」專題研究計畫，這些都是在沈師任中國圖書館學會理事長時所進行的計畫。感謝沈師的提攜，使筆者得為我國圖書館事業發展略盡棉薄。在此謹祝賀沈師身體健康，平安喜樂。

---

[55] 「第二十四次委員會議紀錄」，《教育部圖書館事業委員會會訊季刊》26 期（民國 87 年 1 月），2 版。

附錄：

圖書館法草案

民國八十八年五月十三日行政院第二六二八次院會通過

第一條　爲促進圖書館之健全發展，提供完善之圖書資訊服務，以推廣教育、提升文化、支援教學研究、倡導終身學習，特制定本法。本法未規定者，適用其他法令之規定。

第二條　本法所稱圖書館，指蒐集、整理及保存圖書資訊，以服務公眾或特定對象之設施。

前項圖書資訊，指圖書、期刊、報紙、視聽資料、電子媒體等出版品及網路資源。

第三條　本法所稱主管機關：在中央爲教育部；在直轄市爲直轄市政府；在縣（市）爲縣（市）政府。

第四條　政府機關（構）、學校應視實際需要普設圖書館，或鼓勵個人、法人、團體設立之。

圖書館依其設立機關（構）、服務對象及設立宗旨，分類如下：

一、國家圖書館：指由中央主管機關設立，以政府機關（構）、法人、團體及研究人士爲主要服務對象，徵集、整理及典藏全國圖書資訊，保存文化，弘揚學術，研究、推動及輔導全國各類圖書館發展之圖書館。

二、公共圖書館：指由各級主管機關、鄉（鎮、市）公所、個人、法人或團體設立，以社會大眾爲主要服務對象，提供圖書資訊服務，推廣社會教育及辦理文化活動之圖書館。

三、大專校院圖書館：指由大專校院所設立，以大專校院師生爲主要服務對象，支援學術研究、教學、推廣服務，並適度開放供社會大眾使用之圖書館。

四、中小學圖書館：指由高級中等學校以下各級學校所設立，以中小學師生爲主要服務對象，供應教學及學習媒體資源，並實施圖書館利用教育之圖書館。

五、專門圖書館：指由政府機關（構）、個人、法人或團體所設立，以所屬人員或特定人士爲主要服務對象，蒐集特定主題或類型圖書資訊，提供專門性資訊服務之圖書館。

第五條　圖書館之設立及營運基準，由中央主管機關定之。

第六條　圖書資訊分類、編目、建檔及檢索等技術規範，由中央主管機關指定國家圖書館、專業法人或團體定之。

第七條　圖書館應提供其服務對象獲取公平、自由、適時及便利之圖書資訊權益。

第八條　圖書館依前條所提供之服務，應受著作權法有關合理使用館藏規定之保護。

第九條　圖書館辦理圖書資訊之閱覽、參考諮詢、資訊檢索、文獻傳遞等項服務，得基於使用者權利義務均衡原則，訂定相關規定。

第十條　圖書館辦理圖書資訊之採訪、編目、典藏、閱覽、參考諮詢、資訊檢索、文獻傳遞、推廣輔導、館際合作、特殊讀者服務、出版品編印與交換、圖書資訊網路與資料庫之建立、維護及研究發展等業務。

第十一條　各級主管機關得分別設立委員會，策劃、協調並促進全國及所轄圖書館事業之發展等事宜。

第十二條　為加強圖書資訊之蒐集、管理及利用，促進館際合作，各類圖書館得成立圖書館合作組織，並建立資訊網路系統。

第十三條　圖書館為謀資源共享，各項圖書資訊得互借、交流或贈與。

第十四條　圖書館如因館藏毀損滅失、喪失保存價值或不堪使用者，每年在不超過館藏量百分之三範圍內得自行報廢。

為完整保存國家圖書文獻，國家圖書館為全國出版品之法定送存機關。

政府機關（構）、學校、個人、法人、團體或出版機構發行第二條第二項之出版品，出版人應於發行時送存國家圖書館一份。但屬政府出版品者，依有關法令規定辦理。

第十六條　中央主管機關應建立圖書館輔導體系。

第十七條　各級主管機關應定期實施圖書館業務評鑑，經評鑑成績優良者，予以獎勵或補助，績效不彰者，應促其改善。

第十八條　出版人違反第十五條第二項規定，經國家圖書館通知限期寄送，仍不依限寄送者，由國家圖書館處該出版品定價十倍之罰鍰，並得按次連續處罰至其寄送為止。

第十九條　依本法所處之罰鍰，經限期繳納，屆期仍不繳納者，移送法院強制執行。

本法自公布日施行。

從書目控制到網路資源探索談 Metadata：由 Dublin Core 談起

陳亞寧
中研院計算中心圖書出版組組長

一、前言

昔日圖書館是以所謂的書目控制（bibliographic control）方式進行資料的整理，以作爲提供各項服務的基礎機制。近年來，隨著網際網路與電子出版品的盛行，已有許多電子資源經由網路及其相關設施的應用，將各項資訊提供給一般用者使用。基於此種環境需求下，強調的重點是資源探索（resource discovery），而 Metadata 也應運而生。原本書目控制的理論與因應是否仍然適應在網路資源？本文試從圖書館學的書目控制爲起點進行探討，進而探索 Dublin Core 的發展現況與應用，最後回歸研究 Metadata 的起源、目的與應用。

二、整理網路資源的現況分析

目前網路資源已隨著網路的普遍應用而散佈在各處，一般而言整理方式約可分爲微觀與巨觀等兩種型態，分述如下：

㈠微觀（micro approach）

依據美國圖書館學會圖書館與資訊科學詞典解釋，所謂「書目控制」（bibliographic control）包括了出版品完整的書目記錄、書目描述的標準化、經由圖書館聯盟、網路與其他合作方式提供實體的取用、經由聯合目錄、主題目錄以及書目服務中心提供書目取用等活動，皆稱爲書目控制【Young, 1983】。基於網路資源的興起與應用，圖書館深刻體認網路資源的重要性與必要性，因而也開始著手整理。就圖書館而言，網路資源或是電子資源只是眾多資訊載體形式之一，書目控制並不因媒體形式不同而有截然不同的處理方式。因而，圖書館基於擴大館藏可利用資源的前提下，亦著手進行蒐集整理。但是圖書館是以現有館藏重點與使用者需求為主要導向，將現有館藏與網路資源合而為一，且經過篩選。通常以圖書館現有的 OPAC 為基礎，並結合 WEB Technology 形成所謂的 WebPAC。此法的優點是資訊精準度高，但是相對可提供的資訊數量較少、成本高、速度慢、新穎性低，同時整理人員需要具備圖書館專業的技能與素養。若從書目控制理論與實務觀點而言，現存網路資源存有下列各項缺失，致使網路資源的整理、檢索與查詢產生許多始料未及的問題，主要項目條舉如下：

- 無法明確標示文獻內容。
- 各文獻間關係模糊不清。
- 參照關係不存在。
- 實體與虛擬館藏無法順利融合為一。
- 網路資源資訊數量多，但品質方面未達應用的要求與控制。

㈡**巨觀**（marco approach）

所謂的網路資源探索，乃是利用資訊檢索的技術來查詢、找尋網路的資源，如 Archie、Gopher、WAIS，乃至近年來最為盛行的全球資訊網（World-Wide Web，WWW、W3）。一般而言，網路資源探索的方式是以某一學科主題或區域（實體與虛擬兩種，前者有如現有的地理或政治實體，後者如網路的空間領域）為主要訴求，通常是以結合蒐尋引擎與主題指引兩大類型為主，並以 Web Homepage 呈現。前者如 AltaVista、MetaCrawler 等，後者如 Yahoo。一般而言，所謂的蒐尋引擎是以電腦程式形式（即 robot），自動在網際網路空間蒐尋各式 Web Page HTML 內的 Meta Tag 為主要依據，再作成索引提供給網路用者使用。而主題指引則是除了依 Robot 自動蒐集的資訊外，並經由人工的介入與整理分析而成。這兩種方式各有優缺點，前者是省時省力，但資料精準度有待商榷；後者雖然資料精確（類似以圖書館整理組織的方式），但所需人力與成本相對提高，同時資訊新穎性亦不如前者。圖書館除了應用現有 OPAC 或 WebPAC 結合網路資源外，亦有採取此種方式，同時結合蒐尋引擎與主題指引，其中最負盛名者如英國的 BUBL Link（http://www.bubl.ac.uk）、美國的 Internet Public Library（IPL，http://www.ipl.org）等皆是。

由於網路資源數量眾多且龐雜，因而圖書館與電腦界採取了不同方式試圖有效組織現有的各式網路電子資源，然而優缺點互見。因而，有人提出 Metadata 一詞與觀念，試圖以不同的方式與概念來突破現有的窠臼模式。因而，各學科領域也針對本身需求提出了不同的 Metadata 格式（format）。本文將以 Dublin Core 作爲 Metadata 的起始探討，藉以一窺 Metadata 的面貌。

三、Dublin Core 緣起與歷屆重要會議綜觀

爲了因應網路上各式電子資訊資源，圖書館也嘗試以既有的分類編目理論與實務爲基礎進行各式網路化電子資訊資源的書目控制。對一般使用者而言，既不具分類與編目基礎，更不熟悉分編等相關工具，因爲這些原本專業工作是需要相關專業技能的。爲能加速網路電子資源的整理與組織，而且加強對現有網路資源的找尋與檢索的精準度，及篩選不必要的資訊，以減緩資訊超載與爆炸（information overload and explosion）的問題。因而，Metadata 應運而生，而 Dublin Core 即是其中之一。

追溯 Dublin Core 的起始發端，可從一九九五年三月 OCLC 與 NCSA 聯合召開第一屆 Metadata Workshop 談起。在此研討會中，主要宗旨有二：

- 對於現有資料擁有者（stakeholders）的需求，以及現有整理資源方式的優缺點等方面進行通盤性瞭解。
- 對於描述網路資源的 Metadata 核心集（core set）達成共識。【Weibel, Godby, and Miller, 1995】

基於上述兩大宗旨前提下，此次研討會歸納 Dublin Core 具備下列七大目的導向，如下：

- 達成以 Dublin Core Elements 來描述網路資源。
- 制定小而全球通用的 Metadata Elements。
- 達成不同網路資源探索工具（resource discovery tools）間的透通性（interperability）與應用
- 由作者、出版者自行提供 Metadata，以利網路蒐尋器自動地蒐集與擷取。
- 鼓勵網路出版工具（network publishing tools）能夠內含簡化的的制式資料表格以利提供者、出版者輸入 Metadata 相關資訊。
- Dublin Core 可以作爲圖書館書目控制記錄的基礎（basis），以利圖書館作爲進一步再利用類似 Dublin Core 的 Metadata 變成標準時，各領域使用者皆可理解【Weibel, et al., 1995】。

表一：Dublin Core 歷次會議重點要覽

會議屆次 / 會議重點要項	DC1	DC2	DC3	DC4	DC5	DC6
時間	March 1995	April 1996	September 24-25, 1996	March 1997	October 1997	November 1998
地點	Los Alamos National Lab, USA	Warwick University, UK	Dublin, Ohio, USA	NAL, Australia	Helsinki, Finland	Washington, DC, USA
主辦單位	OCLC、NCSA	OCLC、UK Office for Library and Information Networking	OCLC、Coalition for Networked Information	OCLC、Distributed Systems Technology（DSTC）、National Library of Australia（NLA）	OCLC、CNI、National Library of Finland	OCLC
人員	圖書館學、電腦科學、文獻編碼及相關領域等研究學者專家	圖書館、網際網路標準、文獻編碼、數位圖書館研究計畫等領域	網路影像描述領域工作者	數位圖書館研究學者、網際網路專家、內容（content）專家及圖書館員	圖書館員、電腦專家與學科專家	不同眾多學科領域的專家學者
重要決議	1.DLOs：document-like objects 2.制定 Dublin Core Elements（共 13 個） 3.Qualifiers 需求的提出	1.以 SGML DTD 作爲描述語法 2.建立 Warwick Frameword 作爲交換及在 MIME、SGML、CORBA 等環境下實施	1.發展一套簡單的資源描述模式來支援在網路發掘影像資料 2.增加 Description、Rights-Management 兩個元素	1.提出 Canberra Qualifiers、Language、Scheme、Type 等元素 2.在 HTML 內應用 Qualifiers	1.Type Qualifier 改成 Sub-element	1.經由 IETF 認證取得 RFC 文件編號，同時遵循 ISO 11179 制定 Dublin Core 元素 2.採用最近正式的 HTML 爲應用工具，期使 Dublin Core 能與 HTML 合而爲一
相關文獻	OCLC/NCSA Metadata workshop Report	The Warwick Metadata Workshop：a framework for the deployment of resource description	Image Description on the Internet	The 4th Dublin Core Metadata Report	DC-5：The Helsinki Metadata Workshop	The State of the Dublin Core Metadata Initiative April 1999
問題	1.Versions 2.Extensibility及其確認 3.Character Sets 4.Third-party Metadata 5.不同Metadata格式轉換時的著錄語法 6.建立共通性Framework以容納不同的Metadata格式 7.User Guide		1.Surrogates and objects 2.Collection vs. item-level description 3.Sources dangerously recursive 4.Mapping of Dublin Core to other element sets 5.Viewing requirements 6.Guidance for the semantic content	1.Coverage element 2.Multilinguality 3.Metadata registries 4.Minimalists vs. structuralists	1.Coverage 2.Date 3.Relation 4.Sub-elements 5.A foraml data model for the Dublin Core 6.Standardization	1.使用 Dublin Core 的正規標準程序 2.Dublin Core 規範的標準化 3.Dublin Core 應用正式的 HTML 標準 4.Dublin Core 發展的品質控制機置（如 Data Model），期使 Dublin Core Elements 及 Qualifiers 能夠一致化 5.RDF（Resource Description Framework）對 Dublin Core 的重要性與影響性 6.有無所謂的 Metadata Models 以縮小不同 Metadata 格式間之差異，以及達成彼此間的相容性 7.國際化程度：即 Dublin Core 多語文化

在此次研討會中，Dublin Core 已完成 13 個元素（elements）的制定【Weibel, et al., 1995】，隨著 Dublin Core 的應用、科技發展與使用者需求等情形下，截至一九九八年十一月爲止，已召開了六次會議，重要議題如表一（Dublin Core 歷次會議重點要覽）所示。如果深入分析會議討論要點與內容，約略可歸納出下列現象：

- Dublin Core 的研發制訂一開始是經由年會的舉辦，召集相關應用單位共同討論 Dublin Core 的制訂。截至第六次會議，Dublin Core 年會決議將各元素的制訂委交各工作小組（working group）來執行制訂後，再依序提交給政策委員會（Policy Advisory Committee，PAC）與技術委員會（Technical Advisory Committee，TAC）審查許可。
- 由單一 Metadata 的發展，逐漸朝向整合其他 Metadata 格式的事實；如 Warwick Framework、RDF（Resource Description Framework）、XML（eXtensible Markup Language）等。
- 原本 Dublin Core 是朝向簡單爲主要導向，但現況應用發展上而言，已隨著附元素（sub-element）或限定詞（qualifier）的應用，而趨向複雜。

四、Dublin Core 發展現況

自一九九五年以來，Dublin Core 的發展已引起全球的矚目，而 Dublin Core 研發至今究竟有何重要性，本節試從 Dublin Core 的制定原則、元素說明與重要成果等三方面進行探求。

㈠制定原則

在 Dublin Core 設計時，即已鎖定使用容易、全球通用、彈性高等三項爲主要訴求，因而制訂下列六大原則，說明如下：【Weibel, et al., 1995】

1. 內在固有性（intrinsicality）

應用 Dublin Core 時有一重要前提，即是以物件本身爲範圍，並不涉及其他相關物件。因而在應用時，詮釋範圍僅以整理的物件對象爲限，並不包含其他；至於其他相關物件則利用 Relation 元素予以標示、指引。

2. 延展、擴充性（extensibility）

爲了能夠包含各類電子資源的特性，同時能廣泛應用在不同學科領域，因而 Dublin Core 本身制訂的各項元素是以全面通盤性爲考量基礎，並不爲任何學科或特定某一資料而設立。如果使用者或單位必須進一步描述、分析、詮釋時，各使用者與單位可以視

實際情形，就現有元素再作進一步層次地制訂更詳盡的附元素（sub-element），或是利用限定詞（qualifiers）來達成。

3.語法獨立性（syntax-independence）

由於 Dublin Core 的定位是在全球通用的基本考量前提下發展的，目前著錄語法是按 SGML（Standard Generalized Markup Language）DTD（Document Type Definition）的要求來記載描述的，並不因語文、文化與學科的不同，而有不同的著錄語法；亦即語法跨學科領域性。

4.選擇性（optional）

在 Dublin Core 集中的任一個元素皆是可以視資料內涵特性及單位需求，進而選擇性使用，而非強迫性全盤使用。但在使用前必須詳閱每個元素的定義、範圍與應用層面，方便正確使用。

5.可重複性（repeatability）

此一原則與上述選擇性雷同，每個元素皆可重複使用，並非只能使用一次。例如，DATE 元素可以標引出版日、複製日、發行日、出土日、發現日等不同類型的日期。

6.可修改性（modifiability）

有時資料內涵特性或單位使用需求無法與現有 Dublin Core 十五個元素完全符合應用時，其實使用者可以找出同質或雷同性較高的的元素，予以解釋、重新定義後再使用，以符合實際作業需求。例如前述的的附元素與限定詞的制訂，皆是針對現有 Dublin Core 十五個進行實作後提出的建議。

其實在中央研究院實作經驗中，亦可發現 Dublin Core 尚有一大特點－連鎖（concatenation）；亦即不同元素間可以聯合使用，並達成類似附元素或限定詞的功能，似英國的普列式索引（Preserved Context Indexing System，PRECIS）。例如 DATE 元素，如前述範例列舉，有關出版日期其實可以和現有的 PUBLISHER 元素予以連鎖使用，達成資料的整體化與結構化的要求，對於資料庫設計、資料建檔與取用辨識等方面皆有很大的助益。

㈡元素說明

一九九五年起，Dublin Core 只有十三個元素，至一九九六年第三次會議時，又擴增了 Description 與 Rights-management 等兩個元素。大體而言，Dublin Core 元素可分為三種形式：內涵（content）、智財權（intellectual property）與指示性（instantiation）等。所謂內涵乃是標引資訊內容與外在形式的特徵；而智財權則兼具使用與系統管理等兩種層次，期以對資訊的創作、發行、使用與管理能符合智財權相關規定的要。至於指示性，則是將資料具有明白告知的屬性予以標示，而使用者無須特別指引或說明即可瞭解。目前國內吳政叡教授已將 Dublin Core 譯成中文，至於十五個元素分佈、歸屬情形如下：

內涵：Coverage、Description、Resource Type、Relation、Source、Subject/Keyword、Title

智財權：Contributor、Creator、Publisher、Rights-Management

指示性：Date、Format、Identifier、Language【Weibel, and Hakala, 1998】

至於限定詞與使用手冊（user guide）等方面，目前仍處於發展與討論階段，尚未定案，而有些 Dublin Core 元素亦有相同狀況；如 Resource Type、Relation 等元素。

㈢重要成果

截至目前爲止，Dublin Core 已對現有網路資源探索與 Metadata 具有相當大的影響力。就網路資源探索方面而言，Dublin Core 已可放在標準 HTML（HyperText Markup Language）語法與格式中，因而網路上的各式蒐尋引擎可以利用 Dublin Core 擷取資料，而使用者亦可找到較爲精準的資訊。就 Metadata 觀點而言，由於 Dublin Core 具有核心（core）、通用（universal）的屬性特色，因而現今各式 Metadata 格式皆以 Dublin Core 作爲基礎研發，同時 Dublin Core 亦作爲各式 Metadata 轉換的對象；亦即 Metadata 中的交換格式，一如 UNIMARC 之於一般 MARC（Machine-Readable Cataloging）。至於 Dublin Core 重要成果列舉如下：

- 結合使用 HTML 標準：即應用 HTML 4.0 的 META TAG 來標示 Dublin Core。
- 獨立自主的（stand-alone）Metadata。
- 可以放置在電子資源內（結合利用 HTML 之故）。
- DATE 元素值遵循 ISO 8601。
- 創立 Warwick Framework 一詞與觀念，促成 RDF 的研究發展。
- 多語文：目前已有英、阿拉伯、捷克、丹麥、荷蘭、法、芬蘭、德、希臘、印尼、義大利、日、韓、挪威、葡萄牙、西班牙、泰、土耳其與中文等不同版本。
- 完成附元素報告初稿（sub-elements draft report）。
- 結合應用 Z39.50。
- Dublin Core 已納入在 Z39.50 的 List of Bib-1 Use Attributes 內。
- 已成爲 IETF's RFC 2413 文獻。【Weibel, 1999】

五、現有問題與未來發展方向

即使 Dublin Core 已發展至成熟階段，但經過全世界各式研究計畫的測試實驗，發現 Dublin Core 仍有不足之處。本節茲分爲現有問題及未來發展方向等兩方面，闡述如下：

(一) Dublin Core 現有問題

依循著 Dublin Core 六次會議的召開與討論，Dublin Core 雖然已經獲致某種程度上的成果，但朝向全球使用的世界標準之際，無論就理論與實務兩方面而言，Dublin Core 也有一些既存的問題尚待解決。本文僅就 Dublin Core 的現況發展與歷次會議討論議題中，進行 Dublin Core 問題的剖析與探討。

1. Relation Substructure

在 Dublin Core 元素中的 Relation 是用來標示不同物件間的相互關係，有時也會與 Source 元素配合使用。就現況而言，此一元素仍在發展中，所以無論在定義說明、使用上皆未定案，尤其是在結構上更無定論。就如同 Stuart Weibel、Juha Hakala 兩人發表的文獻中，兩人就提出在使用 Relation 元素時，至少涉及物件本身、相關物件及兩者間的關係類型等三部份實體（entity），但是 Dublin Core 尚未將著錄語法予以明確規定與說明，因而提出相同的疑質【Weibel, and Hakala, 1998】。

2. Source Recursive

有關 Source 元素的應用，實際情形也是十分複雜，因爲 Source 的應用上會形成類似電腦程式中的回復週期（recursive）現象。如果又搭配 Relation 元素的使用與標示，此種情形會更形複雜。但是在 Dublin Core 中，由於沒有正式的使用手冊，因爲每個使用者與單位對其內涵與意義的詮釋亦是不同。因而，在使用方式上形成極不一致的現象【Weibel, and Miller, 1997】。

3. Registry for Schemes and Sub-elements

由於 Dublin Core 十五個元素的制定原則上是以通俗、簡單化爲主，但是爲了更能精準標示內涵及辨識之用，因而許多實驗計畫或是實際使用單位在應用上，其實大多數皆應用到所謂的附元素或限定詞，或是針對某一元素增加其內容值（value）。然而，爲達統一化、標準化的目標，這些應用值與附屬元素必須在良好的品質控管下方能達成，所以需要有一處（registry）負責登記、註冊與維護這些附屬元素與應用值【Weibel, Iannella, and Cathro, 1997】。此一問題也隨著 Dublin Core Initiative Homepage 的架設，以及相關工作小組的成立而漸趨解決當中。

4. Versions

在數位資源時代下，往往可以發現同一資訊內涵常以不同形式展現與使用；例如期刊、藝術品。以 Dublin Core 應用原則而言，是採取與圖書館編目規則相同方式－以手上整理的物件（object）爲主，亦即遵循前述的內在固有性的原則。若從實體的觀點切入而言，即可分別物件的性質。以中央研究院 Metadata 工作小組實作分析結果中，將之區分爲原件與複製等兩種類型。以期刊文章爲例，如果手上取得的是紙本式 JASIS 期刊中的 An Experiment on Node Size in a Hypermedia System 一文，但是網路上亦有電子形式者。基於此種前提下，紙本視爲原件，電子視爲複製，兩者應用的 Dublin Core 元素就不盡相同，而兩者間亦可經由 Relation 及 Source 元素標引、建立彼此間的相互關係。相同的，同一份資源原本形式爲銅製品（如中央研究院數位圖書館與博物館計畫中子計畫墓葬的銅鏡），原件爲銅鏡，但複製品可能有一張像片、兩個電子檔案。無論是原件與複製，或是相同形式的電子檔案都有版本判別的問題。

5. Colletions vs. Item Level Description and Relation

在數位資源世界中，雖然每個物件看似獨立，但是仍有某種相互依存的關係，而其中之一即是所謂的包含關係，一如叢書與叢書內的個集。由於 Dublin Core 中的 Resource 與 Relation 的應用與相關係並無明確的說明與規定，因而面對此種數位資源關係的標示，往往是模糊不清，或是由整理單位自行定義使用，未達成共識或一致性規範。所以，對於 Dublin Core 在邁向全球化之際，亦有所減損【Weibel, and Miller, 1997】。

6. Minimalist vs. Structuralist

所謂的簡化（minimalist）與結構化（structuralist）是相對稱的問題，前者主要源自 Dulbin Core 發展制訂的原則——簡單化（simplicity）。因而，無論就 Dublin Core 的產生與相關工具的應用（如網路蒐尋引擎）而言，皆十分容易實施，而且可以輕易達成全球通用的目標。基於資訊精準度的考量，Dublin Core 也允許使用所謂的限定詞或附元素來達成此一要求。在第四屆的 Dublin Core 會議報告內容中，Dublin Core 並將此兩種制定方向（approach）視爲衝突【Weibel, Iannella, and Cathro, 1997】。從實際應用上而言，其實是兩種不同極端的發展方式，而地理資訊領域應用 Dublin Core 的 ECAI (Electronic Cultural Atlas Interactive, http://www.archaeology.usyd.edu.au/research/ecai/metadata/) 即是其中一個明顯的個案。因而，我們可以發現各個實驗計畫只要是應用到所謂的限定詞或附元素的情形下，就應用層次、應用原則與組成方式等方面而言，皆沒有一套共通的遵循規範。所以，就應用的一致性與複雜度而言，前述不同的發展方式仍是一項隱憂，極待解決，否則屆時互通應用時，必須制訂許多不同的轉換表（mapping table）。

7. Multilinguality and Character Set

為了追求全球通用、一致化的前提下，目前 Dublin Core 已有十八種語文的版本，但是這些版本只限於 Dublin Core 元素的譯本而已，實際上並未將多語文處理的問題加以解決。由於 Dublin Core 強調的是跨語文與學科的特性，因而採取何種字集標準，就顯得十分重要。就現況而言，採用 Unicode 似乎是一項全球共通的趨勢，但是 Unicode 仍有 UTF-7、UTF-8、UTF-16 等問題。因而，Dublin Core 不若預期地容易解決有關字集字碼的問題。

8. Standardization

Dublin Core 雖然已通過 IETF（Internet Engineering Task Force）認證而取得 RFC（Request for Comment）文件的編號，但是實際上問題叢生。在第六次會議中主要議題之一即是如何應用資料模式（data model）與 ISO11179（Information Technology -- Specification and standardization of data elements）來規範制訂每一個 Dublin Core 元素，期使達成結構化、制式化、原則化與一致化【Weibel, 1999】。

如果綜合上述問題，其實根源是來自 Dublin Core 本身，亦即與制定及發展原則有著密不可分的關係。若依筆者實作與制訂 Metadata 的實務經驗中，以及就歷次會議文獻內容探討為基礎，將之區分為五種類型，闡述如下（請參見表二）：

表二：Dublin Core 現有問題根源分析表

問題 \ 根源與性質	Extensibility and Flexibility	Structure	Syntax-independence/ Language	International	Intrinsicality/ Target
Relation Substructure	▲	▲		▲	▲
Source Recursive		▲		▲	▲
Registry	▲	▲		▲	▲
Versions					▲
Collection vs. Item Level		▲			▲
Minimalist vs. Structuralist	▲	▲			
Multilinguality	▲		▲	▲	
Character Set	▲		▲	▲	
Standardization	▲	▲	▲	▲	

1.延展性及彈性（extensibility and flexibility）

雖然 Dublin Core 本身具備極高的延展與彈性容許不同使用者進行修改、擴增，相形缺乏一致性規範的規定下，形成百家爭鳴的現象，尤以 Source、Relation 與限定詞/附元素的應用最爲明顯。

2.結構化（structure）

由於缺乏一致性的著錄與制定原則前提下，有關限定詞或附元素的應用，是可視各單位需求與解釋自行決定。因而，我們可以發現每個 Dublin Core 元素若在不敷使用，或是爲了追求精確的資訊品質標引時，限定詞或附元素的應用層次深度與結合方式都是不同的。所以基於 Dublin Core 高彈性的延展與簡單性兩種原則下，就本質而言，是具備高度的相互衝突、矛盾性的。然而爲追求資訊精準度，以及轉換的容易度與成本考慮前提下，必要性的結構化仍是無法避免的；而第六次會議採取應用 ISO11179 與資料模式的決定，即是重新正視此問題根源，並試圖解決之。

3.語意著錄獨立性或語文（syntax-independence or language）

即使在著錄獨立性的原則下，可以忽略語意表示的問題，似乎可以解決語文的問題。但是基於全球通用的前提下，字集字碼仍與多語文處理相伴而生，並無法忽略不顧，尤其是在結合應用 XML 協定，有更多語意的表示與互通性皆可由 XML 來規定、陳述與展現。因而對 Dublin Core 而言，多語文的處理仍是必須要解決的重要課題之一。

4.資源內在固有性（intrinsicality or target）

無論是紙本或是電子式資源，皆有不同版本與不同資訊載體單位的問題，如何判別出最基本的資訊單位（basic unit）仍是根本的問題。若從物件導向（object-oriented，OO）觀點而言，亦即最小、最基本的物件單位爲何？若從 IFLA（International Federation of Library Associations and Institutions）的「Functional Requirements for Bibliographic records」研究報告內容中，將物件區分爲作品（work）、表達意念方式（expression）、資料形式（manifestation）與資料實體（item）等四種【International Federation of Library Associations and Institutions, 1998】。也許綜合上述兩種觀點的發展方式，是一項頗爲可行的解決途徑。

5.國際化（international）

在邁向國際化與全球化的前提下，Dublin Core 應特別留意一致性與規範性，無論是元素結構、多語文、限定詞／附元素的使用等皆是。

(二)未來發展方向：由討論至實作

即使 Dublin Core 具有上述缺點，但在眾多 Metadata 中，仍是最被看好之一。美國匹茲堡大學資訊科學學院圖書館資訊學系（Department of Library and Information Science, School of Information Sciences, University of Pittsburgh）服務的 Harold Thiele，以文獻探討方式針對 Dublin Core 作一深入瞭解、分析後，試從使用者行爲（behavioral side）、技術層面（technical side）與社會議題（sociological issues）三大領域提出建議【Thiele, 1998】：

- 使用者行爲
  - ◆Dublin Core 應與其他 Metadata 比較，是否較其他 Metadata 更有效地滿足使用者需求；如查詢。
  - ◆在龐大的網路領域中，Dublin Core 這些替代性物件描述實體（surrogate description）能否增益正確率（precision）之提高？
- 技術層面
  - ◆在查詢過程中，對於網路存取記憶機置（cache）的運作效能及網路頻寬（bandwidth）是否有助益？
  - ◆Dublin Core 比較適合於集中式或分散式的網路資源蒐尋引擎的應用？
- 社會議題

  是否應用替代性的物件描述實體的模式有傳統學術團體（traditional academic & research paradigm）與非傳統學術的個人（individual）等兩種，前者通常使用這些描述實體（如 Dublin Core），後者則不使用。而使用與否，則取決於網際網路資源是否需要應用這類替代性描述實體作爲品質的認證與審核之機制（authenticating or validating mechanisms）。

七、另類思考 Metadata 的再定位

由 Dublin Core 的探討，對於 Metadata 的制定、產生與應用也有初步的了解。本節以 Metadata 的定義、功能與索引層次與深度等三個方向，重新思索 Metadata 的定位、需求與未來發展方向。

㈠定義

一般而言，有關 Metadata 的定義十分眾多，而且看法也有所不同，但仍以資料的資料（data about data）爲多數人接受，且較無爭異。除此之外，重要者如下列舉：

- 描述資源屬性的資料（Data which describes attributes of resources.）【Dempsey,

Heery, Hamilton, Hiom, Knight, Koch, Peereboom, and Powell, 1997】

- 有關資料背景與關聯性、資料內涵以及資料控制等相關資訊（Information about the context of data and the content of data and the control of or over data.）【Chilvers, and Feather, 1998】
- Metadata 是一種有關全球資訊網資源或其他的機讀資訊（Metadata is machine understandable information about web resources or other things.）【Bernes-Lee, 1997】
- Metadata 就是資料（Metadata is data.）【Bernes-Lee, 1997】
- Metadata 是包括有關資料特性的資訊，但是 Metadata 必須對資料加以描述、詮釋，層次上應該涵蓋：人、物、時、地、原因及途徑等方向（Metadata consist of information that characterizes data. Metadata are used to provide documentation for data products. In essence, Metadata answer who, what, when, where, why, and how about every facet of the data that are being documented.）【"Tools for creation of formal metadata," 1998】

至於眞正的 Metadata 內涵究竟爲何呢？其實圖書館長久以來建立、維護與提供的線上公共目錄的書目資訊即是其中一個典型範例。但是 Metadata 範疇只限於此？若依據中央研究院 Metadata 工作小組研究與實作心得證實 Metadata 除了在於描述與詮釋資料與書目資訊相同外，但在層次與深度方面與傳統書目資訊是有所不同的。主要差異有四個方面：一爲任何物件皆是 Metadata 涵蓋的範圍，諸如圖書館界所熟悉的書、期刊、文章等，乃至器物、人等皆是。二則，範圍從實體典藏的物件擴大至虛擬典藏的各類物件。三是，詮釋的深度遠比以往更爲深入，並不僅限於內容主題的分析標引而已，尚包括了物件彼此互動關係，包括人、時、地、物、主題/事件（events）等五大主軸間的互動、牽引；換言之，從資料、資訊的整理提昇至知識內涵的建構。四爲，物件的辨識、保存、展示、取用、篩選與評估、服務及系統管理等方面皆是環環相扣，密不可分，並不可從單一觀點視之或處理。

㈡功能

Metadata 本是爲了有效整理網路源，進而解決資源探索與資訊篩選的問題。究竟 Metadata 是否只需具備描述資源的功能即可以達成前述要求？若依 Lorcan Dempsey 與 Rachel Heery 等人提出的「Specification for resource description methods. Part 1. A review of metadata: a survey of current resource description formats」報告內容中，他們列舉 Metadata 應該具備資源的位置標引（location）、探索（discovery）、記載（documentation）、評

估（evaluation）與選擇（selection）等五大功能。在此報告內容中，也提到 Metadata 還有兩項基礎功能：一爲，是一種有效利用發現資源的一種基礎（be fundamental to effective use of found resources）；二則，必須跨學科領域的互通應用（be interperable across protocol domains）【Dempsey, et al., 1997】。由本文探討 Dublin Core 中，亦可發現 Dublin Core 的確符合如此的要求，也正朝這些方向在進行。

㈢索引層次與深度

既然 Metadata 是爲了資源探索而生的，自然與檢索脫離不了關係。依 Stuart Weibel, Renato Iannella 與 Warwick Cathro 等人在第四屆 Dublin Core 會議報告文獻內容中，他們將 Dublin Core 發展方向歸納爲簡單化與結構（minimalists and structuralist）等兩種，同時進而引發在資源探索上形成五種方式：全文式索引（full-text searching）、非欄位化的替代性描述物件（unfielded surrogates）、簡化式欄位的替代性描述物件（minimally fielded surrogates）、制式化替代性描述物件（qualified surrogates）與高度結構化替代性描述物件（richly-structured surrogates）。一般而言，愈簡單化時，資訊建立所需的成本與時間是愈低，但是資源精確度則趨向愈低；反之，精確度高，所需的成本與時間則愈高。前者如 Dublin Core，後者如 FGDC（Federal Geographic Data Committed）Metadata。除此之外，在選用、制訂一套 Metadata 要留意索引的層次與深度外，更重要的是與不同 Metadata 間的轉換，以及展現方式的詳簡亦有十分密切的關係。

八、結論：從圖書館書目控制的觀點反思 Metadata 的應用與發展

究竟 Metadata 何去何從，其最終結果尚待時間與應用上等雙重考核後才有定案。在未有任何明確結果或定論前，無妨從荷蘭 DESIRE Project 預計要求 Metadata 達成目的爲例作爲一項預測，如下：

- 是否足以支援有效的使用者檢索及資源篩選？
- 能否利用現存在網際網路的各項協定來檢索、查詢？
- Metadata 是否容易產生而不論使用者背景爲何？
- 不同 Metadata 轉換時的資料漏失程度與比率；即精確度爲何？【Heery, 1996】
- 在圖書館亟思改變採用或制定 Metadata，而放棄既有的書目控制、分類與編目，以及 MARC 前，不如反覆思索或反問自己下列問題：
- 爲何不用 MARC 既有的資料欄位同時來描述現有的非電子與電子式的資源？原因爲何？

- Metadata 可以應用於非電子形式的資源？原因爲何？
- 就實質層面而言，Metadata 與 MARC 的差異爲何？
- 圖書館行之多年的書目控制與分編理論眞得完全不再適用？或是仍可適用？原因爲何？如何應用？
- Metadata 應用層面只限於描述與資訊檢索而已？是否包括典藏（archive）？
- Metadata 僅侷限於書目資訊而已？
- 原有圖書館書目控制強調的聚合功能（syndetic），在 Metadata 應用與展現時，是否仍具價値？
- Metadata 如何與現有的圖書館書目資訊結合爲一？方法爲何？效能如何？
- Metadata 是由學科專家、一般使用者，或是圖書館學專家產生的？
- Metadata 是給學科專家、一般使用者，或是圖書館學專家使用的？

參考書目

Young, H., ed. (1983). *The ALA glossary of library and information science.* Chicago: American Library Association.

Baker, T. (1997). Metadata semantics shared across languages: Dublin Core in languages other than English. [Online, Access Date：23rd August, 1997].
Available：http://www.cs.ait.ac.uk/~tbaker/Cores.html

Burnard, L., Miller, E., Quin, L., and Sperberg-McQueen, C.M.. (1996). A syntax for Dublin Core Metadata：recommendations from the second metadata workshop. [Online, Access Date：23rd August, 1998].
Avaiable：http://users.ox.ac.uk/~lou/wip/metadata.syntax.html

Caplan, P. (1995). You can call it corn, we call it syntax-independent metadata for document-like object. *The Public-Access Computer Systems, 6(4)*. [Online, Access Date：24th August, 1998].
Available：http://info.lib.uh.edu/pr/v6/n4/capl6n4.html

Caplan, P. (1997). To Hel(sinki) and back for the Dublin Core. *The Public-Access Computer Systems. 8(4)*. [Online, Access Date：1st February, 1998].
Available：http://info.lib.uh.edu/pr/v8/n4/capl8n4.html

Chilvers, A., and Feather, J. (1998). The Management of digital data: a metadata approach.

The Electronic Library 16(6), 365.

Dempsey, L., and Weibel, S.L. (1996, July/August). The Warwick metadata workshop: a framework for the deployment of resource description. *D-Lib Magazine*. [Online, Access Date：20th August, 1998].

Available：http://www.dlib.org/dlib/july96/07weibel.html

Dempsey, L, Heery, R., Hamilton, M., Hiom, D., Knight, J., Koch, T., Peereboom, M., and Powell, A. (1997). A Review of metadata：a survey of current resource description formats, executive summary section(Version 1.0.) [Online, Access Date：24th May, 1997].

Available：http://www.ukoln.ac.uk/metadata/DESIRE/overview/rev_pre.htm

Guenther, R. (1997). Dublin Core Qualifiers/Substructure. 15th October 1997. [Online, Access Date：20th August, 1998].

Available：http://www.loc.gov/marc/dcqualif.html

Heery, R. (1996). Resource description: inital recommendations for metadata formats(Ver. 1). [Online, Access Date：24th August, 1998].

Available：http://www.ukoln.ac.uk/metadata/desire/recommendations

International Federation of Library Associations and Institutions. (1998). IFLA Study Group on the functional requirements for bibliographic records. Munchen: Saur. [Online, Access Date：24th December, 1998].

Available：http://www.ifla.org/VII/s13/frbr/frbr.pdf

Miller, P., and Gill, T. (1997). Metadata corner: DC5: the search for Santa. Ariadne (12). [Online, Access Date：1st December, 1997].

Available：http://www.ariadne.ac.uk/issue12/metadata/

Springer, G.K., and Patrick, T.B. (1994). Translating data to knowledge in digital libraries. [Online, Access Date：22nd February, 1997]

Available：http://www.csdl.tamu.edu/DL94/position/springer.html

Thiele, H. (1997, January). The Dublin Core and warwick framework. *D-Lib Magazine*. [Online, Access Date：22nd January, 1998].

Available：http://www.dlib.org/dlib/january98/01thiele.html

Tools for creation of formal metadata: frequently-asked questions on FGDC metadata. (1998,

July 20). [Online, Access Date：29th August, 1998].
Available：http://geology.usgs.gov/tools/metadata/tools/doc/faq.html

Weibel, S. (1996, Julu/August). The Warwick metadata workshop: a framework for the deployment of resource description. *D-Lib Magazine*. [Online, Access Date：20th August, 1998].
Available：http://www.dlib.org/dlib/july96/07weibel.htm

Weibel, S. (1999, April). The state of Dublin Core metadata initiative. *D-Lib Magazine*. [Online, Access Date：19th April, 1999].
Available：http://www.dlib.org/dlib.april99/04weible.html

Weibel, S., Godby, J., Miller, E., and Daniel, R. (1995). OCLC/NASA/ Metadata workshop report. [Online, Access Date：24th August, 1998].
Available：http://www.oclc.org:5046/oclc/research/conferences/metadata /dublin_core_report.html

Weibel, S., and Hakala, J. (1998, February). DC-5: the Helsinki metadata workshop: a report on the workshop and subsequent developments. *D-Lib Magazine*. [Online, Access Date：20th August, 1998].
Available：http://www.dlib.org/dlib/february98/02weibel.html

Weibel, S., Iannella, R., and Cathro, W. (1997, June). The 4th Dublin Core metadata workshop report. *D-Lib Magazine*. [Online, Access Date：19th June, 1997].
Available：http://www.dlib.org/dlib/june97/metadata/06weibel.html

Weibel, S., and Miller, E. (1997, January). Image description on the Internet: a summary of the CNI/OCLC Image Metadata workshop. *D-Lib Magazine*. [Online, Access Date：20th August, 1998].
Available：http://www.dlib.org/dlib/january97/oclc/01weibel.html

由讀者反應批評理論看閱讀研究的未來

葉乃靜
世新大學圖書資訊學系講師

一、前言

閱讀是種普遍的行爲，是多數人都有的經驗，甚至是部分人生活中的主要活動之一。而閱讀的重要性更不乏學者極力鼓吹，尤其是近年來教育部提倡所謂的終身學習年，鼓勵讀書會的設立，強調資訊素養的重要性，在在都說明了閱讀活動的重要。

首先，知識的獲得就有賴於閱讀理解，從閱讀中我們可以很快的覺知到整個社會的變動與新知識的發展情形，因此，個體必需是個有效的讀者，才能隨時學習新知，掌握社會的脈動❶。

閱讀除了是終身學習的基本素養外，也是文化發展的重要指標。有良好閱讀習慣的人，不但爲知識找到一扇門窗，也會讓自己享受到優質生活的樂趣。因此，一些先進國家無不積極促進閱讀活動。例如邱天助指出，1998 年英國宣佈爲「全國閱讀年」，聲稱閱讀是一種生命的技巧（Reading is a life skill）；美國也通過「卓越閱讀法案」，閱讀已是美國人普遍的休閒活動。日本自 1993 至 1997 年，動用了五億日圓實施閱讀計畫，提倡學校晨間閱讀活動，車廂中人手一冊，是日本常見的社會現象。反觀臺灣，臺灣地區出版活動之蓬勃，並不亞於先進國家，但閱讀仍然未能進入人們的生活世界，在國人的休閒生活，閱讀並不算普遍❷。

雖說推動閱讀活動是件刻不容緩的事，然而，對於人們閱讀活動的了解，我們所知有多少呢？了解閱讀活動和現象是促進閱讀的前提，因此，本文探討了閱讀研究的必要性，詳析前此閱讀研究的問題，並企圖由讀者反應批評理論來看閱讀研究的未來方向。

---

❶ 羅明華，“從先備知識和文章架構談閱讀理解”，教師之友 第 35 卷第 4 期（83 年 4 月）：頁 19。

❷ 邱天助，讀書會的新主張——讓書活起來。

如此，不僅能對閱讀研究有一個全面的了解，也才能不讓閱讀文化的存在，如同 Marie-Therese Schins 所說的，成了一種純粹的烏托邦（pure utopia）❸。

二、閱讀研究的重要性

誠如前述，閱讀是人們獲得資訊主要的方法，不論是印刷或電子資料。尤以 Douglas Waples 對美國的估計，讀者幾乎佔了總人口數的 95%，因此，我們對讀者的閱讀活動認識愈多，我們就愈能了解讀者❹。然而，對這群人的閱讀活動，不論是他們的閱讀動機、行爲、喜好、閱讀資料來源、閱讀影響等，我們的認識極爲有限。

例如美國 CNN 新聞曾報導，1994 年約有 67% 的美國人使用公共圖書館，其中 80% 是借書，也就是說有一億四千萬的圖書館使用者。但對於其由閱讀公共圖書館所提供的讀物中獲得什麼，我們卻一無所知❺。

美國圖書館協會研究和統計辦公室（ALA's Office of Research and Statistics）指出，在我們的社會，公共圖書館多於麥當勞，小孩登記參加公共圖書館暑期閱讀計畫者，較少棒聯盟（Little League Baseball）多❻。更何況，自 1879 年美國圖書館協會提出了「以最少的經費，購買最好的讀物，給最大多數人使用」（The best reading for the largest number at the least cost）以來，圖書館一直奉爲圭臬，但讀者的閱讀行爲，我們卻忽視了數十年❼。

閱讀是如此的重要，但卻被我們忽略了，Wayne A. Wiegand 就指出，在圖書資訊學教育和研究中，我們很少看到閱讀相關的主題，甚至在 1996 年 10 月美國圖書資訊學教育協會（The Assocation of Library and Information Science Education -- ALISE）所草擬的「策略計畫」（Strategic Plan）中，「圖書館」這個字眼只出現一次，而「閱讀」這個字則沒有。Wayne A. Wiegand 質疑說，我們想要再造我們的專業，卻沒有完整的了解圖書館身爲一個社區中基本的閱讀機構，所應扮演的角色。如果我們不了解最近有關

---

❸ Marie-Therese Schins, "Social Aspects of Promoting Reading," International Review of Children's Literature and Librarianship 8 (1993): 143.

❹ Douglas Waples, "Reading Studies Contributory to Social Sciences," *Library Quarterly* 1 (1993): 292.

❺ Wayne A. Wiegand, "MisReading LIS Education," *Library Journal 122* (June 15, 1997): 38.

❻ Wayne A. Wiegand, "Out of Sight, Out of Mind: Why Don't We Have Any Schools of Library and Reading Studies?" *Journal of Education for Library & Information Science* 38 (Fall 1997): 321.

❼ Wayne A. Wiegand, "Tunnel Vision and Blind Spots: What the Past Tells us about the Present; Reflections on the Twentiety-Century History of American Librarianship," *Library Quarterly* 69 (1999): 3.

閱讀方面的研究，我們也無法做什麼❽。

Wiegand 甚至認爲，若我們無法分析人們閱讀的多重價值時，我們不僅會忽略大好機會，我們的專業的機會將極爲有限，也易被一些假象矇避。我們會與長久以來圖書館所服務的多數人項背，甚至不知道原因何在❾。

1996 年 Ross Atkinson 曾對資訊內容的價值和檢索資訊的價值做了區分，他提到圖書館提供的資訊服務較重視資訊檢索，遠甚於資訊內容❿。但這種對檢索的強調並沒有讓我們更好，只是引導我們將資訊視爲是「物品」（object）⓫。也忽略了對某些人而言，這些資訊的價值爲何。圖書館一直在提供資訊以滿足人們在某種社會文化基礎下的資訊需求，但是卻不知道爲什麼。因此，雖然在現代所處的資訊社會裏，新科技的運用是很重要的，但也不能重科技而輕忽了我們的基本任務，這也是爲什麼我們必須進行閱讀研究的原因。

三、前此閱讀研究的問題

20 世紀前二十五年裏，受到社會科學發展的影響，圖書館員開始對閱讀調查產生興趣。雖然，那時已顯現出圖書館員注意到使用者閱讀的動機興趣的重要，但圖書館員了解閱讀現象的方法，只是圍繞著「圖書」討論，而不是考慮到「讀者」，也就是比較不重視讀者主觀的看法，也忽略讓讀者陳述自己觀點的意義。而這種方式其背後的意識形態，正是傳統圖書館對「好」書的信仰⓬。

當時，美國圖書館協會提出「以最少的費用，購買最好的圖書，提供最大多數的讀者使用」（The best reading for the largest number at the least cost）的口號，正是這種意識形態表現的最佳寫照。當時圖書館的功能或圖書館員的責任，就在於讓更多的人讀更多好書⓭。圖書館員重視圖書輕忽讀者的觀念，與現代文學理論中新批評時代，對文本的重視是不謀而合的。

---

❽ Wiegand, 1997, 36.

❾ 同註❺。

❿ Ross Atkinson, "Library Functions, Scholarly Communication, and the Foundation of the Digital Library: Laying Claim to the Control Zone," *Library Quartery* 66 (July 1996): 241.

⓫ Wiegand, 1997, 315.

⓬ Stephen Karetzky, Reading Research and Librarianship : a History and Analysis (London, England : Greenwood Press, 1982): 3.

⓭ Stephen Karetzky, 9.

除了強調「好書」對讀者的重要性外，圖書館員的閱讀研究，事實上有某種程度是由圖書流通指標來看。如依杜威分類法來統計各大類的流通量，同時也區分小說和非小說、適合成人或兒童之圖書分別統計，這些指標也成了公共圖書館年度報告的一部分。

然而，流通統計資料卻常為圖書館員誤用，例如在當時因為擴大圖書館使用的壓力，使得圖書館購買了大量最受讀者歡迎的娛樂性小說。可是，一旦流通率被視為圖書館服務的評估標準後，很多圖書館員發現，每年為了增加流通率，他們必須要購買愈來愈多的小說，以吸引更多的讀者來圖書館⓮。

1924 年圖書館員對社區的調查產生了興趣，希望能了解所服務的社區和讀者。當時圖書館的讀者顧問（readers' advisers），雖也會分析讀者的閱讀興趣和使用圖書館的情形，更使用各種方法促進閱讀：如建立漂亮的館舍、使用流動書車、讀者指引服務、開架式館藏陳列以利讀者瀏覽等。但是，他們沒有了解到，要刺激讀者閱讀應先了解讀者為什麼想要閱讀？那類資料能讓他們享受到閱讀的樂趣？⓯

歸納來說，20 世紀初期對閱讀研究的興趣，主要在探討讀者讀了那類型的圖書、讀者的興趣是什麼、閱讀了多少書、及閱讀的內容是什麼等問題，而且都以量化研究為主。在當時，對讀者個人的研究或閱讀產生的影響和意義，較沒有人留意⓰。

到了 1930 年代，圖書館學開始採用科學方法，並試圖引進其他學科的研究方法，來了解圖書館的問題，芝加哥大學圖書館學研究所更成立一個委員會鼓勵教師進行研究。只是，當時由於社會上經濟不景氣，圖書館在社會上的重要性也就不如教育、衛生組織等機構。因此，對圖書館研究的注意，非來自人們認為圖書館就社會文化的角度來思考是有其重要性的，而是因為社會對成人教育的重視，這導致當時的閱讀研究並沒有較 20 年代有更大的發展⓱。

1946 年「公共圖書館調查」是美國使用者研究中規模最大的，旨在依據社會、文化及人性等因素，評估公共圖書館達到其目標的程度，及公共圖書館對美國社會潛在和實際的貢獻⓲。爾後，使用者研究漸受重視，但對閱讀的研究卻仍少見。

⓮ Stephen Karetzky, 4.

⓯ Stephen Karetzky, 5.

⓰ Stephen Karetzky, 18, 22.

⓱ Stephen Karetzky, 27-32.

⓲ "The Public Library Inquiry: Full Text of the A.L.A. Social Science Research Council as Announced in the Last Issue of the Library Journal," *Library Journal* 72 (1947): 698.

即使是圖書館使用者研究在 1940 年代後漸漸受到重視，然而，其早期的研究重心仍偏重在以人口變數來預測使用者的行爲，這種方式是偏重由圖書館的角度來看使用者，是系統導向的研究方法，而不是以人爲導向的。系統導向的研究只能讓我們知道圖書館讀者的人口特質，並無法了解究竟使用者爲什麼使用圖書館？圖書館對他們的幫助是什麼？使用圖書館後，對他們的生活是否產生那些影響？這正是前此閱讀研究存在的最大問題。

四、「讀者」的興起

事實上，圖書館界由 20 世紀初期重視「好書」，到 40 年代末開始注意到使用者調查，這樣的轉變與現代文學理論的發展過程，頗爲一致。現代文學理論的發展可分爲三個階段：專門研究作者（浪漫主義和十九世紀）、專注於文本（新批評）、轉向讀者反應[19]。19 世紀浪漫主義盛行，標榜作者神聖，作者至上。作者不但被視爲有創意、有見解的獨立個體，更是具有自主性的主體，而每一作品都是作者主觀情感流露的創作成果。作品內容或意義全屬作者的意願或想法，意義來自作者，作者爲藝術而藝術，爲創作而創作，完全自主[20]。

但是，對於作者自主，作者至上，作者是天才的論調，Roland Barthes 則不以爲然，他指出作者的觀念是意識形態下的產物。作者並非自古以來，就一直是被強調的主體。強調作者的創意與個性是文藝復興以後的事。在「作者之死」（The Death of Author）一書中，巴特以讀者爲中心，宣布作者的死亡，否定作者至上的詮釋[21]。

由於對「作者至上」之看法的反對，出現了以文本爲主的理論。文本理論認爲，文本是獨立自主的客體，意義由文本自身顯現，與作者的心靈、創作意圖無關，也與讀者的理解無關。因此，它排除了作者和讀者的主觀性、隨機性，認爲文本自身是獲得意義的唯一途徑。它試圖建立一種客觀的、科學的讀解理論或文學理論[22]。

長期以來西方的文學理論，以作者或文本爲核心，忽視了讀者及其閱讀接受對文學研究的意義，直到 20 世紀詮釋學和接受理論受到重視後，才有所轉變。也使西方文學

[19] Terry Eagleton 著；吳新發譯，文學理論導讀（臺北市：書林，民 82）：頁 97。

[20] 孫小玉，“解鈴？繫鈴？——羅蘭巴特，” 呂正惠主編，文學的後設思考（臺北市：正中，民 80 年）：頁 87。

[21] 孫小玉，頁 87-88。

[22] 蔣成瑀，讀解學引論（上海市：上海文藝出版社，1998）：頁 104。

理論研究從所謂的「作者中心」向「文本中心」再向「讀者中心」轉向。也出現了「讀者反應批評」，其代表人物正是 Stanley Fish ㉓。

「讀者反應批評」這一術語出自美國文學批評，指所有以讀者爲中心的文學理論與批評，主要受到德國接受理論的影響。接受理論又稱爲接受美學，不僅是一種文學理論，也是一種美學理論，與起於六十年代後期的接受理論在七十年代達到高潮，主要的代表是德國康士坦茨學派，代表人物則爲 Hans-Robert Jauss 和 Wolfgang Iser ㉔。

其實，「接受美學」（reception aesthetics）或「接受理論」（reception theory）發源於詮釋學。詮釋學源自對「聖經」的詮釋，它的主要任務是在理解經典作品的意義㉕。接受美學強調讀者的閱讀「接受」，他認爲，書需要有一種閱讀意識才能使它實現爲作品。在閱讀過程中，「客體」消失了，它進入讀者「至深的自我」之中，獲得一種全新的存在，它的物質實在性消失了，轉而成爲一種心理實體（意象、觀念、語詞），一種意向或主體化的「客體」，一種關於另一個人的透明意識，作品在讀者身上獲得生命㉖。Roland Barthes 也認爲，文章是開放且多元的，爲讀者提供了無窮盡的詮釋管道，因此，文本的意義全由讀者個人意願所賦予㉗。

接受理論也認爲，文本本身實際上不過是給讀者的一系列「提示」，誘發他將語言作品建構成意義，讀者將文學作品「具體化」（concretizes）。作品本身不過是白紙上一串有組織的黑色符號，沒有讀者的參與，就無所謂的文學作品。文學作品不管看來多麼堅實，對於接受理論而言，實際上是「空隙」組成的。作品充滿「不確定性」，這些因素的效用取決於讀者的詮釋，而詮釋的方式每個讀者各不相同，可能還相互衝突。因此，接受理論認爲，閱讀過程永遠是動態的，是時間之流中複雜的運動與開展㉘。

同樣的，讀者反應理論在現代文學批評理論中主要是在反對傳統認爲文本有單一的意義，及權威來自作者（lines with the author）的說法。讀者反應理論認爲，文本有很

㉓ 朱立元，當代西方文藝理論（上海市：華東師範大學出版社，1997）：頁 275。

㉔ 同上註。

㉕ 同註⑲。

㉖ Elizabeth Freund 著；陳燕谷，讀者反應理論批評 = The Return of the Reader（臺北市：駱駝出版社，民 83 年）：頁 134。

㉗ 孫小玉，頁 89。

㉘ Terry Eagleton 著；吳新發譯，頁 100。

多可能的意義是藉由文本的特色和讀者自身的特色，二者之間的互動而建構起來的㉙。

以往我們總是像鸚鸝學說話一樣，只是照著指引者對文本的詮釋來了解文本。讀者反應理論認爲文本的意義，不只是一個被描述的物體，而是一種被經驗的效果（effect）。讀者在文本中尋找意義，這種尋找會受到其現在的情境、標準所影響，而且這種情境和標準是每個社經團體所不同的。閱讀讓文本和作者連結起來，同時也是文本有效的因素㉚。而且，讀者有閱讀的自由，他們在閱讀中建構意義，因此，讀者在面對文本時是活躍的、抗拒的、有力的（powerful）㉛。

Hans-Robert Jauss 也提出了「眞正意義上的讀者」，即接受美學意義上的讀者。他認爲，讀者實質性地參與了作品的存在，甚至決定著作品的存在。離開了讀者，擺在桌上的「唐吉訶德」與擺在桌上的燈有什麼兩樣呢㉜？吳新發也指出，「我們的」荷馬（Homer）和中世紀的荷馬不同，「我們的」莎士比亞和同代人士眼中的莎士比亞也不同。不同的歷史階段依各自的目的建構了「不同的」荷馬和莎士比亞。所有的文學都被閱讀它們的社會「改寫」，即使僅是無意識地改寫。任何作品的閱讀同時都是一種「改寫」㉝。

讀者反應理論的興起，顯示出文學研究方向已由強調作者、文本，轉變爲強調讀者的重要性。這對閱讀研究方向也有另一種的啓示，也就是說，我們不能再像過去只重視「好書」或強調精英文化，認爲圖書館應該幫讀者選購某些作者的精英作品，試圖藉由閱讀這些好書提升他們。反而我們應該聽聽讀者的聲音，只要他們喜歡閱讀的圖書，圖書館就應該考慮爲他們提供。

五、閱讀研究的未來方向

前述提及讀者反應理論在近代已成爲文學理論的主流，事實上，西方近代文學理論經過二次的轉移，也就是二次歷史性的思潮改變。第一次是從研究作家爲重點，轉移到

㉙ Judith A. Howard, Carolyn Allen, “Making Meaning: Revealing Attributions Through Analyses of Readers’ Responses,” *Social Psychology Quarterly* 52 (1989): 280.

㉚ Wiegand, 1997, 317.

㉛ Kelly Coyle and Debra Grodin, “Self-Help Books and the Constructionof Reading: Readers and Reading in Textual Representation,” *Text and Performance Quarterly* 13 (1993): 63.

㉜ 朱立元，頁 288。

㉝ Terry Eagleton 著；吳新發譯，頁 36。

以研究作品文本重點；第二次是從研究文本爲重點，轉移到研究讀者和接受㉞。

20 世紀西方文學理論中，佔主流地位者不論是浪漫主義、現實主義或實證主義，研究重心都擺在作者，關注作者的創造性想像、靈感、心理活動和意識等。直到 20 世紀二、三十年代，隨著形式主義、語義學和新批評派的崛起，才開始將重心轉向作品，這是西方文論研究的第一次轉移。在當時，由於現象學和存在主義文論，在關注文學作品的同時，也注意到讀者的接受問題。到了六、七十年代詮釋學和接受美學的出現，歷史性的第二次轉移也就完成了，也就是研究的重心已由作品轉向讀者對文本的接受上㉟。

事實上，由西方文學理論的發展，也啓示閱讀研究的未來方向，應該有所調整。因爲，閱讀是一種活躍的過程，是在建構意義的。閱讀的過程不只是被動的接受，而是要參與、且有創造性的詮釋。文本的寫作是固定性的，但詮釋的活動卻能發出新義，換句話說，讀者的每一次閱讀經驗都是全新的㊱。因此，我們應該透過閱讀者的眼光來看文本內容對他們的意義。

由讀者反應批評理論的角度來看圖書館對讀物的選擇，我們應讓選擇權還給讀者。且從這個角度來看，好的讀物並不一定要是西方經典作品（classics of western civilization），而是符合讀者自己閱讀需要和喜好的。這種喜好每個人不同，不只是人人有別，時時也有差異，並要符合環境的改變㊲。

就此來看，館藏發展所謂的「給他們想要的」（give ‘em what they want）的哲學，有了全新的意義。這種對傳統圖書館服務改變的認知，不僅尊重讀者付予其閱讀價值的權利，也尊重其依自己社會文化環境做的合理決定的能力㊳。

事實上，晚近的閱讀研究也指出了研究的新方向，尤其是反應在小說和羅曼史的研究上。例如通俗文化（popular culture）和娛悅閱讀（pleasure-reading）的研究，漸漸受到重視。

過去，小說一直被視爲「垃圾」或「心靈糖衣」。即使像芝加哥公共圖書館早在 1923

㉞ 朱立元，頁 4。

㉟ 同上註。

㊱ 林慶文，“現象·閱讀·存在”，創世紀詩雜誌 第 101 期（83 年 12 月）：頁 80。

㊲ Catherine Sheldrick Ross, “ ‘If They Read Nancy Drew, So What?’ : Series Book Readers Talk Back”, *Library and Information Science Research* 17 (1995): 505.

㊳ Wiegand, 1997, 37.

年就成了讀者部門（reader's bureau），展開讀者諮詢服務的行列㊴。但當時閱讀主要的目的是在提升自我，或針對某個主題爲讀者進行教育，閱讀的快樂並不受重視。因此，芝加哥公共圖書館擬訂一套引導讀者閱讀的計畫，由閱讀介紹性作品開始，到閱讀複雜主題，如經濟、社會學或古典英國戲劇。John Chancellor 認爲，當時的讀者顧問服務，應促使圖書館成爲人民的大學，他甚至說，應儘可能的讓讀者有一完整和全體的觀點，不只是鼓勵人們閱讀，也要有目的的閱讀。而當時讀者顧問的工作就是要刺激有目的的、發展性的閱讀經典之作㊵。

但文化研究的學者認爲應將重點擺在情感方面，如快樂、滿足（fulfillment）、娛悅（pleasure）、人類基本的感覺。通俗文本會讓讀者獲得與自己生活相關的意義，因爲讀者能控制它，因此，閱讀變成有趣的活動㊶。

例如英國閱讀社會學家 Peter Mann 曾做一項研究顯示，約有三分之二的借書者是爲了快樂或放鬆。很明顯地，公共圖書館的主要功能是小說的流通。英國的書目治療專家 Joseph Gold 指出，小說不只是改變人們的生活，也改變他們的思想和感覺，人們甚至將閱讀視爲克服壓力的方法㊷。1983 年美國「圖書出版工業研究小組」（The Book Industry Study Group）的研究顯示，人們閱讀的圖書中有五分之一是來自公共圖書館，其中，小說就佔了流通率的 60-70% ㊸。

由此可見，過去被圖書館視爲非主流、對提升自我沒有幫助的小說，反倒證實是讀者喜歡的讀物之一。因此，我們要眞正了解圖書館的使用者、使用者的閱讀行爲、閱讀對他們的意義及產生的影響，我們不能再由圖書館的角度來看，也不能只是一味強調圖書館員所認定的好書，用圖書員自己的眼光來判斷使用者應看的圖書。相反的，我們應該回歸到使用者，如同讀者反應批評理論所強調的，讀者與文本的互動中，是讀者在建構文本對他們的意義，而不是作者或文本自身，因此，未來的閱讀研究，我們應朝著以讀者爲中心的角度來思考，了解閱讀對他們的意義，如此的研究方向，才有助於我們對讀者的了解，並以爲建立圖書館館藏或設計圖書館服務之依據。

此外，我們也可以將詮釋社群的概念運用於閱讀行爲上，「詮釋社群」（interpretive

㊴ Catherine Sheldrick Ross, 503.

㊵ Catherine Sheldrick Ross, 504.

㊶ 同註❽。

㊷ Catherine Sheldrick Ross, 507.

㊸ Catherine Sheldrick Ross, 509.

communities）的概念，是 Stanley Fish 提出的，用來說明語言的社會性。所謂詮釋社群是指社會由於分工而產生不同的社會位置，處於相同、相似、或相連的社會位置的人往往呈現出比較類似的世界觀，透過這個共通的世界觀來認識事物，就會對事物作出相同或相似的看法或說法（即詮釋），因此，我們可以說，這些人同屬一個詮釋社群。每個人同時屬於好幾個不同的詮釋社群，因爲一個人可能同時具有好幾個不同的社會身分，一個人在不同的場合有可能採取不同的詮釋策略㊹。

Fish 認爲，是詮釋社群塑造出我們，讓我們彼此可以溝通。意思就是說，社群的詮釋規範是我們了解世界的媒介。而且，我們唯有按照社群的詮釋規則來發言，才可能被其他成員聽懂。因此，我們在任何時刻、任何場合，都是在某某社群的世界觀中運作的；換言之，我們永遠不可能有「個人」的時侯㊺。

Fish 認爲讀者對文本的詮釋來自其所屬的詮釋社群，他是社群的成員，因此會影響其認知。事實上，既不是穩定的文本，也不是自由、獨立的讀者在產生意義，而是詮釋社群㊻。因此，就閱讀的「作者、文本、讀者」三環節而言，Fish 認爲閱讀這一行爲或活動必須在讀者參與下進行，讀者的閱讀體驗是對文本事實的一種反應，文本只是一種陳述㊼。也因此，1980 年 Fish 的論文結論是「讀者創造了他在文本中所看到的一切」。讀者由閱讀獲得的任何意義，並不是因爲文本的關係，而是讀者個人。甚至嚴格來說，也不是個人，而是個人所屬的詮釋社群㊽。因此，讀者在閱讀時對讀物的詮釋或理解，是否受到詮釋社群的影響，這是未來閱讀研究頗值得探討的問題。

此外，究竟閱讀對讀者產生了什麼影響，也是我們應該進一步研究的。除了前述的閱讀產生的娛悅感受，是否對其生活或知識結構產生什麼變化，這些也是前此研究缺乏的。我們可以用 B.C. Brookes 的基本方程式來說明：㊾

㊹ 何春蕤，多元開放的文學教室——史丹利·費許的務實作風，呂正惠主編，文學的後設思考（臺北市：正中，民 80 年）：頁 195。

㊺ 何春蕤，頁 196。

㊻ Stanley Fish, *Is There a Text in This Class?: The Authority of Interpretive Communities* (London, England : Harvard University Press, 1980): 14.

㊼ 斯坦利·費什著；文楚安譯，讀者反應批評：理論與實踐 （北京市：中國社會科學出版社，1998）：頁 5。

㊽ 斯坦利·費什著；文楚安譯，頁 4。

㊾ B.C. Brookes 著；王崇德等校，情報學的基礎，情報科學　第 4 卷第 4 期（1983）：頁 91。

$$K(S) + \blacktriangle I = K\ [S + \blacktriangle S]$$

K(S) 指原有的知識結構，▲I 指獲得的資訊，在此我們可以視爲閱讀後獲得的資訊，K [S + ▲S]表示獲得資訊後，產生的新知識結構。閱讀是否會有知識結構改變的現象發生，及產生了那些改變，這些改變對閱讀者有什麼樣的影響，這些都是未來閱讀研究的新方向。

六、結論

閱讀研究是了解圖書館使用者的前提，因爲使用者是圖書館之所以存在的主要原因。我們不能把傳統圖書館的目標（提供讀物給讀者）遺忘了，但也不能再如同過去用自己的眼光和看法，爲使用者下判斷（應讀那類圖書）。過去，圖書館想要提供經典作品來提升使用者的意圖，已受到批評，因爲，閱讀不見得是要目標導向（goal-oriented）的，它更可能是一種快樂的經驗㊿。

讀者因爲閱讀他們喜歡的圖書而成爲讀者，他們並不會接受圖書館爲他們安排的「好書」。因此，過去圖書館一直念茲在茲的，要發揮教育的功能，應承擔教育讀者的責任，協助他們登上閱讀階梯，讓讀者由閱讀劣質圖書，改爲閱讀優良讀物，以成爲民主時代的好市民的心理，及認爲公共圖書館提供的小說一定要有教育價值，不能只是一種快樂的來源；或是反對閱讀廉價小說等情形，都應該拋棄[51]。

我們應該由讀者的角度來研究閱讀現象，包括讀者閱讀的原因、閱讀對他們的意義及影響、影響閱讀的因素等。如此，我們才能走出圖書館服務的新方向，提供眞正符合讀者需求的圖書資料。

致謝：本文得以順利完成作者感謝鄭雪玫教授的指導，在此敬表謝忱。

---

[50] 同註❸。

[51] 同註[43]。

寫圖書館歷史的人——讀嚴文郁著《美國圖書館名人略傳》有感

嚴鼎忠
國家圖書館參考組編輯

生於本世紀初（西元一九○四年）的嚴文郁教授，可說是目前我國圖書館界僅存的耆老。他在民國十四年從武昌文華大學圖書科畢業後，入北京大學圖書館任圖書部西文編目員，同時擔任中華圖書館協會常務幹事，自此展開了其圖書館員的生涯。在其服務的圖書館當中，國內的有：國立北平圖書館、國立北京大學、國立西南聯合大學、國立社會教育學院和國立羅斯福圖書館。國外的有：聯合國圖書館、美國俄亥俄州立大學等。他也曾在俄亥俄州立大學、臺北輔仁大學講授圖書館學。

嚴先生年少時，基於北京圖書館與美、德等國圖書館簽訂協議，使他得有機會到美國紐約哥倫比亞大學圖書館整理中文館藏，並進圖書館學院深造獲碩士學位。至德國普魯士邦立圖書館，擔任客座館員一年。綜觀他一生歷練，讀書、編書、管書、教書、寫書未嘗間斷，在他七十餘年的職場生涯中，接觸到各地的圖書館與圖書館學家，也因此由學圖書館學、做圖書館事的人來撰寫《美國圖書館名人略傳》（以下簡稱本書），讀來意義非凡，令人感觸頗深。

面對自己一生職志的圖書館事業，看到前人、同僚努力奮鬥不懈，所建立出來的基業，其間的成敗與得失、褒貶與毀譽，都在時間的洪流中論定又消逝，故願推薦本書給圖書館的學生及從業人員一讀，必當對日後己身有所啓發。

壹、傳記記傳　重建不易

嘗記得幼小時，有位老師鼓勵我們多讀一點傳記的書，他認爲傳記具有潛移默化的功能，會使得年輕人有目標、有理想，積極任事。多年來，對於傳記的體認則爲：

少年的時候，建立人生追求榜樣；

青年的時候，學習事業成功祕訣；

壯年的時候，欣賞別人因緣際會；

老年的時候，分享自己過往人生。

清代學者章學誠詮釋傳記二字爲：「錄人物者，區之爲傳；敘事蹟者，區之爲記。」簡單的說，傳記就是記載人物生平事蹟的文字。如果探究人物傳記資料的內容，應該包括：基本資料、生平事蹟與議論等三方面。許多傳記文章也大多遵循此一架構撰述。在這五十位圖書館學家中，〈查理．哈維．布朗〉(34)❶，是一篇重寫的文章，先前曾在《中國圖書館學會會報》第 11 期以〈查理布朗博士傳略（Charles Harvey Brown）〉爲名刊載過，當時全文分成：生平概述、在 Iowa 州立大學之成就、對美國圖書館界之貢獻、對國際圖書館合作之努力等四個單元。然而在本書的論述中，著者不再細分爲若干節，多以編年及記事本末方式來介紹傳主一生的事蹟與貢獻。雖然稍微失去了提綱之效，然而也除去了學術論文的嚴肅，增加了閱讀的連貫與趣味。

沈寶環教授也曾談到寫作時「資料太多不易掌握，資料太少不敷應用。」❷傳記學者一如歷史學者，都是在「重建」歷史。撰述傳記文章時，可資運用資料的多寡、以及考證事實的能力，關係著「重建」歷史的成與敗。

本書著者在撰述過程中，儘量引用他人對傳主的讚詞、回憶、言論等，增加了文獻的生動與客觀性。另外，擇錄傳主的論述精華，也是傳達傳主學術理念及其影響的重要方法。國內昌彼得先生在編〈蔣慰堂先生年表〉❸、張錦郎先生在編〈藍乾章先生七十著述年表〉❹中都採用此法。對於以「略傳」而言，已經能達到應有的成效。臺灣大學胡述兆教授所撰的〈圖書館學大師杜威年表〉❺乙文，則有爲杜威大師編製「年譜」的

---

❶ 為便於讀者翻閱原文，括弧（ ）內之阿拉伯數字，代表該傳者在《美國圖書館名人略傳》書中的編序。

❷ 沈寶環。〈兩個杜威——從這個杜威聯想到那個杜威〉，《圖書館事業何去何從》（臺北市：臺灣學生，民國 82 年 6 月），頁 205。

❸ 昌彼得編。〈蔣慰堂先生年表〉，《蔣復璁先生九四誕辰紀念集》（臺北市：中國圖書館學會，民國 80 年 11 月），頁 3-21。

❹ 張錦郎編。〈藍乾章先生七十著述年表〉，《慶祝藍乾章教授七秩榮慶論文集》（臺北市：文史哲，民國 73 年 12 月），頁 275-285。

❺ 胡述兆。〈圖書館學大師杜威年表〉，《中國圖書館學會會報》第 61 期（民國 87 年 12 月），頁 181-199。

感覺，是需要許多資料做為佐證，更需要時間與功力，非一蹴可及。

貳、留名青史　四方仰望

立德、立言、立功的三不朽，似乎是人們來世間走一回的目的，人們總希望後人在回憶歷史過往時，能夠再度的想起，曾經有人孜孜不倦地盡自己的本分做事。我們暫且不論本書的收錄人選是否得當，畢竟只要有「選」都會加入主觀因素。針對這五十位「名人」，我們想瞭解他們在圖書館事業裡，因爲成就了那些事情，使得他們得以「成名」，或許對於吾輩以圖書館爲職志者，將有所啓示。

㈠開創新局：如史波福特(3)，爲美國國會圖書館第六任館長，後自願改任副館長，一共在國會圖書館工作三十八年，任內蓋第一棟館廈、修正版權法獲呈繳本書籍、國會批准國際出版品交換、再修改版權法得二份呈繳本，將複本進行交換增進館藏。卜特倫(27)，爲美國國會圖書館第八任館長，任內完成國會分類法、成立互借制度、發行編目卡片、聯合目錄、辦事手冊、政府檔案與資料等交由國會保管、建第二棟新館，使國會圖書館變成世界最大的圖書館。萊登保(33)，服務紐約公共圖書館四十五年，使得該館館藏以「突出、廣博、重要、特殊、顯著、主要、罕見、豐富」而著稱，另外強調保存，成立紙張試驗室、引進複印、縮影，重視出版。惠勒(38)，爲巴爾的摩公共圖書館館長，接任後將全國地位最低、花錢最多的圖書館，改造成爲世界著名的圖書館之一；其將藏書萬冊開架、設各地借書站百所、興建新館；在提高館員素質上則自辦訓練班、參加圖書館學會、邀名人演講、引進人才加入等（同時也是 CIP 制度的原創人）。這種利用宣傳與展覽做到書人合一境界的「新法」和勤勞，使他得以留名青史。雷恩(21)，三十九歲時任哈佛學院圖書館館長，二十五年後使該館藏書由六十萬冊增加到近二百二十萬冊，工作人員由二十五人增加到一百五十二人。克迺甫(40)，則是啓發圖書館資訊網路的概念者。

㈡學術發明：如浦耳(2)，發明將著者、書名、主題按字順混合排列，編成字典式目錄。編製《浦耳期刊索引》獲得國際上的認可。卡特(6)，發明展開式分類法，而其「卡特著者號碼表」至今仍爲各國圖書館所採行。杜威(15)，一八七六年《杜威十進分類法》問世，至今仍在國際上爲各類型圖書館所採用。漢遜(29)，一九〇八年與英國協商合編了《英美編目規則》、編製《國會標題總目》取代了 ALA 的標題總目。馬特爾(25)，爲國會圖書館分類法的建築師，自一九〇一年提出國會分類法大綱以來，世界上大型的圖書館藏書大多採用此法來分類書籍。

㈢營運有成：如溫塞(4)，指定參考書制、開放閱覽、學生入館、借書條制度。拉德(5)，新書開架、開放書庫、顧林(7)，週日開館、成立圖畫部。福萊柴爾(9)，圖書館利用教育、暑期研習班。布特(10)，開架服務、兒童圖書館、開架的專科閱覽室、注重區內移民。赫溫斯(11)，兒童閱覽室與讀物。福斯特(14)，取消大空間、自由瀏覽室（Browsing room）、民生特藏。德納(20)，入紐澤西州紐華克圖書館，設商業分館，成立專門圖書館學會，建紐華克博物館。

㈣編輯書刊：鮑克(12)，以出版目錄、編雜誌，與杜威等人共同編輯《Library Journal》。艾凡斯(13)，致力於《American Bibliography》（美國書目）之編輯。阿赫恩(22)，則編輯《Public Libraries》，後更名爲《Libraries》一共三十六年。威爾遜(30)，則出版目錄、索引五十三年。黨斯(43)，爲多產作家，作品如《改變歷史的書》相當有影響力。

㈤建築館舍：誠如威爾遜(35)，所言：「（圖書館）不只是一座鋼石的建築物，而是一個夢想的實現，與犧牲和熱忱的結晶品。」建築館舍成爲考驗一個圖書館學家的指標。梅迪可夫(39)，在任哈佛大學圖書館館長時，強調新館的結構與容量，要能「適用、有伸縮性、擴充」、且要「省建材、擴充書籍」。厄茲渥(46)，任愛阿華館長時建新館、傾心模距式建築。

㈥提攜後進：如顧林(7)、艾凡斯(13)，提攜後人。萊登保(33)，能與人合作，容納異己意見，提攜後進，受教益者日後成爲名流。梅迪可夫(39)，鼓勵同仁聽講、進修，工作分層負責，不越權、不干涉、各人在其範圍內、全權辦理。經其提攜造就者逾百人，且離開哈佛自立門戶者，對老上司永存感激之心。麥加錫(48)，提高館員的待遇、培養與提攜後進，爲全國大圖書館儲備人才，信任、重用、精心培植而成大器。

㈦傳道授業：如杜威(15)，創立圖書館專科學校、培訓圖書館專才。費爾柴德(17)，任紐約州立圖書館學校副校長二十一年，提高入學標準、課程精心設計，安插畢業生到圖書館就業；一九〇五年採用幻燈片教學，爲現代視聽教育的先河；辦理模範圖書館展覽。卜姆摩(19)，任紐約公共圖書館附設圖書館學校主任，強調女性之於圖書館益處多。勞士波恩(28)，圖書館學院副院長，以訓練公共圖書館幹部爲主。認爲圖書館員要生活社會化，明瞭社會情形，與社會打成一片，不僅要造就良好的圖書館館員，還要塑造健全的人格。曼尼(32)，教編目五十年，選擇編目的理由是，編目規則和程序需要規律、正確、和秩序等條件，美國圖書館學會爲紀念她，特別以其名設立獎項。威爾遜(35)，芝加哥大學圖書館學研究所的掌門人，成立研究院，成立實驗圖書館，使成一方之學，訓練重點在「行政幹才」，使得許多學府館長皆出自該校，且十年十七位博士。威廉遜

(36)，研究報告使得圖書館教育提升到大學，成爲高等教育的一部份。謝拉(41)，應聘至西方儲備大學圖書館學院任院長時，使該校成爲第一個用電腦教育的機構。

㈧調查建議：如威爾遜(35)，爲十七所大學圖書館作訪問調查（Survey），認爲圖書館研究沒有前瞻性的改進，經過芝加哥大學訓練的人要能提出問題，進行分析並以科學方法作出改進。惠勒(38)，也進行圖書館諮詢與調查工作。陶伯(47)，調查爲其最愛。麥加錫(48)，研究大學圖書館各種問題，到埃及、英國調查，是圖書館調查(Survey)的高手。蕭勞夫(45)，退休後訪問調查，爲開發中國家的顧問。

㈨熱心學會：本書著者在序中提及，入選之五十人中，擔任學會會長者二十七人、副會長者四人，合計有三十一人，可見參加學會活動，是身爲圖書館員應該積極參與的。其中威爾遜(30)，鼓勵參加會員。厄姆多夫(18)，擔任第一任女會長。麥倫姆(37)，則主持美國圖書館學會二十八年。

㈩國際交流：如鮑士偉(24)，是親和大使、世界公民、加強圖書館對社會的影響、訪查中國圖書館事業。布朗(34)，二次戰後奔走於華府與紐約之間，爭取到十萬元爲中國購書，到上海調查圖書館實況及圖書館教育；也同克迺甫(40)受麥帥之邀，赴東京設計日本國會圖書館。畢壽甫(31)，享譽國際任 IFLA 五年會長，改組教宗圖書館。麥倫姆(37)，轉任聯合國圖書館館長，召開國際圖書館專家會議、提高地位、置秘書長，其貢獻爲「以圖書館影響世界人類的文化生活，打破國際樊籠、促進互助與合作」。

參、長壽老人　退休何為

著者在書前的統計分析中指出：「圖書館是一長壽的職業」，書中人物平均壽命在七十八點一五歲，其中並有高壽一〇三歲者。較之一般人六十五歲退休，這些名人享有的退休時光相當長，究竟他們是如何運用這些時日，頗令人好奇。

本書的五十位名人中，有些病死任內，有的晚年資料不詳，如鮑士偉(24)，退休後的十二年未見記載；安德遜(26)，退休後的十三年，無法得知退休後的生活。鮑克(12)無退休，失明二十三年仍繼續工作、出版書刊。艾凡斯(13)於一九〇一年與圖書館告別後，終其一生，都在編書。其餘謹就可得的資料，約略分析歸納如下：

㈠永不止息：有馬特爾(25)，七十歲不管行政，仍然上班，至八十五歲依法奉命完全退休，結果十五天後去世。卜特倫(27)，七十八歲退休後十六年，仍到圖書館辦公室接見訪客。

㈡開創新春：有杜威(15)，五十四歲離開圖書館界、自行建立基金會，工作至八十歲。萊登保(33)，退休後繼續工作，至遠東購書；再五年完全退休，僅擔任少數委員會任務，後中風去世。克迺甫(40)，退休後得福特捐款五百萬美金，成立「圖書館資源理事會」，以完成其在國會圖書館未完之心願。十二年後二次退休，仍兼任顧問直到去世。

㈢講學訪查：有布朗(34)，退休六年，任訪問教授。惠勒(38)，退休二十五年，進行圖書館諮詢與調查工作，四處講學，參加各種學會。梅迪可夫(39)，退休二十五年，擔任訪問教授開課授徒，國內外奔跑爲人作顧問。黨斯(43)，退休二十年，講學演說寫作。蕭勞夫(45)，退休僅三年，訪問調查。

㈣著書立說：有拉德(5)，退休十六年，著書。顧林(7)，退休九年，寫作。厄姆多夫(18)，　退休六年，從事書籍編輯工作。畢壽甫(31)，退休十四年，著書。威爾遜(35)，退休三十七年，著書，於百歲時完成回憶手稿，再三年去世。麥倫姆(37)，退休十三年，自行擬具寫作計畫，聘請助手協助完成十九章自傳。謝拉(41)，退休十一年，寫作及講演。狄克斯(49)，退休三年，想寫東西。

㈤公益活動：有查理遜(23)，退休五年，熱心參與文化事業、爲母校籌措經費、爲神學院校董會奉獻心力。勞士波恩(28)，退休四年，參加社團活動。威廉遜(36)，退休二十一年，以園藝及參加社會公義團體活動消磨時間。孟福德(42)，退休四年，擔任圖書館學會及社會服務事業。

㈥悠閒度日：有雷恩(21)，退休三年，蒔花種草消磨時間。麥加錫(48)，退休十六年，優游自得安享餘年。

㈦健康不佳：有費爾柴德(17)，退休四年，健康不好。阿赫恩(22)，退休六年，眼疾退休後病死(6 年)。曼尼(32)，退休二十二年，官能漸失，且需照顧病母，晚年淒涼。

肆、追念往者　留取丹青

努力任事的人，是不會在乎別人對他肯定的方式。但對於後輩晚生，想對前人的貢獻有所感恩時，其表現的方式是值得我們效法的。反觀國內對於前人的功績貢獻，似乎稍嫌冷漠，吝於給人獎勵與掌聲於生前，少有長遠紀念追思於身後。書中除了有人以福斯特(14)、安德遜(26)所蓋的「公共圖書館就是紀念碑」的讚譽外，這五十位名人所獲得人們的肯定方式，約略有下面數種：

㈠入選名人堂：有朱艾特(1)、浦耳(2)、史波福特(3)、溫塞(4)、拉德(5)、卡特(6)、福萊柴爾(9)、厄姆多夫(18)、雷恩(21)、查理遜(23)等人。

㈡贈榮譽館長：有顧林(7)、安德遜(26)等人。

㈢贈榮譽學位：有畢林茲(8)、艾凡斯(13)、戴威特斯(16)、鮑士偉(24)、畢壽甫(31)、威廉遜(36)、麥倫姆(37)、孟福德(42)等人。

㈣終身榮譽會員：有威爾遜(30)、惠勒(38)、鮑威爾(44)等人。

㈤傑出貢獻獎：有卜特倫(27)、克迺甫(40)等人。

㈥國外贈勛獎：有萊登保(33)、梅迪可夫(39)、黨斯(43)、蕭勞夫(45)、浮士卜(50)等人。

㈦訂為紀念日：有杜威(15)，設置創校人日。德納(20)，紐華克市政府將十月六日訂為德納紀念日。

㈧圖書館命名：有德納(20)，新州州立大學紐華克分校圖書館以其姓名命為館名。

㈨立銅牌銅像：有福斯特(14)，館中銅牌雕刻紀念。

㈩懸掛肖像：有畢林茲(8)，畫肖像掛圖書館大廳；鮑士偉(24)，請名家繪肖像贈董事會懸掛；勞士波恩(28)，將肖像懸掛學院圖書館紀念。

⑴後人贈書：有畢林茲(8)，後人贈金指明購書紀念。

⑵設獎學金；有赫溫斯(11)，將館方所贈金錢轉為成立助學金，協助訓練館員。費爾柴德(17)，由學生捐錢設置獎學金。曼尼(32)，美國圖書館學會為表彰她，設立獎項，頒給分編有貢獻的人。布朗(34)，籌募基金成立獎學金。蕭勞夫(45)，學生募款設置獎學金。

⑶籌開紀念會：有卜姆摩(19)、威廉遜(36)等。

⑷出版文集專號：有阿赫恩(22)、漢遜(29)、布朗(34)、謝拉(41)等人。

然而這其中最為特別的要算是威爾遜(30)，夫妻先後過世後，將全部財產捐出成立威爾遜基金會，用以改善圖書館教育，獎勵後進；辦理慈善事業，捐書給醫院、監獄及學校等，將其貢獻繼續留存人間。

伍、人格特質　各有定數

人上百形形色色，無論何種行業都一樣，在圖書館這個領域中，各種不同的人格特質，是否會對其一生的成就，造成某種程度的影響呢？這也頗值得我們一探究竟。依據書中的描述，我們約略可以分成下列十種，從這些人格特質的多樣性中，似乎可以察覺到，不同的人格成就出不同的名人。

㈠完整健全的人格：畢壽甫(31)，誠實、公正、機智、聰明、滿肚子學問的人。漢遜(29)，堅如磐石完整的人格，引人敬重，仁慈、虛心、雅緻的性格，得到同僚與學生的崇敬。威爾遜(35)，具想像力、遠見、判斷清晰準確、勤奮忍耐等特質；精力充沛，外表謙和。威廉遜(36)，籌策縝密，思想敏捷，目光遠大，熱情洋溢，意志堅強；過人精力，進取精神，高度智慧，友誼和善。惠勒(38)，和藹可親的尊嚴、堅強的意志；所爲皆有意義，具領袖條件。對人親切、隨和、幽默，以與人交往爲樂，徹底瞭解、關心他們，成功不居、公而忘私。克迺甫(40)，熱情奔放、平易近人、富幽默感、兼得人和，擇善固執的天性，形成正義感和完整人格，意氣風發、精力充沛。

㈡自信果斷的人格：如畢林茲(8)，「凡事只要開始去做，世間無難事。有人多愁善感，考慮太多，越考慮越出問題，卒至一事無成。我則著手去做，反而得到成果」。布朗(34)，直率、能幹、誠實、質樸，得到各方的崇敬與讚賞，雖有對他持異議者，但有無數的學生和教師因他擇善固執的個性，將圖書館服務提升到最高層次而感激。黨斯(43)，對部下友善，定期開會，當場議決，行者爲之，不行者否決。同事對他十分愛戴而且保有自尊心。

㈢妥協整合的人格：如鮑克(12)，辦事能通權達變而不固執，願意接受協調，所作所爲皆帶有服務性，所做的決定都是健全的。卜姆摩(19)，表現熱愛人類、愛好文藝、愛兒童、幽默感的美德，並以幽默與協調代替爭議和鬥爭。萊登保(33)，能與人合作，容納異己意見。麥加錫(48)，見廣多聞，人格完整，判斷公允得到敬重，虛心研究得到答案，是實踐主義者。處事剛柔並濟，注重妥協，須讓步者，不剛愎自用。作業臨機應變適可而止，功成名就，急流勇退。麥倫姆(37)，仁慈長者、開明而富幽默感、豁達大度的人格；辦事長於整合多人的意見歸納成爲結論，能從會議亂絲中理出頭緒，快刀斬亂麻手法做出決定。狄克斯(49)，儀表翩翩，溫文爾雅。有親和感，令人見而生羨。最佳主席人才，會議中排難解紛，協調爭議，對異議人士有轉變其態度與意見的魅力。

㈣謙卑虛心的人格：如福斯特(14)，喜歡與人面對面交談，見面溝通。雖爲美國圖書館學會的創會委員之一，但功成不居。戴威特斯(16)，淡泊名利，爲避免自我宣傳的純潔學人。

㈤辛勤努力的人格：如馬特爾(25)，以館爲家，努力耕耘。漢遜(29)，常深夜二三時才睡。鮑克(12)，63 歲失明後 23 年，仍爲出版社編輯書刊。

㈥煽動固執的人格：如杜威(15)，他的說服力鼓舞人們信從他的主張和走向，但也因具有煽動性，如不受到愛戴，就可能引起反感。鮑威爾(44)，人格的特點爲煽動性格、傳教士般的執著、愛書如命、牛仔的粗獷作風、捍衛知識的勇氣、能說善道的口才、環球旅行的見識。其弱點爲自我中心、意氣飛揚、恃才傲物、目空一切。

(七)改革主義的人格：如查理遜(23)，一生在求圖書館的革新。謝拉(41)，思想日新月異，人們剛領悟一部份，另一方又火花閃耀。在著作中流行許多至理名言，足以震聾發聵。詬病圖書館學界墨守成規，因循苟且，認爲在巨變的時代，圖書館如不能隨潮流改變、則須讓賢、將使命交給別人來承擔。蕭勞夫(45)，文筆口才皆佳，有傳教士精神，圖書館事業的監護人，不合理即說。克迺甫(40)，成立「圖書館資源理事會」，鼓勵圖書館引進新科技發明、MARC 等圖書館資訊網路的概念由此開始，爲一改革家、有主意毅力的實行家。

(八)保守念舊的人格：如勞士波恩(28)，對新的願望相當歡迎，對舊的傳統堅持不棄。鮑威爾(44)，認爲管理是藝術而非科學，人格感化比規程紀律來得自然有效，後來與圖書館學會關係較淡，與書籍相關的學會較好，自感朋友都走向時代潮流、開始退下、目光集中既往、以書香自我陶醉。

(九)無爲而治的人格：如安德遜(26)，自律甚嚴、對僚屬要求亦然。但他信賴他們，並給個人活動的空間去發展個人的潛力。梅迪可夫(39)，寬宏大量而堅守原則的實驗主義者、年高有德快樂的幸福人。對屬下寬猛相濟、照顧同仁生活福利、鼓勵同仁聽講進修，開會靜聽發言、工作分層負責不越權、不干涉、各人在其範圍內、全權辦理。此政策換來「忠心沒有敵人」。厄茲渥(46)，爲人一如其文，誠實、率直、有吸引力。智慧、口才及風度翩翩；與同仁視爲夥伴，讓個人自動自發地去發揮自己所擔任的工作，不加干涉。

(十)神聖不親的人格：如卜特倫(27)，屬下必須站著講話，從不讓坐，多年成爲習慣後，同人不以爲怪，人們對他深爲畏怯，但敬之愛之，以爲他工作爲榮，尤其誠懇待人所致。孟福德(42)，平時只與高層主管接觸、電梯中鮮有人認出爲館長，處事不好高鶩遠、實事求是。

陸、字字珠璣　句句箴言

全書所敘述的皆爲圖書館界的菁英，在其個人的生命歷程中，處處可見經驗智慧的結晶，因此順手翻來，都是值得我們再次細細玩味的雋言妙語，謹分類摘錄部分於下：

一、讀書學習

- 人需求知、求知必須讀書。卡特(6)
- 書籍是人類文化的累積，也是國家民族的靈魂。克迺甫(40)
- 教育有二：一爲正式教育、一爲終生不息的自我教育；活到老，學到老。杜威(15)

二、圖書館

- 圖書館是知識寶庫，可以無師自通……學識產生道德觀念……有了知識的民眾，社會才能安寧進步……圖書館可以擴大人的視野，對學人有燃起智力之火的功能，用以改善人類。溫塞(4)
- 圖書館是自由、享受與娛樂的場所，自我進修的機構。福萊柴爾(9)
- 圖書館是大眾知識的殿堂、爲個人求知諮詢的場所、其功能是供應思想和信息、自由取用、也是安靜和平的避風港。浮士卜(50)
- 圖書館的天職是讀者有書、書有讀者，圖書館是增進學術知識的場所。克迺甫(40)

三、圖書館經營

- 國家圖書館的發展是全國圖書館發展的總和。克迺甫(40)
- 圖書館事業的四事：圖書館專業學會、圖書館研究刊物、標準用品及設備的公司、訓練人才的專科學校；。杜威(15)
- 七十年圖書館心得：一、重收藏、沒好書、讀者不滿意；二、編目完善呈現館藏、目錄錄重點；三、給讀者最佳服務；四、理想建築，實用、空間足、光線照明強、館員讀者都舒適、樂以忘憂。梅迪可夫(39)
- 一生的圖書館理念：一、圖書館須爲讀者服務；二、圖書館是人類知識的寶庫；三、收集各種媒體、但以書爲主；四、功能爲社會性；五、館員應該助長科學研究。蕭勞夫(45)
- 對紐、澳圖書館做出建議：一、精心選購、不購無用書、避免重複；二、給讀者最佳服務、聘請有經驗的館員，給予優厚的待遇；三、建築事前縝密計畫、面面俱到「外觀、空間、舒適」否則日後補救更難；四、經費得之不易、精打細算少錢做有益事。梅迪可夫(39)
- 圖書館浪費不經濟之處：一、購書省錢，影響館藏；二、專才不用，浪費人才；三、有書不編，寧錯都要編；四、要集體合作，貴書集中；五、不要在館員身上打算盤，重賞才有勇夫。陶伯(47)
- 一個小型圖書館將藏書整理得當，較一個大而無當的大圖書館效用還大，故公共不收費的圖書館是社會不可缺乏的希望及前途。拉德(5)
- 近年小型圖書館向大圖書館借書、我不在意、每一圖書館都是由小而漸漸成長的、大的借書給小的、小的也借出給比它還小的、這是一種社會責任、不論大小、都不應該規避的。浮士卜(50)

- 無用的書拍賣換錢。福萊柴爾(9)
- 圖書館的好壞，不在藏書的多寡，而是在工作的盡力與否。克迺甫(40)

四、技術服務

- 圖書館員是選書而不是檢查，人類吸收知識智慧一如呼吸空氣，是人人應有的權利。拉德(5)
- 一塊鮮美的牛排和陳年美酒來餵嬰兒，不但不能給他營養，反傷其胃（隱喻選書、指導讀書的重要性）。赫溫斯(11)
- 要破除圖書館藏書不在多多益善的迷信。福萊柴爾(9)
- 劣等的書目，有害於圖書館的意義。卡特(6)
- 目錄編好的理由是，讀者不願意在館員面前暴露缺乏書籍知識的弱點。曼尼(32)
- 分類前後不一，因爲「分類是藝術，不是科學。」。勞士波恩(28)
- 世間沒有完善的分類法與編目法，編書發生錯誤是很尋常的事，不可求全責備。陶伯(47)
- 編目是枯燥乏味的工作，要能吸引從事此項工作者的興趣，使之樂此不疲，非有極大魅力不爲功。分類一事需要學力、與功力，鍥而不捨，持之以恆方能成功。曼尼(32)
- 小冊子若不編目，等於擲入廢物箱。。拉德(5)
- 要糾正凡識字的人都可以做編目工作。福萊柴爾(9)

五、讀者服務

- 開架：「我們對你有信心，歡迎進來」；閉架：「我們不敢相信你能善用書籍」。拉德(5)
- 取得（access）即是使讀者能得到所需的資料，利用（utility）是使資料能夠被利用。德納(20)
- 館員須以利他的態度，不待讀者尋求即將精神食糧從他們的喉嚨灌下去。福萊柴爾(9)
- 圖書館員不須告訴讀者想什麼，只是將資料借給他們，由他們自己去思維。麥倫姆(37)
- 館員若是不能使得讀者滿意，館方不能辭其咎。布朗(34)

六、圖書館教育

- 沒有良師就沒有高徒，沒有高徒就沒有好的工作成績，如此惡性循環，每下愈況。

威廉遜(36)

- 師生皆有心將圖書館造成社會生活與思想最有影響力的機構。曼尼(32)
- 對學生的幸福與前途十分關心，時刻留心他們在知識上和專業上的進取。勞士波恩(28)
- 從事教育者應爲將來負責圖書館的人定位，這些後起者不僅要瞭解怎麼做（how to do），更應該明白爲什麼做（why do it），怎麼做事，照本宣科；爲什麼做事，日新月異。謝拉(41)
- 圖書館學校任教者皆未擔任過行政工作，只有理論缺乏實際經驗。梅迪可夫(39)
- 我從這麼多的會議中所學得的知識和經驗，要比在圖書館學校讀一年爲多。威爾遜(30)

七、圖書館員

- 圖書館的定位要以我們所爲而非所言爲依據，它的價值與從事工作者的努力成正比。安德遜(26)
- 最小的圖書館也能對教育做出有效的貢獻，職位最低的館員也能是個積極，熱誠、聰明的工作者。德納(20)
- 對圖書館的觀念由原來的書籍保管者，變爲思想的保護者；職業改爲專業，技巧成爲科學。曼尼(32)
- 知識存在的二個因素：一是創造知識的研究員；二是傳播知識的圖書館員。蕭勞夫(45)
- 圖書館從業人員是通才教育的推進者、也是教育家。蕭勞夫(45)
- 優秀館員的元素：一、求知者；二、觀察讀者（田野工作）；三、維護採購與閱讀自由；四、服務爲宗旨，服務精神與奉獻犧牲才是天職。鮑威爾(44)
- 女館員應具備強健的身體、應變的心理準備應付讀者、分析事物的能力、高度的記憶力、數種語言、熟諳書籍、辦事有條不紊、待人謙恭有禮。赫溫斯(11)
- 自己酷愛書籍，才能使讀者寶貴書籍。費爾柴德(17)
- 世界在改變，我們需隨之改進。吾人須放眼觀察社會的需要，要有想像力，不僅斤斤計較雕蟲小技和追求研究與學術上的地位，還要發揮創造性的潛力，將國家社會造成更有意義，更有秩序的樂土。勞士波恩(28)
- 做事治學二原則：「第一，你們應該繼續教育、研究，不可中斷；第二，你們的職業是以服務爲目的，應該常記在心」。布朗(34)

- 消遣（play）是爲了工作（work），工作增加消遣的樂趣。勞士波恩(28)
- 凡是從事圖書館工作者都應加入美國圖書館學會，這是一種義務，也是權利。布朗(34)

八、公共圖書館

- 圖書館不只是市政府的一個部門、而且是一獨立的教育機構。福斯特(14)
- 公共圖書館的目標是：吸引大多數人從書籍中找到人生指標（即終身學習、人民大學）。拉德(5)

九、大學圖書館

- 高等教育圖書館的五項建議：「豐富的藏書、適用的館廈及設備、與大學行政及教師有良好的關係、健全的館員、充足的設備」。布朗(34)
- 大學圖書館的基本原則：一、大學圖書館需聘用優秀人才；二、與教授群合作將學校宗旨和目標實現出來；三、圖書館的組織、管理、經費需健全，俾能爲學校作出有效的服務來；四、圖書館爲學校組合體的一部份，應扮演重要的角色。威爾遜(35)
- 學術圖書館館長的條件：一、爲教師學者；二、有書的知識；三、能延攬或淘汰人，新生不斷；四、文言能說服別人；五、忍耐、寬容、執著、決斷的特質；六、男人的陽剛、積極處事。狄克斯(49)
- 學術圖書館館長的任務：一、找經費；二、尋館友；三、館內主管檢討館務；四、公共關係；五、計畫館舍、參加團體活動。狄克斯(49)
- 爲學校培養讀書風氣、鼓勵師生到圖書館來、提醒他們書籍對於文化的影響、令他們感到讀書與治學的樂趣。狄克斯(49)
- 大學圖書館工作者對學生終身讀書習慣的養成有責任。厄茲渥(46)

十、圖書與資訊之爭

- 科技是挽救圖書館的靈丹，引用科技可以獲得經濟與效率。威爾遜(35)
- 圖書館學是本、資訊科學是末、本末不可倒置；電腦與機器只是工具而非目的。謝拉(41)
- 資訊科學所接觸的是物理現象，而圖書館學所關心的是意見，觀念和思想，屬於人文。圖書館員要能控制，不可尾大不掉。謝拉(41)
- 舉例：「愛因斯坦，我有一枝筆，他比我能幹。我沒有筆就做不出事來。若將筆放在我腦內，我就失去思維能力」、「資訊科學不能取圖書館學而代之」。謝拉(41)

柒、瑕不掩瑜　再接再厲

在撰寫本文時，爲求瞭解國內相關的著作爲何，發現並沒有同性質的著作。於是比較胡述兆教授主編之《圖書館學與資訊科學大辭典》，該辭典收錄本書中之三十三位，其中鮑士偉(24)與布朗(34)並未收錄。再查閱《大美百科全書》，也僅收錄十一位。可見圖書館人物實有出版專書之必要。在比對當中，發現外國人物傳記的「譯名」十分不統一。例如：卡特、克特；謝拉、薛拉；馬特爾、馬泰爾；畢壽甫、畢紹普等等，頗影響閱讀。

寫一部書不易，九十四歲寫來更不易。寫一部專書難，寫一部合傳更難。中國人不太喜歡寫人物傳記，這可以從我國已編印的二次《中華民國圖書館年鑑》中看出一、二。誠如本書著者所言，希望能夠藉由這五十位人物的事功與軼事，來窺探美國整個圖書館事業的軌跡，進而提升我國圖書館員的敬業情操。我想我們更需要自己國人的「典範」。

期待早日得見一本「中國圖書館名人傳」。

參考書目

《美國圖書館名人略傳》，嚴文郁著。臺北市：文史哲出版社，民國 87 年 10 月。348 面。ISBN：957-549-172-6。

社會性的建構與文化資本鬥爭場域：圖書館空間意義的初步分析

陳俊湘
僑光商專講師

一、重返亞歷山大圖書館

九〇年代以來，在全球化的資訊高速公路建設熱潮帶動下，圖書館界也繼圖書館自動化後，掀起另一波「數位圖書館」（或稱電子圖書館、虛擬圖書館等）的資訊風潮。簡而言之，數位化圖書館希望透過電腦網路，建立、分享與傳遞數位資料庫，不僅將原有傳統圖書館的資料電腦化，更希望透過電子圖書館（數位化圖書館、虛擬圖書館等）執行一種新的圖書館功能：新的資訊來源、新的採訪與資源分享、新的保存儲存方式、新的分類編目方式、新的讀者服務提供……等❶。美國國家科學基金會也發起了六個數位圖書館的計畫。其中之一是 1994 年起的「亞歷山大數位圖書館計畫」。

令人饒富興味的是：源於西元前三、四世紀古希臘富有盛名的亞歷山大圖書館，在二十世紀末，似乎透過了科技的魔術，「再現」其四方學者慕仰的丰采！曾經生於盛世毀於兵燹，承負文化又禁錮知識於其中。本文想要探討的是：亞歷山大及其他圖書館的「原型」，是在什麼條件下產生的？這類的圖書館「空間」（就如同城市空間、酒吧空間等一樣），在不同時期的社會中，代表了什麼意義？本文將循著亞歷山大城的歷史軌跡回走，置身於其社會文化生活空間中，試圖考掘圖書館史中，「圖書館空間」存在及變遷的社會意義。

---

❶ 汪冰，「美國電子圖書館的建設與發展」，圖書與資訊學刊（Feb. 1997）：頁 71-87。

二、建築物、空間與社會

「書」並不只是我們拿在手上看的那個物體而已，……它的統一性隨時變動，其意義也是相對的。一旦我們對其統一性提出質問，它已失去了它不證自明的特色。（Foucault，《知識的考掘》：96-7）

2.1. 圖書館空間討論的方法論

作爲人類文明結晶的再現場所，博物館吸引了眾多的人類學家、文化學者、社會學者、哲學家的目光投注。西方對於「博物館」的研究，常能擺脫功能論的觀點，也因而累積了大量從新馬克思主義、結構主義、女性主義、文化研究、後現代主義……等視野出發的可觀研究，進而深化豐富其內涵風格。有趣的是，同樣是收集、保存、整理人類文明的精緻化產物——書籍資料，同樣提供使用者對於此類文明產物的教育與利用服務，圖書館雖宣稱身爲「學術中心的心臟」，卻在「圖書館爲何存在」的意義內涵上，僅累積了少量的理論研究。是因爲圖書館內藏資料的先天限制，眞的就圈制此類觀點的注入嗎？還是我們必須回到圖書館研究的方法論上，重新謹愼的審視呢？圖書館空間與社會的關係值得吾人先行瞭解的。

圖書館學者曾感慨圖書館學研究對於理論層次的缺乏，「死去的德國人」一文中指出，何以圖書館學研究的領域內，未有像 Marx、Weber 般構築巨型理論的「德國人」❷。

Weber 在面對社會巨變時，他的關懷是：「今日西方何以成爲如此的面貌？」由此開展成就了《基督新教倫理與資本主義精神》與其他經典著作。假使借用 Weber 式的問句，我們好奇的是：「圖書館的興起存在，其背後的重要社會機制爲何？」或是說，『從事並擔負「圖書館任務」的這個「空間」，爲什麼會產生？』

循著這樣的思考路徑，在方法論上與前者的不同之處在於：

1. 首先：就一個具有意義的空間而言，從社會史與社會理論的角度來看，顯然的，沒有「自明而存在」的空間。

2. 連接（articulating）並形塑（formating）「圖書館」這個場所、這個空間功能、任務……等等的論述形式（discourse），是如何被建構出來的？

3. 在社會變遷的條件轉移下，這種關於「圖書館」「空間」應負何任務的論述，也是變遷的嗎？如何變遷？

---

❷ Pierce, Sydney J., "Dead Germans and the Theory of Librarianship", *American Libraries* 23 (September 1992): 641-643.

2.2. 空間理論：空間就是社會

要回答上述的問題，我們首先來瞭解，今日我們在每個國度中，所見各種類型公共制度性建築物是如何產生的？ Scull 指出存在其中的歷史發展，許多是現代國族國家（nation-state）興起後，國族國家干預社會生活之領域的直接產物。這樣的發展過程，從馬克思主義者的觀點而言，這些建築物是資本主義得以建立的工具手段；從 Foucault 來看，這些設施無異是各種規訓控制的手段。❸

有關「空間」的研究，實證主義認爲空間是下中性、既定的、有其自己邏輯的客觀實體。人文主義與現象學傳統下的空間意念，則是人類主體存在以及體驗的充滿意義的地方。而空間討論的取徑，在馬克思的政治經濟學方法下，帶入空間的「生產關係」與「社會關係與過程」的分析視野，使得空間論述涉入社會的種種議題。之後的發展，且持續引進一般社會理論，即預設「社會」存在的前提下，持續開展有關空間的社會分析，或是說社會理論的空間向度建構。

到 1980 年代後期，經後結構主義、後現代主義、女性主義、同志理論、文化研究與後殖民理論的思潮辯論後，關於空間與社會的關係，在認識論層次上，已然不是單向的一元決定，而有其辯證互動的複雜糾結。後續研究的重點，則在於進一步探究不同層面與向度的空間，以及蘊藏其中的社會關係與過程之性質，並且搭上全球化、縉紳化（gentrification）、兩極化、後殖民情境等課題與時勢❹。

相當有意思的是：新近的發展，幾乎都是以有關「文化再現」的議題爲核心；這與 1980 年代以前，以「社會關係與過程」（甚至是更狹隘的「經濟生產」）爲核心之研究，恰成爲對比。❺而從圖書館史的考掘中，我們也可發現，「社會關係與過程」與「文化再現」恰可作爲圖書館爲何存在的討論基點（即使時間點相去甚遠）。

現在我們首先看看主要理論家，在有關「空間」與「社會」的議題上，是如何進行接連（articulating）的；接著，我們可以在其中發現：從理論層次上來看，有關圖書館空間的討論，其實可置於更爲廣闊的社會辯證過程中。

2.3. 空間的社會理論：空間與社會的關係

Lefebvre 認爲空間的現實（reality）同時是物質也是形式的。因此他的空間概念的

---

❸ King, Anthony D.（安東尼·金）著、王志弘譯，「建築物與社會」。收於空間社會文化身體與性別翻譯文選（臺北：出版著不詳，1994）：頁 52。

❹ 王志弘著，流動、社會與空間（臺北：田園城市文化，民 87）：頁 2-3，59。

❺ 同註❹，頁 59。

核心不是空間本身，而是空間的生產（production of space）。空間是社會的產物，空間裡瀰漫著社會關係（即生產關係，特別是財產關係）。按馬克思討論生產關係的辯證，即：空間不僅被社會關係支持，也生產了社會關係和被社會關係生產。因此在資本主義社會中，其空間不僅是生產資料、消費對象、政治控制的工具，也是階級鬥爭的場域。研究都市社會運動的重要人物，晚近則致力於網絡社會（network society）分析學者的Castells，早期受 Althusser 的影響，偏向以物質面掌握空間，認爲空間是社會的基本物質向度。而且空間分析的背後，有一個一般性的社會組織之理論，即認爲：一切空間理論都是一般社會理論的一部份。Castells 後來對空間的看法，較之前的「結構主義的馬克斯主義」立場積極，認爲不能將空間獨立在社會關係之外來考量。Foucault 將談論空間當作一種關係（即作爲一種權力關係之展現與中介）。在他所作的各類空間討論（如監獄、學校、醫院、精神病院），其實都是藉由空間的中介與轉機，來指向其思想核心：主體、權力、知識、論述等。以最著名的圓形監獄爲例，這個例子同時掌握了「空間作爲權力機器」之隱喻，以及「空間作爲權力運作之憑據」。❻同樣的例子，出現在學校、醫院、軍隊等。

以上所舉的 Lefebvre、Castells、Foucault 及更多的空間論述，均表明了在空間討論中的社會優位。亦即，我們可將空間與社會的關係視爲：空間乃是社會的一個切面，跨越社會的所有領域，是社會存在與運作的展現和結果，以及憑藉和中介，以參照預設的社會概念來界定空間的概念，並且以廣義的「社會」作爲最終的研究對象。❼

2.4. 從圖書館空間重返回到圖書館研究：圖書館何以興起？

由以上分析，確立了圖書館空間討論的意義：首先，沒有一個實存而自明的空間存在。其次，圖書館空間的討論，其實就是在下兩組同義詞間，進行置換操作——圖書館空間的意義與圖書館的社會意義。接下來，我們要問的是：使得圖書館存在的機制，並建構其存在意義的論述形式是什麼？簡單的問，圖書館爲何存在？

圖書館爲何存在？圖書館存在的意義如何解讀？最正統（與傳統的）圖書館思想認爲：圖書館是按一定順序將各種文獻歸類收藏的場所。其任務是保存用各種文字記載下來的人類思想。爲了如此的「目的與任務」，自然需要有別於其他空間設計的特定建物，來承載此種功能。舉幾個國內外著名的圖書館建築個案爲例：中原大學圖書館的建立任

---

❻ 同註❹，頁 9-11。

❼ 同註❹，頁 9-11。

務，除了負起學校資料中心的任務，並推動研究教學的功能外，並應提供充分的教學參考書，便利學術研究及促進校際交流。❽臺灣大學圖書館新館的興建計畫書中也宣示：應成為校園中的精神堡壘，能吸引讀者走進圖書館，並願常留其中激發學習與研究的興趣。❾再來看看引起法國知識界軒然大波的法蘭西國家圖書館：法國國家圖書館的新館一分為二，其中的特殊館藏保存於麗奇盧館，該館分成七個部門，包括手稿部、畫作與攝影部、硬幣部、圖稿部、樂譜部、表演藝術作品部與兵器部。❿由此看來，「圖書館」的定義與資料蒐集保存的型態，並非刻板印象中的如此狹隘。而且，「圖書館空間」依不同時期由社會所定義，更是隨時滲透了社會的定義；並且，在收藏資料型態呈現不同面貌的時期，分別建構其存在意義的論述。在「前圖書館時代」，我們見過了西方的亞歷山大城、修道院、中國的官私藏書樓擔負了部份今日圖書館的原初功能；「多類型媒體時代」，身著古裝的羊皮紙，在極驚人的速度下，換穿一件又一件的外衣——從聲音、影像到數位晶體；「後圖書館時代」呢，一群試圖顛覆圖書館空間的數位工程師則蠢蠢欲動了！

Shera 指出，不同時代所建立的各類型圖書館，僅由於其存在的本身，便同時的建立了各自的理論與哲學。基於各種不同的需要：克服記憶限制的需要、文化的傳播需要、對培養傳教士的需要、商業貿易交流事務記載保存的需要、以書為中心的大學教育的需要、自發性一般群眾的需要……等等，都促使不同的圖書館與圖書館型態產生。⓫

因此，「圖書館」的型態並非一成不變，相反的，正是在不同的時期中被社會生產出來。一方面，它們隨著資料的物質型態而轉換；另一方面，我們將指出：圖書館的意義論述，乃是隨著使用／擁有圖書館者的（統治／經濟／知識）權力鬥爭而變！

接下來我們將先把圖書館空間的討論，放在更為社會性的歷史觀點考察，即以社會學式的觀點來討論圖書館空間發展。最後一節，將由其中辨明：圖書館空間的建構過程中，「文化資本鬥爭」是影響圖書館產生與建構的重要因素！

❽ 陳格理著，大學圖書館建築用後評估研究（臺中：捷太，民 82）：頁 193。

❾ 臺灣大學彙編，國立臺灣大學圖書館競圖作品資料集（臺北：編者，民 80）：頁 20。

❿ 參看陳淑媛著，「法國國家圖書館」，資訊傳播與圖書館學 5：1 (September, 1998)：頁 89；陳健宏著，「永不傾圮的巴比倫：法國國家圖書館」，當代 133 (November, 1997)：頁 102-122。

⓫ Shera, J. H.,「圖書館學基本原理」，收於外國圖書館學名著選讀（北京：北京大學出版社，1988）：頁 300。

三、圖書館史的考察

3.1. 圖書館為何產生？：概念的澄清與問題意識

圖書館（library）一詞，英文的原意指爲閱讀、研究和參考目的而收集的一批書。至於把圖書館一詞用來表示「藏有圖書的一個建築物、一間或一組房間」，則可追溯到 15 世紀。⓬如果說，文字符號的出現代表與物質系統的眞實反映，那麼「圖書館」這個名詞，要確實指稱這類「藏書的場所」成爲一個特定的符號象徵、特定的字詞「所指」、以及社會的眞實反映的時間，或說圖書館（或說今日觀念下的圖書館）的形成時間，可能要再往後推到文藝復興後。以中國爲例，歷代的官私「藏書樓」，就無法用圖書館這樣的詞以及詞義所指，生硬的套用其上。

從圖書館學研究中的社會知識論者的角度來看，圖書館學的研究應該放在社會的脈絡中進行。因此，再借用 Shera（或說是 Weber）的問法：圖書館，這個空間爲何產生，並成爲今日的面貌？要回答這樣的問題，首先，掌握圖書館產生的社會經濟條件；其次，是圖書館空間的服務對象；最後，對於作爲文化表徵的圖書館空間，進行文化瞭悟（verstehen）。

3.2. 圖書館的功能主義性格

正因爲圖書館是人類重要的文化承載場所，因此討論圖書館的誕生及空間意義時，首先是個「先生雞？或生蛋？」的問題。即：人類文化的進步與持續，是因爲知識產品在圖書館中得以保存之故？還是反過來，當文化進步之際，圖書館才有機會成爲一個附加產物存在？

關於這個問題，Johnson 認爲「文化進步」與「圖書館產生」之間，似未必可分孰先孰後，而是同時互爲因果的關係！⓭ Johnson 的圖書館史研究相當具有代表性，因爲此類的研究帶出對於圖書館性格意向的主要關注與發現，即，圖書館的興起與發展，一直與該場所提供的「功能」（function）脫不了關係⓮，或者，我們可說這是圖書館的「功能主義」性格。

3.3. 功能主義性格：為統治權、文化保存、少數菁英教育而存在

從最早發現的古埃及圖書館，我們可以瞭解，此類場所（當時主要是王室的檔案館）

⓬ 大英百科全書 15 版。

⓭ Johnson, Elmer D.（強森）著、尹定國譯，西洋圖書館史（臺北：學生，民 72）：頁 27。

⓮ 同註⓭，英文版：頁 488。

的肇始，純粹是因為功能主義的——為達成統治權力確保的機制之一。到了巴比倫與亞述王朝時代，除了統治權力的功能之外，開始增加了人類推理與想像成果（如神學、文學、哲學等）的保存。而希臘時期，圖書館又增加了教育的功能。羅馬帝國早期，由於富裕而有文化的貴族階級崛起，圖書館又扮演了僅是「富裕貴族玩具」的角色。在前述的歷史中，圖書館對於大多數的人而言，是可望而不可及的，只有少數的人能夠閱讀，並得以藉由圖書館保存的知識中直接獲益。

當然，圖書館的出現，需具備一些先決條件：已有書寫的文字；社會結構上，已有複雜的政府與宗教系統；民眾之中，至少需有小部份的人識字。而也一直到羅馬文化的盛世，才出現了由政府經費設立、免費開放民眾的公共圖書館。⓯

中古的黑暗時期，宗教權力支配一切，此時書籍與圖書館的價值才得到證明，並且促成日後文藝復興的可能。但此時期的圖書館，雖然意義重大的完成保存文獻的效能，但更重要的「傳布知識」功能仍未實現。文藝復興後的現代歐洲，印刷術的發明加上文藝學術的蓬勃，圖書館的蒐存達到高峰，但服務對象仍止於少數人：藏書家、圖書館員、學者、教師與學生。更重要的是，一些諸如民眾圖書館與大眾文化（mass culture）的觀念，仍是到了 20 世紀才逐漸發達！⓰

3.4. 功能主義之外：圖書館的文化資本鬥爭

與政治革命、民主化發展相關連的是，未成為 20 世紀「大眾」得以使用的圖書館前，各個時期各類型態的圖書館從何產生？為了什麼目的？我們從兩個角度來觀察：一是圖書館的建就的象徵意味（如地位、品味等）；另一個則是直接而又赤裸的：藉由這類書籍保存的場所，進行政治上的統治權力的展現！

在圖書館的發展史上，從未像政治革命般起而要求設立圖書館。圖書館可說並非因為大眾有保存知識的意願而產生，相反的，主要是靠少數人的努力（這些努力的出發點可能是為公眾利益的，更可能是自利的理由！）而產生⓱。以今日的眼光來看，圖書館應向各種「不同的聲音」開放，但是如同史上種種專制政權的思想箝制般，圖書館也在各式各樣的標準下（不論是道德性的，或是學術權威性的、圖書館專業的）阻卻了「異端思想」進入的可能。我們很容易的可以辨識出這類的歷史：如古代神學的正統觀，如

⓯ 同註⓭，頁 24。

⓰ 有關後現代狀況下圖書館，可參考賴鼎銘「後現代狀況下的圖書資訊服務」收於圖書館學與資訊科學：23：1（86 年 4 月）：頁 43-59。

⓱ 同註⓭，頁 21-27。

共黨革命後的蘇聯。

另一方面，圖書館（或說：實質上起了圖書館般作用性質的場所）如何起了「象徵性的意義」呢？用 Veblen 的話說，那是社會上的一群「有閒階級」的操弄。有閒階級爲了標示自己與勞動階級以及其他有閒階級有所不同，而刻意進行炫耀性的消費：外表穿金戴銀，把自己打扮的光彩奪目；消費上的誇示炫耀，如誇富宴、奢侈的豪宅等；而將書籍納入文化商品的一環來看，它們的象徵與炫耀意味，其實不下於各類的實體存在的「古董」！⑱

Veblen 所處的 19 世紀末，資本與財富的積累尚未像今日的龐大與普及。社會經濟的發展至今，炫耀性消費已不再專屬特定階級所能爲，而在某種程度的向大眾解放，大眾與大眾文化的興起，不能加以忽視。值得注意的是法國社會學家 Pierre Bourdieu，他以另一種方式，更動態性的討論社會空間（social space）的日常生活實踐（practices），並且從受教育、閱讀與上博物館等生活習癖（habitus）中問道：「你有文化素養嗎？」

四、統治權、文化資本與圖書館

讓我們來看一下近年來發展起來的一系列的反抗……〔這些反抗〕反對同知識、競爭能力、資本聯繫在一起的權力效果的鬥爭——反對知識特權的鬥爭。但它們亦反對強加諸於人身上的機密、變形和神秘化表達。（Foucault）

義大利記號學家 Eco 在其名著《玫瑰的名字》中，虛構式的再現了中世紀修道院圖書室的「原貌」。按照修道院傳統，擔任圖書管理員的修士，未來將會接任院長，因爲汲取書中的廣博知識，當也是院長應具備且特享的權利，甚者，成爲其他僧侶的禁地！當知識象徵權力的統攝，無怪乎書中的主角嘆到：「書的好處在於它可以被閱讀。……這間圖書室或許是爲收藏書籍而建，但現在它的存在卻無異埋葬了書本。」⑲

圖書館成立之後，藏於其中的卷冊從未是無限制的開放出來的。尤有甚者，得以接近的重要取決標準在於階級。因此，不論是 17 世紀法國的諾得有關於圖書館原理的最早論著，或是印度的圖書館學者阮甘那桑在 1931 年的經典著作——「圖書館學五定律」中提到的第二定律：每位讀者有其想要的書，都明確指出圖書館所藏與服務者，不應專爲特定身份階級。然而，我們從圖書館史中發現：圖書館從誕生以來，正是一直爲特定

---

⑱ Veblen, Thorstein, *The Theory of the Leisure Class* (New Brunswick: Transaction Publishers, 1992).

⑲ Eco, Umberto 著、謝瑤玲譯，玫瑰的名字（臺北：皇冠，民 72）。

階級壟斷、爲特定階級服務而存在著！如果說，20 世紀初公共圖書館的興起，使得此類壟斷的打破成爲可能，那麼晚近更廣闊的「圖書館數位化」觀念，是否能如同後現代理論家所宣稱的，透過更片段化、游牧化、流動化的資料／資訊場域，造成此種壟斷的「消逝」？下文分別討論這些階段的發展與可能性。

4.1. Bourdieu：日常生活實踐的文化鬥爭

接著在重返圖書館的同時，我們要同時攜著 Bourdieu 的著作；用他的話來說，他提醒我們，在許多的「功能角色」扮演下，圖書館其實一直就是個文化資本鬥爭的場域！

Bourdieu 對於教育、文化、博物館等的大量研究中，經常使用「再生產」(reproduction；或譯爲複製）這樣的概念。簡單的說，文化資本在社會的分佈與取得仍是有差異的，具有權力者努力確保文化的再生產能符合其原有既存形式，而教育（及各類教育機制）則扮演這個再生產的重要角色。當然，各式的文化產品（包括書籍）與場所（如博物館、圖書館）也涉入其中。因此，當我們對圖書館進行研究與瞭解時，應掌握 Bourdieu 對於「日常生活實踐」（practice）的概念建構與強調上；而這也正是他理論體系的精髓。Bourdieu 認爲有一結構在支配著人們日常生活實踐的進行。此一結構可表明爲：[20]

習　性＋資　本＋活動領域＝日常生活實踐

Habitus＋Capital＋Field　　＝Practices

此分析架構成爲他在處理各種社會現象時，一貫的分析方式和步驟。撮要如下：

1.習癖（habitus）與日常生活實踐（practice）：

Bourdieu 認爲居於社會空間中同一位置的所有行動者，之所以表現出特定的生活風格，乃因爲他或他們具有相同的思維結構以及相同的習癖。人們選擇符合自己品味的服飾、飲食、或文化活動，這種選擇的關鍵在社會地位。階級並不是絕對的指引，眞正成爲行動者判準的，是要能夠與所處社會地位相配的文化活動。

人們藉由日常生活中不同的鬥爭領域，展現出可辨識的習癖，並在各類資本的爭奪威脅中確保優勢，如此，遂行了其日常生活實踐。而値得注意的是，在此種不斷進行的日常生活實踐中，人們展露出來的特質，是鬥爭過程中的權力展現，而非所謂的才性或

---

[20] Bourdieu, Pirre, *Distinction: A Social Critique of the Judgement of Taste* (Cambridge, MA.: Harvard University Press, 1984): 101.

才藝等。

在圖書館史的考察中，我們看到了屬於「有文化者」的日常活動之一：使用圖書館與擁有圖書館。閱讀與上圖書館的活動，可以是具文化資本的行動者，本身知識文化的再生產活動，也可以透過此類的日常生活實踐，與社會空間中其它人區隔開來，並且，將諸如「讀書人」、「士」、「愛書成癡」等符碼再生產！即使這些正向符碼本身，就是在這個知識圈自我建構出來的（因爲他們同時是文化資本的支配者）。換句話說，此類習癖所展現的實踐，可能是集政治／經濟／文化資本者於一身的習癖（如皇帝編修圖書大典），也可能是小資產階級的「玩具反斗城」（例如一些將書籍收集把玩如古董的藏書家、藏書樓）。但這樣的空間與活動，的確是符合同類社會空間者的 habitus 的。

2.資本（capital）與活動領域（field）：

使得人們居於不同社會位置的原因，在 Bourdieu 看來，「階級」已經無法明確的說明其動態關係。我們的日常生活實踐都應該被看做是經濟的實踐，整個社會版圖可用經濟世界來表示，因此多種類資本構成了這種區分。例如，在優勢階級裡，高等和中等教育的教師是以文化資本爲優勢的次階級，而工商業的大雇主等則是以經濟資本爲優勢的次階級。從前者到後者，階級所擁有的文化資本減少，而經濟資本增加。並且，日常生活實踐隨時進行著不同資本的鬥爭與對換。

Bourdieu 認爲每個人在日常生活實踐中，都得以主動參與的各活動領域，其每一個都是鬥爭的場所。而且在活動領域中佔有優勢地位者，將會一直受到來自弱勢地位者的威脅與鬥爭㉑。他所鬥爭的是宰制的原則：即經濟資本抑或文化資本才是權力關係中的優勢資本。他認爲，各種資本形式之間的對換原則，一直是鬥爭的各方所搶奪的籌碼㉒。

因此，當政治資本與經濟資本集中於少數人時，圖書館所具有的文化資本很容易的獨攬於其手；此時，甚至在文化資本上我們都可以說，這是個寡佔的局面。當資本主義興起，商人與小資本家分散了經濟上的獨佔權力，具有統治權的人不再有辦法獨享經濟資本，甚至文化資本的享有也漸普及至更多數的大眾，各類（包括原本可能集中在圖書館中的）文化資本的佔有與搶奪就在社會空間中遊動著。以安妮法案產生的背景以及 Coser 討論下的讀書界爲例，都說明了這種情形。因此，有些人可能繼續經由文化資本的優勢，藉以換取經濟資本或政治資本：如學而優則仕。或是政治文化資本的支配者，

㉑ Bourdieu, Pirre, *"Social Space and Symbolic Power"*, *Sociological Theory* 7:1 (Spring 1989): 14.

㉒ 同註⑳，頁 125。

透過文化資本的部份釋放（如公共圖書館、教育），從而希望能再生產屬於其生活空間的習癖：社會中良善有教養的公民。我們接下來繼續從圖書館史中來考察。

4.2. 圖書館：統治權與知識壟斷

從前面的空間——社會分析可以發現，公共制度性建築物的存在設立，不論從資本主義再生產的角度，或是文化再現的討論取徑，都根本上質疑了「建築物的產生是社會需要」的說法。換言之，建築物是被社會所生產出來的。建築物以及它們所在之較大的營造環境，不單是「反映」或「呈現」了特定的社會秩序，它們還積極地從事社會與文化存在之建構。例如，歷史圖書館此類的建築物，在所處的廣大社會空間中，以不同程度再生產了社會生活據以組織，或是文化價值等的各類判準。因爲建築物所提供的象徵和意向，形成了人們使其物質世界有意義的語彙概念之基礎。國族國家爲了統治權力的深化，建立各類規訓控制的工具，其中之一例，在全球化的擴張下，十九世紀以來，世界各地以前所未有的規模引進了現代國家的機構，其中，包括了國家檔案。㉓國家文獻檔案是個資本主義發展後的國家新工具嗎？回顧文獻保存史（或勉強稱爲圖書館史），其實這是個早就龐然成形的體系。

不論是封建領主時代，或是國族國家形成後，據統治權力者爲使政權的持續，必須仰賴一些相關的記錄：財產稅賦貢品、外交戰爭條約、繼嗣及公文等。因此早期由王室所設立的圖書館（檔案室），主要記錄保存了此類資料，不論從古希臘羅馬，或是中國王朝，均可發現此類作用。如中國古代的史官，一方面不僅記錄王室的各類動態，更是圖書檔案的掌管者。㉔

王室不僅是圖書文獻的主要保存者，甚至可說是主要的生產者。中國歷代王朝除了是政治權力的中心外，「文治」與武功的並轡追求，也是盛世傳頌的必備。如歷代的皇帝除了在皇宮中設置各類專屬讀書人的官職外，蒐羅編撰天下文章典籍的各類大典，也不乏見；如永樂大典、四庫全書等都是明證。這類作爲的功績，除了保存文獻史料外，更有將天下文章盡收入宮，集於一身的意味。

中世紀的歐洲，宗教權力與僧侶階級的統治凌駕一切，當宗教與俗世的統治權集中於一時，上述的政教典籍文字也可能合而爲一的保存。Mosca 認爲除了宗教職能、財富與政治權力外，在當時僧侶擁有一般人少有的法律與科學知識，因而也是社會中精神文

㉓ 同註❸，頁 52-53。

㉔ 同註⓭，頁 15。

明最高的階層；爲了確保經濟——政治——文化資本的掌握與權力的繼續行使，他們有意無意的壟斷知識，並封鎖有助於掌握知識的方法，這些被禁制的掌握知識的方式途徑，包括權威抄寫本的擁有㉕、某類語言的使用、語言文字化、甚至於——印度對於下層階級掌握宗教書籍知識的控制等。㉖因此，我們可以由此觀察：在前資本主義時期，圖書館主要成爲提供爲知識壟斷與統治權力的核心場域。

而私人收藏場所的面貌如何呢？紙張與印刷術的發明，是促使此類收藏興起的重要關鍵。在較爲經濟的紙張與印刷出現後，爲知識壟斷的打破提供了重要的物質條件。並且，也爲政治、知識份子體系帶來革命的可能㉗。但正如所預料的一般，當大部份的文化能力與文化資本僅集中於少數人（不論是政治統治者、宗教領袖或是讀書人）時，私人所設立的文獻檔案室、圖書館，對於知識普及，以及達成今日般資訊提供的功能都是微不足道的。㉘以中國的藏書樓爲例。中國古來的私家藏書樓多密不示人，專爲一己所私用。東漢之後紙張出現，使得官府之外的文獻收藏成爲可能。而唐宋以來雕版印刷術的普及，也增加圖書與圖書收藏者的數量。但對於這些「藏書家」而言，仍舊是「門雖設而常關」。可以明代著名藏書家祁承㸁的藏書樓管理爲例：他在「澹生堂藏書約」中明確的規範：

> 子孫能讀者，則以一人盡居之。不能讀者，則以眾人遞守之。入架者不復出，蠹嚙者必速補。子孫取讀者，就堂檢閱，閱畢則入架，不得入私室。親友借觀者，有副本則以應，無副本者則以辭。正本不得出密園外。……勿分析，勿複瓿，勿歸商賈手。

至於明代范欽創建，著名的天一閣藏書樓，不但限制子孫、親友，還有著更苛刻的限制：

> 司馬歿後，封閉甚嚴，繼乃子孫各房相約爲例，凡閣廚鎖鑰，分房掌之，禁以書下閣樓，非各房子孫齊至，不開鎖。子孫無故開門入閣者，罰不與祭三次；私領

㉕ 同註⑬，頁 15-16。

㉖ 帕累托等著、劉北成等編譯，菁英的興衰（臺北：桂冠，1993）：頁 10。

㉗ Innis, Harold A.著、曹定人譯，帝國與傳播（臺北：遠流，1993）：頁 185-190。

㉘ 同註⑬，頁 15。

親友入閣及擅開廚者，罰不與祭一年；擅將書借出者，罰不與祭三年；因而典鬻者，永擯築不與祭。㉙

4.3. 擴大的讀書界使知識／統治權力分散？

文藝復興運動，促使知識人尋訪歐洲的各修道院，企圖從散軼而未公開的典籍中，擺脫黑暗、獲得啓發。到了十八世紀時，數量增長的新興中產階級，迷戀於讀書活動，並試圖藉由這類高雅活動的參與，把少數擁有識字能力、購書能力、較適合閱讀之住屋的文化人，與多數文盲社會式的區隔開來。㉚

一方面，出版商、著作者、讀書圈逐漸成形擴大；另一方面，國家在此間的角色作用，由絕對的壟斷而至衰退。以英國圖書出版史爲例，原本爲藉由純化言論以鞏固王室，1530 年起，英王亨利八世限制著作物的出版，箝制言論自由。到了 1557 年，瑪麗女王更授權給忠於王室的皇家特許出版公司，由裝訂商、出版商及羊皮紙商組成的出版公司，正式壟斷的出版物複製權。然而實際上，王室在此間的支配作用正逐漸減退；甚至於爲了預防出版公司過分的專擅，而逐步將出版的許可向一般著作人開放，而才有 1709 年第一部著作權法「安妮法案」的產生。㉛此際，平民書商與出版商取代皇家特許出版公司，成爲觀念世界的傳送帶，主宰了知識生活，而職業文人也藉此得到了較開闊的發展。㉜

與此同時，較開放的出版環境與流通管道，刺激了整個市場的擴大，但讀者並非一定要買書，因此，同時期收費的「流通圖書館」興起與快速成長，更便利了圖書出版市場的發展。㉝ Shera 曾指出，圖書的集合並不等同於圖書館。至於，何時才有現代風貌的圖書館出現了，又是在什麼條件下興起呢？我們可以參考美國公共圖書館爲何興起的爭辯。

從在這場爭辯中，一方面，人道主義論者認爲公共圖書館的建立，起於啓蒙時期自由主義精華具體化在美國民主秩序的一種表現，透過圖書館的公共教育可克服無知。另

㉙ 吳晞著，從藏書樓到圖書館（北京：書目文獻，1996）：頁 11。

㉚ Coser, Lewis（劉易士·柯塞）著、郭方等譯，理念的人（臺北：桂冠，1992）：頁 40-43。

㉛ 陳俊湘，著作權的國際化與文化帝國主義（臺中：東海大學社會學研究所碩士論文，未出版，1996）：頁 28-32。

㉜ 同註㉚，頁 39。

㉝ 同註㉚，頁 46-48。

一方面，以 Harris 爲代表的學者提醒：公共圖書館是個有用的控制工具。㉞我們把關心的焦點放在兩處：首先，圖書館可提供了某種「教育的功能」；再者，這樣的教育作用到底達成了什麼目的？

我們或許可再回到圖書館對社會的關係來看。Coser 認爲，出版人在社會中所扮演的角色，其實可稱爲是「觀念的守門人」㉟。如果回顧出版業興起與圖書館原型出現的歷史，我們可以發現，其實圖書館比出版人更早擔任這類資訊篩選過濾的角色，甚至直到印刷術進步前，國家所設立的檔案館都是最大的出版者！即使到了今日，私人大量購書的社會經濟條件成熟，但是每年生產出來書籍，仍有爲數不少數量甚至可作是「爲圖書館而出版」，特別是那些學術性的出版物。

如果說，圖書館自始就扮演「觀念守門人」的角色，那麼透過圖書館所希望達成的教育目的，可能是某種支配性意識型態的傳遞，或是說，將某類文化價值於圖書館中再生產。用 Bourdieu 的話來說，社會空間中的文化資本優勢者，透過圖書館這類文化再生產的場域，形塑自身與進入圖書館者的生活習癖，並藉以再生產此類優勢的文化資本。

4.4. 圖書館：一個屬於國家、資本主義與知識份子鬥爭的場域

前述有關文化資本／圖書館的討論中，值得注意的是在圖書館發展過程中，統治階級（優勢政治資本者）、商人（具經濟資本者）與知識階級（高文化資本者）的關係。我們可以從圖書館的發展歷程中發現，圖書館空間意向從未是「中立」的。它或是國家規訓與行使統治權的重要機制；或成爲知識份子文化資本再生產的場所；或是將文化資本轉換成經濟資本的重要機構；綜論如下：

㈠圖書館與權力

我們在前面的討論中，已多處發現圖書館（國家檔案館、修道院抄寫室）透過典章書籍的保存禁錮，藉以再生產原有的統治性資本：這些資本可能是國家的歷史論述、統治疆域的界限、神聖的經典、或人類的「偉大傳統」。

另一方面，除了將文化知識藏於己手，藉以確認獨特的知識權力外，早期圖書館發展的另一動力是權威寫本與著作權的保存。手抄書籍時代，不論是宗教經典或是文史哲理，都需要存在「官方」或「正統」機構來辨識，此時，圖書館不僅擔任這樣的文化權力的鬥爭與區隔，甚至達到某種異端隔絕的效能。

㉞ 有關美國公共圖書館為何興起的爭辯，可見賴鼎銘，圖書館學的哲學（臺北：文華，民 82）：頁 105-131。

㉟ Ceser, *Books: The Culture and Commerce of Publishing* (Chicago: The Univ. of Chicago Press, 1982): 362.

㈡文化權力與統治權力間的遊移轉換

歷史上，得以接近人類精神文明遺產的，一直是少數人。中國一向有「學而優則仕」的文化——權力傳統，藏書樓又正負擔了此類文化資本禁錮與集中的角色。正所謂「十年寒窗無人問，一舉成名天下知」，藉由少數人才能擁有的文化資本，取得更龐大與獨特的政治資本、經濟資本。在踏上仕宦之途前，士人，就社會經濟活動的層面來看，極少參與各類社會根本性的經濟活動，但卻一直，以「士農工商」的優序享有較高的社會地位。也許，各時代的歷史正統，也正成就於此一階級之構建吧！

然而，學問（或科學知識）如何使得接受文化教養與訓練的學者，打開統治階級之門，並成為重要的政治轉換資本？Mosca 認為這樣的情形下，有時所謂的學問，僅僅需要掌握獲得高深知識所必須的機械方法即足夠！也因此，在近代中國，學習數不清的漢字是官吏教育的基礎。[36]少數人得以接近的書冊（包括官私的），正提供此一為化資本的優勢階級繼續確保社會空間的位置。雖然有學者認為，中國傳統的學宦之途，相當程度是社會階級流動的良好典型，但亦有學者研究清代的官宦之門發現，經由科舉取得的朝廷命官，有相當程度的比例都是有血緣親戚關係的！

㈢資本主義的興起與私家藏書

西方工業革命後已顯示，機器的操作需要稍有文化訓練的工人，可能也促使這類令較多人可接近的圖書館興起。而另一個值得關心的是，較早時期藏書家的興起與私人藏書家的背景（所擁有的文化經濟資本）。如果說，這些藏書家畢力蒐羅各方書版，而卻又嚴格的管制開放，那麼，所集之書，所為何用？也就是，這些藏書家本身都是士人階級？還是具有文化資本的商人？而同時他們在社會空間中的經濟——文化資本的轉換為何？這方面值得進一步的研究。

4.5. 文化資本的擴散？：論圖書館數位化後的「知識——權力」狀況

最近報紙上刊載，繼 24 小時營業的便利商店、餐飲店後，國內將出現第一家 24 小時經營的書店，並吸引了不少的目光。這些關注以文化的象徵意義來看，多賦予正面的肯定。然而，有意無意間，我們可能忽略了早已存在多時的 24 小時漫畫紅茶店。

書店，這個圖書館的近親，其實一直共同分擔文化鬥爭場域的資本供給角色。只是，在文化資本取得管道更多元後，此類的角色更能發揮也更多元罷了。然而，對照「精緻書店」與「漫畫書店」，由於在文化鬥爭中取得主流，精品書店不但標示著是個被認可

---

[36] 同註[26]，頁 10-11。

且取得正當性的活動場域，甚至於，散發出些許的「神聖意味」，我們沒有理由不相信：置身其中遂行日常生活實踐，藉以塑造生活習癖，這個理由對於打破黑夜的禁制（甚至是青少年）是多麼充分了！

除了這類神聖性在今日繼續以新面貌散播外，相對的是，網路社會正快速的成形蔓延中，資訊時代的數位文件似乎正加速宣告「無紙化社會」的到來。一波波新媒體浪潮，一再地挑戰知識體系的主要產品：圖書。如果正如傳播學者 McLuman 所稱：「媒體即訊息」，圖書產品所受到的挑戰正是空前的！假想，沒了圖書（在多久之後？），圖書館呢？這個機構、建築物、空間也將會虛擬化？電子化嗎？綜上而觀，除了神聖性外，如果回到各類資訊傳播的政治經濟學來看，我們可怎樣再思考虛擬圖書館的建構論述？

五、結論：虛擬圖書館——為誰而建構？

「眞理不是供膜拜，而是供檢驗的。」………尼采

前文對於有關圖書館空間的討論，提出對於此類論述的形成，以及研究方法論上的再思考。明顯的，圖書館是在諸種統治權與文化資本的競逐中興起的。在宣稱圖書館將「虛擬化」的今日，應站在於何種位置，討論圖書館呢？

正如我們所看到的，圖書館的研究，充斥太多有關於準則信條的「既明事實」。而這些功能論下的產物，的確可能造成整個學圈的閉塞與成長的停頓。人類的文明過程顯示，技術確實帶來使用上的便利。但如果對於圖書館的改善，終極指向著等同於「大眾」、「日常生活」的層面的話（因爲圖書館發展，從之前的菁英少數階級，朝向爲大眾服務的背後基礎，不就是性質接近的「後現代觀」嗎），當我們提出各類關於「虛擬圖書館」方案的同時，也必須重新思考人類文明歷史中，所重複彰顯的教訓。本文中引用的許多思想傳承，不都正是因工業革命之「必要惡果」而同時興起的嗎？今日值得注意的陷阱是：由於跨國資本主義全球化、資本（包括文化資本）集中化的趨勢，資訊集中化與知識鴻溝可能持續擴大，而非縮減距離！而如此加大的差距，卻又正與虛擬圖書館的終極思考是背道而馳的！這在關於資訊社會或傳播媒體的許多研究中，均已經提供了證據。換個角度來看，Shera 的論點在數十年後的網路狂潮中格外令人「驚豔」；如果承續 Shera 社會學式取向的研究，那麼，Inkeles 不就告訴過我們：要試著發掘藏在桌面下，更多

面的眞相嗎？㊲而且，正如 C. Wright Mills 在著名的《社會學想像力》㊳中所提出的，我們在發掘社會事實時，是否要加入更多出於人類學思考的歷史想像呢？有關圖書館未來面貌的問題，不管物質實體層面也好、運作技術層面也好，還是動態服務開展也好，是否應有多加入一點此類「社會的」與「人類學的」想像力？

㊲ Inkeles, Alexr, *What's sociology? An Introduction to the Discipline and Profession* (N. J. Prentice-Hall, Inc., 1964).

㊳ Mills, C. Wright, *The Sociological Imagination* (New York: Oxford University Press, 1959).

資訊素養教育的理性基礎初探：理性危機觀點

王等元
臺北市立成淵高中圖書館主任

壹、前言

圖書館向以提供讀者及時有用的資訊爲其天職，故讀者利用教育是圖書館學的一項古老且重要的傳統。但隨著資訊科技的發展，圖書館學在質與量方面均發生了根本性的變化，讀者的利用教育亦起了很大的改變。尤其自電腦網路問世以來，網路資源成爲館藏的一部分，讀者對圖書館的使用行爲有了根本性的改變，資訊素養教育自然應運而生，成爲現代圖書館的一項重要服務項目。

資訊素養（information literacy）最近不斷地引起國內外學者專家的熱烈討論，已然成爲圖書資訊學的“新顯學”。可見它是個豐富的論述空間，容許從不同視野角度進行對話討論。但在多元論述的背後，是否存在著一份對讀者的終極關懷與價值，是個嚴肅且重要的課題。尤其在網絡社會中，資訊大量快速流通，什麼是讀者及時有用的資訊，存在著相當寬廣的詮釋空間，這是當前資訊素養教育的一個困境也是終極關懷。

筆者以爲資訊素養教育旨在培養讀者具備應用資訊的能力即資訊素養，它應該定位在全人教育；若就能力本位的角度而論，資訊素養教育應至少包含三部分能力的學習：㈠圖書館搜集資料的技能；㈡批判思考能力的養成；㈢電腦及網路技能的學習。（吳美美，民 85，頁 35）

基於以上的認識，理想的資訊素養教育不應只被化約到技術應用的層次，否則將是另一個「工具理性」的宰制；職是之故，資訊素養教育的合理化基礎爲何？乃本文之旨趣所在。在分析架構上，從西方社會演化的理性危機出發同時觀照微觀與巨觀，有別於當前資訊素養的微觀論述，試圖爲資訊素養教育的價值與目的尋找一個共同的理性基礎，並藉此就教於同道亦祈施拋磚引玉之效。

貳、理性化弔詭

西方近代社會的演變似乎正是朝向這樣一個「贏了世界，輸了自己」的方向盲目地去努力。而現代西方人在面對這種情境之下，往往並不能眞正自覺到這種內在的危機，即使是意識到這些困境，卻又身陷在科層組織的控制之中而無能爲力。這是西方歷史發展中的困境，一個幾乎是帶著命定色彩的困境。西方人曾經努力促成理性化的現實，而理性化卻帶來了非理性的禁制。（高承恕，民 77，頁 140）

針對西方社會在逐步理性化之後，所產生的只重手段不重目的的不合理現象，即理性中的非理性，導致工具理性駕馭目的理性，個人自主性及人性尊嚴愈來愈萎縮的弔詭，一向是社會學家的終極關懷，茲就韋伯（Max Weber）及哈伯瑪斯（Jurgen Habermas）的看法分述如次：

一、韋伯對西方社會「理性化」的看法

西方社會自啓蒙運動以降，經歷了一連串合理化歷程後，明顯地浮現諸多違反人文精神價值的現象。對於這種「合理性辯證衝突」，社會學家韋伯（Max Weber）提出了「目的理性」（purposive rationality）與「價值理性」（value rationality）兩個概念。前者係指能夠對行動所取向的價值或目標作有意識之判斷的理性（黃瑞祺，民 85，頁 208），後者則指對行動所取向的手段或方法作效率之判斷的理性。

根據工具合理性的社會行動稱工具合理性行動（亦稱形式合理性行動），依價值合理性而發的是價值合理性行動（亦稱實質合理性行動）；形式合理性行動之所以是合理的，主要是從「目的達成」的觀點來判斷，如果從某種實質合理性的觀點來看，則此一目的的達成可能是極不合理的。另一方面，實質合理性之所以是合理的，主要是從某種「價值信念」的觀點來判斷，如果從形式合理性的觀點來看，則此一由價值指引的行動也可能是不合理的。由於合理性觀點與基準之不同，便造成了形式合理性與實質合理性在行動上的辯證衝突。（胡夢鯨，民 80，頁 159）

西方社會長期以來的「合理性辯證衝突」，造成了人類社會實質合理性的日益萎縮，以及人性尊嚴及主體性的淪喪，形成了另一種「意識型態」的宰制現象。

二、哈伯瑪斯的合理性重構

哈伯瑪斯認爲韋伯研究的理性化只是著眼於「目的理性」，但欲充分解釋現代病態之原因，則必須有一個更複雜的理性觀，此即除重視社會系統所倚靠的「工具理性」外，

尙應掌握生活世界的「溝通理性」。（金耀基，民 78）

哈伯瑪斯認爲，欲克服科技對人類宰制及工具理性過度膨脹的現象，其先決條件在於溝通理性的彰顯，因爲惟有人與人之間的溝通沒有宰制的情形，人在他人之中方能確認自己，惟其如此，科技才能在人類的掌握之下，創造更多的福祉。哈伯瑪斯的科技批判，一方面繼承馬庫色等人的科技批判理論，加以修正和補強，另一方面則藉助於韋伯的理性化概念，揭露現代科技所形成的意識型態，以彰顯人類的溝通理性。（楊深坑，民 79，頁 51-52）

由此可知哈伯瑪斯並不反對科技，事實上，人類生活在現代社會中，亦無法自外於科技的影響。其所批評的是，科技挾其巨大的影響力，無孔不入地擴散到人類生活世界各個層面，造成工具理性高度膨脹，價值意義日益失落的物化現象。哈伯瑪斯認爲欲恢復人性的意義和價值，必須對科技理性的意識型態加以反省批判，重新彰顯人類的溝通理性。（廖春文，民 79，頁 207）

溝通理性（communicative rationality）是建立在以語言爲媒介的一種相互理解且追求眞理共識的理性，其目的在啓蒙被扭曲的溝通現象，喚醒個體自我省思的能力，以期人類理性社會之重建。

哈伯瑪斯爲建構溝通行動的理性規準，乃提出人類溝通之普遍且不可避免的基本預設，此即一般所謂的「有效性聲稱」，包括：眞理聲稱（truth claim）、正當性聲稱（rightness claim）、眞誠聲稱（truthfulness claim）及可理解聲稱（comprehensibility claim）等四種規準，茲分別析述如次：（轉引自廖春文，民 79，頁 187；T. McCarthy, 1979, p.1-5）

㈠眞理聲稱：係指命題內容是眞實的，說話者所指涉的對象必須確實存在，或其所陳述的事務狀態爲眞。因此，在溝通過程中，說者能夠眞實（true）的陳述，使聽者能夠接受及共同分享說者的知識。

㈡正當性聲稱：係指言談行動是正當得體的，說話者的發言，必須能夠符合聽者所遵循的規範系統，亦即在溝通過程中，雙方均能公認規範背景的言談行動，達到共識。

㈢眞誠聲稱：係指說話者的意向必須是眞誠的，亦即在溝通過程中，說者應該眞誠地表達他的信念、意圖、感覺及期望等意向，以博取聽者的信任。

㈣可理解聲稱：係指言談意義的表達方式是可以理解的，亦即在溝通行動中，說者選擇可以理解的語言表達方式，以便讓聽者能夠瞭解。

參、資訊危機：理性的另類弔詭

身爲知識社會的成員，我們每天都是資訊的生產者同時也是消費者；然而不幸的是，「資訊焦慮」（information anxiety）已成爲現代人的夢魘。如何有效面對「資訊超載」（information overload），不致淪爲資訊的奴隸，已是我們每天工作與生活的課題。在知識爆炸的社會中，到處存在著資訊危機，尤其是量的爆增以及質的良莠不齊，已到無以復加的地步。從人類社會理性化的歷程觀之，當前的資訊煙霾也可以說是另一種型態的「合理性辯證衝突」，亦即工具理性過度膨脹，宰制價值理性的翻版。申而言之，資訊之爲物，原屬可欲的社會資源，吾人之行動決策悉依資訊蒐集而定。但隨著資訊科技的不斷推陳出新，猶如脫韁野馬般脫離了人類的控制，並反其道對人類進行宰制的情形日加嚴重了。因此，西方文明社會正面臨資訊危機的空前浩劫，尤其電腦網路科技成爲全球化現象後，網絡社會出現，每天快速且大量的商業資訊，侵蝕了人們的日常生活，正如 Habermas 所言社會系統宰制了生活世界。在資訊煙霾中自我迷失，人們喪失了建構資訊意義的能力。尤其如洪水般的資訊流，其資訊品質良莠不齊，主觀的意見陳述與客觀的事實資訊幾難分辨。虛幻的網路人際關係，顛覆了既存的信任與誠信。面對上述的理性弔詭，重尋失去的資訊倫理是可能的解方之一。因此，資訊倫理的重建工程是超越當前資訊危機的「應然」。然而，重構資訊倫理的理性基性基礎爲何？其哲學性的探究有其必要，俾以指引資訊倫理重建之實踐。

肆、資訊素養教育的挑戰

圖書館是個有生命的組織體，應隨著內外環境變遷而自我調整。就資訊素養教育的層面而言，現今人們資訊檢索與利用行爲的改變：從親自到圖書館利用館藏改變到在家、工作地點或學校的電腦螢幕前，圖書館需要重新考慮所提供的服務項目與方式，（陳雪華，民 85，頁 3）以及虛擬館藏、網路資源的出現是當前的一大挑戰。換言之，虛擬圖書館所提拱的遠距服務幾乎顛覆了傳統的服務型態及讀者利用行爲。另外，資訊煙霾（data smog）四處爲害，現代人的「資訊焦慮」根源於資訊大量快速流通，但本身所具備的資訊素養不足以有效處理週遭的資訊，以致獲得及時有用的資訊成爲一件困難的事。尤有進者，環保主義的全球化運動，使得資訊環保意識抬頭，雖力倡數位綠色新主張，但資訊垃圾爲害迄未構成實質生活環境的威脅，資訊環保運動仍未熱烈開展，但宜及早妥爲因應。

在具體做法上，應重新思考資訊素養教育的內涵，認知、技能、情意等三大領域均衡發展，除了培養資訊知能外，資訊心靈尤其重要，因而資訊素養教育合理轉化的理性基礎為何？必須有所反思，以免造成另一個「意識型態」的宰制。

因此，傳統的圖書館利用教育的做法必須適度加以調整，以因應上述的挑戰。

伍、合理性辯證衝突的反思

近代西方社會演化的歷程可以說是社會合理化的歷程，但其結果並未如預期般從神權中解放出來，走向更理性的理想社會。以社會學家韋伯的看法，是人類掙脫舊牢籠後再度走入新牢籠的歷程；換言之，在本質上仍未掙脫意識型態宰制的命運。

對於韋伯的命定論，在社會學中引起不少的批評與討論，但他所指陳的合理性辯證衝突的事實，則可提供吾人另一個分析的視野觀點及一些啓示。對於韋伯的論點，哈伯瑪斯曾加以批判，並試圖重建韋伯的理性化理論。申而言之，哈伯瑪斯對合理性辯證衝突雖然同樣秉持著人文關懷，但對命定論持保留態度，並進一步提出溝通合理性，企圖消解辯證衝突及超越困境。

以合理性辯證衝突的視野觀點，來檢視當前資訊素養教育的發展情形，或許也多少存在著合理性辯證衝突的危機。析而言之，完整的學習應涵括認知、技能、情意三大領域，並力求三者的均衡發展。大體言之，認知與技能學習的理性基礎是建立在所謂的工具理性上；而情意學習的理性基礎則為價值理性。當認知與技能學習過度膨脹，而導致情意學習日益萎縮時，將出現哈伯瑪斯所指稱的「不均衡的合理化」（imbalanced rationalization）現象。換言之，資訊素養教育的「不均衡合理化」將導致理性危機，形成另一種「意識型態」的宰制現象。具體言之，當前資訊危機（如資訊煙霾、資訊垃圾、資訊焦慮、資訊差異……）多少可以說是西方社會合理性辯證衝突的再複製，頗值得吾人省思。

陸、超越困境的一些想像：代結語

如何消解資訊危機和超越困境，仍是資訊素養教育的終極關懷。在實踐理性的層次上，培養獨立思辨批判能力，提昇資訊心靈，是希望工程之所極。茲以美國 Lincoln Public Schools（1994）的「統整資訊素養技能指引」（Guide to Integrated Information Literacy Skills）為例說明如次：（康春技，1999，頁 125）該校將 Eisenberg & Berkowitz 的 The Big Six 簡化成下列問句，以方便學生自問自答。

1. 我需作什麼？（What do I need?）

2.我可以用什麼來找我需要的資訊？（What can I use to find what I need？）

3.從那裡找我需要的資訊？（Where can I find what I need?）

4.那些資訊我可以用？（What information can I use？）

5.我如何將資訊整合？（How can I put my information together?）

6.我如何知道我是否作得很好？（How will I know if I did well？）

這些問題指引了資訊尋求的大方向，是資訊素養的關鍵能力所在。思考問題比操作工具更基礎，也是資訊素養教育的精髓所在。

綜而言之，把握之道爲體器爲用的原則，作爲資訊素養教育理性基礎的出發，或許是消解危機超越困境之道。

參考書目

一、中文

吳美美（民 85）。資訊時代人人需要資訊素養。社教雙月刊，73 期。

金耀基（民 78）。中國的將來與現代化。中央日報，民 78 年 1 月 4 日，16 版。

胡夢鯨（民 80）。從教育合理性的詮釋與批判論教育的合理轉化。國立臺灣師範大學教育研究所博士論文（未出版）

高承恕（民 77）。理性化與資本主義——韋伯與韋伯之外，臺北：聯經。

康春技（1999）。培養中小學師生資訊素養之實際——以爲高師大附中爲例。載於資訊教養與終身學習社會國際研討會論文集。

黃瑞祺（民 85）。批判社會學——批判理論與現代社會學。臺北：三民。

陳雪華（1995）。圖書館與網路資源。臺北：文華。

楊深坑（民 79）。哈伯瑪斯的現代科技批判。當代月刊，56 期。

廖春文（民 79）。哈伯瑪斯溝通行動理論及其在教育行政上的適用性。國立臺灣師範大學教育研究所博士論文（未出版）

二、英文

D. Held (1980). Introduction to Critical Theory. London: Hutchinson.

D. Ingram (1987). Habermas and the dialectic of reason. New Heaven and London : Yale Univ. Press.

H. Marcuse (1964). One-Dimensional Man : Studies in the Ideology of Advanced Industrial Society. Boston : Beacon Press.

R. Gibson (1986). Critical Theory and Education. London :Hodder and Stoughton.

R.J. Bernstein (1985). Habermas and Modernity. Cambridge:Polity Press.

T. Bottomore (1989). The Frankfurt School. London :Routledge.

T. McCarthy (1979). Communication and the Evolution of Society. Boston：Beacon press.

T. McCarthy (1987). The Critical Theory of Jurgen Habermas. Cambridge Mass : MIT Press.

談大陸地區網路資訊建設之發展

王宏德
國家圖書館

壹、前言

依據 IDC 的預測，全球使用 Internet 的客戶正由 1994 年的 3800 萬，急速擴增至 1999 年的 2 億用戶。全球日益增多的 Internet 使用者，也正從以美國爲核心的網路使用大國分散到地球的各個角落。近年來，世界各國使用 Internet 的人口不斷地增加，在美國以外的地區當中，以亞太地區和華人市場的成長最爲快速。從 Internet 的主機數量和用戶數量來看，中國大陸將是未來全球 Internet 發展最有潛力的地區❶。隨著中國大陸 Internet 主幹網路的陸續完成，商業性網路的開發市場也紛紛如同雨後春筍般地在各地湧現。繼臺灣宣佈上網人口突破 300 萬之後，中國大陸官方媒體新華社亦在 1999 年初公佈中國大陸上網人口已成長至 150 萬人，隨後中國大陸網路資訊中心（CNNIC）亦發表了一份最新的統計數據，指出中國大陸應至少有 210 萬網路使用人口，而這個數據也較 1997 年足足成長了 300%。然而，不論是 150 萬或是 210 萬，中國大陸驚人的上網人口規模與成長狀況已廣受全球網路市場專家的高度重視，根據 Computer Economics 的預測，中國大陸的上網人口將於西元 2005 年前成長至 3,750 萬，屆時也將正式超越日本而成爲僅次於美國的全球第二多上網人口的地區❷。就另一方面來看，海峽兩岸間的互動，在解嚴以來持續保持高度的成長，根據海基會的統計資料顯示，自 1992 年以來臺灣地區人民向香港中國旅行社申請前往大陸地區人數統計皆在 100 萬以上，而到 1997 年更高達 184 萬餘人，顯見兩岸間的各項交流日漸頻繁❸。因此，爲了迎接二十一世紀兩岸交流的新契機，我們

---

❶ http://www.ncc.com.cn/news/98-12-21/5.html

❷ 陳麗安，「中國大陸網際網路應用現況」，資訊應用導航（民國 88 年 6 月），頁 19。

❸ http://www.sef.org.tw/www/html/stchina.htm

有必要對大陸地區的網路資訊建設進行更深入的探討。

貳、中國大陸 Internet 的發展

中國科學院高能物理研究所（簡稱高能所，IHEP）是中國大陸最早使用電子郵件的單位，同時也是大陸最早擁有 Internet 國際出口的單位。1993 年 3 月租用 AT&T 公司的衛星線路，實現了高能所計算機網路與美國史丹佛大學線性加速器中心 SLAC 計算機網路之間 64Kbps 專線連接，構成了 SLAC 網路的子網，透過 SLAC 可以連接 Internet。隨著中國大陸資訊化建設的發展，自 1994 年 4 月正式導入網際網路至今，大陸地區已陸續完成了四大骨幹網路：中國科技網（CSTNET）、中國教育科研網（CERNET）、中國金橋網（CHINAGBN）及中國公眾網（CHINANET）。前二者爲專供科研與學術教育界應用的國家級互聯網，而後二者則是獲得官方授權的國際連外網際網路出入口，可在大陸經營全區商業性網路服務 ，截至 1998 年 12 月爲止，總計四大網路的連外總頻寬已高達 143,256Mbps ❹。

一、四大互聯網

就上述 CSTNET、CERNET、CHINANET 及 CHINAGBN 等四大互聯網而言，其建構時間、營運管理單位以及業務性質如下：

網路名稱	營運管理單位	國際聯網完成時間	業務性質
CSTNET	中國科學院	1994. 4	科技
CHINANET	郵電部	1995. 5	商業
CERNET	國家教委	1995.11	教育
CHINAGBN	電子部	1996. 9	商業

(一)中國教育與科研計算機網（CERNET）www.cernet.edu.cn

相當於臺灣地區 TANet 的機制，爲了加速推動大陸地區教育科研事業、國民經濟、資訊高速公路的發展，進而建立中國教育和科研計算機網，讓中國大陸多數的大學院校師生和科研人員，在全國和全世界的電腦網路環境下進行學習和科學研究工作，並大幅地提昇教學質量和研究水平，成爲中國大陸大學院校進入世界科學技術領域的便捷門

❹ http://www.ncc.com.cn/market/98-9-7/1-1.html

戶，以及科學研究的基礎設施，進而培養出具備世界觀與未來觀的高級人才，中共政府於 1993 年 2 月展開了「中國教育和科研計算機網路」（CERNET）計劃，並於 1994 年 11 月由國家計委會批示爲國家重點工業性示範工程。這是大陸地區第一個全國性的教育和科研電腦網路。該項網路建設由大陸地區中央政府出資，並責由國家教育委員會管轄。

目前完成的“中國教育和科研計算機網 CERNET 示範工程”是一個包括全國主幹網、地區網和校園網在內的三級層次結構的電腦網路。採用 Internet 的 TCP/IP 網路結構和通訊協定技術標準，全國網路中心和地區網路中心擁有世界上技術最先進且功能最齊全的網路和電腦設備。其網路中心位於北京的清華大學，地區網路中心分別設在大陸地區八個城市的著名大學❺。

㈡中國公用計算機互聯網（CHINANET）www.chinanet.cn.net

中國公用計算機互聯網（CHINANET）是由大陸郵電部門經營管理（類似臺灣中華電信的 HiNet）向大陸地區使用者開放的公用網路。CHINANET 是中國大陸 Internet 的骨幹網之一，其架構可分爲核心層與接入層二部分，核心層構成 CHINANET 的骨幹網，主要用來提供大陸高速中繼通道和連接接入層，同時負責與國際 Internet 互連；接入層主要負責提供客戶端口以及各種資源伺服器之應用。CHINANET 以現代化中國電信網爲基礎，凡是電信網（分組網、DDN 網、電話網）通達的城市皆可透過 CHINANET 連接 Internet，享用 Internet 服務❻。

㈢中國科技網（CSTNET）www.cnc.ac.cn

由中國科學院所管理的中國科學技術網，主要的服務對象爲科學院系統的研究人員，截至 1997 年 10 月爲止已有 100 個研究所聯網。CSTNET 是以“中關村地區與教育科研示範網”（The National Computing and Networking Facility of China，NCFC）爲基礎，以科學院網（CASNET）爲主體，連接了中國科學院以外的一批中國科技單位，所建設和發展起來的一個涵蓋全國的大型電腦網路，共經歷了三個重大發展階段：NCFC、CASNET 和 CSTNET。至於 NCFC、CASNET 與 CSTNET 間的相互關係可參見圖一所示。

---

❺ 王宏德，「中國大陸地區教育與科研網路之發展近況」，國家圖書館館刊八十七年第一期（民國 87 年），頁 30。

❻ 林震岩，中國大陸 WWW 指南，初版（臺北市：松崗圖書公司，民國 88 年），頁 3-10。

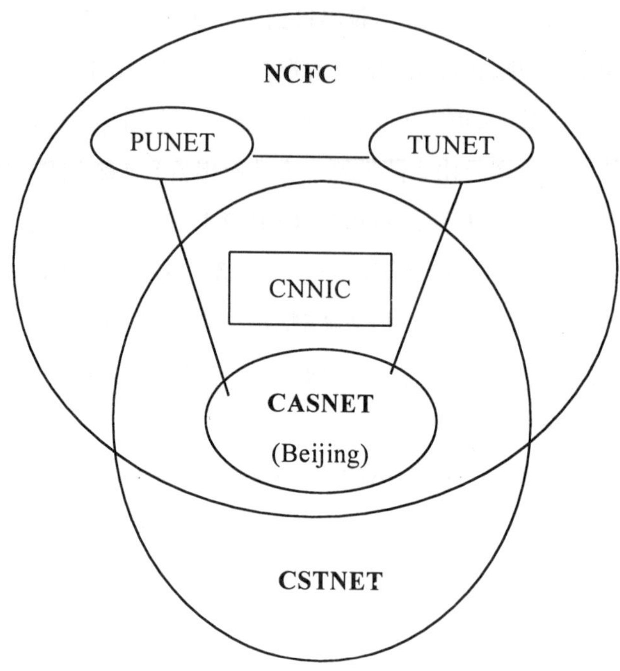

圖一　NCFC、CASNET 與 CSTNET 關係示意圖

CSTNET 爲非盈利網路，爲科技用戶、科技管理部門及與科技有關的政府部門提供服務，同時，也是中國大陸四大互聯網中建設最早，並獲得中共政府正式承認具備國際線路出口的大型網路❼。

㈣中國金橋信息網（CHINAGBN）www.gb.com.cn

中國金橋網（CHINAGBN）是大陸公用經濟資訊網，即中共國家公用資訊通信網，屬於中共國務院授權的四大互聯網路之一，亦是世紀的系統工程。由電子工業部管理，對中共政府、企業事業單位和社會大眾提供數據通信和資訊服務。主要的服務目標乃是支援大陸宏觀調控和決策、經濟與社會資訊資源共享、建設電子資訊市場、促進現代電子資訊產業發展、提昇資訊資源的使用效率，以及爲社會大眾提供 Internet 的商業服務等。目前 CHINAGBN 在北京、上海、廣州、深圳和武漢五座城市，利用衛星通訊組成全中國大陸骨幹網，並以此構成金橋網全中國營運控制中心（GBNOC）和 24 個省市及

❼　同註❺，頁 28。

地區的網控副中心間的連接❽。

二、主要網路間之互連架構

在主要網路的互連架構方面，中國大陸的情況大致可分爲兩個階段。第一階段是1996年以前，由於導入Internet剛起步不久，各網路爲了與Internet接軌，紛紛和大陸地區的四大Internet接入網（CSTNET, CERNET, CHINANET, GBNET）相連，藉以取得國際出入口。在這段時期，各網大多是僅以一條鏈路連接到某全國性的大網，因此，即使是在同一地區或同一城市的網路彼此之間也都互不相連，而事實上，當時四大國際出口接入網之間也未互連，導致大陸內地各城市和地區之間的通信，甚至同一地區內互通信息都要繞道國外，造成了網路通信資源和經費的嚴重浪費，並使原本早已擁擠不堪的國際通道更顯得雪上加霜。第二階段，自1997年起，中國大陸所建成的網路數量已達到一定的規模，網路管理者逐漸意識到互連的重要性，因此，各地相繼開始建立交互平臺，而四大網之間也實現了兩兩互連的網路架構。

目前，雖然已有許多網路透過各種方法完成互連架構，但是大部分的互連效能不佳，除了平時常易造成網路塞車之外，影響所及甚至會造成連線中斷。此外，由於網網互連的策略和技術性問題，網路只是單純兩兩連接，尙不具備中繼其它網路的功能，因此，即使建立了網路互連中心，也未能有效地將與其連接的所有網路互連起來。展望未來，不論是上述何種新技術的應用，都將會對大陸地區的網路互連架構產生深遠的影響，並將產生新的、更優質的互連模式，以因應新世紀的網路互連需求❾。

三、其他重點公衆數據通信建設

㈠整體服務數位網路（ISDN）在中國大陸的發展概況

1991年3月，大陸完成了第一個ISDN模型網的建置工程，並成功地試驗了上網用戶線路的數據傳輸能力與標準化ISDN用戶的網路接口技術，實現了點對點的數據連線，以及爲用戶提供多樣性服務的綜合業務，爲ISDN技術在中國大陸的實用化奠定了良好的基礎。此後，大陸當局又分別在北京、上海、廣州、深圳等地區成功推出了ISDN的商業實驗網❿。到了1998年，大陸各地紛紛建立自己的寬頻綜合業務數據網。由於大陸政府投入國家中繼骨幹網的建置，因此，北京等地得以開辦相關之中繼業務，而ISDN

---

❽ 同註❻，頁3-17。

❾ http://www.ncc.com.cn/tech/98-12-7/2.html

❿ http://www.ncc.com.cn/tech/99-1-4/2.html

業務也在各地蓬勃開展，並逐漸在當地發展成一項成熟的通訊應用技術。

㈡電信基礎傳輸網路建設

大陸地區之電信基礎傳輸網路主要是由以下幾個部分所組成：⓫

1.光纖網路：於 1997 年 7 月動工的蘭州、西寧、拉薩間的光纜工程，成功地連通了大陸中西部最後一個不通光纖的省區——西藏。至此，全線舖設工程完工之後，中國大陸的光纜骨幹網路可通達所有的直轄市、省會城市及 1,068 個縣市。由政府投入所舖設的長途光纜長達 15 萬公里，再加上縣到縣、縣內、城區內的光纖網路，大陸全區光纜總長達 82 萬公里。

2.微波網路：大陸微波通訊傳輸網路發展初期，主要以類比微波通訊爲主，隨著數位技術的發展，自 1987 年完成第一條自製的 34Mbps、480 路數位微波電路以後，便展開了後續的數位微波電路建設。目前，大陸電信微波網路建設的主要任務就是早期建置的類比微波工程進行數位化改造工程。截至 1996 年底爲止，大陸地區所擁有的數位微波通訊線路的波道總長度爲 576,270 公里。

3.衛星網路：大陸郵電部自 1990 年便開始進行大陸數位衛星通訊網路的規劃和建設，截至 1998 年初完工的第四期新建與擴建工程爲止，已陸續完成了北京、廣州、烏魯木齊、拉薩、呼和浩特、成都、青島、上海、瀋陽、西安、武漢等 41 個數位衛星地球站的建置，形成除了香港、澳門以外，覆蓋整個中國大陸主要城市的現代化數位衛星通訊網路。此外，透過數位衛星通訊網路的成功建置和使用，也使得中國大陸的郵電通訊網路正式形成了由空中衛星、地面微波和地下光纜共同支撐、互相輔助的立體通訊網路架構，而其工程之浩大也爲中國大陸整體交通建設建立了不可動搖的堅實基礎。

㈢中國公眾多媒體通信網（169）

這是由大陸的郵電部所投資建設和管理，並由各地電信部門經營的多媒體通信業務網，同時，也是一個號稱「適合中國國情的多媒體通信業務網」。該網以大陸地區的廣大用戶爲主要服務對象，採用網際網路與網內私有網路（Internet/Intranet）和先進之多媒體技術，充分利用國家公用通信網的網路資源優勢，建立全中文環境的資訊及應用系統。中國公眾多媒體通信網（169）的網路架構分爲骨幹網和省內網。骨幹網於 1997 年初啓動，構成了多媒體通信網的高速骨幹通路，一般採用 E1（2Mbps）速率以上的光纖，並

⓫ 虞金燕，「中國大陸電信網路基本架構」，通訊雜誌 55 期（民國 87 年 8 月），頁 52- 53。

由北京、上海、瀋陽、武漢、成都、西安、廣州和南京組成八個核心層節點⓬。

㈣中國電信與大陸數據通信建設⓭

爲支持大陸地區之國民經濟資訊化建設，中國電信將數據通信確定爲三大發展重點之一。經過三年多的努力，中國電信已成功地開拓了覆蓋全中國大陸的數據通信網路工程。在基礎數據網路方面，明顯的成就包括了：公用分封數據網（CHINAPAC）和公用數位數據網（CHINADDN）完成整個大陸地區的覆蓋工程、中繼寬頻業務網（CHINAFRN）在 23 個省會城市建立了 ATM 交換機，提供 ATM 和中繼用戶端口，此外，自 1997 年底開始建設的無線數據通信網，則進一步地開闢了數據及多媒體通信業務的新領域。

在公用 IP 網路方面的成就包括中國公眾多媒體通信網和 CHINANET。前者到 1998 年 10 月將完成與電話覆蓋率相同的普遍服務；後者則已完成中國大陸所有省會及 230 多個城市骨幹網、接入網的工程，對國際網路出口的總頻寬已達 80Mbps。

四、網路服務業的分類

目前，大陸地區的網路服務業可大爲三類：

㈠ ISP：是 Internet 服務供應商（Internet Service Provider）的簡稱，也是最終用戶（End Users），包括一般的個人用戶和企業用戶進入 Internet 的入口和橋樑。

㈡ IAP：是 Internet 接入服務提供商（Internet Access Provider）的簡稱，專指那些專門從事接入服務的廠商。

㈢ ICP：是 Internet 內容服務提供商（Internet Content Provider）的簡稱，專指那些在 Internet 上提供大量豐富且實用資訊的廠商。

相較之下，臺灣地區較明顯的網路服務業者只有 ISP 與 ICP 二大類，從事網路資訊的搜集、整理與加工，並對所屬的用戶提供專業性的網路服務。根據大陸現行的法令規範，可提供 Internet 商業服務的機構可概分爲兩類：第一類是如前述之四大互聯網中的 CHINANET 與 CHINAGBN，屬於「一級互聯網路 ISP」，而 CHINANET 自 1995 年啓用以來，其骨幹網遍及大陸全區，用戶數及頻寬均居大陸之冠。第二類則是「一級接入網路 ISP」，需透過 CHINANET 或 CHINAGBN 才能提供 Internet 服務的 IAP 或 ICP（類似臺灣地區絕大多數的中小型 ISP 業者）。此外，根據大陸新華社的官方統計資料，現階

⓬ http://www.ncc.com.cn/e-comm/99-1-11/3.html

⓭ http://www.ncc.com.cn/news/98-8-3/13.html

段大陸「一級接入網路 ISP」總計有 14,000 家，其中有近 1/4（3,500）設立於北京地區⓮。

五、大陸地區 ISP 與 ICP 的發展概況⓯

㈠ ISP：

目前，大陸地區的 ISP 大致可分爲兩種：第一種是類似 American Online 的公司，是以線上資訊服務爲主，再加上 Internet 連網功能，即 ISP＋IAP，較具代表性的包括：瀛海威（IHW）、訊業（China Online）、海峽信息網等；第二種則是完全以 Internet 爲基礎的資訊服務，也就是以 Internet 連網爲主，再加上網路資訊供應服務，即 IAP＋ICP，以中網（NetChina）、世紀互聯（CENPOK）等爲代表。

相較之下，提供第二種服務型態的 ISP 在現有的大陸網路市場當中較爲盛行，而究其原因乃在於投資規模較小市場風險較低，以及自身所擁有的資訊量有限所致。

然而，隨著 Internet 在大陸地區的快速發展，人們逐漸體認到網路資訊，尤其是網上中文資訊資源的重要性，資訊服務的最終價值必須仰賴其所能提供的資訊內涵來評斷，而資訊通道和其他各種技術手段充其量都只是爲了實現此一目標的工具而已。

隨著競爭市場的形成，現在有越來越多的 ISP 投入網路資訊內涵的開發工作，因爲，他們發現只從事單純的 IAP 服務是無法面對日益激烈的市場競爭，而唯有加強 ICP 的建設才是未來生存與發展的關鍵所在。否則，大陸的網路資訊服務亦將無可避免地產生以下的弊病：

1. 網上缺乏有用的中文資訊。
2. 網路資訊缺乏分類與整理，將不利於網路用戶的檢索與查詢。
3. 缺乏可用的網路資訊，用戶自然不願上網。
4. 由於上網用戶減少，導致 ISP 的經營成本無法調降，上網所需之相關費用勢必居高不下，惡性循環的結果乃是造成用戶更不願上網。

承上所述，現階段大陸地區 ISP 的發展狀況方面，以瀛海威、訊業、世紀、中網、國聯（ICNet）、實華開（Sparkice）等最具實力，且幾乎都是投資幾百萬甚至上千萬元人民幣的經營成本。其中，較引人注目的發展項目包括：

1. 深圳的訊業集團在全中國大陸籌建“China Online”（類似美國的“American Online”）多媒體資訊加值網路，計劃在大陸全境 90 個城市建立營運站點，從事

⓮ 同註❷，頁 20。

⓯ http://www.ncc.com.cn/market/98-8-3/1.html

網上貿易（電子商務）和用戶連線上網服務。首批申請了 38 個城市營業許可，註冊資金 1.9 億元，而實際的營運資金據稱已達 20 多億。

2.瀛海威是中國大陸從事中文資訊服務發展較快的公司之一。

3.中網和國聯的用戶均呈現穩步增長，其中，「中網資訊技術有限公司」已經正式提出在北京、上海等 12 個城市建立專屬的 Internet 骨幹網。而「國聯在線」則是首家提供 Internet 商業服務的全國性股份資訊網路公司，未來亦將於上海等大城市建立網路據點。

4.世紀和實華開的發展亦頗具規模，例如，不久前世紀才投入上千萬元人民幣，買下 600 條中繼線路，計劃在全中國大陸設點，從事人才資訊服務和上網連線服務。世紀集團並宣稱，將投資 2 億元人民幣在北京、上海、廣州等 16 個城市籌建大型骨幹網，提供 Internet 平臺和資訊服務。

㈡ ICP：

在 1998 年初，由於經營成本的壓力和技術等多方面問題，從 1998 年下半年開始，許多中、小型甚至大型的 ISP 逐漸轉向 ICP 服務，並成為一種潮流。舉例而言，1998 年 12 月 1 日，中國大陸的四通利方公司正式宣布與海外最大的華人互聯網站公司——華淵資訊合併，並推出了新的網站——“新浪網”。 四通利方擁有中國大陸境內流通量最大的網站，而華淵則在北美及臺灣地區擁有廣大的用戶群，兩家公司的中文網站「平均網頁閱讀次數」均超過 100 萬頁／日。合併之後，新浪網將一如往常地提供軟體、新聞資訊等各種服務，大力發展中文網際網路軟體技術，建立中文網際網路門戶和虛擬社區，立志成為全球最大的華人網站。

ICP 服務在中國大陸雖然還處於起步階段，但是仍可粗略地分為以下幾類：

1.政府資訊：

網上的政府資訊具有規模大、資訊量大、權威性強等特點。目前由大陸各部委建立的資訊中心共約 114 個，但其中眞正在網上開放社會服務的並不多。其中這些資訊又可大分為三類：

⑴綜合類

此類資訊規模大、覆蓋面廣、綜合性強，在大陸內地的網路資訊服務中居主導地位。此類資訊來源，如中共國務院新聞辦公室的「中國國際互聯網路新聞中心」、「中國金橋信息網」等。

⑵行業類

服務對象爲專屬行業，同時，資訊並未完全開放（檢索資料庫要收費），只提供少量如網站導航等綜合性服務。主要提供者包括：中共國內貿易部、財政部、外經貿部、紡織總會、鐵道部、民航局、水利部、煤炭部、有色金屬總公司、石化總公司、中國火炬信息網、中國電子行業網、人民銀行、中國經濟信息網等。

(3)宣傳類

某些政府機構因特殊性和保密性等緣故，無法在網上提供太多的資訊服務，僅能對本機構的職能作簡單介紹，如中共人事部、司法部、外交部、公安部等。

2.專業資訊

一般而言，網上專業資訊服務的規模較大，大部分專業資訊網在中國大陸各地廣建節點，以便專業資訊能及時地匯整、分析與整理，並及時地在網上發布。專業資訊通常較能全面性地展現各專業領域的現況，如中國房地產聯合網，是朝向全球開放式、全方位的綜合房地產資訊網路，由大陸內地各大、中城市長期從事房地產專業資訊處理、發布和諮詢的資訊公司製作並推廣的。專業資訊服務不論是在資訊規模、資訊價值及更新速度等方面，均較行業資訊強，但由於它的涵蓋面較小，專業性太強，因此，無法吸引太多的網路用戶。

3.行業資訊

就涵蓋面的角度來看，網上「行業資訊」「專業資訊」廣，內容亦較爲豐富，藉由網上眾多的行業資訊，可呈現出目前中國大陸各行各業的發展狀況。由於各行業基本上都已初步形成利用網路進行對外服務的共識，因此，中國大陸現有的網上「行業資訊」依據其規模、職能和內容又可區分爲三類：

(1)宏觀類

如「中國電子行業信息網」是原電子部信息中心自行開發設計的服務網路，對內是部內辦公室自動化的延伸，對外則是金橋網的重要網路資源。該網只就宏觀的角度對中國大陸的電子產業的概況進行闡述，主要介紹系統建設背景、系統規模、建設系統的意義、資訊服務內容、系統服務內容以及系統的支援環境等。

(2)宏觀加微觀類

如「中國輕工業信息中心」即中國輕工總會信息統計辦公室，是中國大陸輕工總會指導、管理和協調輕工行業資訊工作的管理部門，是對中國大陸內外輕工資訊的收集、整理、研究分析、開發和發布的綜合機構，並負責對大陸地區 34 個輕工業行業資訊中心進行業務指導和管理。

(3)微觀類

此類資訊只對個別之專業領域進行闡述，尤其是側重於產品介紹。如「中國電池工業協會」，負責對中國大陸電池工業進行管理和協調的任務。

雖然資訊種類五花八門，但就某些角度進行觀察，上述網上行業資訊服務仍有許多不足之處，例如：

(1)內容不夠充實，大部分行業在網上只作簡單的介紹和公布連繫方式，並未充分利用網路空間進行對外宣傳。

(2)網上資訊內容較爲陳舊，大部分的產品、成果、技術沒有太多的利用價值。

(3)資訊不夠開放，絕大部分資訊還是收費性服務，影響資訊流通的整體效益。

(4)幾乎沒有跟上國際的脈動，在網上沒有看到國外同行業的成果、產品和項目的介紹。（缺乏國外相關資訊網站的連結）

4.綜合資訊

綜合資訊服務在目前的網路上是最常見的一種服務方式，基本上所有的 ISP 都提供此類服務。其目的無非是想吸引更多的客戶，但由於缺乏特色，總是令觀者有千篇一律的感覺。就大陸地區綜合資訊服務而言，其中做得較好的或許首推愛特信公司，該公司的口號是“只做 ICP 服務，不做 IAP”基於這樣挑戰理念，由該公司所推出的「搜弧（Sohoo）」中文專業搜索引擎享譽全球華文資訊市場，更博得了“中國 Yahoo”的美稱。

六、大陸地區網路發展狀況之統計資訊⑯

爲了改善過去因過於依賴國外 Internet 統計報告，導致統計不即時、統計結果準確性不佳的弊病，經中共國務院信息辦與 CNNIC 工作委員會研究之後，決定由 CNNIC 聯合大陸地區四大互聯網路單位來實施相關的統計工作。而目前則是由中國科學院計算機網路信息中心負責 CNNIC 的運作與管理工作，並在業務上接受中共信息產業部的督導。

(一) 1998 年中國大陸網路用户調查

中國大陸廣大的網際網路市場，早已成爲全球關注的焦點，繼先前新華社發布中國大陸有 150 萬上網人口的消息之後，中國大陸網路資訊中心（CNNIC）亦發布一份最新

---

⑯ http://www.cnnic.net.cn/99'cnnic/p1_1.html

的調查報告，根據此份報告，截至 1998 年 12 月底，中國大陸有 210 萬網路使用人口，較 1997 年成長了 300%，其中透過專線上網者約為 40 萬，透過撥接上網者約為 149 萬，兩者都有者約為 21 萬。

㈡ 1998 年中國大陸網際網路規模統計

在 CNNIC 利用自動搜尋及線上問卷調查所完成的報告中指出，整個全中國大陸共有 74 萬 7 千部電腦連上網路，其中透過專線上網的電腦共有 11 萬 7 千部，撥接上網的則有 63 萬部；註冊在 CN 網域下的網域名稱（DNs）共計有 18,396 個，其中以.com 者最多，計有 13,913 個，佔全部網域名稱之 75.6%，其次依序為：.net（佔 6.6%）、.gov（5.3%）、行政區域名（4.9%）、.edu（2.9%）、.ac（2.3%）及.org（2.2%）；CNNIC 估算目前全中國大陸約有 5,300 個以上的網站。

㈢網路使用者特性調查

CNNIC 於 1998 年 12 月 11 日至 31 日期間，透過線上問卷收集了 22,177 份有效回覆樣本，依據統計結果顯示，大陸地區男性上網者佔了 86%，女性僅佔 14%，未婚者則佔 64%；在年齡層的分佈方面，30 歲以下的使用者佔了 78.5%，其中以 21~25 歲者居多，佔全部之 41.3%；89% 的使用者具有大學以上的學歷程度。

㈣網路使用者分佈地區調查

從使用者所在地區的分佈狀況分析，來自首都北京的使用者最多（佔 23.93%），其次為南部的廣東（佔 20.93%）、江蘇（5.31%）、浙江（4.36%）及上海（4.34%）。

㈤網路使用者行業領域調查

在行業領域方面，以資訊業者（17.4%）及學生族群者（16.4%）最多。

㈥網路使用者經濟狀況調查

據 CNNIC 的統計數據顯示，大陸地區近六成（58%）的用戶其家庭平均月收入在 1000 元人民幣以上，更有 1/4 的家庭月收入在 2000 元人民幣以上；純用自費方式上網的使用者佔 45%，而有 55% 的使用者則宣稱可透過以公費方式使用網際網路。

㈦上網設備與平均每週上網時數調查

在上網設備方面，使用 IE 瀏覽器者佔 71%；撥接上網的使用者中，有 86.6% 是使用 33.6K 或 56K 數據機上網。每週上網 5 小時以上的使用者高達 65%，更有 36% 的使用者每週上網 10 小時以上；有 50% 的使用者是從工作單位（或學校）上網，44% 是從家中連上網際網路。

㈧網路利用行為與網路資訊需求調查

查詢資訊（95%）、收發電子郵件（94%）及下載軟體（77%）是大陸網友使用網際網路的主要原因。在 1998 年 7 月，CNNIC 所進行的另一次調查統計結果亦顯示，受訪學生上網所使用的網路服務功能類型多樣，包括了大陸目前流行的 WWW、BBS、Email、FTP 及 Telnet 等服務，而其中尤以 WWW、BBS 和 Email 最爲普及⑰。至於網路資訊需求度最高的種類依序爲：科技資訊（76%）、經濟、政治新聞（66%）、休閒娛樂體育資訊（65%）、商業資訊（51%）；搜尋引擎（80%）及網站鏈結（76%）則是一般使用者獲知新網站的主要途徑。

㈨評斷網站是否吸引人的重點

「有很多有價值的資訊且常更新」（佔 83%）及「與所學或工作關係密切」（佔 64%）則是大陸網友認定網站是否吸引人之重點。

㈩對於現有 ISP 網路服務的看法

依據 CNNIC 的調查資料顯示，大陸網路用戶選擇 ISP 的首要條件是「連線速度」（44%）；認爲網際網路最令人失望之處則是「網上速度太慢」（92%）、「收費太貴」（74%）。

在這個項目方面，除了中共新華社及 CNNIC 之外，另一個由中國大陸電腦聯盟（CCA）所進行的調查亦提供了一些值得參考的統計資訊：31.5% 的受訪者覺得連線費用過高，24.6% 表示連線速度太慢，21.6% 抱怨網站上有用的資訊太少。由此可看出雖然中國大陸對網路的需求日增，但中國大陸境內的網路環境卻問題重重：連線費用高、網路傳輸速率慢、資訊不足等等。這兩項調查都將上述原因歸因於中國大陸境內電信業爲寡占事業；昂貴的網路專線租賃費用使得中國大陸的 ISP 無法提供較佳的服務。不過中國大陸政府最近表示將重整國內電信的組織結構，屆時網路專線的租賃費用可能會大幅降低，這對中國大陸的 ISP 業者而言不啻是一個令人期待的好消息。

此外，類似的統計資訊也出現在另一份針對清大學生的問卷調查報告，據該研究報告指出：對網上內容，大學生們也在進行投票。在 WWW 站點中，大陸地區免費站點最受青睞（70%），其次是校內站點（54.7%）。訪問國外站點的得票率不高，說明大家更關注的是身邊的事。雖然網際網路將整個地球變成了一個"村"，但網路如果能夠關注身邊的生活將會更受歡迎，可以肯定的是此一市場將屬於那些關注現實的網路廠商。而需要提醒網路商家注意的是，約有 10% 的學生認爲網上缺乏新的或者是有價值的資訊。

---

⑰ http://www.ncc.com.cn/news/98-10-26/6.html

然而，讓人頗感樂觀的是，只有不到 1% 的人對網際網路採取了消極的態度⓲。

(十一)對於網路廣告與網路購物的看法

在被詢問及對網路廣告的看法時，54% 的使用者表示「不常點選廣告，除非有感興趣內容的網站」；對網路購物的態度方面，87% 的使用者表示「在條件成熟的情況下，希望上網購物」，而有 65% 者認爲「上網購物需要法律及技術上對安全的保障，而目前還很不完善」，57% 者「擔心商品或服務質量」。

(十二)中國大陸優秀網站票選結果

在這次調查中，雅虎搜尋引擎、網易搜尋引擎及搜狐搜尋引擎則是受訪者票選爲推薦的優秀網站前三名。

參、對於未來的展望

一、網路服務業者成本過高

1998 年夏，中國大陸最早打起網路內容服務大旗的瀛海威因經營虧損 8,000 萬、後續融資出現困難而發生變革，總裁張樹新向董事會提交了辭呈，11 月 26 日，瀛海威中高級管理人員亦隨著發生集體辭職的風潮。有評論認爲，此事件顯示出以中國大陸現有的用戶數量還不足以養活全體的 ISP ⓳。有人認爲，中國大陸尚不具備網路服務供應商發展的理想環境，在產業鏈還沒有形成、產業分工合作尚未明確的時候介入這個領域，虧損自然是無可避免的。事實上，ISP 是資訊業高度發展的產物。在中國大陸，幾乎每家 ISP 都要投入巨資舖設線路或租用線路，要向資訊部門繳納昂貴的資訊流量費，而此項費用太高。據估計此費用要佔到營運成本的 80% 左右，而美國僅爲 5.26%。因此，就現階段而言，中國大陸的 ISP 企業幾乎都是呈現虧損狀態⓴。

二、電子商務熱鬧登場

1998 年，是電子商務在中國大陸掀起熱潮的一年，各種「解決方案」紛紛發表，基於網路而演繹出來的玄妙話題炒作熱烈，對大陸地區電子商務的啓蒙發揮了「推手」的效應。網路貿易的迅速發展，不僅在中國大陸急劇加溫，當然也引起了政府的高度重視。1998 年原中共電子部推出了商易網、經貿委開辦「金貿工程」、 外經貿部設立「中國

⓲ http://www.ncc.com.cn/market/98-9-7/3-2.html

⓳ http://www.ncc.com.cn/tech/98-6-8/1.html

⓴ http://www.ncc.com.cn/nettimes/98-10-26/1.html

國際電子商務中心」和「中國商品交易市場」（moftec.gov.cn）、全國庫存中心設立「庫存流通網」、中國電信獨家網站（chinatelecom.com.cn）的推出等等，政府部門紛紛走向Internet，目標都直指電子商務，同時，大集團、大公司的共同參與，也使市場運作的色彩格外明顯。1998 年 7 月 1 日“中國商品市場”正式進入 Internet，成爲中國大陸第一次由政府主導建立的中國商品資料庫和網上虛擬的採購基地。「中國商品市場」正式上網一個月，訪問人數已達 127.4 萬人次，它已成爲外商了解中國大陸外經貿消息的權威站點和大陸內部企業產品以及自身形象宣傳的有效管道。

然而，到目前爲止，雖然有一些不同層次的應用方案逐步開始應用，但資訊流、資金流、物流協同工作的眞正實用化完整電子商務平臺不多。總體而言，就某些角度來觀察，中國大陸的電子商務發展現階段還停留在對安全、保密、認證、法律等技術手段和標準規範是否成熟可靠的討論上㉑。

爲了進一步促進網路貿易在中國大陸的發展，中共政府規定，到 2000 年進出口企業必須通過「中國國際電子商務網」，以電子方式申領配額許可證，否則將喪失經營配額許可證商品的權利。中國國際電子商務網是國家級電子商務網，同時，也是一個集外貿業務管理、資訊、服務三位一體的國家唯一的外貿專用網，該網現已逐漸在全國各地推廣使用。連網用戶透過它每月可獲得數百萬條來自全球貿易網路的電子貿易資訊，也可向網上 700 多家國外企業發布產品資訊和企業形象廣告，同時可以快捷方便地瀏覽有關國外經貿的重要資訊，並與大陸內外客商直接進行網上貿易。

雖然，「中國商品市場」的上網運作和「中國國際電子商務網」在大陸各地的推廣，使中國大陸的網路貿易又向前邁進了一大步，而在實質上，網路貿易在中國大陸的發展僅僅是個開始㉒，未來仍是一條漫長而遙遠的路，即便是商機無限，但卻也可能是陷阱重重。

三、1999 政府上網風潮

1999 年被視爲中國大陸的「政府上網年」。1998 年 3 月，大陸全國人民代表大會做出決定，撤銷「郵電部」和「電子部」，另行籌組「信息產業部」。新成立的信息產業部將統一執掌郵電、電信和計算機三大資訊業的兵符，負責勾畫國民經濟資訊化的宏偉藍圖。

㉑ http://www.ncc.com.cn/e-comm/98-8-3/1.html

㉒ http://www.ncc.com.cn/e-comm/99-1-11/1.html

自 1999 年初以來，中國大陸宣佈將投入 1 兆人民幣（相當於 1/7 的國民生產額）發展網路資訊的內涵，並於 3 月初大幅調降各項上網的費率，最大降幅高達 50%。此外，依據中國大陸「政府上網工程」的計畫，預計將於 2000 年實現 80% 以上的中央部委和各級政府完成上網設站，與各部委合作發起其管理範圍內的行業上網的工程。可以預見的是，中國大陸在政府的強勢領導之下，未來的網際網路應用推動政策與步驟，將由政府上網進而帶動各行各業、個人上網。為了宣示中央推動電子化政府的決心，中國大陸政府並宣佈 1999 年為其「政府上網年」，全力進行各項上網工程的推動，在 2000 年之後，預期中國大陸的網路應用成果將會出現明顯的成長。舉例而言，在省級單位的動態方面，黑龍江省資訊化工作領導小組宣布，到 2000 年，該省資訊化建設投資總規模有望達到 280 億元人民幣，其中直接服務政府和公益性項目的投資佔 3%，郵電、廣電及電子行業基礎設施建設佔 82%，各類資訊企業自籌資金和銀行貸款分別佔 9% 和 4%，其他資訊化建設項目投資佔 2%。

黑龍江省期望通過這些投資，能夠使得該省到 2000 年時，公共與基礎性資訊資源平均利用率達到 60%，90% 的行業和系統建立資訊庫並實現網上全球資訊發布，網上資訊資源達到 3000 兆 Bit。而在資訊網路方面，計算機裝機容量將達到 30 萬臺，其中 40% 連線各種電腦網路，中型企業上網率達 80%，城市家庭電腦擁有率達 8%。城鄉公用通信網將初步完成寬、窄頻技術相結合的資訊基礎建設，建置承載黑龍江省各類資訊業務的公共資訊傳輸交換平臺。1998 年，黑龍江省委把發展資訊產業列為 12 項主要任務之一，而發展資訊產業，推動資訊化的工作任務和目標，可以概括為「1517」工程：即制定一個總體規劃，培育五個電子資訊產業集團，建設一個軟體基地，推動七項重大資訊應用系統工程㉓。

一般來說，政府資訊的發展直接關係到網上資訊服務的內容和規模。如何使政府資訊能夠更完善地為社會服務、提高政府資訊的開放性和綜合性，以促進全國資訊服務的發展，乃是中國大陸目前迫切需要解決的問題，經過了 1998 年的高度成長，1999 年將是中國大陸邁向二十一世紀網路資訊建設開花結果的一年。

㉓ http://www.ncc.com.cn/market/98-7-6/13.html

附錄

大陸地區重點網站資訊

一、網路導覽資訊類

(一)中國互聯網路信息中心（CNNIC）（www.cnnic.net）

二、公衆資訊類

(一)中國公眾多媒體通信網（www.bta.net.cn）

(二)中國公用計算機互聯網（www.chinanet.cn.net）

(三)中國金橋信息網（www.gb.com.cn）

三、教育資訊類

(一)留學人才技術信息網（http://www.cscse.edu.cn）

(二)中國博士後信息系統（http://www.edu.cn/postdocs）

(三)中央資源庫應用系統（http://www.cmet-irb.gov.cn）

四、科研資訊

(一)中國科技信息網（www.stu.ac.cb）

(二)中國教育與科研計算機網（www.cernet.edu.cn）

(三)中國科技信息所萬方數據網路中心（kjxs.gov.cn）

五、經貿資訊類

(一)中國經濟信息網（www.cei.gov.cn）

(二)中國經貿商情網（www.cbn.com.cn）

(三)中國稅收諮詢網（www.tax.com.cn）

(四)中網（NetChina）（www.netchina.com.tw）

(五)飛梭網路信息（UNET）（www.unet.net.cn）

(六)中國公司網（www.china-company.com）

(七)中國商品交易中心（www.ccec.com.cn）

(八)中國機電產品進出口公會（www.cccme.cn.net）

(九)中國電子進出口總公司（www.ceiec.com.cn）

(十)中國醫藥對外貿易總公司（www.iuol.cn.net/virtual/sinopha/index.html）

(十一)中國進出口商品檢驗總公司（www.cic.com）

(十二)中國商品交易中心（www.ccec.com.cn）

㈢中國商品交易市場（www.chinamarket.com.cn）

㈣中國商品交易市場 （moftec.gov.cn）

㈤全國庫存商品調劑（網路）中心（hxec.com.cn）

㈥中國廣告商情網（202.94.1.86/main.html）

六、金融資訊類

㈠中國債卷信息網（www.chinabond.com.cn）

㈡中國股票（www.china-stocks.com）

㈢上海股市行情（www.comnex.com/stocks/stocks.htm）

㈣中國東方証卷網（www.orient.fj.cn.net）

㈤香港聯合交易所（www.sehk.com.hk）

㈥中國金融証卷投資信息網（www.homeway.cn.net）

㈦中國銀行（www.bank-of-china.com）

㈧中國工商銀行（www.icbc.com.cn）

㈨中國建設銀行（longcard.bol.com.cn）

㈩中國農民銀行（www.abocn.com）

七、產業資訊類

㈠中國展覽會信息中心（www.exhibition.com.cn）

㈡中國資訊庫大展（www.sti.ac.cn/Exhibition/invi.htm）

㈢中國開發區之窗（www.sezo.gov.cn）

八、新聞傳播資訊類

㈠中文媒體總匯（zzi.hypermart.net/mediatxg.htm）

㈡中國大陸新聞與傳播媒介（www.cyberexp.com/info/hotsite-gb/）

㈢中國每日新聞檔案（china-a2z.com/index.htm）

㈣中國記協新聞報刊網路中心（www.acja.org.cn）

㈤中國國際互聯網新聞中心（www.china.org.cn/index.html）

㈥中國報刊聯機服務中心（www.em.com.cn）

㈦新華通訊社（www.xinhua.org）

㈧網路報（www.ncc.com.cn）

㈨新聞網（202.96.135.66）

㈩金融時報（www.jrsbonline.com.cn）

(十一)中國新聞社（www.chinanews.com/cnsinfo.html）

(十二)中央電視臺新聞（www.cctv.com/news/cnews.htm）

(十三)中國地區新聞（www.chinapages.com/news.html）

(十四)中國新聞電腦網路（www.cnd.org）

(十五)電腦龍（www.cyberdragon.com）

(十六)人民日報（www.peopledaily.com.cn）

(十七)人民日報海外版（www.egis.com/gb/people_daily_os）

(十八)大公報（www.takungpao.com）

(十九)中國日報（www.chinadaily.com）

(二十)中國日報與 Cnet 新聞數據庫（www.chinadaily.com.cn）

(二一)中國線上報紙（www.em.com.cn/news/news.htm）

(二二)文匯報（www.wenweipo.com）

(二三)南方日報（www.nanfangdaily.com.cn）

(二四)科技日報（www.stdaily.com）

(二五)網上中國日報（www.ihep.ac.cn/~cbnet/cd.html）

(二六)電子報攤（www.ipoc.com.hk/pns）

(二七)信息時報（www.cninfotimes.com）

(二八)廣州日報網路報（http://www.gznet.com/news/gzdl/welcome.html）

九、文化藝術資訊類

(一)中國當代藝術家畫庫（www.zlnet.com.cn/gallery/gallery.htm）

(二)中國藝術（www.chinaarts.com）

(三)藝術殿堂（www.jiangmen.gd.con/art/art.htm）

(四)中國文化展望（www.chinavista.com/culture/home.html）

(五)地方文化（www.wuhan.net.cn/wuhan/tour/dfwh.htm）

(六)當代中國研究（www.cmcic.org/studies/index.html）

(七)中國古今書畫名家（www.hiarts.com/arts/painter/omulu.htm）

(八)中國民間美術信息服務系統（seic3.seu.edu.cn/art/ar.htm）

(九)中國藝術在線（www.yunnanschool.com/chinaart-online/index.html）

十、論壇資訊類

(一)中文論壇集錦（www.gis.net/~xzm/it）

㈡東西南北論壇（www.omnitalk.com/index.html）

㈢流行中國（www.popchina.com）

㈣國內 BBS 站（www.scau.edu.cn/bbs.html）

㈤華人論壇（www.chinese-bbs.com）

㈥網友論壇（vsvr.cptsh.net.cn/bbs）

十一、政府資訊類

㈠政府上網工程（http://www.gov.cn/）

㈡國務院發展研究中心（http://www.drcnet.com.cn）

㈢國家經濟貿易委員會（http://www.setc.gov.cn/）

㈣教育部（http://www.moe.edu.cn/）

㈤文化部（http://www.ccnt.gov.cn）

㈥交通部（http://www.moc.gov.cn）

㈦科學技術部（http://www.most.gov.cn）

㈧外交部（http://www.fmprc.gov.cn/）

㈨信息產業部（http://www.mii.gov.cn）

㈩中國人民銀行（http://www.pbc.gov.cn/）

⼟中國郵電電信總局（http://www.chinatelecom.com.cn）

⼟山東省信息中心（www.binzhou.net.cn）

十二、法律、標準資訊類

㈠中國法律信息網（www.chinalawinfo.com）

㈡中國專利局（www.cpo.cn.net）

十三、旅遊、交通資訊類

㈠中國旅行者之家（www.cnxabc.com/travel）

㈡中國旅遊資訊中心（www.wuhan.net.cn/wuhan/chinat/home.htm）

㈢中國旅遊網路（www.hpis.com）

㈣中國旅遊圖（159.226.2.8/china.html）

㈤中國商業及旅遊中心（www.go-china.com）

㈥信息城——名城風采（www.sit.online.sh.cn/wuxi/wuxi.htm）

㈦歡迎光臨中國（www.bta.net.cn/travel.cn/chinats.htm）

㈧中國飯店聯合信息網（www.chinahotel.com）

(九)中國酒店旅行社信息咨詢網（www.chinahotel-list.com）

(十)旅信網路（www.ctrs.com.cn）

(十一)在線氣象臺（serve.cei.gov.cn/sl/slindex.htm）

(十二)中國航天金網（www.china-aerospace.com）

(十三)全國鐵路列車時刻查詢（202.94.1.79/~lvxiang/train/tl.html）

(十四)大陸旅遊信息網（http://www.dalu.online.sh.cn/）

十四、生活流行資訊類

(一)中國服飾網（www.chinafashion.com）

(二)中國臺源網路——服飾信息（tnet.beijing.cn.net）

(三)臺源網路（www.tnet.cn.net）

(四)東方神韻（www.goyo.com.cn/model）

(五)時尚（www.fashion.com.cn）

(六)中國文娛網（www.chinacue.cn.net/cue/index1.htm）

(七)中國生活美學網（www.chinasea.com/index.htm）

(八)中國電影（www.cbn.com.cn/chinafilm）

(九)中國音樂網雜誌（musichina.bol.com.cn）

十五、門戶網站（Portal Site）與搜尋網站

(一)長青藤（www.tonghua.com.cn）

(二)若比鄰（www.robot.com.tw）

(三)搜狐（www.sohoo.com.tw）

(四)悠游（www.goyoyo.com）

(五)四通利方新浪網（www.richsurf.com）

(六)搜索客（www.cseek.com）

(七) Yeah（www.yeah.net）

(八)香港添達（www.hksrch.com）

(九) ChinaNet（search.chinanet.cn.net）

(十)東方網景中文地址手冊（www.east.cn.net/search）

(十一)中經搜索（infonavi.cei.gov.cn）

(十二)瑞得在線（www.rol.cn.net/station/index.htm）

(十三) Yippee（www.yippee.com.tw ）

㈩ ChinaOK（www.chinaok.com）

㈤人民（www.renmin.net）

㈥北極星（www.beijixing.com.cn）

㈦中國導航（www.easy.com.cn）

㈧好多（www.lotof.com/main.htm）

國家圖書館出版品預行編目資料

沈寶環教授八秩榮慶祝壽論文集

賴鼎銘主編.— 初版.— 臺北市：臺灣學生，
1999[民 88]　面；公分，含索引

ISBN 957-15-0994-9 (精裝)
ISBN 957-15-0995-7 (平裝)

1.圖書館學 – 論文，講詞等
2.資訊科學 – 論文，講詞等

020.7　　88016411

沈寶環教授八秩榮慶祝壽論文集

主編者：賴鼎銘
出版者：臺灣學生書局
發行人：孫善治
發行所：臺灣學生書局
臺北市和平東路一段一九八號
郵政劃撥帳號00024668號
電話：(02)23634156
傳真：(02)23636334

本書局登記證字號：行政院新聞局局版北市業字第玖捌壹號

印刷所：宏輝彩色印刷公司
中和市永和路三六三巷四二號
電話：(02)22268853

定價：精裝新臺幣六八〇元
平裝新臺幣五八〇元

西元一九九九年十一月初版

07810

ISBN 957-15-0994-9 (精裝)
ISBN 957-15-0995-7 (平裝)